Alter Orient und Altes Testament
Veröffentlichungen zur Kultur und Geschichte
des Alten Orients und des Alten Testaments

Band 39
Jan-Waalke Meyer
Untersuchungen zu den Tonlebermodellen aus dem Alten Orient

Alter Orient und Altes Testament

Veröffentlichungen zur Kultur und Geschichte des Alten Orients
und des Alten Testaments

Herausgeber

Kurt Bergerhof · Manfried Dietrich · Oswald Loretz

1987

Verlag Butzon & Bercker Kevelaer

Neukirchener Verlag Neukirchen-Vluyn

Untersuchungen zu den Tonlebermodellen aus dem Alten Orient

von

Jan-Waalke Meyer

1987

Verlag Butzon & Bercker Kevelaer

Neukirchener Verlag Neukirchen-Vluyn

CIP-Kurztitelaufnahme der Deutschen Bibliothek

Meyer, Jan-Waalke:
Untersuchungen zu den Tonlebermodellen aus dem Alten Orient / von Jan-Waalke Meyer. – Kevelaer : Butzon u. Bercker ; Neukirchen-Vluyn : Neukirchener Verl., 1987.
(Alter Orient und Altes Testament ; Bd. 39)
ISBN 3-7666-9554-1 (Butzon u. Bercker)
ISBN 3-7887-1271-6 (Neukirchener Verl.)
NE: GT

D 297

Herstellung: Weihert-Druck GmbH, Darmstadt
Printed in Germany
ISBN 3-7887-1271-6 Neukirchener Verlag
ISBN 3-7666-9554-1 Verlag Butzon & Bercker
ISSN 0931-4296

Für Gudrun

Vorwort

An dieser Stelle sei zunächst allen Universitätslehrern gedankt, deren Vorlesungen, Seminare und Übungen ich während meiner Studienzeit besuchen konnte: J. BOESE, M. A. BRANDES, K. HECKER, G. HIESEL, H. HILLER, O. KRÜCKMANN (†), W. ORTHMANN, H. STEIBLE, J. WIESNER (†), G. WILHELM. Ganz besonderer Dank gilt meinem Doktorvater Herrn Professor Dr. W. ORTHMANN, der mich theoretisch und praktisch in das Fachgebiet der Vorderasiatischen Archäologie eingeführt und den Fortgang meiner Arbeit durch Anregungen verschiedenster Art unterstützt hat. Gleichzeitig möchte ich mich bei den Herren Professoren Dr. R. HACHMANN und Dr. W. ORTHMANN für die Möglichkeit bedanken, an Ausgrabungen in Deutschland und im Orient teilnehmen zu können.

Freundliche Unterstützung und wertvolle Hinweise für die Ausarbeitung habe ich von vielen Seiten erfahren: Herr Professor Dr. H. OTTEN gewährte mir Einsicht in die unpublizierte Habilitationsschrift von Dr. K. RIEMSCHNEIDER (†) und stellte mir außerdem die noch unpublizierten Tonlebermodelle aus Boğazköy zur Verfügung. Informationen zu weiteren Modellen erhielt ich von Herrn Professor Dr. P. AMIET (Mari), Herrn Professor Dr. D. ARNAUD (Emar), Frau Dr. A. CAUBET (Ugarit), Frau Professor Dr. S. MAZZONI (Ebla). Darüber hinaus haben die Gespräche mit den Herren Professoren Dr. J. RENGER und Dr. G. WILHELM sowie der Briefwechsel mit den Herren Professoren Dr. R. D. BIGGS und Dr. H. G. GÜTERBOCK erheblich zum Verständnis der hier behandelten Problematik beigetragen.

Für die Durchsicht der philologischen Passagen danke ich Herrn Professor Dr. G. WILHELM; die Verantwortung für etwaige Fehler trage ich indes allein.

Die Aufbereitung des Manuskripts für das Textbearbeitungsprogramm (TeX) erfolgte unter Anleitung und mit Hilfe von Herrn Professor Dr. W. ORTHMANN. Die Druckvorlage wurde am Rechenzentrum der Universität des Saarlandes erstellt. Für die Aufnahme der Arbeit in die Reihe "Alter Orient und Altes Testament" möchte ich mich bei den Herren Professoren Dr. O. LORETZ und Dr. M. DIETRICH aufrichtig bedanken.

Nicht zuletzt gilt mein Dank Frau M. ZORN für die Erstellung der Photos und Herrn M. LEICHT für die Anfertigung und Reinzeichnung eines großen Teiles der Abbildungen.

Köln, im Juli 1987

Inhaltverzeichnis

EINLEITUNG

Durch die Ausgrabungen in Mari und Boğazköy sind seit den 30er Jahren eine beträchtliche Anzahl gleichartig geformter Tongegenstände bekannt. Aufgrund ihrer äußeren Form und ihrer Inschriften werden sie im deutschen Sprachgebrauch unter dem Gattungsbegriff "Tonlebermodelle" zusammengefaßt, während sie im französischen Sprachgebiet als "modèles de foies" oder "maquettes", im englischen als "clay liver models" bezeichnet werden. Dieser Terminus geht auf die akkadische Bezeichnung *amūtu* "Leber", "Weissagung" zurück, die sich u.a. in den Inschriften der Modelle aus Mari findet.

Diese Tongegenstände weisen die Form einer Tierleber — nach Aussage der Texte einer Schafsleber — auf; alle Exemplare sind mit Einritzungen und/oder Applikationen versehen, ein Teil von ihnen zeigt zusätzlich noch eine mehr oder weniger umfangreiche Beschriftung. Aus den Inschriften geht hervor, daß diese Modelle zu dem großen Bereich der orientalischen Wahrsageliteratur gehören; Texte dieser Gattung, insbesondere die Omina, bilden seit Beginn der Keilschriftforschung einen Schwerpunkt wissenschaftlicher Studien. (u.a. LENORMANT 1874; 1875; KNUDTZON 1893; BOISSIER 1894/99; 1899; 1901; 1905; 1935; VIROLLEAUD 1904; 1905; ZIMMERN 1901; JASTROW 1912a).

In den letzten Jahrzehnten sind neben weiteren Materialvorlagen zahlreiche Arbeiten über das System der Weissagungen, über den kulturellen Hintergrund sowie die Stellung dieser Texte innerhalb der altorientalischen Literatur und Wissenschaft entstanden (u.a. die zahlreichen Arbeiten von NOUGAYROL, OPPENHEIM 1936; 1964; RENGER 1969:201–217; BOTTERO 1974; STARR 1974); es stellte sich heraus, daß die Omina ein in sich geschlossenes System darstellen, mit eigenem technischen Vokabular (dazu u.a. NOUGAYROL 1976:343–350). Darüber hinaus konnte mit Hilfe dieser Texte auch das Wissen über historische (z.B. GOETZE 1947b:253–265; HUNGER 1972:180–181) und soziale (z.B. NOUGAYROL 1971a:28–36) Aspekte der altorientalischen Gesellschaft erweitert werden. Grundlage dieser Arbeiten ist vor allem das umfangreiche Textmaterial; die Tonlebermodelle sind, bis auf wenige Ausnahmen, nicht als eigene Fundgruppe angesehen, sondern vorwiegend im Rahmen von Gesamtdarstellungen zur orientalischen Religion untersucht und ausgewertet worden. Nachdem sich der Denkmälerbestand durch die Grabungen der letzten Jahrzehnte erheblich erhöht hat, erscheint eine ausführliche Bearbeitung dieser Objekte, die sowohl für die vorderasiatische Archäologie als auch für die altorientalische Philologie von besonderer Bedeutung sind, gerechtfertigt.

Aufgrund sprachlicher Übereinstimmungen können die Tonlebermodelle als eine Sonderform der Omentexte aufgefaßt werden, und sie sind, ebenso wie diese, Ausdruck der geistigen Auseinandersetzung des Menschen mit seiner Umwelt. Der sich von den Naturkräften bedroht fühlende Mensch hat schon früh Möglichkeiten geschaffen, diesen Gefahren und Unwägbarkeiten entgegenzutreten: die Magie, die Religion und die Mantik. Es erscheint im Rahmen der vorliegenden Thematik notwendig, die Bedeutung dieser im Zusammenhang mit den Modellen immer wieder auftretenden Begriffe so gegeneinander abzugrenzen, wie sie im folgenden verstanden werden sollen (vgl. dazu HAEKEL 1971:72–141).

- Religion ist der Glaube des Menschen an überweltliche transzendente Wesen und Mächte in personaler Gestalt einer oder mehrerer Gottheiten, von denen er abhängig ist; Mensch und Mächte stehen in einer kultischen Beziehung zueinander, die in normativ bestimmter Weise das Verhalten (sittliche Ordnung) des Menschen beeinflußt.
- Magie ist der Versuch des Menschen, die Natur unmittelbar beherrschen zu wollen. Mit Hilfe einer festgelegten rituellen Technik, die von Personen ausgeübt wird, die mit entsprechendem Wissen und

entsprechenden Kräften ausgestattet sind, sollen die unpersönlichen Mächte unter direkte Kontrolle gebracht werden; zwischen dem Subjekt einer magischen Handlung und ihrem Objekt besteht ein irrationaler Kausalitätszusammenhang. Im Gegensatz zur Religion existiert keine bewußte Abhängigkeit von höheren, schicksalbestimmenden Mächten, sondern alles kann durch die Kraft der Magie, die immer auf ein bestimmtes Ziel ausgerichtet ist, gelenkt werden.

- Mantik ist der spekulative Versuch des Menschen, Dinge, die der Erkenntnis verschlossen sind, vor allem die Zukunft, bzw. die zukünftigen Ereignisse, zu ergründen und dabei festzustellen, ob eine geplante Handlung den gewünschten Ausgang haben wird. Die Mantik beruht also auf der Überzeugung, daß die übernatürlichen Mächte ihren Willen in verschiedenen, nur einer bestimmten Gruppe von Menschen (den Wahrsagern) bekannten Phänomen (Zeichen) kundtun. Dabei ist zwischen zwei Formen der Mantik zu unterscheiden: der intuitiven (divinatio naturalis) und der induktiven (divinatio artificialis) Weissagung. Während die intuitive Weissagung auf göttlicher Offenbarung durch unmittelbare Eingebung beruht (z.B. Träume, Ekstase, Nekromantie), resultiert die induktive Form aus der Beobachtung und Auswertung von Zeichen (Omen). Bei dieser Technik sind wiederum zwei Kategorien zu unterscheiden: provozierte und unprovozierte Vorzeichen. Zu den provozierten Omen gehören u.a. Mehl-, Rauch- und Ölwahrsagung, zu den unprovozierten die Eingeweide- und Vogelschau sowie Beobachtung von Naturerscheinungen. Alle Formen der Mantik stellen eine Technik der Kommunikation zwischen Mensch und übernatürlichen Mächten dar. Während die Magie durch eine rituelle Technik etwas erzwingen will, will die Mantik etwas erfahren; Erfolg ist in beiden Techniken aber nur durch Einhaltung der jeweils vorgeschriebenen Regeln möglich.

Die Weissagungen, die aus der Befragung der Leber resultieren (und damit auch die Tonlebermodelle), gehören in den Bereich der mantischen Praktiken. Ein Mittel, den göttlichen Willen zu erfragen, ist das Omen (Vorzeichen), das Beobachten von Phänomenen in Natur und Umwelt, denen Zeichenbedeutung zugeschrieben wird, d.h. die Positives oder Negatives anzeigen. Diese Dichotomie von positiv-negativ, günstig-ungünstig usw. beherrscht das gesamte Wahrsagewesen; sie tritt nicht nur bei der Auswertung von Einzelbefunden (Omina) auf, sondern ist auch Grundlage des Systems der Auswertung (pars familiaris versus pars hostilis). Die Beschreibung der Prinzipien, nach denen die Kennzeichnungen auf den Tonlebermodellen erfolgten, soll daher auch von dieser Dichotomie ausgehen.

Ein Mittel des Menschen, den Naturkräften und der Ungewißheit der eigenen Existenz entgegenzutreten, besteht in der Erforschung der Zukunft bzw. des göttlichen Willens mit Hilfe der Divination. Die ersten schriftlichen Erwähnungen von Wahrsagern in Mesopotamien stammen aus der frühdynastischen Zeit (vgl. dazu ausf. FALKENSTEIN 1966:45–68); doch reicht die Ausübung der Divination weiter zurück als das entsprechende Textmaterial. Nach einer allerdings späten Tradition, soll Enmeduranki, der mythische König von Sippar, die Kunst der Ölwahrsagung und der Eingeweideschau von Šamaš und Adad erhalten haben, mit dem Auftrag, diese Fähigkeiten, die der Erfragung des göttlichen Willens dienen, an die Menschen weiterzugeben (K 4364 + K 2486+ m. Dupl. = LAMBERT 1967: 132; vgl. GADD 1948:11.52). Während die Traumdeutung in altsumerischer Zeit gut belegt ist (dazu FALKENSTEIN 1966:56–64) gibt es für die Verwendung der Eingeweideschau nur vereinzelte Hinweise (nur die Berufsbezeichnung (*lú-*)*máš-šu-gíd-gíd* sowie wenige Texte aus Lagaš, Fārā und Abu Ṣalābīḫ; dazu RENGER 1969:203 Anm. 937–938), der Astrologie und anderer Divinationsmethoden. Auch die Terminologie der späteren altbabylonischen Omina enthält, im Gegensatz zu anderen Literaturgattungen (z.B. den Beschwörungen), kaum Sumerogramme; daher ist das Sammeln von ominösen Vorzeichen, ihre Systematisierung in umfangreichen Textsammlungen und ihre Tradierung auf Konzeptionen der Akkader zurückzuführen (vgl. aber VON SODEN 1936, der die Systematisierung der Omentexte als "eine Verbindung sumerischer Ordnungstendenz mit akkadischer Beobachtungsgabe" ansieht).

Mit Beginn der altbabylonischen Zeit setzt dann eine intensive Entwicklung der Divination ein, die auch zur Entstehung der Tonlebermodelle führt. Trotz Überlieferungslücken läßt sich für die Praxis der Opferschau ein Zeitraum von fast zweitausend Jahren bis zur Seleukidenzeit überschauen, ein Zeitraum, in dem sich die einmal entwickelten Divinationsmethoden kaum gewandelt haben.

Die Zukunftsdeutung aus der Eingeweideschau erfordert eine sorgfältige Beobachtung der Organe, das Erkennen von normalen und anomalen Zuständen, die Entwicklung einer Terminolgie für Organteile und

Krankheiten. Durch gewissenhafte, akribische Untersuchungen der Eingeweide sowie durch Hinzufügung "spekulativer Abnormitäten" erweiterte sich die Anzahl der möglichen Omina, so daß nur durch eine Systematisierung der auftretenden Veränderungsmöglichkeiten die einheitliche Beurteilung von vergleichbaren Befunden gewährleistet war. Diese Ordnung erfolgte durch schriftliche Fixierung möglicher ominöser Vorkommnisse in sogenannten Kompendien, deren Aufbau zuerst in den sumerischen Rechtssprüchen des Urnammu verwendet wurde; dabei handelt es sich um ein kasuistisch gestaltetes Schema (dazu OPPENHEIM 1964: 223–224), das in Vor- und Nachsatz (Bedingung: Entscheidung, Protasis: Apodosis) gegliedert ist. Diese Gestalt behalten die Omenkompendien während ihrer gesamten Verwendungsdauer.

Bei der Eingeweideschau handelt es sich um eine, nach einem festgesetzten Ritual durchgeführte Opferschau, in deren Verlauf das untersuchte Tier als Opfer dargebracht wird (vgl. z.B. MCL 291,1–2 = GOETZE 1957a: 94–99); diese Rituale werden ausschließlich von dafür zuständigen Personen, den Wahrsagern (*bārû*), vollzogen (zur Person und Aufgabe des Wahrsagers ausf. vgl. RENGER 1969: 201–217). Zu den einleitenden Opferhandlungen gehört das Gebet (ausf. erhalten im Text HSM 7494 = STARR 1974), in dem die Götter um günstige Beschaffenheit der Organe gebeten werden. Die anschließende Inspektion und Auswertung der vorgefundenen Zeichen führt zu einer Entscheidung, die Rechtscharakter besitzt (vgl. ZIMMERN 1901: 87).

Ausschlaggebend für die Beurteilung ist die Beschaffenheit der Organe; ihre Oberfläche ist in klar begrenzte Bereiche eingeteilt, die einzeln in festgelegter Reihenfolge untersucht werden. Alle Abweichungen von einem als "normal" definierten Zustand — wie Lage der einzelnen Organteile zueinander, mehrfaches Vorkommen eines Organteiles, Form und Farbe, Erscheinungen wie Löcher, Flecken, Pusteln, usw. — werden entsprechend der Bedeutung der auftretenden Anomalien interpretiert.

Als "Normalzustand" ist ein auf Übereinkunft und Erfahrung beruhendes System von Erscheinungsformen der einzelnen Bereiche zu verstehen; aus der ständigen Beobachtung der inneren Organe sowie ihrer Teilbereiche hat der Opferschauer (*bārû*) eine Vorstellung von einem als ideal angesehenen Zustand entwickelt (in der Beobachtung und Unterscheidung einander ähnlicher Phänomene ist der Beginn wissenschaftlicher Betrachtungsweise zu sehen). Ein in seinen Einzelelementen einfach strukturierter Omentext soll verdeutlichen, was unter "normal" zu verstehen ist: ^{1}*ma-az-za-za-am i-šu* ^{2}*pa-da-na-am i-šu* ^{3}KÁ.É.GAL *ša-lim* ^{4}*šu-ul-mu pa-ar-ku* ^{5}*ša-ki-in* ^{6}*ma-ar-tum ša-al-ma-a-at* ^{7}*ú-ba-nu-um ša-al-ma-a-at* ^{8}*ḫa-šu-ú ù li-ib-bu* ^{9}*ša-al-mu* ^{10}12 *ti-ra-nu* ^{11}*te-er-tum im-me-er* ^{12}*ku*$^{!}$*-ṣi-im* ^{13}*ša-al-ma-a-at* ^{14}*mi-im-ma la ta-na-ak-ku-ud* "(Die Leber) hat einen Standort, einen Pfad, das Tor des Palastes ist normal, ein querliegendes *šulmu* (Wohlbefinden), die Gallenblase ist normal, der Finger ist normal, Lunge und Herz sind normal. 12 Windungen des Dickdarms. Die Opferschau eines Winterschafes ist günstig; befürchte nichts" (CT 4 34b, Bu 88-5-12,591). Alle hier aufgeführten Teilbereiche werden entweder als *īšu*, *šakānu* "vorhanden" oder *šalāmu* "unversehrt" beschrieben, ein Zustand, der eine günstige Omenaussage zur Folge hat.

Die Ergebnisse einer Opferschau werden in einem Bericht notiert (z.B. GOETZE 1957a: 89–105; NOUGAYROL 1967: 219–233; vgl. aber NOUGAYROL 1966: 13, der Berichte und Kompendien als Praxis und Theorie bezeichnet) und zu einer Omenaussage zusammengefaßt, die entsprechend der Tendenz der Einzelergebnisse positiv oder negativ ausfallen kann.

Die beiden Formen der Omentexte, die Kompendien und die Berichte, bilden den größten Teil der Omenliteratur des 2. Jts.v.Chr. und müssen daher in die Bearbeitung der Tonlebermodelle mit einbezogen werden (die *tamītu*- Texte und die im 1. Jts.v.Chr. häufig belegten "Anfragen an den Sonnengott" enthalten ebenfalls Informationen zur Leberschau, sind aber für das Thema von geringerer Bedeutung).

Im Rahmen der Eingeweideschau des 2. Jts.v.Chr. ist der Untersuchung der Leber eine dominierende Stellung innerhalb der mantischen Praktiken einzuräumen; unter den Omentexten überwiegen eindeutig die Leberschautexte, und auch die Anzahl von entsprechenden Tonmodellen übertrifft die anderer Organe, wie z.B. der Lunge und der Eingeweide (zusammengestellt bei NOUGAYROL 1968: 32; hinzuzufügen zwei Eingeweidemodelle aus Ebla, TM76G.395–396a-f, unpubliziert). Möglicherweise ist in dieser Betonung der Leberschau ein Anhaltspunkt dafür zu sehen, daß diese Art der Zukunftsdeutung die älteste Divinationsmethode in Mesopotamien ist.

Allerdings geht aus den Texten nicht eindeutig hervor, warum gerade die Leber eine so bedeutende Rolle innerhalb der Eingeweideschau eingenommen hat. Es ist anzunehmen, daß die Funktion des Organs eine Verwendung als Divinationsobjekt gefördert hat, allerdings ohne damit ein Wissen um den physiologischen Zusammenhang voraussetzen zu wollen; da die Leber durch die Pfortader das von ihr zu bearbeitende venöse Blut und durch die Leberarterie das sie ernährende Blut erhält, besitzt sie einen doppelten Blutkreislauf, der es mit sich bringt, daß zahlreiche Krankheitserreger in dieses Organ gelangen, dort abgelagert werden und dann häufig Veränderungen hervorrufen, die an der Oberfläche sichtbar sind. Das stark variierende äußere Erscheinungsbild der (Schafs) Lebern mag die divinatorische Verwendung des Organs nahegelegt haben und könnte auch für die im babylonischen Bereich verbreitete Auffassung, in der Leber den "Sitz des Lebens" (der Empfindungen, der Seele) zu sehen (so u.a. auch bei den Griechen, vgl. BOUCHÉ-LECLERCQ 1879/82:I 711; IV 68.71.102.115) verantwortlich sein; diese Auffassung beruht jedoch ebenfalls auf vorausgegangenen (älteren) Erfahrungen, die erst zu dieser Ansicht geführt haben (auf die auch bei vielen "primitiven" Völkern verbreitete Ansicht, in der Leber den "Sitz des Lebens" zu sehen und dieses Organ ebenfalls zur Zukunftsdeutung zu verwenden, kann hier nicht eingegangen werden, vgl. JASTROW 1912:143–168; OPPENHEIM 1964:213; es soll aber darauf hingewiesen werden, daß immer nur die Leber der in den jeweiligen Kulturkreisen dominierenden Nutztiere dergestalt verwendet wird, so u.a. Afrika: Gänse; Ostasien: Schweine: Innerasien, China: Schafe).

Diese Erfahrungen liegen ohne Zweifel weiter zurück als die Zeiten, die durch schriftliche Überlieferung zu überblicken sind; eine mögliche Erklärung kann daher auch nur hypothetisch sein: Die herausragende Bedeutung des Schafes als Nutz- und Haustier in Mesopotamien hat schon früh dazu geführt, es auch als Opfertier zu verwenden; die Beobachtungen während der Schafopfer führten zu umfangreichen Kenntnissen über Beschaffenheit und Veränderungsmöglichkeit der Eingeweide, besonders der Leber; diese Beobachtungen haben dann — entsprechend dem magisch-religiösen Weltbild — die Leberdivination veranlaßt. Eine gewisse Bestätigung und zugleich eine religionsgeschichtliche Interpretation der hier vorgeschlagenen Abfolge kann dem sumerischen Mythos vom "Schaf und der Getreidegottheit" (CHIERA 1929:26–32) entnommen werden (als späte Reflexion älterer Zustände).

Der Text berichtet von dem Mangel, unter dem die Menschen leiden, vom Fehlen einer festen Regierungsform; erst nachdem die Anunnakū-Götter das Schaf und die Getreidegottheit geschaffen haben, herrscht Überfluß. Die Schilderung ist als literarisches Bild für den Beginn der Seßhaftwerdung der Menschen aufzufassen: Mit der Domestikation der Haustiere (Schaf) und des Getreides (Gerste) können ausreichend Nahrungsmittel produziert werden ("Leben im Überfluß"), und es entstehen die ersten Siedlungen. Durch ein zweites Bild wird dieser entscheidende Prozeß noch einmal verdeutlicht. In Zeile 35 heißt es: "Im heiligen Schafpferch ließen sie (die Anunnakū-Götter) für ihr Wohlergehen in den Menschen Lebensodem reichlich vorhanden sein" (n. PETTINATO 1971:86). Der Akt der Menschenschöpfung wird gleichgesetzt mit dem Beginn des seßhaften Lebens, mit der Entstehung der eigenen Zivilisation (vgl. dazu FALKENSTEIN 1965: 140). Doch es besteht auch weiterhin eine Abhängigkeit von den Göttern ("für ihr Wohlergehen"). Durch die Tatsache, daß sich die Menschwerdung im "heiligen Schafpferch" vollzieht, daß das Schaf Voraussetzung für die Menschwerdung (den seßhaften Mensch) ist, kann das Schaf als Mittler zwischen Gott und den Menschen angesehen werden Diese Mittlerrolle des Schafes wird u.a. dadurch betont, daß die Götter in den Eingeweiden des Opfertieres ihren Willen, bzw. ihre Forderungen durch Zeichen kundtun (so auch GADD 1948:57 m. Anm. 4; vgl. dazu S. 72–73).

Eine empirische Verfahrensweise zur Interpretation der Tonlebermodelle ist nicht anwendbar, da sowohl die Anzahl als auch die Konzeption der zur Verfügung stehenden Primärquellen (beschriftete Modelle, illustrierte Omentexte) eine entsprechende Bearbeitung nicht erlauben. Es soll deshalb von der — zunächst — hypothetischen Annahme ausgegangen werden, daß die Modelle dennoch eine Aussage besitzen. Diese Hypothese wird durch jenen Teil der Tonlebern, die beschriftet sind, gestützt, kann aber endgültig nur durch den Nachweis der "Lesbarkeit" der unbeschrifteten Exemplare bestätigt werden. Voraussetzung für die "Lesbarkeit" ist das Vorhandensein eines geschlossenen Zeichensystems (Code). Als weitere Hypothese wird eine Korrelation zwischen dem graphischen Zeichensystem der Lebermodelle und dem verbalen der Omentexte angenommen, ohne daß allerdings eine Kongruenz dieser Systeme und eine ein-eindeutige Beziehung zwischen den einzelnen Zeichen der jeweiligen Systeme vorausgesetzt werden soll. Ein solches

Vorgehen macht eine gründliche Untersuchung auch der Omentexte und dem ihnen zugrundeliegenden Zeichensystem nötig.

Da die Anzahl der unterschiedlichen Omina der Omentexte sehr groß ist, das Repertoire möglicher Kennzeichnungen aber sowohl aus theoretischen (die Kennzeichnungen müssen ein-eindeutig sein) als auch aus praktischen Erwägungen (die Kennzeichnungen sind an das Material, den Ton, und an den Raum, die Modelle, gebunden) begrenzt ist, muß die Vielfalt der möglichen Omenaussagen zu einer überschaubaren Menge von Kennzeichnungen zusammengefaßt werden. Diese Reduktion der Formen wiederum impliziert nur dann eine — zumindest für einen bestimmten Personenkreis — verständliche Äußerung, wenn die Darstellungsweise auf einem festgelegten System (Code) beruht (Notationsschema).

Das zentrale Anliegen dieser Arbeit wird es daher sein, die Grundlagen dieses Systems zu erkennen und aus dem vorhandenen Material zu rekonstruieren; dabei soll vorwiegend von den Informationen ausgegangen werden, die den beschrifteten Tonlebern und den illustrierten Omentexten zu entnehmen sind. Ausgehend von dem Verhältnis von Inschriften zu graphischen Zeichen (Wort und Bild) kann die Struktur der Modelle bestimmt werden; aus dem anschließenden Vergleich dieser Struktur mit dem unterschiedlichen Aufbau der Omentexte (als Kompendien bzw. Berichte) ergeben sich unter Umständen Hinweise auf die Bedeutung der Modelle (Kap. IV).

Mit Hilfe des Systems der Kennzeichnungen (Notationsschema) sollen dann sowohl die beschrifteten als auch die unbeschrifteten Tonlebermodelle interpretiert und — falls möglich — in Analogie zu den Omentexten klassifiziert werden (Kap. V).

Ziel der vorliegenden Untersuchung ist es, neben einer vollständigen Materialvorlage, Bedeutung und Verwendung der Tonlebermodelle zu erfassen und Erklärungen für ihre unterschiedliche Gestaltung herauszufinden; auf der Basis dieser Ergebnisse soll eine Klassifikation der Objekte vorgelegt werden, die alle Eigenschaften der Tonlebern, entsprechend ihrer typologischen Relevanz, berücksichtigt. Weitere Gesichtspunkte sind Entwicklung und Verbreitung dieser Fundgattung sowie Fragen der Überlieferung.

Der zeitliche Rahmen wird dadurch bestimmt, daß, bis auf eine Ausnahme, alle Modelle aus Fundkomplexen stammen, die in das 2. Jts.v.Chr. zu datieren sind. Da aber die Struktur der Omentexte keinem substantiellen Wandel unterworfen ist, kann auch jüngeres Textmaterial zur Interpretation der Darstellungen auf den Modellen herangezogen werden.

Die Arbeit gliedert sich in fünf Kapitel, an die sich ein Fundkatalog aller Tonlebermodelle anschließt. In Kapitel I werden die bisher für diese Fundgattung vorgeschlagenen Typologien diskutiert sowie Gründe und Voraussetzungen für eine Neueinteilung erörtert. Kapitel II behandelt die archäologischen Kriterien, die für eine Unterteilung der Tonlebern relevant sind. Besonderes Gewicht wird dabei auf die Fundortanalyse gelegt, durch die sich Hinweise auf die Funktion der Gebäudekomplexe, aus denen die Modelle stammen, ergeben; die jeweilige Fundsituation läßt sowohl auf den Ort der Verwendung als auch auf die relative Datierung der Objekte Rückschlüsse zu. In Kapitel III werden physiologische Voraussetzungen für die Interpretation der Modelle behandelt. Dazu gehören das System der Einteilung der Leberoberfläche in fest begrenzte Bereiche und die Übertragung der medizinischen Terminologie der Babylonier auf die entsprechende moderne Begrifflichkeit. Darüber hinaus wird der Versuch unternommen, in den Texten erwähnte Erkrankungen anhand ihrer Beschreibung und/oder ihrer Darstellungsweise mit tatsächlich auf Schafslebern nachzuweisenden Krankheitsbildern zu vergleichen. Kapitel IV enthält den theoretischen Ansatz zur Interpretation der Darstellungen sowie die Aufstellung eines Notationsschemas vorkommender Kennzeichnungen und deren ominöse Bedeutung. Mit Hilfe dieses Schemas erfolgt in Kapitel V die Auswertung aller bekannten Tonlebermodelle. Schließlich werden in Form eines historischen Resümees die Fragen nach Bedeutung, Verwendung und Verbreitung der Tonlebermodelle zusammenfassend behandelt.

I

STAND DER FORSCHUNG

Die bisherigen typologischen Ansätze

In zwei Arbeiten wurde der Versuch einer typologischen Gliederung dieser Fundgattung unternommen (LANDSBERGER/TADMOR 1964:201–218; NOUGAYROL 1968:31–50). Da beide Ansätze primär aus philologischer Sicht erfolgten, dienten in besonderem Maße die auf den Modellen schriftlich fixierten Aussagen als Kriterium für die jeweils postulierten Gruppen. Neben rein formalen Aspekten wie Duktus, Orthographie und Grammatik der Inschriften wurde ihre in Relation zu den bekannten Omenserien unterschiedliche Vollständigkeit als Grundlage der Einteilung herangezogen. Der für eine umfassende Klassifikation als notwendig angesehene Vergleich zwischen Inschriften einerseits und Beschaffenheit und Struktur der graphisch gekennzeichneten Oberfläche andererseits wurde nur in geringem Umfang berücksichtigt. Archäologische Aspekte, wie Form und Gestaltung der Modelle oder eine Analyse der Fundstellen wurden dagegen nicht einbezogen; daher werden sie weder für die Typologie noch bei der chronologischen Abfolge in ausreichendem Maße wirksam.

Ein Ziel dieser Arbeit wird es deshalb sein, die für eine Klassifizierung relevanten philologischen und archäologischen Kriterien aufzuzeigen und einander gegenüberzustellen. Als Basis einer solchen Untersuchung dienen die beiden bisher vorliegenden Typologien, die im einzelnen vorgestellt werden; darüber hinaus sollen eventuell vorhandene Diskrepanzen in den Ergebnissen nachgewiesen und diskutiert werden.

Die Typologie von B. Landsberger und H. Tadmor

Der erste Versuch, eine Typologie aller bis dahin bekannter Lebermodelle aufzustellen, stammt von B. Landsberger und H. Tadmor, im Zusammenhang mit ihrer Bearbeitung der beschrifteten Tonlebern aus Hazor (LANDSBERGER/TADMOR 1964:201–218). In diesem Aufsatz gelangen die Verfasser zu einer Einteilung in fünf Gruppen, deren Grundlage die jeweils verwendeten Inschriften im Vergleich mit dem Protasis-Apodosis-Schema der bekannten Omenserien darstellen; dabei unterscheiden sie die vollständige, partielle oder in keiner Weise realisierte Übertragung dieses Schemas auf die Modelle. In nur geringem Maße findet das Verhältnis der Inschriften zur Darstellung auf der Oberfläche Beachtung.

Die in ihrer Gruppe A zusammengefaßten Stücke sind durch eine systematische Einteilung der gesamten Oberfläche in Felder gekennzeichnet. Allen hier subsumierten Beispielen ist ein graphisch dargestellter Befund (Protasis der Omina) gemeinsam, dem eine schriftlich gefaßte Deutung (Apodosis) in Art eines "überschriftartigen" Resümees gegenübergestellt wird. Dabei resultiert die Apodosis entweder aus der Art der beobachteten Anomalie — so handelt es sich z.B. im Falle von CT VI,1–3 jeweils um die durch ein Loch (*šīlu*) bedingten Veränderungen — in Kombination mit den verschiedenen Teilbereichen der Leberoberfläche, oder es werden — wie im Falle von KAR 444 — einzelne Teile des Organes sowie deren mögliche Krankheitserscheinungen lehrbuchhaft beschrieben.

Die Beispiele dieser Gruppe bezeichnen B. Landsberger und H. Tadmor als "Handbücher" für die Interpretation von Veränderungen auf der Opferleber (LANDSBERGER/TADMOR 1964:202), eine Bezeichnung, die auch von A. Boissier (1935:19) und J. Nougayrol (1941:77–78; 1945/46:29; 1968:31–34 s.S. 9) für diese Art von Lebermodellen vorgeschlagen wurde. (Die Verfasser ordnen dieser Gruppe auch Modelle anderer Organe des Opfertieres, wie z.B. Lungen, Eingeweide sowie einen Teil der illustrierten Omentexte (z.B. CT 31,14) zu, auf die im Rahmen dieser Arbeit jedoch nicht explizit eingegangen werden kann).

In der Gruppe B, vorwiegend repräsentiert durch die Mari-Lebern — einziges Stück von einem Fundplatz außerhalb Maris ist ein von J. Goetze publiziertes Modell (GOETZE 1947a:Taf. 1), das aus Larsa stammen soll (LANDSBERGER/TADMOR 1964:203) — tritt eine erste rudimentäre Topographie der Leberoberfläche auf. Dem graphisch markierten Einzelbefund steht, ohne direkt erkennbaren Bezug (dazu s. aber S. 16), die schriftliche Deutung des Gesamtbefundes (Apodosis) gegenüber. In einigen Beispielen aus Mari (RUTTEN 1938:Nr. 12,13,15) wird aber u.U. bereits auf bestimmte Leberteile bzw. deren Erkrankungen verwiesen. Dabei kann auch das für die Leberomina wichtige Paar *mazzāzu* und *padānu* durch entsprechende Einritzungen angedeutet werden. In den dieser Gruppe zugeordneten Lebermodellen sehen B. Landsberger und H. Tadmor "Schaustücke" besonderer Lebern, die in ihrer Apodosis teilweise Bezug nehmen auf unterschiedlich weit zurückliegende historische Ereignisse; die Darstellung gibt entweder den Befund einer Leberschau wieder, die im Zusammenhang mit dem beschriebenen Ereignis durchgeführt wurde, oder sie reflektiert eine dem Ereignis zugeschriebene — möglicherweise subjektiv interpretierte — positive oder negative Bedeutung und überträgt diese auf einen bestimmten Leberschaubefund (zu den historischen Omina und ihrem Aussagewert vgl. GOETZE 1947b:253–265).

In Gruppe C tritt bezogen auf das Protasis-Apodosis-Schema ein Wechsel ein; die inschriftliche Deutung bezieht sich jetzt unmittelbar auf die graphische Darstellung, die aber aus nur einer angegebenen Anomalie besteht. Dieser Gruppe ordnen B. Landsberger und H. Tadmor zwei in die altbabylonische Zeit zu datierende Lebermodelle nicht eindeutig geklärter Herkunft zu (AO 8894: RUTTEN 1938:Nr. 33; GOETZE 1947a:Nr. 3). Die Modelle dieser Gruppe unterscheiden sich von den Exemplaren aus Mari (RUTTEN 1938: Nr. 12,13,15; Gruppe B), die von den Verfassern selbst als Sonderfälle bezeichnet wurden, nur durch eine im Sinne der Omina vollständigere Beschriftung; während die Inschriften der drei als Ausnahmen bezeichneten Modelle zwar auch einzelne Leberteile erwähnen, aber nicht explizit auf die Art der Veränderung und die daraus resultierende ominöse Bedeutung eingehen, werden bei den hier subsumierten Stücken in der Protasis einzelne Anomalien beispielhaft beschrieben (z.B. *šīlu* "Loch" in YOS X 3) und in der Apodosis entsprechend den Omentextkompendien ausgewertet.

Bei den Exemplaren der Gruppe D werden einzelne Leberbereiche mit Markierungen versehen, die bestimmten, bei einer Opferschau festgestellten pathologischen Veränderungen entsprechen sollen (graphische Kennzeichnung der Protasis); zusätzlich erfolgt aber auch eine schriftliche Fixierung sowohl der Befunde (schriftliche Protasis) als auch der daraus resultierenden Auswertung (schriftliche Apodosis). Kennzeichnend für diese Gruppe ist die Darstellung von mindestens fünf, teilweise sogar sechs der zu einer Leberschau notwendigen Einzelbeobachtungen (so LANDSBERGER/TADMOR 1964:204; vgl. GOETZE 1957a:96 m. Anm. 49). Zu dieser Gruppe gehören ausschließlich die Modelle aus Boğazköy; gruppenbildendes Kriterium ist die nur bei diesen Exemplaren beobachtete vollständige schriftliche Fixierung von Protasis und Apodosis. Gerade die Verbindung von graphischer Darstellung und vollständig ausgeschriebenen Omina diente den Verfassern als Indiz zur Interpretation dieser Stücke als "Unterrichtslebern", die eigens zur Ausbildung der Wahrsager angefertigt wurden.

In einer letzten Gruppe E fassen die Autoren die unbeschrifteten, jedoch mit Ritzungen und/oder Applikationen versehenen Lebermodelle zusammen, von denen ihnen, neben den drei Fragmenten aus Hazor, nur die zwei Stücke aus Megiddo bekannt waren. Aus der nachfolgenden tabellarischen Zusammenstellung der Ergebnisse von B. Landsberger und H. Tadmor geht eine Einteilung der Tonlebermodelle in Gruppen, ihr jeweils vorgeschlagener Verwendungszweck sowie ihre Datierung hervor:

A	B	C	D	E
"Hand-bücher"	"Schau-stücke"	"Schau-stücke"	"Unterrichts-lebern"	unbeschr. Lebermodelle
CT VI,1–3 (KAR 444)	Mari YOS X,1	AO 8894 YOS X,3	Boğazköy Hazor	Hazor Megiddo
aB	aB	aB	a/mB	mB

Tabelle 1: Gruppen, Datierung und Bedeutung der Tonlebermodelle (n. LANDSBERGER /TADMOR)

Die Typologie von J. Nougayrol

Die von J. Nougayrol vorgelegte Einteilung der Tonlebermodelle unterscheidet sich dadurch von dem oben beschriebenen Ansatz, daß ausschließlich von den Inschriften ausgegangen wird und allein deren Vollständigkeit bzw. Grad ihrer Vollständigkeit — in Relation zu den entsprechenden Omenserien — zum konstituierenden Kriterium der Gruppierungen gemacht wird (NOUGAYROL 1968:34):

a Lebern mit vollständigen Omentexten, auf denen Befund und Deutung schriftlich fixiert sind. Hier werden die Stücke AO 8894, KAR 444, YOS X 3, weiterhin alle Boğazköy-Modelle sowie unter Vorbehalt auch BM 50494 und ein Teil des Modells CT VI,1–3 zugeordnet.

b Lebern, bei denen nur die Deutung (Apodosis) schriftlich fixiert ist, der Befund (Protasis) dagegen nur an dem topographisch entsprechenden Leberteil durch eine Einritzung und/oder Applikation markiert wurde. Das Material dieser Gruppierung entspricht dem der Gruppe B von B. Landsberger und H. Tadmor (Mari-Lebern unter Ausschluß der Sonderfälle 12,13,15 sowie YOS X 1); zusätzlich ordnet J. Nougayrol hier auch die beschrifteten Tonlebermodelle aus Hazor (bei LANDSBERGER und TADMOR Gruppe D), Ugarit sowie CT VI,1–3 (ein Teil der Inschrift) ein.

c Lebern, bei denen der Befund (Protasis) oder nur Teile davon schriftlich fixiert wurden (Mari Nr. 12,13,15); vgl. LANDSBERGER/TADMOR Gruppe B mit Hinweis auf diese Ausnahmen). Bei dieser kleinen Gruppe handelt es sich ausschließlich um Sonderfälle aus Mari.

d Lebern, die gänzlich unbeschriftet und nur mit unterschiedlichen Markierungen versehen sind (Hazor, Megiddo, Ebla).

Die von J. Nougayrol vorgelegte Typologie nimmt weder auf eine chronologische Abfolge innerhalb der einzelnen Gruppen noch auf eine Unterteilung der Tonlebermodelle nach ihrer Bestimmung Bezug; beide Aspekte werden gesondert für alle Stücke der einzelnen Gruppen behandelt. Dabei gelangt er insgesamt aber zu ähnlichen Ergebnissen wie B. Landsberger und H. Tadmor. Der im folgenden durchgeführte Vergleich zwischen den typologischen Ansätzen soll einerseits deren Übereinstimmung bzw. Divergenzen aufzeigen, andererseits aber auch auf grundsätzliche Probleme hinweisen, die in beiden Arbeiten enthalten sind (vgl. Tab. 2 und 3).

Diskussion dieser beiden Ansätze

Zur Bedeutung der Tonlebermodelle (Kategorien)

B. Landsberger und H. Tadmor fassen die in ihrer Gruppe A aufgeführten Tonlebermodelle unter der Kategorie "Handbücher für die Interpretation" von pathologischen Veränderungen zusammen (LANDSBERGER/TADMOR 1964:102); die gleichen Modelle (CT VI,1–3, KAR 444), unter Einbeziehung des von ihm selbst publizierten Stückes BM 50494, bezeichnet J. Nougayrol als "Schullebern" (NOUGAYROL 1968:31–33). Der Lehrcharakter dieser Stücke wird durch die schriftlich abgefaßten Erklärungen der jeweiligen Anomalien (Protasis) und der daraus resultierenden Deutung (Apodosis) betont; diese katalogartig abgefaßten Texte beziehen sich entweder auf die aus einer Anomalie sich ergebenden Veränderungen einzelner Leberteile, z.B. CT VI,1–3 für die Anomalie *šīlu* "Loch", oder sie umfassen alle zu untersuchenden

Teile der Opferleber und bilden die Voraussetzungen für eine positive oder negative Auslegung der beobachteten Anomalien (BM 50494).

Die Zuordnung von KAR 444 unter diese Kategorie erfolgte allein auf der Basis des verwendeten Inschriftentyps; es muß aber hervorgehoben werden, daß es sich bei diesem Stück der äußeren Form nach um eine Tontafel handelt und nicht um ein dreidimensionales Modell einer Leber. Außerdem bezieht sich nur der Text auf der Vorderseite des Objekts auf Veränderungen der Leber, während auf der Rückseite Anomalien der Lunge beschrieben werden. Die Beschriftung dieser Tafel ist allerdings nicht in der üblichen Kolumnenform erfolgt, sondern die Oberfläche weist eine Einteilung in Felder auf, die den Gebieten der Leber (bzw. Lunge) entsprechen, und die Beschriftung bezieht sich direkt auf einzelne Organteile und deren Anomalien. Somit entspricht das Verhältnis von der Inschrift zur Darstellung den Bedingungen, die dieser Kategorie zugrunde liegen. Gegen eine Zuordnung des Stückes, das zudem einen Einzelfall darstellt, zu der Fundgattung der Tonlebern, spricht aber dessen abweichende äußere Form (dazu s.S. 21). Daher wird im folgenden das Exemplar KAR 444 in den Tabellen zwar innerhalb der entsprechenden Gruppe aufgeführt, es kann aber nicht unmittelbar zur Interpretation der Lebermodelle verwendet werden; vielmehr dient dieses Stück als Beispiel für die unterschiedlichen Möglichkeiten "Lehr- bzw. Anschauungsmaterial" zu verfertigen.

Das gleichzeitige Auftreten von Zeichen und erklärender Beischrift diente J. Nougayrol zur Interpretation bestimmter Modelle als "Unterrichtslebern". Die durch Zeichen dargestellte krankhafte Veränderung eines Leberteils (Protasis) wird im hinzugefügten Text wiederholt (schriftliche Protasis) und gedeutet (schriftliche Apodosis). Aufgrund dieser Kombination von Wort und Bild bezeichnet J. Nougayrol derartige Modelle als Exemplare, die im Unterricht für die angehenden Wahrsager Verwendung fanden (NOUGAYROL 1968: 33). Dieser Kategorie sind die Tonlebermodelle aus Boğazköy, Hazor sowie das Stück AO 8894 zuzuordnen, die aus seinen Gruppen a) und b) stammen, ohne diese aber jeweils vollständig zu repräsentieren (nicht aufgenommen die Modelle aus Mari und Ugarit sowie KAR 444, YOS X 3, BM 50494, CT VI,1–3). Auch B. Landsberger und H. Tadmor haben diese Modelle ihrer Gruppen C und D unter einer Kategorie, den "illustrierten Unterrichtsstücken", zusammengefaßt.

Eine dritte Kategorie bilden die von B. Landsberger und H. Tadmor in die Gruppe B eingeordneten Stücke aus Mari sowie das Exemplar YOS X 1; unter Hinweis auf die ein historisches Ereignis reflektierenden Apodosen werden sie als "Schaustücke" besonderer Opferlebern angesehen, die als beispielhaft gelten und daher als Vorlage für spätere Leberauswertungen Verwendung finden konnten. Auch J. Nougayrol faßt diese Lebermodelle, die zu seinen Gruppen b) (mit Ausnahme der Hazor-Lebern, die er den "Unterrichtslebern" zuordnet) und c) gehören, zu einer Kategorie zusammen (zu den ebenfalls hier aufgeführten Modellen aus Ugarit s.S. 12). Diese Stücke bezeichnet er als "Archivlebern", die seiner Auffassung nach nur angefertigt wurden, um sich bestimmte Ergebnisse der Befragungen zu einem späteren Zeitpunkt wieder vergegenwärtigen zu können.

Bedeutung n. L./T.	Modelle	Gruppe L./T.	Gruppe n.N.	Bedeutung n.N
	BM 50494		a(c)	
"Handbücher"	CT VI,1–3	A	a(b)	"Schullebern"
(H)	(KAR 444)	A	a	(S)
	YOS X,3	C	a	
"illustr. Unter-	AO 8894	C	a	"Unterrichts-
richtslebern"	Boğazköy	D	a	lebern"
(U)	Hazor	D	b	(U)
	Mari	B	b	
	YOS X,1	B	b	
"Schaustücke"	Mari 12,13,14	B	c	"Archivlebern"
(S)	Ugarit	—	b	(A)
	Megiddo	E	d	

Tabelle 2: Gegenüberstellung der beiden Typologien in bezug auf Zuordnung und Bedeutung einzelner Modellgruppen

Zur chronologischen Einordnung der Tonlebermodelle

Ein weiteres Ergebnis dieser Bearbeitungen der Tonlebermodelle sollte deren zeitliche Einordnung sowie eine mögliche chronologische Entwicklung innerhalb der einzelnen aufgestellten Gruppen und Kategorien sein. Zwar gehen B. Landsberger und H. Tadmor auf diese Fragestellung nicht ausdrücklich ein, doch ist ihren Gruppen B-D eine innere chronologische Abfolge von der altbabylonischen zur mittelbabylonischen Zeit immanent.

In der Datierung der Einzelstücke gelangt J. Nougayrol zu den gleichen Ergebnissen (NOUGAYROL 1968:33). Seine Schlußfolgerung, die Archivlebern, mit Ausnahme der Stücke aus Ugarit, stammten aus der altbabylonischen und die Schullebern aus der neuassyrischen Zeit, ist aber nicht aufrechtzuerhalten (s.S. 48); wie Tabelle 3 verdeutlicht, sind nämlich alle drei Kategorien — "Archiv-", "Unterrichts-" und "Schullebern" — ebenso wie die von J. Nougayrol vorgeschlagenen Gruppen (mit Ausnahme der unbeschrifteten Modelle, Gruppe d) bereits seit der altbabylonischen Epoche belegt. Damit sind die von ihm gebildeten Gruppen der Tonlebermodelle weder chronologisch noch im Hinblick auf die vorgeschlagenen Kategorien einheitlich.

Datierung	Bedeutung n.L./T.	Modelle	Gruppe L./T.	Gruppe n.N.	Bedeutung n.N.	Herkunft n.L./T.
	H	CT VI,1-3	A	a	S	
	S	Mari	B	b	A	
	S	Mari 12,13,15	B	c	A	
aB	S	YOS X 1	B	b	A	"mesopotamisch
	U	AO 8894	C	a	U	beeinflußt"
	U	YOS X 3	C	a	U	
	U	Hazor	D	b	U	
	U	Boğazköy	D	a	U	
		Megiddo	E	d	S(?)	
mB		Ugarit		b	A	"peripher"
		Ebla		d	S	
	H	(KAR 444)	A	a	S	
nAss		BM 50494		a	S	

Tabelle 3: Relation zwischen Datierung und Herkunft einzelner Modelle bzw. Modellgruppen

Kritische Betrachtung der beiden Ansätze

Ein Vergleich der beiden hier untersuchten Typologien zeigt deren Abhängigkeit — wenn auch in unterschiedlichem Ausmaß — von den Kriterien der Inschriftenanalyse. Die Einteilung J. Nougayrols basiert, wie bereits dargestellt, allein auf dem formalen Aspekt der Inschriften, d.h. auf dem Grad der schriftlichen Realisierung des Protasis-Apodosis-Schemas auf den Modellen; dadurch gelangt er zu einer Gliederung, die auf einer im Verhältnis zu den Omentexten der Serien unterschiedlich vollständigen Beschriftung der Modelle beruht. Auch der von B. Landsberger und H. Tadmor vorgeschlagenen Gliederung liegt diese Einteilung nach dem Umfang der Beschriftung zugrunde, doch beziehen sie, zumindest ansatzweise auch das Verhältnis von der Inschrift zur graphischen Darstellung in ihre Einteilung mit ein. Diese Modelle mit ihrer offensichtlichen Verbindung von Wort und Bild legen eine ausführliche Untersuchung der gegenseitigen Abhängigkeiten nahe; es stellt sich also die Frage, ob und wie die graphische Darstellung die jeweiligen Inschriften beeinflußt bzw. die Inschriften die graphische Darstellung (s.S. 13).

Neben der nur geringen Berücksichtigung der graphischen Merkmalseinheiten als gruppenbildende Elemente lassen die getroffenen Zuordnungen der Tonlebern zu den einzelnen Gruppen — auch bedingt durch Fehlinterpretationen der Modelle — eine direkte Übernahme des einen oder anderen Ansatzes problematisch erscheinen:

1. Innerhalb der einzelnen Gruppen besteht keine Eindeutigkeit der jeweils verwendeten Zuordnungskriterien;

- die Inschriften der von J. Nougayrol in seiner Gruppe a) aufgeführten Tonlebern sind zwar alle im Sinne der Omentexte vollständig, doch unterscheidet sich z.B. das Stück BM 50494 (und auch KAR 444, dazu s.S. 10) von den anderen Modellen dadurch, daß — wie bei den Exemplaren der Gruppe A) von B. Landsberger/H. Tadmor — mögliche Veränderungen aller Leberbereiche und die daraus resultierenden Omenaussagen katalogartig aufgeführt werden. Dagegen sind bei den restlichen Beispielen dieser Gruppe (CT VI,1–3, YOS X 3, AO 8894, Boğazköy) nur einzelne, offenbar ausgewählte pathologische Veränderungen vermerkt;
- auch berücksichtigt J. Nougayrol — im Gegensatz zu B. Landsberger/H. Tadmor — nicht in ausreichendem Maße den unterschiedlichen Gebrauch der graphischen Darstellungen innerhalb der einzelnen Gruppen;
- in seiner Gruppe b) stellt J. Nougayrol die Lebern aus Mari, Hazor, Ugarit und das Stück YOS X 1 als gleichwertig nebeneinander, obwohl das gruppenbildende Element — die schriftliche Fixierung der Apodosis bei nur graphischer Wiedergabe der Protasis — in unterschiedlicher Weise realisiert wird (s.S. 14);
- ein vergleichbarer Sachverhalt spricht auch gegen die Verbindung der Modelle aus Hazor und Boğazköy wie sie von B. Landsberger/H. Tadmor in ihrer Gruppe D postuliert wird;
- bei beiden Arbeiten werden die auf den Mari-Lebern vorkommenden divergierenden Inschriftentypen bei der Typologie nicht berücksichtigt (s.S. 16);
- der Einordnung der Lebermodelle aus Ugarit (NOUGAYROL, Gruppe A) liegt vermutlich eine fehlerhafte Information über den Typus der Inschriften zugrunde; nur vier der 21 Modelle sind mit Inschriften versehen, die zudem in keinem Fall Bezug auf die dargestellten Einzelergebnisse nehmen, sondern nur die Person und den Grund der Orakelanfrage erwähnen (s. ausf. S. 18). Daher sind auch die vier beschrifteten Modelle im Sinne der Omenliteratur als unbeschriftet zu betrachten.

2. Die von J. Nougayrol vorgeschlagene Einteilung in Funktionskategorien — "Schul"-, "Unterrichts"- und "Archivlebern" — stimmt nicht mit den erschlossenen Gruppierungen überein; vielmehr werden der Gruppe a) zugeordnete Modelle einerseits als "Schullebern" (BM 50494, CT VI 1–3, KAR 44), andererseits als "Unterrichtslebern" (AO 8894, Boğazköy) bezeichnet, und die Exemplare der Gruppe b) sollen entweder als "Unterrichtslebern" (Hazor) oder "Archivlebern" (Mari, YOS X 1, Ugarit) Verwendung gefunden haben;

- in diesem Zusammenhang ist auch die Behauptung, alle "Archivlebern" seien mesopotamischen Ursprungs, während die "Unterrichtslebern" die Probleme der Wahrsager in den "peripheren Gebieten" widerspiegelten (NOUGAYROL 1968:33–34), zu überprüfen.

3. Die vorliegenden Arbeiten gehen nur unzureichend auf das Verhältnis der beschrifteten zu den unbeschrifteten Tonlebermodellen ein. Gerade die Verbindung oder, falls nachweisbar, die Abhängigkeit der beiden Typen voneinander könnte weitere Anhaltspunkte über Bedeutung und Verwendung derartiger Modelle vermitteln.

4. Auch den archäologischen Kriterien wurde nur eine geringe Bedeutung beigemessen;

- so fehlt eine ausführliche Diskussion und Begründung für die unterschiedlichen Datierungen, die sich — besonders im Falle der Hazor-Lebern (s.S. 24) — aus der Inschriftenanalyse und den archäologischen Beobachtungen ergeben;
- ebenso wurde die Einbeziehung der jeweiligen Fundkontexte einzelner Modelle nicht in den Aussagen zu ihrer Bedeutung und Verwendung berücksichtigt. So setzt die von J. Nougayrol verwendete Bezeichnung "Archivlebern" (maquettes d'archives) das Vorhandensein von archivartigen Einrichtungen ebenso voraus wie das Bestreben nach archivalischer Ordnung. Mit Sicherheit ist das Bestehen von Archiven, wenn darunter nur der Ort der Aufbewahrung beschriebenen Materials (des Schriftgutes allgemein) verstanden wird, bereits seit dem 3. Jts.v.Chr. nachzuweisen, doch da im französischen Sprachgebrauch jedes organisch gewachsene Schriftgut als Archivmaterial angesehen wird (so PAPRITZ 1959:18), ist der von J. Nougayrol benutzte Terminus zunächst nur in diesem allgemeinen Sinne zu verstehen. Für eine bedeutungsmäßige Definition der Tonlebermodelle ist aber eine strenge Unterscheidung zwischen Archiv- und Bibliotheksmaterial schon deshalb wichtig, weil dadurch Aussagen über die Art ihrer Verwendung möglich werden (s. ausf. S. 23). In diesem Zusammenhang ist auch die Frage zu stellen, ob

Modelle aus unterschiedlichem Fundkontext trotzdem gleiche, bzw. solche aus gleichem Kontext eine unterschiedliche Bedeutung haben können.

Voraussetzungen einer semantisch orientierten Typologie der Tonlebermodelle

Voraussetzung für die Bearbeitung einer geschlossenen Fundgattung ist eine Gliederung der zu untersuchenden Objekte in typologisch eindeutige Gruppen. Grundlagen einer derartigen Typologie sind das Erkennen und die Beschreibung der determinierenden Merkmale und darüber hinaus deren Klassifikation in einheitliche Gruppen. Als Merkmale sollen diejenigen Elemente eines Tonlebermodells bezeichnet werden, deren Gestalt oder Darstellungsweise veränderbar ist, ohne daß dadurch die Zugehörigkeit der betreffenden Objekte zur Fundgattung der Tonlebermodelle in Frage gestellt wird. Daher kommen zunächst die äußere Form der Modelle sowie die darauf angebrachten graphischen Zeichen als Merkmale in Betracht.

Bei der hier zu untersuchenden Fundgattung ist aber die äußere Form nicht veränderbar, sondern ein konstantes Kriterium der Zuordnung; die Gliederung in zwei Lappen sowie die plastische Ausarbeitung einzelner Teilbereiche der Leber (Gallenblase, Leberfinger, teilweise proc. papillaris, s. ausf. S. 21) sind als wesentliche Einzelelemente anzusehen; sie müssen daher auf den Modellen deutlich herausgearbeitet sein (so kann z.B. das Objekt KAR 444 nicht als Tonleber im eigentlichen Sinne angesehen werden, da die äußere Form der einer Tontafel entspricht, s.S. 10). Nur die auf allen Modellen vorhandenen graphischen Darstellungen und die plastischen Applikationen (soweit sie nicht zur äußeren Form gehören) sind als typologisch relevante Merkmale aufzufassen, zugleich aber auch als Marken, die einen Befund (Beschaffenheit der Leber) bezeichnen, aus dem, der oben formulierten Hypothese folgend, nach einem festgelegten System dann die eigentliche Omenaussage resultiert. Demzufolge liegt auch den Modellen ein Protasis-Apodosis-Schema zugrunde, wie dies bei den Omentexten der Fall ist. Jede Kennzeichnung ist somit als Träger einer Information anzusehen, die für die Auswertung Bedeutung besitzt. Diese Information wird bei einem Teil der Modelle zusätzlich durch eine Inschrift verbalisiert; daher ist auch die Inschrift, bzw. deren Form als Merkmal anzusehen. Da aber die Bedeutung der graphischen Darstellung — basierend auf einer entsprechenden Beobachtung während der Inspektion — auch durch die Beschriftung mitgeteilt werden kann, besteht eine Wechselbeziehung zwischen beiden Merkmalskategorien. Die Kombination der beiden Merkmalskategorien — Inschrift und graphische Darstellung — auf den Modellen führt zur Bildung von Gruppen (daher der Versuch einer semantisch orientierten Typologie); entscheidend ist der Grad der Realisierung des in den Omentexten stets voll ausgeschriebenen Protasis-Apodosis-Schemas, das auf den Modellen in unterschiedlicher Form umgesetzt werden kann (dazu ausf. Kap. IV); gruppenbildendes Kriterium ist somit das Verhältnis von Wort und Bild. Zu den gruppenbildenden Elementen gehören demnach nur der Typus der Inschriften, deren Position sowie die der graphischen Darstellungen auf der Ober- oder "Schau"-seite der Modelle.

Die Frage, ob die einzelnen Gruppen von Tonlebermodellen auch auf eine divergierende Bedeutung hinweisen, soll mit Hilfe eines Vergleichs der unterschiedlichen Gruppen von Omentexten (Kompendien, Berichte, Anfragen) mit dem, auf den Modellen der einzelnen Gruppen jeweils unterschiedlich realisierten Verhältnis von Wort und Bild untersucht werden. Für die Verwendung (Funktion) der Tonlebern bzw. der einzelnen Gruppen von Tonlebern ist die jeweilige Fundsituation maßgebend; sowohl die Art der Gebäude (Palast, Tempel, Privathaus) als auch die Funktion der Anlagen (Archiv oder Bibliothek) erlauben Hinweise auf die Verwendung und geben zugleich Aufschluß über die soziale Stellung der mit diesen Objekten zu verbindenden Personen. Darüber hinaus ermöglicht die jeweilige Fundschicht eine Datierung der betreffenden Modelle, die für eine mögliche innere Entwicklung von Relevanz ist.

Die Behandlung der archäologischen Aspekte wurde in den bisherigen Bearbeitungen nicht ausreichend berücksichtigt, da entweder die reine Fundmitteilung (z.B. im Falle der Tonlebern aus Megiddo, Tell el Hajj, Emar, Ebla, Mumbaqat) oder die Veröffentlichung beschrifteter Tonlebern im Rahmen von Textpublikationen (z.B. YOS X 1.3; KAR 444; BM 50494 = NOUGAYROL 1968:31–50; KUB 4,71–75; 37,216–230; KBo 7,5–7; 8,8–9; 9,57–67; 25,1) im Mittelpunkt stand. Eine ausführlichere Diskussion der mit diesen Objekten verbundenen Fragestellungen findet sich nur im Zusammenhang mit speziellen philologischen

Untersuchungen (z.B. zu den Modellen aus Hazor, Ugarit) sowie innerhalb allgemeiner Darstellungen altorientalischer Religionen, insbesondere deren magischer Praktiken (vgl. u.a. BOISSIER 1935; NOUGAYROL 1955:509–517; OPPENHEIM 1964:206–227).

Grundlagen einer vorläufigen Neueinteilung der Tonlebermodelle

Die im ersten Abschnitt des Kapitels geäußerte Kritik an den beiden bisherigen typologischen Einteilungen der Tonlebermodelle macht einen anderen Ansatz erforderlich. Der im folgenden durchgeführte Versuch basiert auf den theoretischen Überlegungen zu einer semantisch orientierten Typologie und soll alle gruppenbildenden Merkmale entsprechend ihrer Bedeutung für eine Einteilung berücksichtigen. Aus einem inhaltlichen Vergleich zwischen den Inschriften auf den Modellen und den Omentexten der Serien gehen Abhängigkeiten zwischen der graphischen Darstellung und den Omentexten hervor; daraus resultiert eine innere Verwandtschaft beider Fundgattungen, die neue Wege zur Auswertung der Tonlebermodelle eröffnet. Ziel ist es, zu einer Klassifikation zu gelangen, die einerseits auf dem Typus der Inschriften basiert, andererseits aber auch das Verhältnis von Inschrift und Darstellung ebenso einbezieht, wie die Aussagen, die sich aus den Fundumständen der Modelle ergeben.

Bei der zu erstellenden Typologie müssen deshalb alle drei Kriterien, die nacheinander Objekt der Untersuchung sein sollen, berücksichtigt werden.

Verhältnis von Inschrift und Darstellung (vorläufige typologische Einteilung)

Die Struktur der Inschriften auf den Tonlebermodellen entspricht — wenn auch in unterschiedlicher Art und Weise — derjenigen, die aus den Omenserien bekannt ist. Das in diesen Texten geläufige Schema von Protasis (Vordersatz, in dem eine Beschreibung der festgestellten physiologischen Veränderungen der untersuchten Opferleber erfolgt) und daraus bedingter Apodosis (Nachsatz, in dem die Ergebnisse, die aus der jeweiligen Protasis resultieren, mitgeteilt werden) sollte daher auch zumindest für einen Teil der Nachbildungen aus Ton Gültigkeit besitzen. Die Protasis schildert den physiologischen Befund, d.h. die Abweichung des Organs oder Organteiles von seinem natürlichen Aussehen (s.S. 68). Diese im Verlauf der Inspektion festgestellte Beschaffenheit stellt die Grundvoraussetzung für jede Omenaussage dar und muß daher sowohl in den Texten — schriftliche Protasis — als auch auf den Modellen — durch entsprechende graphische Kennzeichnungen — immer zum Ausdruck gebracht werden; neben der graphischen Wiedergabe der jeweils festgestellten Anomalie kann auf den Modellen der Befund zusätzlich beschrieben werden (z.B. auf den Modellen aus Boğazköy, Emar).

Beide Darstellungsmittel — die Schrift und die graphische Kennzeichnung — abstrahieren, wenn auch in unterschiedlicher Weise, von der Wirklichkeit, d.h. von der tatsächlichen Beschaffenheit der untersuchten Leber. Der formelhafte Aufbau der Protasis in den Omenserien bildet das entscheidende Vergleichsmerkmal zur bildlichen Darstellung (vgl. dazu ausf. Kap. III und IV).

Auch bei der Wiedergabe der Apodosis steht nur eine eingeschränkte Anzahl von Möglichkeiten zur Verfügung: Ein Teil der Modelle zeigt eine schriftliche Auswertung der auftretenden Anomalien (Apodosis); dabei ist zwischen den Beispielen, bei denen die Protasis bereits schriftlich formuliert ist (z.B. Modelle aus Boğazköy, s.S. 15) und denen, bei denen die Protasis ausschließlich graphisch gekennzeichnet ist (z.B. Modelle aus Hazor, s.S. 15), zu unterscheiden. Weiterhin kann auch nur das Endresultat der Opferschau, ihr positiver oder negativer Ausgang, in Form einer "Summierung" aller Einzelbefunde — ebenfalls schriftlich — notiert werden (z.B. bei einem Teil der Modelle aus Mari, s.S. 16). Eine letzte Variante besteht darin, die Apodosis überhaupt nicht auszudrücken (alle unbeschrifteten Modelle).

Eine Einteilung der Tonlebermodelle auf der Basis ihrer Inschriften und deren Verhältnis zu den jeweiligen Darstellungen — vorläufig jedoch weder unter Berücksichtigung der denotativen Bedeutung einzelner Merkmale (s. Kap. IV) noch der der archäologischen Befunde (s. Kap. II) — soll die folgende Tabelle wiedergeben:

Modelle	Protasis graph.	Protasis schriftl.	Apodosis schriftl.	Omenaussage schriftl.	Kategorie
AO 8894	+	+	+		
YOS X 3	+	+	+		
Boğazköy	+	+	+		I
Emar	+	+	+		
Hazor (beschr.)	+		+		II
Tell al-Seib	+		+	+	
YOS X 1	+		+	+	III
Mari	+	(+)	+	+	
Ebla	+				
Hazor (unbeschr.)	+				
Ugarit	+				IV
Megiddo	+				
Mumbaqat	+				
Tell el-Hajj	+				
CT VI,1–3		+	+		
BM 50494		+	+		V
(KAR 444)		+	+		

Tabelle 4: Einteilung der Tonlebermodelle nach dem Verhältnis von Inschriften zu graphischen Kennzeichnungen

Die Beispiele der Gruppe I (Modelle aus Boğazköy, Emar sowie AO 8894, YOS X 3) enthalten für jede dargestellte Anomalie der untersuchten Opferleber vollständig ausgeschriebene Omina. Daneben wurde die Protasis, also die Art der Veränderung, zusätzlich im entsprechenden topographischen Bereich des Modells graphisch gekennzeichnet. Zur Illustration dieses Sachverhaltes soll die Inschrift B der Tonleber KUB IV,71 = Bo 16 herangezogen werden. Die Inschrift bezieht sich auf ein Krankheitsbild, das durch eine sich nach oben verjüngende Ritzung auf dem linken Leberlappen zeichnerisch wiedergegeben ist. Der erste Teil des Textes (Protasis) nennt den Ort auf der Leberoberfläche (*mazzāzu* "Standort") sowie die Art der Anomalie:

SAG KI.GUB *pa*[!]*-ši-it*
"der Kopf des Standortes ist zusammengepreßt".

Der zweite Teil (Apodosis) behandelt die sich hieraus ergebende Schlußfolgerung, die eigentliche Omenaussage:

uz-zu ša ^{d}IŠ$_8$.TÁR *a-na* LÚ
a-lik KASKAL SAG A.ŠÀ-*šu* NU *i-ka-aš-šad*
"Zorn der Göttin auf den Menschen; wer eine Reise/Feldzug unternimmt, wird sein
Ziel nicht erreichen" (n. RIEMSCHNEIDER 1974).

Die weiteren Inschriften auf diesem Modell beziehen sich auf Veränderungen anderer Leberteile (hier: *martu* und *padānu*).

Bei den Exemplaren der Gruppe II (Fragmente 1–2 aus Hazor) entfällt die schriftliche Formulierung der Protasis; der Text bezieht sich nur auf die ominöse Auswertung einzelner Krankheitsbilder (Apodosis), während die Bedingung, die zu diesem Resultat geführt hat (Protasis), nur in Form einer graphischen Darstellung angegeben wird, vgl. z.B. Hazor, Inschrift g:

URU DINGIR-*ša i-tu-ru-ni*
"die Götter der Stadt werden zurückkommen" (n. LANDSBERGER/TADMOR 1964:211).

Die Art der Veränderung bleibt in diesem Beispiel ungenannt, wird aber durch zwei parallele Linien zeichnerisch ausgedrückt; anhand ihrer topographischen Lage auf der Leberoberfläche kann diese Darstellung dem Bereich *mazzāzu* zugeschrieben werden. Eine derartige Darstellungsweise setzt ein vollständiges Wissen des Interpreten (Wahrsagers) um die Bedeutung der Markierungen und deren Wert für die Omenaussage voraus. In den Modellen dieser Gruppe zeigen sich somit bereits Elemente, die für die zentrale

Aufgabenstellung dieser Arbeit, die Interpretation der unbeschrifteten Tonlebern, von größter Relevanz sein werden (s. ausf. Kap. IV).

Auch die Modelle der Gruppe III (Mari, YOS X 1) besitzen keine schriftlich ausgedrückte Protasis (bis auf rudimentäre Ansätze ohne ausdrücklichen Bezug zur Darstellung bei den Stücken Mari 12,13,15); von der vorhergehenden Gruppe unterscheiden sie sich dadurch, daß die Inschriften Einleitungsformen aufweisen, die für eine Apodosis ungewöhnlich sind (RUTTEN 1938:40):

a-mu-ut
*a-ga-dè*ki
šá rí-mu-uš
ú ma-na-áš-tu-šu
"Weissagung über Akkad, Rimuš und Maništušu betreffend" (RUTTEN 1938: Nr. 2)

Nominalsatz, in dem das Ergebnis der ominösen Untersuchung ausgedrückt wird, ohne auf die Ursache, die zu diesem Ergebnis geführt hat, explizit einzugehen; selbst die Tendenz der Omenaussage bleibt in diesem Falle ungenannt und ist nur durch das Wissen um die Bedeutung der erwähnten historischen Ereignisse bzw. deren Bewertung interpretierbar (zu dieser Kategorie gehört auch das Exemplar YOS X 1).

i-nu-mi
i-bí dSUEN
ma-sú
i-ba-al-ki-tù-šu
a-ni-um
ki-am i-šá-kín
"Als (sich) das Land des Ibbisin gegen ihn empörte, wurde dies (die Kennzeichnungen auf der Leber) so festgelegt" (RUTTEN 1938: Nr. 7)

Temporalsatz, in dem ebenfalls nicht auf die Ursachen für die Weissagung eingegangen wird, sondern der wiederum ein Ereignis erwähnt, dessen Beurteilung (Tendenz) die ominöse Beschaffenheit widerspiegeln soll.

šum-ma ru-ba-am
ru-ba-um i-ṣa-lí
a-nu-um ki-a-am
i-šá-kà-an
a-na ma-al-ku-i-in
i-ki-in
"Wenn ein Fürst einen Fürsten bekämpft, wird dies so festgesetzt; für beide Fürsten..." (RUTTEN 1938: Nr. 23).

Konditionalsatz, in dem allerdings gerade das als Voraussetzung genannt wird, was normalerweise Resultat ist, d.h. was eigentlich in der Apodosis stehen sollte. Trotz einer scheinbaren Umkehrung der im allgemeinen üblichen Abhängigkeitsverhältnisse zwischen den Aussagen von Protasis und Apodosis liegt bei diesen Modellen dennoch die durch die graphische Darstellung intendierte Beschaffenheit des untersuchten Organs den Ergebnissen zugrunde. So gesehen ändert sich in bezug auf den Vorgang der Auswertung das Protasis-Apodosis-Schema nicht.

Die detaillierte Analyse dieser Inschriftentypen und deren Bedeutung für die Verwendung der einzelnen Stücke sowie mögliche Auswirkungen auf die hier vorgeschlagene Typologie soll im Zusammenhang mit der ausführlichen Diskussion und Interpretation der Modelle aus Mari erfolgen (s.S. 212–217). Eine weitere noch zu behandelnde Problematik resultiert aus dem unterschiedlichen Bezug der Inschriften; sie können einerseits mit einem bestimmten graphisch dargestellten Krankheitsbild verbunden werden, andererseits sind sie aber auch als "Summe" aller ebenfalls graphisch dargestellten Anomalien aufzufassen. Da sogar innerhalb eines Modells nicht alle Markierungen mit übereinstimmenden Einleitungsformen versehen sein müssen — ein Teil der Kennzeichen wurde sogar überhaupt nicht berücksichtigt — ist offenbar auch die Kombination beider Methoden möglich.

Wesentlich für den Charakter der in dieser Gruppe eingeordneten Modelle bleibt aber die Feststellung, daß die ominöse Aussage (Protasis) der einzelnen Anomalien offenbar als bekannt vorausgesetzt wird. Damit stellen diese Modelle eine Verbindung zu den vollständig unbeschrifteten Stücken dar.

Die Gruppe IV schließlich wird durch den Fortfall aller schriftlichen Hilfsmittel charakterisiert, und die gesamte Auswertung bzw. das Erkennen der intendierten Veränderungen mit Hilfe der Darstellungen bleibt somit allein den mnemotechnischen Fähigkeiten der Wahrsager überlassen.

Gemeinsame Grundlage der bisher beschriebenen Modelle (Gruppen I-IV) ist die graphische Darstellung festgestellter Anomalien; ihre Auswertung erfolgt dann aber in jeweils unterschiedlicher Weise und zeichnet sich durch eine Abnahme der zusätzlich beschriebenen Beobachtungen aus. Die Ursachen für eine derartige Gruppenbildung, d.h. ob diese als Ergebnis einer zeitlichen Entwicklung, eines unterschiedlichen Gebrauchs oder als regional bedingte Abweichungen aufzufassen sind, sollen noch ausführlich untersucht werden (s.S. 250–264).

Eine grundsätzlich abweichende Struktur weisen dagegen die in Gruppe V zusammengefaßten Tonlebern auf. In ihr sind die Exemplare enthalten, die von B. Landsberger und H. Tadmor als "Handbücher", von J. Nougayrol als "Schullebern" bezeichnet wurden (CT VI,1–3; BM 50494). Sie besitzen, wie die Modelle der Gruppe I, zwar ebenfalls vollständig verfaßte Omentexte, beiden Gruppen liegt jedoch eine inhaltlich abweichende Intention zugrunde. Während auf den Tonmodellen der Gruppe I jeweils mehrere Gebiete der Leber in unterschiedlicher Weise graphisch gekennzeichnet und mit Hilfe der Inschrift beschrieben und ausgewertet werden, vermitteln die Modelle der Gruppe V grundsätzliche Richtlinien für die ominöse Beurteilung von Erscheinungsbildern auf allen Teilbereichen des Organs. Dabei werden entweder allgemeingültige Äußerungen zum möglichen Auftreten von Anomalien — wie im Beispiel BM 50494 — oder die jeweils nach dem Ort ihres Auftretens variierenden Interpretationsmöglichkeiten einer einzelnen Veränderung — wie im Beispiel CT VI,1–3 für *šīlu* "Loch" — behandelt.

Vergleich der Inschriften auf den Tonlebermodellen mit den Omentexten

(Kompendien und Berichte)

Ihrem Aufbau nach entsprechen die Texte dieser Modelle dem als "Kompendien" bezeichneten Teil der Omenliteratur. Unter "Kompendien" werden einerseits listenartige Beschreibungen unterschiedlicher Veränderungen eines Teilbereiches der Leber (z.B. *mazzāzu, padānu, danānu* usw.) verstanden (dazu zuletzt JEYES 1980: 13 m. Lit. Anm. 16), andererseits aber auch summarische Aufzählungen der möglichen Auswirkungen einer Anomalie (z.B. *kakku* "Waffe", *ziḫḫu* "Pustel") auf den verschiedenen Abschnitten des Organs (z.B. YOS X 43.46 für *kakku*; NOUGAYROL 1969a: 149–157 für *ziḫḫu*). Ziel dieser Texte ist es, die große Anzahl theoretisch denkbarer Befunde zu beschreiben und entsprechend dem System der Omina (dazu ausf. Kap. IV) auszuwerten. Ihr Lehrcharakter wird dadurch deutlich, daß sie vollständige Kataloge möglicher Veränderungen sowie Angaben zur jeweiligen Auswertung enthalten; diese Annahme findet durch die auf einzelnen Tafeln anzutreffenden Serienbezeichungen (z.B. YOS X 13–16 = 10.,12.,13.,17. Tafel einer den Bereich *mazzāzu* betreffenden Serie) eine hinreichende Bestätigung. Die Kategorie der "Kompendien" ist somit in zwei Grundformen einzuteilen:

1. Behandlung eines Krankheitsbildes auf verschiedenen Leberbereichen (z.B. YOS X 43.46 für *kakku*);
2. Behandlung verschiedener Krankheitsbilder eines Leberbereiches (z.B. YOS X 13–17 für *mazzāzu*).

In Analogie zur Konzeption dieser Textgattung können die in Gruppe V eingeordneten Tonlebern als modellhafte Nachbildungen der "Kompendien" angesehen werden; die beiden einzigen hier aufgeführten Beispiele repräsentieren dann jeweils eine der beiden Grundformen. Keinesfalls sind diese Stücke als Abbild tatsächlich untersuchter Organe aufzufassen, da eine derartige Häufung pathologischer Veränderungen undenkbar ist. Ein weiteres typisches Merkmal dieser Gruppe ist die Differenzierung der einzelnen Leberbereiche in Zonen, die für das System der Auswertung beobachteter Erscheinungsbilder maßgebliche Bedeutung haben.

Im Anschluß an diese Gleichsetzung einer Modellgruppe mit einer Textgruppe stellt sich die Frage, ob die Tonlebern der Gruppe I-IV nicht möglicherweise der zweiten Kategorie der Omenliteratur, den sogenannten "Leberschauberichten" entsprechen. Der Begriff "Leberschaubericht" wird ebenfalls für eine bestimmte Textgattung verwendet (dazu zuletzt JEYES 1980:13–14 m. Lit. Anm. 5), deren Aufbau nach einem einheitlichen Schema erfolgte; ausführliche Texte dieser Art geben neben den Gründen, die zu einer Opferschau geführt haben (a), auch den Namen der Person an, die eine derartige Handlung veranlaßt hat (b). Als zentraler Teil folgt dann eine Liste mit der Beschreibung der beobachteten Veränderungen einzelner Organe bzw. Organteile sowie die daraus resultierende ominöse Aussage der Einzelbefunde (c); den Schluß bildet das Ergebnis des Gesamtbefundes (d) und häufig das Datum der Untersuchung (e) (dazu vgl. GOETZE 1957a:94–96). Die geschilderte Gliederung soll an einem Beispiel schematisch illustriert werden (VAT 6678 = UNGNAD 1903:141–144. Taf. 9):

a "ein Schaf für die *lipit qāti*-Zeremonie"
(dazu GOETZE 1957a:94 vermutlich Schlachtung eines Opfertieres), "um ein günstiges Omen
b für Beltani zu erhalten, von dem Gott ihrer Väter"
c Auswertung (12 untersuchte Teilbereiche des Organs)
d "es (das Omen) hat ein günstiges Ergebnis gebracht; es (das Omen) muß (jedoch) noch einmal wiederholt werden" (dazu s.S 186)
e Datum (Ammisadūqa 15. Jahr).

Seit der altbabylonischen Zeit gibt es zahlreiche Belege für derartige Berichte (z.B. aBab: GOETZE 1957a; kass.: NOUGAYROL 1967; nAss: KLAUBER 1913; STARR 1977; nBab: BOISSIER 1905:52–56); sie können entweder als eigene Textgruppe, bei der jede Tafel ein Protokoll einer Leberschau enthält oder in Briefen inkorporiert (z.B. ARM II,133: IV,54; V,65.83; vgl. NOUGAYROL 1966:7 m. Anm. 9; BOTTÉRO 1974:72–74) auftreten. Ebenfalls bereits seit der altbabylonischen Zeit können von den Abschnitten a-e (mit Ausnahme von c) einzelne Teile fehlen (z.B. aBab: YBC 16148 = STARR 1977:201 : a,b,c,d,e; CBS 1462B = GOETZE 1957a:96 : a,b,c,d,e; YBC 5018 = GOETZE 1957a:101–102 : c,d; kass.: YBC 5105 = NOUGAYROL 1967:219–220 : b,c; UMM G 15 = NOUGAYROL 1967:220 : b,c,e; BM 78564 = NOUGAYROL 1967:223–223 : c,d; BM 81364 = NOUGAYROL 1967:224 : a,c,e; nAss: K 4300 = STARR 1977:206 : c,d). Aus diesen Beispielen geht hervor, daß nur der zentrale Teil, die eigentliche Auswertung der Inspektion (Abschnitt c), im Text beschrieben werden muß (für den eingeweihten Opferschauer resultiert daraus "automatisch" das Ergebnis der Leberschau (Abschnitt d)).

Für die Möglichkeit einer zumindest partiellen Übereinstimmung der Tonlebermodelle mit den Leberschauberichten sind daher vor allem die mit c und d benannten Abschnitte als ausschlaggebend anzusehen; diese Abschnitte oder wenigstens Teile von ihnen müssen — sollte sich die hier vorgeschlagene Gleichsetzung als richtig erweisen — auch auf den Modellen zu finden sein.

Die entsprechenden Textpassagen (c,d) enthalten eine listenartige Beschreibung der Beschaffenheit einzelner Leberbereiche, wie sie bei der vorangegangenen Opferschau beobachtet wurden. Aus einer Gegenüberstellung und anschließenden "Summierung" der jeweils positiven oder negativen Tendenz einzelner Befunde ergibt sich die endgültige Omenaussage. Unter Tendenz soll die günstig oder ungünstig zu bewertende Bedeutung einzelner Befunde verstanden werden. Auf dieser Verfahrensweise, der Auswertung von Erscheinungsbildern einzelner Leberbereiche sowie einer daraus resultierenden Bilanz aus günstigen und ungünstigen Befunden, beruht das System der Opferschau. Im Gegensatz zu den späteren sargonidischen Leberschauberichten (z.B. KLAUBER 1913) geht aus denen der altbabylonischen und kassitischen Zeit (z.B. GOETZE 1957a; NOUGAYROL 1967) nicht hervor, welche und wie viele Einzelbeobachtungen positiv bzw. negativ zu bewerten sind; zu diesem Zweck war offensichtlich entweder eine Benutzung der Kompendien erforderlich, oder der Wahrsager mußte sich in bezug auf die Wertigkeit einzelner Anomalien auf seine mnemotechnischen Fähigkeiten verlassen.

J. Starr hat in seiner Arbeit über das *bārû*-Ritual (STARR 1974) eine Reihe von Verben aufgeführt, die im Zusammenhang mit Omina eindeutig positiv oder negativ zu bewertende Erscheiungsformen der Leber beschreiben, so daß die Wahrsager allein anhand einer schriftlich verfaßten Protasis in der Lage waren, die jeweils implizierte Tendenz der Apodosis zu erkennen. Ebenso geben die in den Apodosen häufig beschriebenen Vorgänge, wie z.B. historische Ereignisse, Verhalten von Menschen und Göttern in unterschiedlichen Situationen, Naturerscheinungen usw. immer die positive oder negative Bedeutung der jeweils untersuchten Anomalie wieder. Auf dieser Opposition von GÜNSTIG — UNGÜNSTIG (pars familiaris versus pars hostilis, s.S. 89) beruht die Auswertung der Leberschau; diese Dichotomie durchzieht die gesamte Omenliteratur und muß auch im Rahmen dieser Arbeit noch ausführlich behandelt werden (vgl. Kap. III und IV).

Die oben geäußerte Möglichkeit, in den Tonlebermodellen der Gruppen I-IV modellhafte Nachbildungen der Textgattung der Leberschauberichte sehen zu können, soll zunächst als Arbeitshypothese für die weiteren Untersuchungen dienen. Für eine derartige Annahme sprechen auch folgende Beobachtungen:

1. Die vier "beschrifteten" Modelle aus Ugarit enthalten keine Omentexte, sondern Angaben über den Fragesteller sowie dessen Grund zur Anfrage.

2. Die Fundlage von zwei Einzelstücken aus Mumbaqat läßt darauf schließen, daß es sich bei ihnen um die Nachbildungen von Ergebnissen einer Opferschau handelt, die der Errichtung der betreffenden öffentlichen Bauten (Tempel, Stadttor) vorausgegangen ist (MEYER 1983:163–164; ausf. 1984a:119–130; s.S. 51).

Da es sich bei den genannten Modellen um unbeschriftete Exemplare im Sinne der Omina handelt, läßt sich eine Übertragung der hier vorgeschlagenen Bedeutung auch auf die weiteren Exemplare dieser und eventuell auch auf die der Gruppen I-III nur durch einen Vergleich aller Objekte überprüfen. In jedem Fall setzt aber das Auftreten von unbeschrifteten Tonlebern deren "Lesbarkeit" für die Wahrsager voraus. Eine derartige Fähigkeit erfordert ein allen Darstellungen zugrundeliegendes Notationsschema, in dem alle wesentlichen Informationen zur Identifizierung einzelner Darstellungen thematisiert sein müssen (Kap. IV). Aber auch unabhängig von ihrer tatsächlichen Bedeutung können die unbeschrifteten Lebermodelle nur dann einen Sinn gehabt haben, wenn die graphischen Kennzeichnungen zumindest für einen bestimmten Personenkreis, die Wahrsager, verständlich, d.h. "lesbar" waren. Daher wird es eine der zentralen Aufgaben dieser Arbeit sein, Grundlagen für die "Lesbarkeit" dieser Tonlebern festzulegen; ausgehend von den beschrifteten und mit Darstellungen versehenen Modellen sowie den illustrierten Omentexten soll versucht werden, ein verbindliches System für das Erkennen und die Interpretation einzelner Markierungen zu rekonstruieren.

Insgesamt konnten fünf Gruppen von Tonlebermodellen unterschieden werden (vgl. Tab. 4), deren Einteilung aber zunächst noch als vorläufig anzusehen ist, da sie ausschließlich auf einer Analyse der Inschriften basiert. Zur Überprüfung ist die ebenfalls als gruppenbildend erkannte Beziehung zwischen diesen Inschriften und den Darstellungen auf den Modellen zu untersuchen. Auch der Vorschlag, die Tonlebern ihrer Bedeutung nach als modellhafte Nachbildungen der beiden Textkategorien Leberschauberichte (Gruppe I-IV) oder Omenkompendien (Gruppe V) aufzufassen, bedarf einer ausführlichen Überprüfung. Vor einer weiteren Erörterung dieser Fragen sollen zunächst die archäologischen Kriterien untersucht werden. Daraus ergeben sich Hinweise für eine Datierung sowie für die möglichen Verwendungsbereiche der Tonlebermodelle.

II

DIE ARCHÄOLOGISCHEN KRITERIEN FÜR EINTEILUNG UND AUSWERTUNG DER TONLEBERMODELLE

Voraussetzungen einer Untersuchung nach archäologischen Methoden

Jeder Versuch, mit Hilfe archäologischer Methoden eine Gliederung bestimmter Fundgattungen vorzunehmen, setzt die Bearbeitung zweier Faktoren, nämlich die der Gestaltungskriterien und die der Fundumstände voraus.

Gestaltungskriterien

Zu den Gestaltungskriterien gehören in der Regel alle "dekorativen" Elemente eines Gegenstandes, wie Einritzungen, Applikationen, Durchbohrungen u.a.. Im speziellen Fall der Tonlebermodelle sind aber gerade diese graphischen Darstellungen als Marken anzusehen und haben entscheidenden Einfluß auf die Bedeutung und Interpretation der einzelnen Modelle (s.ausf. Kap. IV). Deshalb soll im Rahmen der archäologischen Fragestellungen nur auf die äußere Form der Tonlebern und auf die Differenzierungsmöglichkeiten, die mit dem Werkstoff Ton zusammenhängen — Magerung, Farbe — eingegangen zu werden.

Äußere Form der Tonlebermodelle

Die durchschnittlich 0,05–0,20 m großen Tongegenstände besitzen die charakteristischen Merkmale einer Tierleber, im allgemeinen einer Schafsleber. Während die Modelle aus Syrien/Anatolien stark gerundete Formen aufweisen, haben die Exemplare aus Palästina (Hazor, Megiddo) eine eher eckig wirkende Form. Doch ist darin, ebenso wie in dem etwas größeren Format der Tonlebern aus Boğazköy im Vergleich zu den anderen beschrifteten und unbeschrifteten Modellen, nur ein regional bedingter Unterschied zu sehen.

Die Ursachen für die offensichtlich weitgehend unverändert tradierte Gestalt lassen sich aber auf die unmittelbare Auswirkung der äußeren Form auf die inhaltliche und didaktische (dazu Kap. IV) Aussage sowie auf die über den gesamten Zeitraum ihrer Verwendung gleichbleibende Systematik der Auswertung zurückzuführen. Deshalb ist nur die plastische Wiedergabe folgender Elemente für alle Modelle verbindlich:

1. eine Gliederung in zwei deutlich voneinander abgesetzte Teile; diese werden bei den einzelnen Stücken durch einen unterschiedlich tiefen Einschnitt gebildet. Nach der modernen Nomenklatur entsprechen diese Teile einerseits dem lobus sinister, andererseits den Bereichen lobus quadratus und lobus dexter (zu den physiologischen Aspekten s. Kap. III);

2. eine längliche, oft zum Rand hin leicht verdickte Applikation; in ihr ist die Wiedergabe der Gallenblase zu sehen, die den lobus quadratus vom lobus dexter trennt;

3. eine pyramidale Erhebung; dieses, häufig applizierte Teil der Modelle ist als Darstellung des Leberfingers (proc. caudatus) anzusehen;

4. eine leicht erhabene Vorder- oder "Schau"seite im Gegensatz zur konkaven Rückseite.

Eventuell auftretende Unterschiede in der äußeren Form der Modelle weisen auf das Abweichen des untersuchten Organs von dem als normal definierten Aussehen hin (s.S. 21) und implizieren daher eine Wiedergabe bestimmter morphologischer oder pathologischer Zustände der Opferleber. Aus diesem Grund beinhalten alle formalen Änderungen bereits eine im Sinne der Omentexte zu interpretierende Aussage; sie stellen somit ebenso wie die graphischen Darstellungen inhaltliche Aussagen und nicht für eine Typologie verwendbare Kriterien dar. Deshalb kann auch eine vorwiegend kunstgeschichtlich-ikonographisch orientierte Klassifikationsmethode, die von der Gestalt der Tonlebermodelle ausgeht, keine Anhaltspunkte für kennzeichnende Unterscheidungsmöglichkeiten liefern.

Tonqualität

Ebenfalls ohne Bedeutung für eine formale Unterteilung der Modelle ist eine Untersuchung der Tonqualität (Magerung, Farbe). Zur Herstellung wurde, soweit überprüfbar, immer ein relativ fein geschlemmter Ton verwendet, dessen Magerung bei den beschrifteten Exemplaren mit derjenigen übereinzustimmen scheint, die auch für die Tontafeln der jeweiligen Fundplätze nachzuweisen ist (schriftl. Mitteilung von Prof. R.D. Biggs zu den Modellen von Boğazköy); die Magerung der unbeschrifteten Tonlebern ist dagegen eher mit derjenigen der Terrakottafiguren zu vergleichen (mit Sicherheit für die Stücke aus Mumbaqat belegt).

Die Tonfarbe ist offensichtlich von dem natürlichen Tonvorkommen der jeweiligen Umgebung abhängig und entspricht damit ebenfalls der bei den Tafeln beobachteten Variabilität. Nur einige Modelle aus Boğazköy weisen eine andere Tonqualität als die dort überlicherweise vorkommende auf und lassen somit auf einen Import dieser Stücke schließen (s.S. 44). Eine Besonderheit der Tonlebern aus Ebla muß noch erwähnt werden; zwölf der dreizehn dort gefundenen Stücke sind mit roter Farbe bemalt (s.a. zwei Modelle von Eingeweiden; schriftl. Mitteilung von Frau Prof. St. Mazzoni). Die Bedeutung der Rotfärbung geht aus den unbeschrifteten Modellen nicht hervor, doch spricht die einheitliche Farbgebung dieser Stücke, die alle aus dem gleichen Fundkontext stammen (s.S. 34), für eine lokale Besonderheit; auf diese Frage wird aber im Zusammenhang mit einer möglichen Verwendung der Modelle noch eingegangen.

Demnach haben von den Gestaltungskriterien weder die Form der Modelle noch deren Tonfarbe und Tonqualität Bedeutung für eine Einteilung, sondern nur die jeweils auftretenden graphischen Darstellungen, die aber in Kapitel IV ausführlich behandelt werden sollen; speziell archäologische Fragestellungen im Zusammenhang mit diesen Tonlebern beschränken sich dann nur noch auf eine Untersuchung der einzelnen Fundorte bzw. der betreffenden Fundschichten und Baukomplexe, aus denen Tonlebermodelle stammen.

Fundortkriterien

Der größte Teil aller Tonlebermodelle wurde im Rahmen regulärer Grabungstätigkeit geborgen, so daß über den Fundzusammenhang, der für eine umfassende Beurteilung dieser Stücke von Bedeutung ist, gesicherte Angaben vorliegen. Nur für die wenigen im Handel erworbenen Exemplare lassen sich entweder nur ungenaue oder überhaupt keine Herkunftsangaben machen: BM 50494 (Sippar ?; NOUGAYROL 1968: 31–50); AO 8894 (?; RUTTEN 1938: Taf. 18); YOS X 1 (Larsa ?); YOS X 3 (?); CT VI 1–3 (provinziell (?) nach LANDSBERGER/TADMOR 1964: 202–203) und, unter Vorbehalt (s.S. 10), KAR 444 (Assur). Auch für das aus Tell el Hajj (Syrien) stammende Tonmodell (STUCKY et al. 1972: 30–31 Taf. 12c) kann kein eindeutiger Fundzusammenhang angegeben werden, da das Stück als Oberflächenfund vom Ostabhang der Ruine keine stratigraphische Beziehung zu einer Bausubstanz besitzt. Das Exemplar kann nur als Beleg für die weite Verbreitung derartiger Modelle im Gebiet des mittleren Euphrats dienen (s.S. 265).

Die Betrachtung der Fundorte soll unter zwei Gesichtspunkten — Schichtzugehörigkeit und Bauzusammenhang — durchgeführt werden, die weitere Erkenntnisse für eine umfassende Deutung der Tonlebermodelle vermitteln.

Schichtzugehörigkeit

Grundlage für die zeitliche Einordnung der Objekte ist deren jeweilige Schichtzugehörigkeit; dies ist vor allem für die unbeschrifteten Modelle wichtig, die nicht anhand eines Inschriftenduktus datiert werden können. Bei den beschrifteten Exemplaren erlaubt die aus der Schichtzugehörigkeit gewonnene Datierung eine Verifikation der diesbezüglichen philologischen Resultate; falls sich abweichende Datierungen ergeben, sind die Argumente beider Methoden — der archäologischen und der philologischen — gegeneinander abzuwägen.

Aus der Fundlage eines Objektes geht zunächst nur die letzte Phase der Verwendung (terminus ante quem) hervor; deshalb müssen Beginn und Ende der jeweiligen Bauschicht stratigraphisch eindeutig eingegrenzt werden. Ist eine derartige Fundschicht nach oben und unten "versiegelt", dann sind alle dort geborgenen Objekte normalerweise als zugehörig zu der betreffenden Fundschicht zu betrachten. Besitzt der untersuchte Schichtkomplex aber eine längere Bautradition, die ohne zwischenzeitliche Zerstörungshorizonte über mehrere Bauschichten hinwegreicht, dann können auch aus jüngeren Bauphasen stammende Funde zum ursprünglichen Inventar älterer Bauschichten gehören. In beiden Fällen ist eine absolute Datierung, d.h. die Zeitspanne der Benutzung eines Gebäudes nur mit Hilfe einer Datierung des jeweiligen Fundinventars möglich; hierzu eignen sich vor allem Schriftgut, Keramik, Siegel usw.. Handelt es sich aber bei der Fundstelle um deutlich gestörte oder später aufgeschüttete Bereiche, dann muß entweder der Ausgangspunkt der Störung oder der ursprüngliche Herkunftsort des Erdreichs ermittelt werden. Im Falle derartiger Befunde ist eine exakte zeitliche Einordnung der jeweils assoziierten Objekte nur unter Vorbehalt möglich.

Fundzusammenhang

Eine weitere Möglichkeit der archäologischen Auswertung von Grabungsbefunden besteht in einer Funktionsanalyse der jeweiligen Bausubstanz. Aus dem Bautyp (z.B. Palast, Tempel oder Privathaus) ergeben sich u.U. Rückschlüsse auf den "Ort der Verwendung" derartiger Modelle und damit auch auf den (gesellschaftlichen) Rahmen, in dem die Opferschau jeweils durchgeführt werden konnte. Innerhalb der Gebäude macht das häufig beobachtete gemeinsame Vorkommen von Tonlebern und unterschiedlichen Gattungen von Schriftgut eine weitere Differenzierung notwendig: Stammen die Modelle aus Archiv- oder Bibliothekskomplexen? Die Beantwortung dieser Frage ermöglicht Aussagen über den "Ort der Aufbewahrung" von Tonlebermodellen sowie über ihre Zugehörigkeit zu einer der oben erwähnten Textgruppen (s.S. 17).

Gerade die inhaltliche Unterscheidung zwischen Archiv- und Bibliotheksgut war lange Zeit umstritten (vgl. ausf. Behandlung der Problematik bei PAPRITZ 1959). Die Trennung der Textgruppen in Schriftgut einer Bibliothek oder eines Archivs stammt von E. Weidner (1952/53:197); er unterscheidet zwischen religiösen, liturgischen, literarischen und wissenschaftlichen Texten, wie Mythen, Epen, Legenden, Fabeln, lexikalischen und grammatikalischen Werken, Gesetzen, Omina, die zum Inventar einer Bibliothek gehören und vorwiegend historischen, wirtschaftlichen und administrativen Texten, wie Bau- und Königsinschriften, Rechts- und Verwaltungsurkunden, Briefen, astrologischen Rapporten, Anfragen an den Sonnengott, die als Archivgut anzusehen sind.

Das Entstehen von Bibliotheken ist auf Sammeltätigkeit zurückzuführen; die aufbewahrten Texte stehen dem Eigentümer — Herrscher, Priester oder Privatperson — oder einer mehr oder minder begrenzten Öffentlichkeit zur Verfügung. Den Nachweis eines eigenständigen Bibliothekswesens im alten Orient erbrachte H. Otten, indem er entsprechendes Material über Verwahrung und Anordnungspinzipien derartiger Einrichtungen zusammenstellte (OTTEN 1955b:67–81; vgl. dazu POHL 1956:105–109); als Hilfsmittel einer offensichtlich angestrebten bibliothekarischen Ordnung dienten Kataloge, Etiketten, Kolophone, Signaturen.

Im Gegensatz dazu beruht die Sammlung von Archivgut auf den speziellen Bedürfnissen eines Verwaltungsapparates. So erfolgt die Aufbewahrung des zu einem Archiv gehörenden Textmaterials meistens bei den Stellen, bei denen es organisch gewachsen ist, bei den Provenienzstellen (vgl. dazu WEIDNER 1956:

111–118; PAPRITZ 1959:20–23). Generell — vor allem bei größeren staatlichen Einrichtungen — findet eine Trennung von politischer Korrespondenz und Wirtschafts- und Verwaltungsurkunden statt; daraus läßt sich für die einzelnen Schriftgutsammlungen eine Trennung in Zuständigkeitsbereiche erschließen (vgl. z.B. die versch. Schriftgutsammlungen mit unterschiedl. administrativen Aufgaben innerhalb des Palastes von Mari). In den zentralen staatlichen Textbewahrungen ist nur in geringem Umfang eine Vermischung von Archiv- und Bibliothekstexten zu erkennen, die auf Ansätze zur Entstehung von Dienstbibliotheken hinweist (vgl. dazu PAPRITZ 1959:21).

Ein grundsätzliches Problem stellt die Definition des Begriffes Archiv dar; nach Auffassung von J. Papritz (1959:19–22) dürften die meisten Tontafelsammlungen im deutschen Sprachgebrauch (im Gegensatz zum französischen) nicht als Archive bezeichnet werden, da nach den bisherigen Grabungsbefunden keine Anzeichen für eine langfristige Lagerung des Textmaterials erkennbar seien (so auch GOOSSENS 1952a:100). Für ihn handelt es sich bei der Masse der Tontafelfunde um Kanzlei- oder Registraturgut. Nach dieser Einschätzung wäre die von J. Nougayrol für eine bestimmte Gruppe von Modellen verwendete Bezeichnung "Archivlebern" nicht zu übernehmen. Da aber sowohl eine Ordnung nach Provenienzen als auch — wenigstens in einigen Fällen (z.B. Mari, Ninive) — die Bewahrung zumindest eines Teiles des Schriftgutes über Jahrhunderte hinweg zu beobachten ist, erscheint es gerechtfertigt, im folgenden die Begriffe Archiv, Kanzlei und Registratur nebeneinander zu verwenden.

Die unter archäologischen Gesichtspunkten durchgeführte Auswertung der Fundstellen von Tonlebermodellen verfolgt zwei Ziele. Der durch eine Datierung der betreffenden Fundschichten erhaltene Verwendungszeitraum einzelner Modelle oder Modellgruppen wird ggf. mit diesbezüglichen philologischen Ergebnissen verglichen; im Falle auftretender Diskrepanzen wird nach den Ursachen zu fragen sein, um die jeweiligen Argumente gegeneinander abzuwägen. Weiterhin wird der Versuch unternommen, Aussagen über die Bedeutung der Tonlebern anhand ihres Fundkontextes zu treffen. Für eine derartige Untersuchung ist eine inhaltliche Unterscheidung des Schriftgutes, das zusammen mit Tonlebermodellen gefunden wurde, nach Archiv- oder Bibliotheksmaterial notwendig.

Die einzelnen Fundorte (Taf. 1)

Hazor

Im Verlauf der vierten Grabungskampagne in Hazor wurden zwei Fragmente von beschrifteten Tonlebermodellen sowie drei weitere Bruchstücke unbeschrifteter Exemplare gefunden (YADIN 1959:83–84 Abb. 12C; 1959/60:241; 1961:Taf. 315). Die Frage, ob die beiden beschrifteten Fragmente Teile eines einzigen Modells sind oder zu zwei verschiedenen gehören, wird unterschiedlich beantwortet. Während Y. Yadin (1972:82 m. Anm. 7) sie als zusammengehörige Stücke betrachtet, halten aufgrund orthographischer und paleographischer Eigenschaften ihrer Inschriften B. Landsberger und H. Tadmor (1964:208 m. Rekonstruktionsversuch Abb. 4) sie für Bruchstücke von zwei Modellen. Für diese Annahme spricht neben den philologischen Kriterien auch die Tatsache, daß sich die beiden Fragmente nicht unmittelbar aneinanderfügen lassen, obwohl das eine gerade der Partie entspricht, die bei dem anderen fehlt. Da zudem die von Y. Yadin für seine Vermutung herangezogenen Argumente — vergleichbare Tonqualität und Oberflächenbehandlung — für derartige Objekte nur wenig aussagekräftig sind (vgl. S. 22), soll im folgenden weiterhin von der Existenz zweier beschrifteter Tonlebermodelle in Hazor ausgegangen werden.

Die drei unbeschrifteten Fragmente — zwei Bruchstücke eines Leberfingers sowie eines vom linken Leberlappen — müssen zu mindestens zwei weiteren Modellen gehört haben. Alle fünf Fragmente stammen aus einem gemeinsamen Fundkontext im Bereich eines Tempels der Schicht 2 (Grabungsareal H) in der Unterstadt von Hazor. In der Konzeption dieser Tempelanlage, einer Breitraumzella mit eingetiefter Kultnische, ist ein Zurückgreifen auf ältere kanaanitische Tempeltypen zu erkennen (vgl. schon Tempel in Megiddo, Schicht XVII-XIVB; so auch BUSINK 1970:399; OTTOSSON 1980:33–34, entgegen ALBRIGHT 1959:32). Der 13,5 m breite und 8,9 m tiefe Zentralraum, dessen Dach vermutlich zwei Säulen gestützt haben, wird durch einen dreigeteilten Eingangstrakt erschlossen; für die beiden Seitenräume bietet sich in Analogie zu den Sakralbauten der Schicht VIII (oder älter) in Megiddo sowie IA und IB in Sichem eine Interpretation als Türme an. Von der ursprünglichen Inneneinrichtung dieser Anlage sind noch verschiedene Bänke an den Seitenwänden, ein Podest an der Rückwand und eine Trennwand vor der Kultnische erhalten. Während das Konzept der Grundrißgestaltung durchaus dem des Vorgängerbaus (Schicht 3) entspricht, zeigen sich im Hofbereich umfassende Änderungen zwischen beiden Bauschichten; anstelle einer nur um wenige Meter vor die Front des Tempels vorgezogenen Plattform entsteht in der Schicht 2 ein Hof mit zahlreichen Installationen wie z.B. Wasserbecken mit Zu- und Abflüssen, Altären, weiteren Podesten. Eine Umfassungsmauer mit einem axial zum Tempeleingang angelegten Durchgang grenzt diesen Bezirk vom eigentlichen Siedlungsgebiet ab.

Zahlreiche Tierknochenfunde in Ascheschichten des Hofes lassen auf Ritualhandlungen schließen, die möglicherweise mit dem Vollzug der Opferschau in Verbindung stehen; für eine derartige Annahme sprechen auch die Fundumstände der Tonlebermodelle, die aus der unmittelbaren Umgebung eines der Kultpodeste stammen. Ihre Fundlage — abgedeckt durch offensichtlich nicht mehr verwendete Keramikfragmente — legt den Schluß einer vorsätzlichen "Deponierung" nahe (s.u.).

Die Gründung dieser Anlage auf den kassierten Mauern eines älteren Tempels (Schicht 3) weist zwar auf eine längere Bautradition hin, doch sind beide Gebäude durch einen Zerstörungshorizont voneinander getrennt; daher ist kaum eine Herkunft der Modelle aus der älteren Schicht anzunehmen. Auch ein Vergleich der für die Ober- und Unterstadt jeweils nachgewiesenen Schichtabfolge bestätigt diese Ansicht. So setzt die Neubesiedlung des Geländes nicht unmittelbar nach der Zerstörung der Schicht 3 (= XVI) ein, sondern in verschiedenen Bereichen der Oberstadt tritt zunächst eine als "nach XVI" bezeichnete Phase auf, die allerdings nur anhand von Grabanlagen zu belegen ist (YADIN 1969:5). Das Fehlen jeglicher zu dieser Phase gehöriger Baureste läßt die Vermutung zu, daß die Dauer dieser Zwischenschicht nur einen kurzen Zeitraum umfaßt; der relativ geringe zeitliche Abstand zwischen den beiden Bauschichten wird auch durch die Konzeption der zu Beginn der Schicht 2 (= XV) neu errichteten Anlagen hervorgehoben, die offensichtlich auf überlieferten Traditionen beruht, wie aus den gegenüber der älteren Schicht nahezu gleichbleibenden Grundrissen hervorgeht (Ausnahme Areal F). Die Tatsache, daß auch die Bebauung der Schicht 2 einer ausgedehnten Zerstörung zum Opfer fiel, spricht für eine Zugehörigkeit der Lebermodelle zum Inventar der Schicht 2.

Da die bisher vorliegenden Ergebnisse der archäologischen und philologischen Untersuchungen zu unterschiedlichen Auffassungen geführt haben, ergeben sich Probleme für eine absolute Datierung von Schicht 2 und insofern auch für die der Tonlebermodelle. Aufgrund sprachlicher Kriterien der Inschriften auf den Modellen nehmen B. Landsberger und H. Tadmor (1964:213–216) eine Entstehung gegen Ende der altbabylonischen Zeit zwischen Ammiṣadūqa und Samsuditāna an. Y. Yadin hält dagegen die Fundschicht (Schicht 2) für spätbronzezeitlich und datiert die Modelle in das 16./15. Jhd. v.Chr. (YADIN 1972:83). Sollten die von B. Landsberger und H. Tadmor angeführten philologischen Kriterien für ihre Datierung der Inschriften auf den Tonlebern in das Ende der altbabylonischen Zeit auch weiterhin Gültigkeit besitzen, ergibt sich ein Widerspruch, falls eine andere als die sog. Kurzchronologie verwendet wird. Dieser Widerspruch wäre nur dadurch zu beseitigen, daß eine Herkunft der Modelle aus der Schicht 3 angenommen wird; in dem Fall müßten aber die Stücke sowohl die Zerstörung der Schicht 3 als auch den Zeitraum, in dem das Gebiet nicht besiedelt war ("nach XVI" auf der Akropolis), überdauert haben. Eine absolute Datierung der Schichtenabfolge in der Unterstadt von Hazor kann zur Klärung dieser Frage beitragen; daher sollen mit Hilfe einer entsprechenden Auswertung des jeweils assoziierten keramischen Inventars die einzelnen Schichten zeitlich eingegrenzt werden (im folgenden werden für die Regierungszeiten der Herrscher des Neuen Reiches die neuerdings von den Ägyptologen vertretenen (z.B. BIERBRIER 1975:109–113; 1978:136; WENTE 1975:265–267; WENTE/V.SICKLEN 1976:218.223–224; KRAUSS 1976:161–162; 1977:146–154; 1981:131–146; 166–173; 197–200) und auch weitgehend übernommenen (u.a. VON BECKERRATH 1976b:177–178; BARTA 1979/80:20–34) Daten der ägyptischen Minimalchronologie verwendet; vgl. auch KÜHNE 1982:203–264)

Für die Gründung der Unterstadt im Verlauf der Schicht 4 (= Oberstadt Schicht XVII) läßt sich, unter Verwendung der für Palästina gültigen Keramiktypologie (nach AMIRAN 1960:79–123), ein Datum zu Beginn der Mittelbronzezeit IIB annehmen. Die Gleichzeitigkeit dieser Stufe (MBZ IIB) mit dem Beginn der Hyksosherrschaft in Ägypten, geht aus der Errichtung sog. terre-pisée-Anlagen (dazu PARR 1968:18–46; WRIGHT 1968:1–17; 1969:24–34; vgl. PETRIE 1912:3–4; ALBRIGHT 1938:28) — u.a. auch die Befestigung der Unterstadt von Hazor (dazu GARSTANG 1927:35–42; YADIN 1972:107) — und dem Vorkommen von Keramikformen, die gerade für die Hyksoszeit typisch sind (dazu ALBRIGHT 1938:28–29; KENYON 1967: 8–9, vgl. BIETAK 1984:471–488), hervor. Das Bestehen (und mit Einschränkung auch die Gründung) der Unterstadt von Hazor während dieser Periode wird weiterhin durch den Fund eines Skarabäus der Hyksoszeit auf dem untersten Fußboden des Palastes der Schicht XVII (= 4) bestätigt (YADIN 1961:Taf. 156,29); ein Skarabäus mit vergleichbarem Dekor stammt aus der Schicht XII in Megiddo (LAMON/SHIPTON 1939: Taf. 149,44), die, wenigstens zeitweise, mit Schicht 4 in Hazor gleichzeitig gewesen sein muß. Darüber hinaus sprechen auch die aus dieser Schicht stammenden Kamares-Scherben (dazu ÅSTRÖM 1961/62:146) für ein Datum im letzten Viertel des 17. Jhd. v.Chr. (zur Reduzierung der absoluten Daten der Periode MM II, aus der die Kamares-Gefäße stammmen vgl. ÅSTRÖM 1961/62:143–146; 1972a:212.262–263; THOMAS 1968:19, im Gegensatz z.B. zu KANTOR 1965:21–22). Eine annähernd gesicherte absolute Datierung von Beginn und Ende der Schicht 4 sowie von Beginn der Schicht 3 erlaubt die im folgenden zu besprechende zeitliche Fixierung der Hyksosherrschaft.

Zu den charakteristischen Keramikgattungen, die eine zeitliche Bestimmung dieser Schicht erlauben, gehört die Tell el-Yahudiye-Ware (zusammengestellt bei KAPLAN 1980:174 m. weiterer Lit.), deren Herstellung auf die Zeit der Hyksosdynastie beschränkt ist (dazu MERRILLEES 1974a:73; 1978:88–96; vgl. KAPLAN 1980:45–46.113–115; ÅSTRÖM 1972a:233–239); daher läßt sich die untere zeitliche Begrenzung für eine Verwendung dieser Gattung relativ exakt festlegen. Nach R. Krauss (zuletzt 1981:189–194; Tabelle S. 202–203) erfolgte der Regierungsantritt des Ahmose, des ersten Herrschers der 18. Dynastie, um ca. 1540/42 v.Chr.. Der endgültige Zusammenbruch der Hyksosherrschaft ist aber erst nach der dreijährigen Belagerung und anschließenden Eroberung der Festung Scharuen (Tell Farā Nord n. ALBRIGHT 1928:7; wohl aber Tell Ajjul n. KEMPINSKI 1974:145–152) anzunehmen. Diese Auseineindersetzung kann sich nur in dem Zeitraum zwischen dem 11. und 18. Jahr des Ahmose abgespielt haben (HELCK 1979:48–50), d.h. zwischen ca. 1529/31 v.Chr. und 1522/24 v.Chr.. Bei einem mittleren Ansatz von 1526 v.Chr. für das Ende der Hyksosdynastie resultiert aus den Jahresangaben im Turiner Königspapyrus (vgl. von BECKERRATH 1965:269–276) für Apophis eine Regierungszeit von ca. 1577–1536 v.Chr. (im Gegensatz zu VON BECKERRATH 1965: 1594–1553 v.Chr.) und für den Beginn der mit 108 Jahren angegebenen Hyksosherrschaft ein Datum um ca. 1634 v.Chr. (so HELCK 1979:9).

Der sich daraus ergebende zeitliche Ansatz wird auch dadurch bestätigt, daß der Anteil an spätzyprisch (SZ) IA-Waren im Inventar der Schicht 3 von Hazor äußerst gering ist; dazu gehören nur einige Fragmente von Schalen der monochromen Ware (Typ IF: YADIN 1960:Taf.115,7.9; vgl. aber ÅSTRÖM 1972b:729, der diese Stücke dem Typ IJ bzw. II zurechnet). Nach E.D. Oren (1969:141–142) handelt es sich bei diesem Schalentyp um einen Vorläufer der eigentlichen monochromen Keramik, deren Herstellung zwar in der Phase SZ IA beginnt (ÅSTRÖM 1972b:757–758), deren Hauptproduktion aber erst in der Phase SZ IB einsetzt (so ÅSTRÖM 1972b:769; GITTLEN 1977:324); sie ist in Schicht 2 in Hazor daher auch entsprechend häufig belegt.

Bei den weiteren zyprischen Waren — Red on Black (R.o.B.; z.B. YADIN 1961:Taf. 195,7), White-Painted IV (W.P. IV; z.B. YADIN 1958:Taf. 51,28) — , die aus der Schicht 3 stammen, handelt es sich um Gattungen, deren Herstellung zwar in der Stufe MZ III beginnt, die aber noch in der nachfolgenden Stufe SZ IA belegt sind. In Palästina treten diese Waren in MBZ IIB (-C)- Kontexten auf; dabei ist zwischen einer älteren Phase — MBZ IIB — und einer jüngeren — MBZ IIC (so ALBRIGHT) — zu unterscheiden. Während in der älteren Phase ausschließlich mittelbronzezeitliche Formen und Waren vorhanden sind, kommen in der jüngeren Phase mit der Tell el-Yahudiye-Keramik Gefäße vor (dazu MERRILLEES 1975: 89), die typisch für die Stufe SZ IA sind. Trotz des Fehlens kennzeichnender SZ IA Waren (mit Ausnahme der monochromen Schale) kann daher eine relative Gleichzeitigkeit der Schicht 3 in Hazor mit der ältesten spätzyprischen Phase angenommen werden.

Aufgrund des keramischen Inventars können somit die Schichten 4 und 3 in Hazor in die jüngste Phase der Mittelbronzezeit (MBZ IIB/C) datiert werden. Während Schicht 4 von Beginn (ca. 1640/30 v.Chr.) bis in die mittlere Phase der Hyksoszeit (ca. 1580/70 v.Chr.) reicht, endet die Besiedlung der Schicht 3 etwa mit der Niederwerfung der Hyksosdynastie (ca. 1540 v.Chr.).

Nach der Zerstörung der Bausubstanz von Schicht 3 wurde der Bereich der Oberstadt in Hazor für einen kurzen Zeitraum als Friedhof verwendet (Schicht "post XVI"). Nach Y. Yadin handelt es sich bei den Bestatteten um Stadtbewohner oder Siedler aus der nähreren Umgebung Hazors, die in den Kämpfen, die zur Zerstörung der Stadt geführt haben, getötet wurden (YADIN 1972:125). Diese Zwischenphase, in der das Gebiet der Oberstadt als Friedhof genutzt wurde, ist in der Unterstadt nicht belegt. Für die Dauer dieser Zwischenschicht ist aber nur ein relativ kurzer Zeitraum anzunehmen, da die Bebauung der nachfolgenden Schicht 2 (= XV) weitgehend dem Konzept der Bebauung von Schicht 3 entspricht. Auch die Formen der in den Gräbern gefundenen Keramik entsprechen noch den Formen, die typisch für die Schicht 3 sind, d.h. sie sind noch als mittelbronzezeitlich zu bezeichnen. Erst mit Beginn der Schicht 2 setzt ein Wandel in der auftretenden Keramik ein, der einerseits an der Herstellung von lokal palästinensischen Gefäßtypen der Stufe SBZ IA (z.B.YADIN 1958:131,4), andererseits auch am Import von SZ IB-Waren zu erkennen ist. Eine Analyse der in dieser Schicht gefundenen Gefäße zyprischer Herkunft (z.B. bichrome Ware: YADIN 1958:Taf. 116,14.24.28; 119,12; 124,1.4; 132,15;; YADIN 1960:Taf. 109,13.32; W.S.I: YADIN 1958:135,22; 1961:Taf. 269,36; W.S.IIA: YADIN 1961:Taf. 269,37; B.R.I: YADIN 1961:Taf. 269,40–42; Monochrome: YADIN 1958:Taf. 135,20.24; 1960:Taf. 160,31) ermöglicht eine exakte zeitliche Eingrenzung dieser Siedlungsphase.

Eine der typischen Gattungen, deren Vorkommen in Hazor auf Schicht 2 begrenzt ist, ist die bichrome Ware, deren zyprische Herkunft durch die Ergebnisse chemischer Tonanalysen bestätigt wurde (ARTZY 1973:9–16; ARTZY/AMARO/PERLMANN 1973:446–461; 1978:99–111). Auf Zypern lassen sich zwei Stufen der Herstellung von bichromer Keramik belegen, die durch ihre jeweilige Vergesellschaftung mit anderen zyprischen Waren zeitlich abzugrenzen sind (EPSTEIN 1966:138–141; MERRILLEES 1971:74). In der älteren Stufe findet sich bichrome Keramik zusammen mit Gefäßen der Gattungen Monochrome und W.P.VI, die beide typisch für die Phase SZ IA sind; die zweite Stufe ist dann durch das Auftreten von B.R.I und W.S.I Keramik gekennzeichnet, deren Produktion erst in der Phase SZ IB beginnt. Da in Palästina die bichrome Keramik nur zusammen mit SZ IB Waren vorkommt, ist ihr Import erst nach dem Beginn von SZ IB anzunehmen d.h. nach ca. 1530/20 v.Chr.; da andererseits diese Keramik in Schichten, die nach Thutmosis III. zu datieren sind, nicht mehr vorhanden ist, müssen ihre Produktion und Einfuhr um ca. 1450/20 v.Chr. zum Erliegen gekommen sein (EPSTEIN 1966:185–188; MERRILLEES 1971:73–74).

Auch die weiteren zyprischen Importwaren bestätigen eine Datierung der Schicht 2 in Hazor zwischen ca. 1530/20 v.Chr. und 1450/30 v.Chr.; so beginnt die Haupteinfuhr von Gefäßen der Gattung Monochrome, W.S.I und B.R.I nach Palästina ebenfalls zu Beginn der 18. Dynastie (GITTLEN 1977:323–324.438); auch die Einfuhr der W.S.I Gefäße endete, wie die der bichromen Ware, etwa um die Zeit des Thutmosis II. (GITTLEN 1977:416). Eine weitere Bestätigung für die vorgeschlagene Datierung der Schicht 2 in Hazor ist in dem Fehlen von B.R.II- und W.S.II Keramik zu sehen. Beide Gattungen werden erst nach der Herrschaft des Thutmosis III. nach Palästina importiert (GITTLEN 1977:139–144; 440–441).

Aus diesen Untersuchungen ergibt sich, daß die Zerstörung der Schicht 2 möglicherweise in der Zeit eines der Feldzüge des Thutmosis III. (1479–1426 v.Chr.) nach Syrien datiert werden kann. Im Zusammenhang mit dem ersten Syrienfeldzug dieses Herrschers (= 23. Jahr Thutmosis III., ca. 1256 v.Chr.) wurden in Palästina kleinere Sonderunternehmen durchgeführt, die nach der Belagerung von Megiddo den weiteren Vorstoß an den Euphrat absichern sollten. Aus der Ortsnamenliste im Amuntempel von Memphis geht hervor, daß auch Hazor zu den im Rahmen dieser Streifzüge eroberten Städten gehört hat (dazu HELCK 1962:127–134). Es besteht daher die Möglichkeit, die Zerstörung der Schicht 2 im Verlauf dieser Kämpfe oder während eines der für die folgenden Jahre belegten Feldzüge (dazu HELCK 1962:138–155) anzunehmen. Die Besetzung Palästinas führte vermutlich zu einer Unterbrechung der Handelskontakte mit Zypern, die erst nach der Stabilisierung der politischen Lage, etwa um 1425 v.Chr., wieder aufgenommen wurden.

Die Dauer der nachfolgenden Schichten 1B (= XIV) und 1A (= XIII) kann durch die beiden bereits erwähnten keramischen Leitformen, die B.R.II- und W.S.II-Ware, eingegrenzt werden (dazu GITTLEN 1877:44–290); Beispiele dieser Gattungen finden sich ausschließlich in den Schichten 1B und 1A (z.B. Areal H, Schicht 1B: YADIN 1961:Taf. 276,31; Areal D, Schicht 1A: YADIN 1958:Taf. 99,23). Beide Gattungen treten, wie bereits erwähnt, in Palästina als Import aus Zypern nur in Kontexten auf, die nach Thutmosis III. zu datieren sind. Auch das Vorkommen von myk. IIIA Keramik (YADIN 1960:Taf. 137,4; vgl HANKEY 1967:123) spricht für einen Beginn der Schicht 1B in der zweiten Hälfte des 15. Jhd. v.Chr.. Die früheste Stufe dieser Ware, myk. IIIA1, zu der das Fragment aus Hazor gehört, ist nach P. Åström (1972b:760–761) erst ab ca. 1425/15 v.Chr. (nach der neuerlichen Reduzierung der ägyptischen Chronologie sogar erst um 1400 v. Chr.) in Palästina zu belegen. Damit kommt für den Beginn der Schicht 1B die Zeit um ca. 1450/20 v.Chr. in Betracht. Anhaltspunkte für das Ende der Schicht 1B ergeben sich aus dem Übergang von Keramik der Gattung myk. IIIA zu IIIB; bei der letzteren handelt es sich um eine Ware, die sowohl in der Schicht 1B als auch in 1A belegt ist (z.B. YADIN 1958:Taf. 131,11; 1960:Taf. 148,7). Auch in Tell el Amarna finden sich beide Gattungen nebeneinander; dieser Befund läßt auf einen Stilwechsel innerhalb dieser Periode, d.h. etwa zur Zeit des Amenophis IV (1352–1336 v. Chr.) oder etwas später, falls Amarna über dessen Regierungszeit hinaus besiedelt war (dazu ÅSTRÖM 1972b:761 m. Anm. 6), schließen. Ein Datum zwischen 1340 und 1300 v.Chr. ist demnach für diesen Wechsel am wahrscheinlichsten (vgl. zum Ende von myk. IIIA: WACE 1953:15 Anm. 22; ÅSTRÖM 1965:222; 1972b:760; FURUMARK 1941: 115; die abweichenden absoluten Datierungen resultieren aus unterschiedlichen Daten für die ägyptischen Herrscher, der jeweils verwendete theoretische Ansatz ist aber identisch).

Da die Gründung der Schicht 1A erst zu einem Zeitpunkt erfolgt ist, zu dem myk. IIIA nicht mehr und myk. IIIB schon im Gebrauch war, andererseits die Zerstörung der Schicht 1B stattgefunden haben muß, als beide Keramikgattungen noch in Gebrauch waren, kann dieses Ereignis nur nach dem Einsetzen der Stufe myk. IIIB angenommen werden. Abgesehen von einer möglichen Verwüstung Hazors im Rahmen der Streitigkeiten lokaler palästinensischer Fürsten untereinander bzw. der Auseinandersetzungen mit den *ḫapiru*-Nomaden (dazu ausf. HELCK 1962:188–190) — Ereignisse, die zur Zeit Amenophis IV. stattgefunden haben und sich auch noch unter Tut-ench-amun (1332–13223 v.Chr.) fortgesetzt haben — kommt als Ursache der Zerstörung nur der Feldzug Sethos I. (1290–1279 v.Chr.) nach Palästina in Betracht (so auch YADIN 1972:108; vgl. Zerstörung von Megiddo, Schicht VIIB); eine Verbindung mit dem späteren Feldzug von Ramses II. (in dessen 9. Jahr = 1271 v.Chr.) ist deshalb auszuschließen, weil die entsprechenden Annalenberichte keine Eroberung Hazors erwähnen. Dagegen ist aus dem ersten Jahr Sethos I. ein Unternehmen überliefert (von der NW-Wand der Hypostyl-Halle in Karnak, dazu NOTH 1937:210–212), in dessen Verlauf auch Beth Shan eingenommen wurde. Dieser Feldzug kann wiederum mit der Zerstörung der Schicht VII in Beth Shan in Verbindung gebracht werden, einer Schicht, die, wie Hazor IB, myk. IIIB Keramik zusammen mit myk. IIIA enthält (FITZGERALD 1930: Taf. 42,10.23; STUBBINGS 1951:82–83). In einer weiteren Ortsnamenliste, die nach W. Helck (1962:203) einen etwas späteren Vorstoß dieses Herrschers nach Palästina beschreibt, findet sich u.a. auch der Name von Hazor. Darüber hinaus bestätigen auch die Funde von B.R.II-Keramik in der Schicht 1A einen Ansatz um ca. 1285/75 v.Chr. für den Beginn dieser Bauschicht, da die Einfuhr dieser Ware etwa um die Zeit Sethos I. zum Erliegen kam (vgl. GITTLEN 1977:144), d.h. die Schicht 1A muß begonnen haben, als B.R.II-Keramik noch importiert wurde.

Das Ende der kanaanitischen Schichtenabfolge wird allgemein mit dem Einfall der "Seevölker" in Verbindung gebracht. Diese Annahme findet durch die Befunde in Hazor insofern eine Bestätigung, als myk. IIIC-Keramik im Inventar der Schicht 1A fehlt (dazu HANKEY 1967:107–147). Da der Einfall dieser Völker im 8. Jahr Ramses III., d.h. ca. 1180 v.Chr., vom ägyptischen Herrscher abgewehrt wurde, können die oben genannten Zerstörungen höchstens ein bis zwei Jahre früher stattgefunden haben (vgl. dazu BIRBRIER 1978:136–137). Damit kommt für den Wechsel von myk. IIIB zu myk. IIIC nur der Zeitraum zwischen ca. 1190 und 1180 v.Chr. in Betracht.

Aus diesen Überlegungen ergibt sich für die Datierung der Schichten in Hazor folgendes Bild:

Schicht 4	ca. 1640/30	— 1580/70	v.Chr.
Schicht 3	ca. 1580/70	— 1540	v.Chr.
	Hiatus ("post XVI")		
Schicht 2	ca. 1530/20	— 1450/20	v.Chr.
Schicht 1B	ca. 1450/20	— 1285/75	v.Chr.
Schicht 1A	ca. 1285/75	— 1180	v.Chr.

Aus der Fundsituation der Modelle im Hof des Tempels der Schicht 2 sind nur wenige Hinweise auf ihre Bedeutung und Verwendung zu entnehmen, da weder der Anlaß noch der exakte Zeitpunkt (innerhalb der Schicht 2) ihrer "Deponierung" bestimmbar sind. Aus dem baulichen Kontext, in dem die Lebermodelle gefunden wurden, ergeben sich aber einige Informationen über ihren Verwendungszweck. Ihre Fundlage in dem im Verlauf dieser Bauschicht neu errichteten Hof des Tempels impliziert eine Verbindung mit dem sakralen Bezirk, doch scheint die Durchführung der Opferschau nicht im Heiligtum selbst, sondern auf dem Hof stattgefunden zu haben. Für diese Annahme sprechen außerdem die zahlreichen Opferanlagen, lokalen Ascheschichten sowie die Funde von Tierknochen, die auf einen Vollzug von Kulthandlungen in diesem Bereich schließen lassen. Sollte tatsächlich auch die Leberschau zu den hier durchgeführten Ritualen gehört haben, dann wäre zumindest für das 16./15. Jhd. v.Chr in Palästina eine Verbindung mit dem Tempelbereich zu konstatieren (ohne diesen Befund verallgemeinern zu wollen, vgl. aber Megiddo; S. 32). Das Nebeneinader von beschrifteten und unbeschrifteten Modellen findet sich ansonsten nur in Ugarit (s.S. 32; dort jedoch mit einem anderen Beschriftungstyp), während das vollständige Fehlen von Textmaterial in der näheren Umgebung nur noch aus Megiddo bekannt ist (s.S. 32); in allen anderen Fällen treten Lebermodelle stets zusammen mit Tafeln auf (die wenigen Schriftzeugnisse aus Hazor — ḪAR-*ra*=*ḫubullu*-Fragmente, Namensinschrift auf einem Henkel (TADMOR 1977:98–102) — stammen alle aus unstratifiziertem Fundzusammenhang im Bereich der Oberstadt).

Megiddo

Zu den Funden der Grabungen in Megiddo gehören u.a. auch zwei unbeschriftete Tonlebermodelle aus dem Bereich der Tempelanlage 2048 in der Unterstadt (Areal BB; LOUD 1948: Taf. 255,1–2). Nach den Angaben G. Louds wurde eines der Modelle, Meg. 1 (= LOUD 1948: Taf. 255,1), im Heiligtum selbst unmittelbar über dem Fußboden der Schicht VIIB geborgen. Für das zweite Exemplar, Meg. 2 (= LOUD 1948: Taf. 255,2), fehlt dagegen ein stratigraphisch eindeutiger Fundzusammenhang; als Fundstelle wird eine Schuttschicht in der NW-Ecke des Areals N 13 angegeben. Diese Schuttschicht kann zwar der Bauschicht VII zugeordnet werden, jedoch nicht mit Sicherheit einer der beiden Bauphasen.

Bei dem Tempel 2048 handelt es sich um einen auf einer leicht erhöhten Plattform errichteten Langhaustempel mit eingetiefter Kultnische. Im Gegensatz zu den früheren Ausgräbern, die eine Errichtung dieser Anlage in der Schicht VIII annehmen, haben neuere Ausgrabungen (YADIN 1966: 142; DUNAYEVSKY/KEMPINSKI 1973b: 12–25) eine bis zur Schicht X zurückgehende Bautradition nachgewiesen (so auch schon WRIGHT 1957: 11; 1958: 34–35; EPSTEIN 1965: 214–217 nimmt sogar eine Gründung in Schicht XI an; entgegen DUNAYEVSKY/KEMPINSKI 1973a: 180–182).

Nach diesen Ergebnissen tritt im Verlauf der Schichten X/IX eine entscheidende Änderung in der Baukonzeption dieses Siedlungsgebietes ein: Während für die älteren Phasen (Schicht XII-XI) in diesem Bereich noch eine ausgedehnte Palastanlage (mit Umbauten zwischen XII und XI) sowie ein offener Kultplatz ("High Place") belegt sind (zur Konzeption Palast — Tempel, vgl. z.B. Hazor), wurde in der Schicht X zunächst der Sakralbau 2048 errichtet und dann im Verlauf der Zeit der Schicht IX der Palast aufgegeben (vgl. entsprechenden Wandel zwischen Alalaḫ VII und IV bzw. Hazor Oberstadt Schicht 2 und 1B). Die nachfolgenden Bauschichten sind nur noch durch geringfügige Änderungen der Grundrißgestaltung gekennzeichnet; so vollzog sich in Schicht VIII die Umgestaltung der Vorräume in Türme (vgl. Hazor, Areal H, zwischen den Schichten 2 und 1B; Sichem, im Verlauf von Schicht I). In der Schicht VIIB wurde anstelle der Nische eine vorgelagerte Bank eingezogen und der gesamte Bereich mit einer Temenosmauer umgeben (vgl. Tempel I in Boğazköy; NEVE 1958: Abb. 3). Nach einer Zerstörung dieser Anlage entstand ein wesentlich kleinerer Bau (Schicht VIIA), dessen Grundriß wiederum den älteren Bauten weitgehend entspricht; nur die beiden Türme wurden wieder in zwei kleinere Vorräume umgewandelt (vgl. DUNAYEVSKY/KEMPINSKI 1973b: Abb. 16–19).

Insgesamt läßt sich für den Tempel 2048 in Megiddo eine Baukontinuität nachweisen, die die Schichten X-VIIA umfaßt. Relativ exakte Hinweise für eine Datierung der einzelnen Schichten ergeben sich wiederum aus einer Analyse des keramischen Inventars, insbesondere der jeweils gefundenen Importwaren (zur grundsätzlichen Problematik einer Verwendung der Schichtbezeichnungen in Megiddo, vgl. KENYON 1969: 25–26). Das Vorkommen von Tell el-Yahudiye-Gefäßen (z.B. GUY/ENGBERG 1938: Taf. 23,27.30; LOUD 1948: Taf. 24,32;121,17) und Keramik der Gattung Red on Black (R.o.B.; z.B. LOUD 1948: 214 Taf. 26,14: 123,6: 38,16 evt. lokale Imitation s. ÅSTRÖM 1972a: 214 Anm. 8) spricht für eine Datierung der Schicht XI in die ausgehende Mittelbronzezeit (MBZ IIB) etwa zwischen 1630/10–1570 v.Chr.. Erst ab Schicht X sind frühe SZ-Waren, wie proto W.S. (z.B. LOUD 1948: Taf. 45,21) und W.P. VI (z.B. GUY/ENGBERG 1938: 150–153 Taf. 38,6; OREN 1969: 129–140; AMIRAN 1970: Taf. 37,8) belegt. Dieser Befund sowie die Tatsache, daß bichrome (EPSTEIN 1966: 89–105) und monochrome (z.B. LOUD 1948: Taf. 54,21) Keramik sowie B.R.I-Waren (z.B. LOUD 1948: Taf. 51,1; 58,19–20) erst in der Schicht IX auftreten, legt für den Übergang zwischen diesen beiden Bauschichten ein Datum gegen Ende der Hyksoszeit, d.h. um ca. 1530 v.Chr. nahe. Das Fehlen von B.R.II- und W.S.II-Waren dient als Kriterium für ein Ende der Schicht IX während der Herrschaft von Thutmosis III. (1479–1426 v.Chr.) oder nur kurze Zeit später. Der Wechsel zur Bauschicht VIII muß nicht unbedingt mit dem berühmten Feldzug Thutmosis III. in Zusammenhang gebracht werden (vgl. SHEA 1979: 7 entgegen z.B. KENYON 1960: 567), da in den historischen Quellen nur von einer Belagerung und freiwilligen Übergabe der Stadt berichtet wird, nicht jedoch von deren Zerstörung. Insofern ist eine verbindliche Aussage über den exakten Beginn der Schicht VIII nicht möglich, doch scheint ein Datum um ca. 1420/1400 v.Chr. aus mehreren Gründen wahrscheinlich: Im Inventar dieser Schicht findet sich Keramik vom Typ W.S.I (z.B. LOUD 1948: Taf. 137,3), die nur bis zum Ende des 15. Jhd. v.Chr. importiert wurde; daneben kommt aber auch schon Buccero-Ware vor (z.B. LOUD 1948: Taf. 137,12; zur Verbreitung in Palästina vgl. ÅSTRÖM 1972b: 751; GITTLEN 1977: 2292)), die nur für das 14. Jhd. v.Chr. belegt ist. Auch die Funde von Gefäßen der White-Shaved-Ware bieten einen guten Anhaltspunkt für eine Datierung der Schicht VIII. Diese Keramik, die auf Zypern seit ca. 1450 v.Chr. hergestellt wird (ÅSTRÖM 1972b: 679–682; GITTLEN 1977: 348), erreichte das Festland erst nach der Zeit Thutmosis III (dazu SJÖQUIST 1940: 77–78 m. Anm. 7–8). Da diese Gattung in der Schicht IX nicht belegt ist, in der Schicht VIII sich aber relativ zahlreich findet (z.B. LOUD 1948: Taf. 58,8–10; 136,2; ÅSTRÖM 1972b: 745; GITTLEN 1977: 244–356), erscheint wiederum für den Beginn der Schicht VIII ein Datum um ca. 1420/1400 v.Chr. gerechtfertigt. Auch das Fehlen monochromer Keramik (ÅSTRÖM 1972b: 721 führt zwei Gefäße dieser Gattung aus Grabanlagen auf; vgl. aber dazu OREN 1969: 130.142, der sie Schicht IX zuordnet), deren Einfuhr etwa um die Zeit des Thutmosis IV. (1400–1390 v.Chr.) endete (GITTLEN 1977: 322–324; zu jüngerem Auftreten dieser Ware vgl. Anm. 52), spricht für einen derartigen zeitlichen Ansatz.

Dagegen ist das Fehlen von B.R.II- und W.S.II-Gefäßen auffällig; für B.R.II kann zwar davon ausgegangen werden, daß diese Ware zu Beginn ihres Imports vor allem in Grabkontexten nachzuweisen ist (z.B. Megiddo Gräber 4,36,217, die alle der Schicht VIII zugeordnet werden) und erst später, etwa ab Haremhab (1319–1293 v.Chr.) auch in Siedlungsbereichen in größerem Umfang zu belegen ist (GITTLEN 1977: 142; vgl. Megiddo Schicht VII). Derartiges trifft allerdings nicht für das Fehlen von W.S.II-Ware zu, die gerade während des 14. Jhd. v.Chr. zahlreich nach Palästina eingeführt wurde. Die Tatsache, daß mit W.S.II- und auch Myk.IIIA-Keramik (dazu HANKEY 1967: 125–126) typische Gattungen des 14. Jhd. v.Chr. in der Schicht VIII von Megiddo nicht belegt sind, lassen aber nicht notwendigerweise auf einen Hiatus in der Besiedlungsabfolge nach der Einnahme von Megiddo durch Thutmosis III. schließen (so z.B. TUFNELL 1958: 66; KENYON 1969: 59). Zwar ist nicht auszuschließen, daß sich die lokale Verwaltung dieses Gebietes nach der Übergabe von Megiddo (ca. 1456 v.Chr.) in dem nur 7 km entfernten Taanach angesiedelt hat; für eine derartige Annahme sprechen sowohl die dortigen archäologischen Funde (LAPP 1969: 5,24–27; vgl. auch 1967: 2–27) als auch eine größere Anzahl von Tontafeln (HROZNÝ 1906: 36–41; vgl. dazu ALBRIGHT 1944: 12–27), die eine intensive politische Korrespondenz mit der ägyptischen Verwaltung widerspiegeln. Doch war Megiddo auch unter Amenophis II. (1400–1390 v.Chr.) ein wichtiger Stützpunkt der ägyptischen Herrschaft in Palästina. Darüber hinaus spricht, neben dem bereits erwähnten Vorkommen bestimmter Keramikgattungen, wie Bucchero und White Shaved, auch die Beibehaltung der seit der Schicht X üblichen Bauweise (z.B. Tempel 2048 der Schicht VIII und dessen Vorgängerbauten, dazu DUNAYEVSKY/KEMPINSKI 1973a: 180–184 Abb. 15–17) für diese Annahme.

Das Ende der Schicht VIII wird von C.F.A. Schaeffer mit den Nachrichten über ein Erdbeben, dem auch die Schicht 4 in Ugarit zum Opfer gefallen sein soll (SCHAEFFER 1948: 2; s.S. 33), in Zusammenhang gebracht. Denkbar ist aber auch eine Zerstörung als Folge interner Auseinandersetzungen palästinensischer Lokalfürsten während der Amarnazeit. So befürchtet z.B. ein Fürst von Megiddo die Eroberung seiner Stadt, falls die Verteidiger durch die sich immer mehr ausbreitende Seuche (Pest) noch weiter geschwächt würden (EA 244,31; vgl. auch EA 246, Koalition gegen Megiddo und damit gegen die ägyptische Vorherrschaft).

Die nachfolgende Schicht VIIB, aus der die Tonlebermodelle stammen, muß begonnen haben, als B.R.II- und W.S.II-Gefäße noch und myk. IIIB-Ware schon nach Palästina eingeführt wurden (z.B. B.R.II: LOUD 1948: Taf. 69,8.9; W.S.II: LOUD 1948: Taf. 65,25–27; 138,22; myk. IIIB: HANKEY 1967: 125–126). Da der zyprische Import nach den Aktionen von Sethos I. (1290–1279 v.Chr.) und Ramses II. (1279–1213 v.Chr.) in Palästina zurückgeht und myk. IIIB seit etwa 1340/30 v.Chr. zu belegen ist, erscheint ein Beginn der Schicht VIIB um ca. 1330 v.Chr. als wahrscheinlich. Dieser Ansatz wird auch dadurch bestätigt, daß die Schicht VIIA ebenfalls schon begonnen haben muß, als diese Waren noch in ausreichendem Umfang nach Palästina gelangen konnten (z.B. B.R.II: LOUD 1948: Taf. 65,24; W.S.II: LOUD 1948: Taf. 69,10; 140,17; myk. IIIB: HANKEY 1967: 125–126). Für die Zerstörung der Schicht VIIB in Megiddo bietet sich einer der Feldzüge des Sethos I. an, der auch in der Ortsnamenliste aus Redesije (bei Edfu) erwähnt wird (vgl. dazu JIRKU 1957: 38 Liste XI). Das exakte Datum dieses Vorstoßes ist unbekannt; da aber u.a. in der Liste auch Kadeš erwähnt wird, scheint ein Zusammenhang mit den Darstellungen auf der Westwand der Hypostyl-Halle in Karnak zu bestehen, die einen Angriff auf Megiddo zeigen (vgl. dazu NOTH 1937: 211 Anm. 2; Fund einer Stele Sethos I. in Kadeš, PÉZARD 1922: 108). Damit kommt für das Ende der Schicht VIIB ein Datum um ca. 1285/75 v.Chr. in Betracht.

Über eine exakte Datierung der Schicht VIIA in Megiddo liegen unterschiedliche Auffassungen vor; während G. Loud sie vollständig in die Eisenzeit, d.h. in die Periode nach den Verwüstungen durch die sog. "Seevölker" datiert (LOUD 1948: 48), schlagen I. Dunayevsky und A. Kempinski (1973a: 184.187) einen Zeitraum vor, der das Ende der Spätbronzezeit und den Beginn der Eisenzeit umfaßt. Nach W. Helck (1979: 145) soll myk. IIIC-Keramik aus der Schicht VIIA stammen, die durch eine Ascheschicht von typischer Philisterkeramik getrennt ist. Doch nur für Ashdod, Tell Sukas und Ugarit, d.h. für einzelne Küstenstädte ist diese Ware vor dem Zerstörungshorizont, der um 1180 v.Chr. anzusetzen ist, belegt (HANKEY 1967: 107–110), und Philisterkeramik wird erst in Schicht VI typisch (z.B. LOUD 1948: Taf. 75,22; 86,1). Auch die unter einer Mauer der Schicht VIIB gefundene Basis, die nach ihrer Inschrift zu einer Statuette von Ramses VI. (ca. 1146–1142 v.Chr.) gehört hat, kann nicht als Kriterium herangezogen werden (entgegen MÜLLER-KARPE 1977: 65), da die Fundlage dieses Stückes mit Sicherheit als sekundär anzusehen ist (JAMES 1966: 178–179). Weiterhin erscheint auch die Beibehaltung der Tempelkonzeption über den Einfall der "Seevölker" hinaus kaum denkbar; an allen Orten, die nach diesem Ereignis wieder besiedelt wurden (z.B. Lachiš, Oberstadt von Hazor, Gezer, Ashdod), zeigt sich ein Bruch in der Bautradition. Aus diesen Gründen dürfte das Ende der Schicht VIIA in Megiddo mit der großen Zerstörungswelle um 1180 v.Chr. zusammenfallen.

Für die Bebauung in Megiddo ergibt sich folgendes Schema:

Schicht XI	ca. 1630/10	— 1570	v.Chr.
Schicht X	ca. 1570	— 1530/20	v.Chr.
Schicht IX	ca. 1530/20	— 1420/1400	v.Chr.
Schicht VIII	ca. 1420/1400	— 1330	v.Chr.
Schicht VIIB	ca. 1330	— 1285/75	v.Chr.
Schicht VIIA	ca. 1285/75	— 1180	v.Chr.

Aus der Fundlage der Tonleber Meg. 1 unmittelbar über dem Fußboden des Tempels 2048 der Schicht VIIB geht deren Zugehörigkeit zu dieser Bauschicht hervor. Zwar kann wegen der langen Bautradition des Tempels — von Schicht X-VIIA, d.h. von ca. 1570-1180 v.Chr. — eine Herkunft aus einer älteren Schicht nicht vollkommen ausgeschlossen werden, doch ist kaum anzunehmen, daß ausgerechnet dieses Exemplar die Zerstörung der älteren Anlagen überdauert hat und dann wieder- oder weiterverwendet wurde. In Analogie zu dem Modell MBQ 1 (s.S. 36) könnte sich auch für dieses Exemplar ein Befund abzeichnen, der eine unmittelbare Verbindung zur Gründung der Anlage ausdrückt: die modellhafte Wiedergabe der Ergebnisse einer Opferschau, die für die Errichtung des Heiligtums durchgefürt wurde. Für diese Annahme gibt es allerdings bis auf die Tatsache, daß es sich ebenfalls um einen Einzelfund in außergewöhnlicher Fundlage handelt, keine konkreten Hinweise. Für das Modell Meg. 2 kann weder eine eindeutig gesicherte Fundlage noch Fundschicht angegeben werden. Es ist aber eine ursprüngliche Lagerung in einem der im Westen an den Tempel anschließenden Bauteile zu erwarten. Eine derartige Fundsituation wäre mit denen anderer Grabungsstätten, wie z.B. Emar, Mumbaqat und in gewisser Weise auch Hazor zu vergleichen. Auf das vollständige Fehlen von Textzeugnissen aus beiden Fundkontexten wurde bereits hingewiesen (s.S. 24; Tontafeln fanden sich nur im Palastbereich der Schicht VII, u.a. ein Fragment des Gilgameš-Epos, dazu s. S. 266).

Ugarit (Ras Shamra)

Während der in den Jahren 1959–1964 durchgeführten Grabungen in der sog. Südstadt von Ugarit wurde ein ausgedehnter, von mehreren Gassen durchzogener Siedlungsbereich freigelegt (SCHAEFFER 1963a: 123–124; 1963b:208–215; SAADÉ 1978:Abb. 47 Plan). Im Verlauf dieser Arbeiten fand sich im äußersten Süden der Oberstadt ("Südakropolis") ein großes Gebäude, aus dem u.a. 21 Tonlebermodelle stammen (COURTOIS 1969:91–119; DIETRICH/LORETZ 1969:165–180). Die Lage dieses Hauses im Bereich der Oberstadt soll hier noch einmal besonders hervorgehoben werden, da die Südstadt sich in zwei Grabungsflächen gliedert, "ville sud" in der Unterstadt (SCHAEFFER 1960:135–156; 1961/62:187–196; 1963b:206–208) und "Sud Akropolis" in der Oberstadt gelegen (zur Lokalisation vgl. COURTOIS 1974:97–99, als Richtigstellung zu NORTH 1973:120–121).

Die Tonlebermodelle wurden in einem größeren Gebäude, dessen Ausmaß ca. 30:25 m beträgt, gefunden. Die innere Gliederung des Hauses zeigt eine vermutlich funktionale Unterteilung in zwei separate, allerdings durch eine Tür miteinander verbundene Bereiche, die beide von einer im Westen verlaufenden Straße erschlossen werden. Die nördliche Hälfte des Gebäudes wird von einem Hof mit angrenzenden Magazin- und Wohnräumen gebildet. Eine hier gefundene Inschrift auf einer löwenköpfigen Vase enthält wahrscheinlich den Namen des Hausbesitzers (COURTOIS 1969:116 m. Anm. 14): Dabei handelt es sich um den Wahrsager bn agpṯr (s.S. 34).

Von der insgesamt stärker zerstörten Bausubstanz des südlichen Gebäudeteiles ist die nördliche und westliche Raumkette erhalten. Der nördliche Trakt wird von nur zwei Räumen gebildet, die durch eine Tür miteinander verbunden sind (Raum 5/6 und 4 bei SAADÉ 1978:Abb. 48); eine schmale, sekundär eingezogene Mauer (ohne Baugrube direkt auf dem Fußboden gegründet) unterteilt nochmals den westlich gelegenen Raum 5/6. In der einen Hälfte dieses Raumes (Raum 5; cella aux tablettes) fanden sich neben Kultgeräten (u.a. Gold- und Silberschalen) auch zahlreiche mythologische und liturgische Texte (s.u.a. VIROLLEAUD 1962:92–97. 105–113; 1968:545–595; LAROCHE 1963:152–153; 1968:497–544); aus der anderen Hälfte (Raum 6; fosse aux foies) stammen weitere Tafeln religiösen Inhalts sowie die 21 Tonlebermodelle und ein beschriftetes Lungenmodell. Nach dem Charakter der Texte zu urteilen, entspricht das Inventar dem einer priesterlichen Bibliothek.

Für den östlich benachbarten Raum 4 scheint dagegen eine Deutung als Kultraum denkbar. Dort wurde eine fast runde monolithische Platte gefunden, für die eine Verwendung als Opfertisch durchaus vorstellbar ist (dazu COURTOIS 1969:109). Daher kommt diese Raumgruppe als Ort für die Durchführung und Auswertung der Opferschau in Betracht.

Eine zweite Bibliothek ebenfalls mit magischen und medizinischen Texten (u.a. NOUGAYROL 1963: 132–142; 1969b:393–408) befand sich im Südwesten des Gebäudes (Raum 7).

Die Existenz von zwei separaten Bibliotheken innerhalb eines Hauses, in denen Texte für jeweils unterschiedliche Bereiche der Mantik gelagert wurden, läßt zwar auf eine räumliche Trennung der entsprechenden Praktiken (Leberschau bzw. Dämonenbeschwörung), aber auch — zumindest für Ugarit — auf die Durchführung durch eine einzige Person schließen.

Die stratigraphische Einordnung des Gebäudes in die Schichtenabfolge von Ugarit erweist sich als problematisch. Eine große Anzahl von Modellen und Tafeln befand sich in eindeutiger Versturzlage; der Fußboden aus Steinplatten war in diesem Bereich stark beschädigt und so konnte sich ein Teil des Inventars mit älterem Brandschutt vermischen. Dieser Brandschutt stammt mit Sicherheit von der Zerstörung der mittelbronzezeitlichen Anlage (SCHAEFFER 1963b:206–215). Das Gebäude selbst ist unmittelbar auf diesen älteren Bauresten gegründet (COURTOIS 1969:94), d.h. es ist auf jeden Fall jünger als der mittelbronzezeitliche Bau und gehört zur spätbronzezeitlichen Bausubstanz in Ugarit.

Der Versuch einer zeitlichen Begrenzung der einzelnen Schichten soll von dem Auftreten und der Verteilung kennzeichnender keramischer Gattungen ausgehen. Die jüngste mittelbronzezeitliche Schicht, Schicht 6 (= RSII/3 = UM 2), ist in die Hyksoszeit zu datieren (s.a. SCHAEFFER 1948:14–15; COURTOIS 1974: 102; zur Streichung der Phase UM 3 vgl. ÅSTRÖM 1972a:262–264; auch COURTOIS 1974 hat diese Phase in der Einzelbeschreibung nicht erwähnt, in seine Tabelle jedoch mit höheren absoluten Daten aufgenommen; vgl. auch SCHAEFFER 1948:Taf. 13, im strat. Schnitt sind zwischen den Schichten UR 1 und UM 2(3) keine Strata angegeben); diese Annahme wird u.a. durch zahlreiche Funde von Tell el-Yahudiye-Ware in den entsprechenden Schichten bestätigt (z.B. SCHAEFFER 1936:144–145 Abb. 18D; 1938:244–246 Abb. 36G-H; 1939:25–26 Abb. 16–17; 1948:Abb. 486 H). Die nachfolgende Schicht 5 (= R I/1 = UR 1) führt u.a. bichrome Ware, B.R.I- und W.S.I-Keramik (EPSTEIN 1966:120–127; COURTOIS 1974:101), so daß der Beginn dieser Schicht nicht vor 1530/20 v.Chr. angesetzt werden kann (s.S. 27), sich aber zwischen 5 und 6 nicht notwendigerweise der immer wieder angeführte Hiatus (so SCHAEFFER 1948:550–552; COURTOIS 1974:101) in der Besiedlungsabfolge ergeben muß (s.a. ÅSTRÖM 1972a:262–264). Für die Schicht 6 kann eine Dauer von ca. 1630 — 1530/20 v.Chr. angenommen werden, für die Schicht 5 von ca. 1530/20 — 1430/20 v.Chr.. Für diesen Endpunkt spricht das Fehlen von B.R.II- und myk. III-Waren in der Schicht 5. R. North verbindet das Ende dieser Schicht mit den Feldzügen von Amenophis II. (1426–1400 v.Chr.) in Syrien (NORTH 1973:134; vgl. dazu HELCK 1962:156–157), in deren Verlauf auch Ugarit erobert wurde. Die Bauten der nachfolgenden Schicht 4 (= RS I/2 = UR 2) wurden unmittelbar auf den Grundmauern der Gebäude von Schicht 5 errichtet. Schicht 4 wird von Schicht 3 durch einen ausgedehnten Zerstörungshorizont abgegrenzt, der entweder mit einem Erdbeben (CHANDLER 1964:181) oder mit einem Überfall lokaler Fürsten aus Nuḫašše und Mukiš zur Zeit des Niqmedu II. (RAINEY 1965:110) in Verbindung gebracht werden kann. Auf beide Ereignisse könnte sich die in EA 151,55–59 von Abimilki, dem König von Tyros, an Amenophis IV (1352–1335 v.Chr.) berichtete Meldung über eine Feuersbrunst in Ugarit beziehen (vgl. SCHAEFFER 1939:35; 1948:2–4; dagegen DURAND 1950:9; POHL 1952:112). Unter der aus Schicht 4 stammenden Keramik befand sich erstmals myk. IIIA-Ware, aber auch myk. IIIB ist bereits vorhanden (vgl. HANKEY 1967:112; COURTOIS 1973:137–165); da in der nachfolgenden Schicht 3 ebenfalls beide Gattungen auftreten, kann der Wechsel von Schicht 4 zu Schicht 3 nur zu einem Zeitpunkt stattgefunden haben, als beide Waren gemeinsam nach Syrien/Palästina exportiert wurden, d.h. in der Amarnazeit (s.S. 28). Demnach kommt für das Ende von Stratum 4 ein Datum um ca. 1340/30 v.Chr. in Betracht. Die Schicht 3 (= RSI/3 = UR 3) schließlich stellt mit Sicherheit die Zeit der größten Machtausdehnung Ugarits dar; erst um 1180 v.Chr. wird die Stadt im Zusammenhang mit den "Seevölker"-Unruhen zerstört.

Aus diesen Überlegungen ergibt sich folgende Schichtenabfolge:

Schicht 3 = RSI/3 = UR 3	ca. 1340/30	— 1180	v.Chr.
Schicht 4 = RSI/2 = UR 2	ca. 1430/20	— 1340/30	v.Chr.
Schicht 5 = RSI/1 = UR 1	ca. 1530/20	— 1430/20	v.Chr.
Schicht 6 = RSII/3= UM 2	ca. 1630	— 1530/20	v.Chr.

Die Gründung des Gebäudekomplexes, aus dem die Tonlebermodelle stammen, erfolgte direkt auf den Mauern einer Anlage der Schicht 6. Aus dem erhaltenen Inventar lassen sich aber keine Anhaltspunkte für eine mögliche Entstehung im Verlauf der Schicht 5 entnehmen. Die in diesem Gebäude gefundene lokale Keramik ist typisch für das 14./13. Jhd. v.Chr.; auch vergleichbare W.S.II- Gefäße treten seit ca. 1400 v.Chr. in Syrien/Palästina auf und werden bis kurz nach 1300 v.Chr. eingeführt (GITTLEN 1977:439–441 m. Anm. 174–175, vgl. S. 30) und die myk. Rhyta (SCHAEFFER 1963a:Abb. 29; COURTOIS 1969: 116–119 Abb. 16–17; Zusammenstellung der in Ugarit gefundenen Rhyta bei CONTESSON et al. 1974:12 Anm. 4) sind ebenso wie weitere myk.-Waren (z.B. COURTOIS 1969:115 Abb. 15) charakteristisch für das späte 14. und 13. Jhd. v.Chr. (ausf. COURTOIS 1973:137–165). Auf der Basis dieser Keramikanalyse erscheint eine Gründung der Anlage im Zeitraum der Schicht 4 als wahrscheinlich, doch ist aufgrund des Inventars eine Weiterverwendung während der Schicht 3 anzunehmen. Ein exaktes Datum für die Entstehung der Lebermodelle ist damit noch nicht gegeben. Von J.C. Courtois werden sie der Schicht 3 zugeordnet (COURTOIS 1969:112); dabei ist allerdings zu berücksichtigen, daß nahezu alle bisher in Ugarit gefundenen Texte zwar aus Gebäuden der Schicht 3 stammen, ein großer Teil von ihnen aber bereits zur Zeit der Schicht 4 verfaßt worden ist (COURTOIS 1969:101).

Einer der Inschriften auf den Modellen ist aber eventuell ein Hinweis auf ihre absolute Datierung zu entnehmen. Als Name des Wahrsagers konnte bn agpṯr identifiziert werden (s.S. 218); eine Person gleichen Namens oder deren Vater hat auch die Opferschau durchführen lassen, deren Ergebnis auf dem Modell RS 17 dargestellt ist. In dieser Namensform kann die ugaritische Schreibung des hurritischen Personennamens Akip-šarri gesehen werden (vgl. GELB/PURVIS/MacRAE 1943:15), ein Name, der auch für einen hohen Beamten im Palast von Ugarit belegt ist (vgl. RS 52/16.257; NOUGAYROL, 1955a:178.199–204). Der betreffende Text handelt von einer Lieferung von 30 Gefäßen mit Öl an einen Akip-šarri (auf eine mögliche Entsprechung mit den im Haus des bn agpṯr gefundenen Vorratsgefäßen hat COURTOIS 1969:94 bereits hingewiesen). Von J. Nougayrol wird dieser Text in die Regierungszeit des Ammištamru II. datiert, der wiederum ein Zeitgenosse von Tutḫaliya IV./III. (ca. 1236–1220 v.Chr.) ist, wie aus der von Ini-Tešup, dem Vizekönig von Karkemisch, und Tutḫaliya IV./III. selbst bestätigten Scheidungsurkunde des Königs von Ugarit hervorgeht (dazu FISHER 1971:11). Falls die auf dem Lebermodell, der Vase und der Tontafel erwähnten Personen tatsächlich identisch sind oder in einem direkten Verwandtschaftsverhältnis (Vater-Sohn) stehen, ergibt sich daraus eine Datierung dieses Modells und damit wohl auch aller Modelle um ca. 1230/20 v.Chr.

Ebla (Tell Mardiḫ)

Die Ausgrabungen in Ebla haben bisher 12 unbeschriftete Tonlebermodelle erbracht, die aus zwei Fundstellen im Gebiet der Unterstadt stammen. Eines der Modelle (TM6B175 = TM 1; MATTHIAE 1966:57 Taf. 59,11) fand sich im Bereich zwischen den beiden Tempeln B1 und B2 (Areal B) südwestlich der Akropolis. Beide Gebäude gehören zur Phase Mardiḫ IIIB, die in die Mittelbronzezeit II datiert wird (MATTHIAE 1974:56–58).

Das Heiligtum B1 repräsentiert den typischen syrischen Tempel — eine Langraumanlage mit mächtigen Außenmauern (vgl. Hazor, Areal H, Megiddo, Tempel 2048, Sichem 1A, Emar, Areal M). Das zweite Heiligtum B2 besteht aus unregelmäßig um einen Hof angeordneten Räumen, in denen Opfermöglichkeiten und kleine Kultzellen eingerichtet sind. P. Matthiae vergleicht diese Anlage mit dem Tempel F in Hazor, Schicht 3 (MATTHIAE 1975:475). Östlich an diese Sakralbauten schließen sich mehrere Raumkomplexe an, die als Wohnhäuser (B4) und als Lagerhaus (B3) interpretiert werden. Zwischen den beiden Tempeln, aber auch innerhalb der anderen Gebäude befinden sich zahlreiche z.T. mit Platten abgedeckte Gruben und Felshöhlen sowie mindestens ein Schachtgrab. Diese Vertiefungen waren teilweise in die Bausubstanz der Schicht IIIB eingetieft, d.h. sie sind jünger als diese Bauten. Die Verfüllung bestand aus mehreren Lagen von Verfallschutt unterschiedlicher Perioden (MATTHIAE 1966:49–50). In einer dieser Schuttschichten, in einer Grube im Gebäude B3, fand sich die Tonleber TM 1 zusammen mit mittelbronzezeitlicher Keramik (MATTHIAE 1966:50). Aufgrund dieser Fundlage ist zwar eine eindeutige Zuordnung des Modelles zu diesem Baukomplex nicht möglich, jedoch dürfte eine Datierung in die Mittelbronzezeit am zutreffendsten sein.

Wenn das Modell tatsächlich zum ursprünglichen Inventar von Gebäude B3 gehört, dann ist die Fundsituation mit derjenigen der Modelle aus Emar und Mumbaqat zu vergleichen (s.S. 36 bzw. 38). Eine Besonderheit dieser Tonleber ist das Fehlen sämtlicher Kennzeichnungen (Beschriftung, Ritzungenen, Applikationen; dazu s.S. 248).

Die übrigen Tonlebern sowie die beiden Modelle von Eingeweiden stammen aus einer Fundstelle im Areal G (PQ EaV5i). Nur eine der Tonlebern (TM 76G403 = TM 2) und beide Eingeweidemodelle waren bei der Bergung noch vollständig. Ihre Fundlage in einer mittelbronzezeitlichen Schuttschicht läßt keinen Zusammenhang mit irgendeiner Bausubstanz erkennen, auch nicht mit dem nur wenig westlich gelegenen West-Palast (dazu MATTHIAE 1982: 121–129). Aus der einheitlichen Rotfärbung geht hervor (s.S. 22), daß es sich bei diesen Objekten um eine in sich geschlossene Gruppe handelt.

Aufgrund der Keramikfragmente, die zusammen mit den Modellen gefunden wurden, ist deren Datierung in die Mittelbronzezeit II wahrscheinlich. Daher kommt für die Entstehung der Tonlebern ein Datum zwischen 1770 v.Chr. und 1580/30 v.Chr. in Betracht (MATTHIAE 1979: 148–149; 1981: 55–56: 1982: Anm. 5 nimmt als Enddatum 1650/1600 v.Chr. an und verbindet die Zerstörung von Ebla mit den hethitischen Feldzügen unter Ḫattušili I. und Muršili I. nach Syrien; nach der hier verwendeten Kurzchronologie sind diese Daten um ca. 70 Jahre zu senken).

Emar (Meskene)

Im Verlauf der Ausgrabungen in Emar wurden u.a. zwei beschriftete Tonlebermodelle gefunden; sie stammen aus einem kleinen Heiligtum im Grabungsabschnitt M (MARGUERON 1982b: 31–32; ARNAUD 1982: 50 Ab.1). In diesem, im Zentrum der Ruine gelegenen Grabungsareal konnten neben mehreren Privathäusern auch die Reste von zwei der insgesamt vier an diesem Ort nachgewiesenen Sakralbauten freigelegt werden (MARGUERON 1975: 60–64; 1982b: 29–33). Ihre Verwendung als Tempel wird sowohl durch Kulteinrichtungen wie Podeste, Bänke (E 324), Kultnische (M 2), Altäre an der rückwärtigen Schmalwand (E 324, M 1) als auch durch die Gestalt ihrer Grundrisse, deren Konzeption miteinander vergleichbar ist, bestätigt. Alle vier Anlagen gehören zum Typus des syrischen Antentempels, der vom 3. Jts. v.Chr. (z.B. Tell Chuera) bis zum Ende des 2 Jts. v.Chr. (z.B. Mumbaqat, Ebla, Hazor, Megiddo, Ugarit) im syrisch-palästinensischen Gebiet belegt ist. Durch eine Verlängerung der Seitenwände über die eigentliche Front des Tempels hinaus wird eine Vorhalle gebildet; von dort ist das Allerheiligste durch einen axial angelegten Eingang direkt zu betreten. Nur bei den beiden größeren, als Haupttempel bezeichneten Gebäuden (E 324, 325) wird der Kultraum durch eine Quermauer unterteilt (evt. Sakristei; MARGUERON 1982b: 29–31 Abb. 4.6; vgl. Mumbaqat, Steinbau II, s.S. 37).

Die beiden Tonlebermodelle stammen aus dem Tempel M 1 (temple du devin). Dieser Bau besitzt eine gegenüber den anderen Tempeln abweichende Orientierung; der Zugang befindet sich im Nordosten des Gebäudes (die Ecken weisen jeweils in die Haupthimmelsrichtungen), während die drei anderen Anlagen sich nach Osten öffnen (vgl. Mumbaqat, Steinbau I und II). Eine andere Besonderheit ist in der Erweiterung des Heiligtums durch einen dreigliedrigen Raumtrakt zu sehen, der an der Südseite hinzugefügt wurde.

Im Innern des Tempels fanden sich zusammen mit den Tonlebermodellen zahlreiche religiöse und literarische Texte in akkadischer und hurritischer Sprache. Ein großer Teil dieser Texte steht insofern mit den Modellen in unmittelbarem Zusammenhang, als sie Omina und Wahrsagungen enthalten (z.B. ARNAUD 1980: 377–388; 1982: 43–51 bes. Text Nr. 11–12; LAROCHE 1982: 52–60 bes. Text Nr. 2.15–16). Die große Anzahl von Wahrsagetexten hat die Ausgräber veranlaßt, in dieser Anlage ein Heiligtum zu sehen, das eng mit der Wahrsagekunst verbunden ist. Eine entsprechende Bedeutung scheint auch für die an den Tempel angrenzende Terrassenanlage (terrasse cultuelle) vorzuliegen; sie ist allerdings nicht direkt vom Heiligtum aus zu erreichen, sondern nur über eine im Westen verlaufende Gasse. Möglicherweise ist in dieser Konstruktion der Ort zu sehen, an dem die Opferzeremonie, die Schlachtung der Tiere und vielleicht auch die Inspektion selbst vorgenommen wurde (MARGUERON 1982b: 31, unter Hinweis auf E. LAROCHE und D. ARNAUD; vgl. Mumbaqat, s.S. 38).

Sollte diese Annahme zutreffen, ergeben sich daraus Hinweise auf Ort und Durchführung der Opferschau im syrischen Raum während der 2. Hälfte des 2. Jts. v.Chr. (s.S. 49). Weiterhin hätten sich die Lebermodelle dann in der Bibliothek eines Wahrsagers (*bārû*) befunden.

Eine Datierung dieses Komplexes anhand der gefundenen Schriftzeugnisse in die Zeit zwischen Muršili II. (ca. 1321–1294 v.Chr.) und die Zerstörung von Emar um 1180 v.Chr. (ARNAUD 1982:43) wird auch durch die Keramikfunde (CAUBET 1982:71–86) und Siegelabrollungen (BEYER 1982:61–68) bestätigt (zum Enddatum von Emar vgl. auch ARNAUD 1975:88–98; BIERBRIER 1978:136–137; BOESE 1983:18–19; die Erwähnung Emars in einer Ortsnamensliste von Ramses III. (1187–1156 v.Chr.) dürfte einen Anachronismus darstellen, d.h. eine Kopie älterer Listen aus der Zeit Ramses II. oder sogar Thutmosis III. sein; vgl. dazu HELCK 1962:248–249).

Mumbaqat

Während der Grabungskampagnen 1973, 1974 und 1977 in Mumbaqat/Syrien wurden insgesamt 21 unbeschriftete Tonlebermodelle gefunden (ORTHMANN/KÜHNE 1974:97 Abb. 38; ORTHMANN 1976:25.44 Abb. 10). Diese Fundstücke verteilen sich auf drei Grabungsareale: Ein Exemplar stammt aus dem Bereich des Nord-Ost-Tores, ein weiteres aus Steinbau II, die restlichen neunzehn Modelle aus einem Gebäude nördlich von Steinbau I (zur topographischen Situation vgl. ORTHMANN 1976:Beilage 2). Fundkontext, Schichtzugehörigkeit und Datierung der Modelle sollen für jeden Komplex gesondert behandelt werden.

Die als MBQ 1 bezeichnete Tonleber wurde im Bereich des Nord-Ost-Tores gefunden. Die Lage dieses Tores sowie der Verlauf der Wallanlage der Stadtbefestigung sind noch heute im Gelände deutlich zu erkennen; dabei kann zwischen einer inneren Umwallung, die das Gebiet der Innenstadt von dem der Vorstadt trennt, und einer äußeren, die die gesamte Vorstadt schützt, unterschieden werden. An der Stelle, an der die innere Stadtmauer in die äußere übergeht, haben sich sowohl im Nordosten wie auch im Südwesten Zugänge zur Vorstadt befunden (Schicht 5b). Die Anlage des Nord-Ost-Tores wird von zwei nahezu vollständig erhaltenen, geböschten Mauerzügen gebildet, von denen der östliche mit einem Wehrgang versehen ist. Im Torbereich verengen sie sich v-förmig und bilden einen trapezoiden Vorhof, an dessen Südende sich die eigentliche Toranlage befindet. Dieser Zugang besteht aus einem ca. 2,60m breiten und knapp 4m hohen mit einem Bogen gekrönten Stadttor, das von zwei Wehrtürmen flankiert wird.

Das Lebermodell fand sich in dem hochanstehenden Lehmverfall des westlichen Wehrturmes, ca. 2m über der zur Schicht 5b gehörenden Begehungsfläche. Aufgrund dieser Fundlage läßt sich nicht mehr entscheiden, ob die Tonleber ursprünglich im aufgehenden Mauerwerk der Toranlage — im Sinne einer "Deponierung" — verbaut worden ist oder erst bei der Zerstörung in den Versturz geraten ist. Für eine exakte Datierung der Schicht 5 fehlen ausreichend sicher stratifizierte Funde. Ein Hinweis geht aus dem Grabungsbefund hervor: Die Besiedlung der Unterstadt reicht, wie Sondagen gezeigt haben (ORTHMANN 1976:35), nicht über die Mitte des 2. Jts. v.Chr. zurück. Auch die Vielzahl der im Schutt geborgenen Kleinfunde sowie die Keramik deuten auf ein Gründungsdatum in der ersten Hälfte der Spätbronzezeit. Das Fragment einer Schale (milk bowl) der W.S.II-Ware (ORTHMANN/KUEHNE 1974:Ab. 39), die in Palästina seit der Mitte des 15. Jhd. v.Chr. auftritt (s.S. 49–50), kann allerdings eher als Beleg für die Endphase der Benutzung dieser Toranlage gelten. Es ist anzunehmen, daß diese zyprische Exportkeramik erst während ihrer größten Verbreitung gegen Ende des 15. Jhd. v.Chr. in die sehr weit östlich gelegene Siedlung gelangt ist. Die Erweiterung des Stadtgebietes von Mumbaqat läßt sich möglicherweise mit den auch in anderen Orten nachgewiesenen Erweiterungen in Zusammenhang bringen, die im Anschluß an die politischen Umwälzungen nach den Feldzügen der Hethiter unter Ḫattušili I. und Muršili I. entstanden sind. In einem jüngeren Abschnitt der Spätbronzezeit, etwa um 1400 v.Chr., wurde dieses Tor dann im Rahmen einer grundlegenden Umgestaltung der Stadtbefestigung aufgegeben und zugesetzt (Schicht 4). Dieser Periode sind die jüngsten Schichten der beiden Tempel im Inneren der Stadt und die nördlich an Steinbau I anschließenden Gebäude zuzurechnen (s.u.).

Ein zweites Tonlebermodell, als MBQ 2 bezeichnet, stammt aus der ältesten zusammenhängend freigelegten Bauschicht (Schicht 3) des Steinbaus II (ORTHMANN 1976:29–32 Abb. 2). Die monumentale ost-west-orientierte Anlage (Ausmaße 33:15m; Breite der Außenmauern ca. 3m) konnte aufgrund der äußeren Form und der Inneneinrichtung als Tempel identifiziert werden. Der Grundriß des Tempels zeigt eine nahezu exakte Übereinstimmung mit dem etwas kleineren nördlich gelegenen Steinbau I; beide gehören zum Typus des sog. Antentempels. Die Innengliederung weist eine Dreiteilung in Vorhalle (mit Säulenstellung), Vorraum und Hauptraum auf. Auch der Hauptraum wird durch allerdings sekundär errichtete Quermauern in drei hintereinanderliegende Räume unterteilt, von denen der mittlere aufgrund entsprechender Einrichtungen (Altäre, Bänke, Becken) als eigentlicher Kultraum bezeichnet werden kann. Nur über zwei Treppenanlagen war diese gegenüber dem allgemeinen Niveau tiefer gelegene Zella zu erreichen; eine erste Treppe führt vom Vorraum in den östlichen Teil des Hauptraumes, eine zweite bildet den Zugang zum eigentlichen Allerheiligsten.

Das Lebermodell MBQ 2 war mit der "Schau"seite nach oben in den weißen Verputz der ältesten Phase dieser Treppe verbaut und durch zahlreiche später aufgetragene Verputzschichten abgedeckt. Diese Fundlage unterscheidet sich erheblich von derjenigen, die ansonsten für den größten Teil dieser Objekte nachgewiesen ist; da alle jüngeren Fußbodenschichten über das Modell hinwegführen, scheint ein direkter Zusammenhang mit der Tempelanlage vorzuliegen. Es ist nicht anzunehmen, daß ein derart großer Gegenstand unbeabsichtigt in eine solch exponierte Lage geraten konnte. Das Modell muß für das Gebäude selbst von Bedeutung gewesen sein, sonst wäre das Stück mit Sicherheit bei einer der häufigen Erneuerungen des Bodenestrichs entfernt worden. Daher ist die Fundlage dieser Tonleber möglicherweise im Sinne einer "Deponierung" zu verstehen. Wie bereits für die Modelle Meg. 1 und MBQ 1, die aus einem vergleichbaren Zusammenhang stammen, vorgeschlagen, könnte es sich bei diesem Stück ebenfalls um eine modellhafte Nachbildung der Ergebnisse einer Opferschau handeln, die für die Errichtung der betreffenden Anlage durchgeführt wurde (dazu MEYER 1984a:119–130). Wenn diese Annahme zutrifft, würden sich daraus erhebliche Konsequenzen für die Bedeutung zumindest eines Teiles der Tonlebermodelle ergeben (s.S. 51).

Eine Datierung dieser Anlage in das 14./13. Jhd. v.Chr. darf aufgrund der stratifizierten Funde sowie in Analogie zu vergleichbaren Bauten in Emar (s.S. 35) als gesichert gelten.

Alle weiteren Tonlebern wurden in der nördlich von Steinbau I (Tempel I) gelegenen Bebauung gefunden (ORTHMANN 1976:26–29 Abb. 1; 41 Abb. 10). Von dieser Bausubstanz konnten bisher die Fundamente von vier Häusern freigelegt werden, die durch Gassen voneinander getrennt sind (ORTHMANN/KÜHNE 1974:68–70; Abb. 11–13; ORTHMANN 1976:28–29 Abb. 1). Die Häuser I und IV, unmittelbar nördlich des Tempels gelegen, bestehen aus je einem langrechteckigen Raum von nahezu identischen Ausmaßen (ca. 8:5m). In der jüngeren Phase 2b besitzen sie zudem einen baulichen Bezug zueinander: Die nach Osten in Form von Anten vorgezogene Nord- und Südmauer des Hauses I wird von entsprechenden Rücksprüngen im gegenüberliegenden Mauerwerk des Hauses IV aufgenommen. Die nördlich anschließenden Wohneinheiten II und III konnten nur in geringem Umfang freigelegt werden, doch geht aus den erhaltenen Bauresten eindeutig hervor, daß es sich dabei jeweils um mehrräumige Anlagen mit Hof-, Küchen- und Vorratsräumen handelt.

Für alle neunzehn aus diesem Bereich stammenden Tonlebermodelle liegt ein Fundzusammenhang mit Haus IV vor. Dieses Gebäude weist, wie die gesamte Bausubstanz, zwei Bauphasen auf, wobei in der jüngeren Phase der Grundriß leicht verändert worden ist; dabei handelt es sich einerseits um eine Versetzung der Nordmauer nach Süden, d.h. um eine geringfügige Verkleinerung der Anlage; andererseits wurde der Westmauer innen und außen eine bankartige Steinreihe vorgeblendet. Durch diese Baumaßnahme entstanden die oben erwähnten Rücksprünge. Trotz dieser Änderungen blieb aber der einräumige Grundcharakter des Gebäudes erhalten.

Drei der neunzehn Tonlebermodelle fanden sich in einem auf die Gasse führenden Durchgang der Nordmauer unmittelbar über der Begehungsfläche 2b. Zehn der Modelle wurden im Verfallschutt der Schicht 2b im Inneren der Anlage geborgen; drei weitere kamen ebenfalls innerhalb des Raumes zum Vorschein, allerdings auf einem tieferen Niveau (unter der Begehungsfläche 2b). Diese Fundsituation kann als Folge der Zerstörung des Gebäudes angesehen werden. Die gleiche Erklärung ist auch für das im Steinfundament der Westmauer gefundene Modell anzunehmen. Nur ein einziges Exemplar stammt nicht unmittelbar aus dem Haus IV, sondern befand sich auf dem jüngsten Gassenniveau, Schicht 2b, zwischen den Häusern III und IV; trotzdem erscheint der ursprüngliche Zusammenhang aller Modelle gesichert.

Im gleichen Kontext wurden auch die Fragmente dreier Tontafeln unterschiedlichen Inhalts (Zeugenliste, Brief, religiöser oder literarischer Text) gefunden (ORTHMANN 1976:41 Abb. 11). Dieser Befund läßt die Aufbewahrung der Tonlebermodelle in einer kleinen Schriftgutsammlung als möglich erscheinen. Nach Osten schließt sich an das Gebäude eine gepflasterte Fläche mit einem kleinen, leicht erhöhten Podest an. Bei dieser Baustruktur könnte es sich durchaus um eine Anlage wie in Emar handeln, die als Opferplatz für die zu untersuchenden Tiere interpretiert wurde. Sollte diese Übereinstimmung mit den Befunden in Emar zutreffen, dann könnte in dem Gebäude IV in Mumbaqat ebenfalls eine kleine Tempelanlage gesehen werden. Die gleichzeitige Errichtung von Tempel I und den nördlich gelegenen Gebäuden ist durch stratigraphische Beobachtungen sowie durch einen Keramikvergleich hinreichend gesichert; darüber hinaus wird dies auch durch die übereinstimmende Ausrichtung beider Baukomplexe bestätigt. Dieser baugeschichtliche Zusammenhang trifft für die beiden im Bereich der Häuser nachgewiesenen Bauphasen 2b und 2c gleichermaßen zu.

Eine gemeinsame Datierung beider Komplexe in das 14./13. Jhd. v.Chr. sowie deren Gleichzeitigkeit mit der Bebauung der Schicht 3 in Steinbau II geht ebenfalls aus einer Auswertung der Keramik hervor. Die synchrone Errichtung von zwei monumentalen, übereinstimmend orientierten Tempelanlagen mit ähnlichem Grundriß findet sich auch in Emar.

Die drei Fundkomplexe von Tonlebermodellen in Mumbaqat sind jeweils unterschiedlich zu datieren. Falls sich für das Exemplar MBQ 1 aus dem Torbereich die Annahme einer Deponierung im Mauerwerk der Schicht 5 als zutreffend erweisen sollte, kann ein Entstehungsdatum mit Gründung der Toranlage um ca. 1450 v.Chr. angenommen werden. Auch für die Entstehung des Modells MBQ 2 (aus dem Steinbau II) besteht ein unmittelbarer Zusammenhang mit der Gründung der betreffenden Bauschicht, in der es gefunden wurde; da die Errichtung dieser Bauschicht um ca. 1400 v.Chr. anzusetzen ist, kommt auch für die Tonleber nur ein entsprechendes Datum in Betracht. Die restlichen Stücke stammen alle aus einem kleineren Gebäude, das eventuell als Heiligtum zu interpretieren ist (s.o.). Auch dieser Baukomplex wurde um ca. 1400 v.Chr. gegründet, doch gehören die Modelle zur jüngsten Phase dieses Hauses und sind daher um ca. 1300 v.Chr. zu datieren.

	Tor	Steinbau II	Häuser nördl. Steinbau I
ca. 1450 v.Chr.	5		
ca. 1400 v.Chr.	4	3	2c
ca. 1300 v.Chr.			2b

Aus dieser Übersicht geht hervor, daß die Tonlebermodelle in Mumbaqat offensichtlich während der gesamten Spätbronzezeit bis zum Eindringen der “Seevölker” um 1180 v.Chr. verwendet wurden.

Boğazköy

Im Verlauf der bisherigen Grabungen in Boğazköy wurden zahlreiche z.T. vollständig, z.T. nur fragmentarisch erhaltene Tonlebermodelle gefunden; 37 Exemplare sind in Textpublikationen veröffentlicht worden (KUB 4,71–75; 37,216–230; KBo 7,5–7; 8,8–9; 9,57–67; 25,1), weitere achtzehn Stücke sind aus bisher noch unpubliziertem Material hinzuzufügen (für die Informationen zu diesen Stücken danke ich Herrn Prof. H. Otten). Alle Modelle weisen neben einer Beschriftung mit vollständigen Omina eingeritzte und/oder applizierte Markierungen auf; dabei kann die Anzahl der jeweils notierten Veränderungen zwischen einer und fünf Einzelbeobachtungen variieren.

Aus einer Kartierung der einzelnen Stücke im Bebauungsplan der Ruine geht hervor, daß Tonlebermodelle nur in zwei Gebieten der Stadt vorkommen: in dem Bereich von Tempel I und auf Büyükkale. Einschließlich der unveröffentlichten Modelle stammen nur drei Exemplare aus dem Großen Tempel in der Unterstadt, alle anderen wurden im Bereich der Burg gefunden, eines wurde angekauft.

Zwei der Tonlebern aus der Unterstadt (Bo 9,13; die Zählung erfolgt nach der Zusammenstellung im Anhang) wurden im Schutt auf der Straße westlich von Tempel I geborgen (OTTEN 1938:40–47). Ihre ursprüngliche Zugehörigkeit zu einer Schriftgutsammlung in den Obergeschossen der Süd-West-Magazine des Heiligtums darf als gesichert gelten (vgl. OTTEN 1955b:72–73; NEVE 1969:12–13). Diese Annahme wird durch den Fund eines weiteren Lebermodells in den oberen Schuttschichten der Magazine bestätigt (Bo 53), da dieses bisher unveröffentlichte Exemplar mit Sicherheit dem Inventar des Magazinraumes 66–67 zuzuordnen ist. Von grundsätzlicher Bedeutung für die Frage nach dem Ort der Aufbewahrung derartiger Modelle ist die Beobachtung, daß diese Stücke sich in Räumen eines Tempelbezirks befunden haben, die aufgrund ihres Inventars — u.a. historische Texte, Verträge, Gesetze, Rituale, Festschreibungen, Orakel (vgl. z.B. KBo 22) — als Bibliothek aufzufassen sind (OTTEN 1955b:72).

Die Fundsituation aller weiteren Tonlebern innerhalb von Büyükkale ist weniger eindeutig und bedarf somit einer ausführlichen Untersuchung. Die aus diesem Bereich stammenden Modelle fanden sich nahezu über das gesamte Areal der Burg verstreut (Taf. 2). Ganz entscheidende Gründe für die unzusammenhängende Fundlage sind zweifellos in der Zerstörung der Bausubstanz zu Beginn des 12. Jhd. v.Chr. und in der nachfolgenden intensiven Bautätigkeit der phrygischen Siedler zu sehen; nur dadurch ist das Auffinden eines großen Teiles der Modelle in historisch jüngerem Kontext zu erklären (s.S. 42). Die Fundlage nur sehr weniger Exemplare erlaubt eine potentielle Zuordnung zu einem bestimmten Gebäude, ohne daß sie damit aber bereits als Inventar der betreffenden Anlagen bezeichnet werden können; es wird sich zeigen, daß selbst eindeutige Fundstellenangaben, wie z.B. Bau C, Raum 6 (für Bo 2), aus stratigraphischen und baugeschichtlichen Gründen keine Gewähr für die tatsächliche Assoziierung der entsprechenden Objekte bieten. Tafel 2 zeigt die Fundstellen aller Tonlebermodelle innerhalb der Burganlage, unabhängig von ihrer Schichtzugehörigkeit. Für die hier beabsichtigte Untersuchung sind alle Exemplare aus eindeutig sekundärer Fundlage, d.h. aus Fundkontexten, die keine erkennbare Beziehung zur ursprünglichen Bausubstanz besitzen, nicht zu berücksichtigen. Dies trifft für alle Modelle zu, die aus phrygischem Siedlungsschutt stammen (Bo 6, 11, 26, 29, 33, 37, 39, 41–47, 49–51). Ebenfalls auszuscheiden sind die Stücke Bo 5, 7, 40, 52, die sich zwar in hethitischem Brandverfall fanden, aber, wie Beobachtungen während der Grabungen gezeigt haben (NEVE 1966:12–13; GÜTERBOCK: Vorwort zu KBo 18), erst infolge jüngerer Baumaßnahmen an die betreffende Stelle gelangt sind. Eine Einbeziehung dieser Modelle ist nur dann möglich, wenn sich die Frage nach der ursprünglichen Herkunft der betreffenden Schuttschichten beantworten läßt. Für die restlichen Stücke lassen sich, ohne damit ihre ursprüngliche Herkuft bestimmen zu wollen, Fundkonzentrationen im Bereich folgender Gebäude erkennen:

Bau E: Bo 16–20
Bereich der Gebäude BCH und Umgebung: Bo 2–4, 8, 10, 12, 14, 15, 27, 28, 30/31, 32, 36, 48;
Unterer Burghof und Bereich südwestlich davon: Bo 21–26, 29, 33, 34, 38, 43;
Bau D: Bo 1.

Im folgenden soll die Zugehörigkeit der Lebermodelle zu diesen vier Komplexen untersucht werden.

Bereits die Grabungen von Th. Makridi und H. Winkler in den Jahren 1906–07 erbrachten u.a. die ersten Funde von Tonlebermodellen (Bo 16–20; WINKLER 1907:12 Abb. 2). Ihre exakte Fundlage läßt sich nicht mit Sicherheit feststellen, doch wird im allgemeinen der Bereich der Befestigungsmauer und der Abhang der Unterstadt westlich von Bau 3 dafür in Anspruch genommen (PUCHSTEIN 1912:3; 25–27; GÜTERBOCK 1933:50–51). Das bereits zu Beginn der großreichszeitlichen Schicht IIIc auf älteren Bauresten (Schicht IVb/a) neu gestaltete Gebäude E wurde in der nachfolgenden Phase IIIb — bedingt durch eine Anhöhung des Geländes — als Steinbau errichtet (BITTEL/NAUMANN 1952:64; NEVE 1982: 92–95). Die beiden letzten Benutzungsphasen (IIIb und IIIa) unterscheiden sich nur durch einige lokale Umbaumaßnahmen: eine Erhöhung des Fußbodenniveaus sowie eine geringfügige Änderung der Raumaufteilung (Bildung der Räume 2 und 3; BITTEL/NAUMANN 1938:18 Taf. 14a). Mittelpunkt des Hauses ist ein zentraler Saal (Raum 9), der vermutlich überdacht war (NEVE 1982:95) und um den mehrere unterschiedlich große Räume angeordnet sind. Der Zugang erfolgte über einen schmalen Vorraum (Raum 13) von der Ostseite, d.h. vom Burginneren her; für die westlich gelegenen Räume 4 und 5 (Archivräume) ist die Existenz eines Untergeschosses gesichert, das über ein Treppenhaus (Räume 2 und 3) zu erreichen war (die Gestaltung der oberen Räume ist dagegen nicht vollständig gesichert).

Über die ursprüngliche Funktion dieses Bauwerks bestehen nur noch geringfügig voneinander abweichende Anschauungen: Während Th. Makridi darin u.a. wegen der Nähe zur Umfassungsmauer noch einen Torbau vermutet (MAKRIDI 1908:3), bezeichnet H. Winkler dieses Gebäude — ausgehend von den zahlreichen Tafelfunden in dessen Umgebung — bereits als königliches Archiv (WINKLER 1907:12). Sowohl systematische Grabungen in den 30er Jahren als auch neuere Befunde haben diese Auffassung bestätigt. Die freigelegte Bausubstanz läßt, im Gegensatz zu den Bauten, die schon äußerlich Magazincharakter (Bau A, Bau D) oder eine öffentlich-funktionale Bedeutung (z.B. Hallensüdwestwand, Torbau, Verbindungsbau) besitzen, auf eine Verwendung als repräsentatives Wohnhaus (mit integriertem Archiv) schließen (BITTEL/NAUMANN 1938:19–20; NEVE/BERAN 1962:11; zuletzt NEVE 1982:95; auch der Komplex 2 in der Unterstadt zeigt eine vergleichbare Gliederung). Unter Hinweis auf die Konzeption des Eingangstraktes sowie auf die des Schemas der Raumaufteilung hat K. Bittel vorgeschlagen, diesen Bau als *bīt hilāni* zu deuten (BITTEL 1938:17–20; mit Vergl. in Zincirli, Assur, Tainat). Aus dieser Interpretation und der Orientierung der Anlage zum Burginneren hin geht eine Zugehörigkeit zu dem "intimeren Kreis" von Gebäuden hervor, die als königliche Wohnungen gedient haben könnten.

Von der Inneneinrichtung des Gebäudes sind zwar keine Reste erhalten, doch konnten in den Räumen 4 und 5 eine große Anzahl von Tontafeln geborgen werden (PUCHSTEIN 1912:25–27). Auch das umfangreiche Schriftgut, darunter die vier Tonlebermodelle aus dem Bereich unterhalb der Terrassenmauer, dürfte ursprünglich aus diesen Räumen stammen (BITTEL/NAUMANN 1938:17–20; OTTEN 1955b:72). Die Fundlage der Tafeln, wie sie von H. Winkler beschrieben wird, bestätigt diese Annahme. Die Größe der geborgenen Tontafeln nahm vom unteren Bereich des Abhangs nach oben hin zu. (WINKLER 1907:12). Die geschilderte Struktur der Verfallschichten ist typisch für Schüttungen; sie läßt sich durch Baumaßnahmen im Zusammenhang mit der Errichtung der phrygischen Fortifikationsmauer, die in diesem Bereich den Bau E überlagert, erklären. Zur Fundamentierung und Unterfütterung der Burgbefestigung wurden offenbar noch anstehende Baureste der hethitischen Besiedlung verwendet. Diese Interpretation erlaubt eine Erklärung für die Fallage der Funde vom Burghang (entgegen GÜTERBOCK 1933:51; KBo 18, Vorwort, der es für denkbar hält, daß die Tafeln bereits in heth. Zeit zerbrochen und fortgeworfen worden sind) und weist zugleich auf einen ursprünglichen Zusammenhang dieser Stücke mit den weiteren im Brandschutt von Bau E gefundenen inhaltlich und zeitlich vergleichbaren Textgruppen hin. Es erscheint deshalb nicht ausgeschlossen, daß alle im Bereich von Bau E gefundenen Tontafeln noch zum Zeitpunkt der Zerstörung in einer Schriftgutsammlung (Räume 4 und 5) dieser Anlage gelagert waren. Zu den hier geborgenen Schriftzeugnissen gehören neben zahlreichen Briefen und Omina auch Fragmente von Ritualtexten und vor allem Teile einer umfangreichen außenpolitischen Korrespondenz, einschließlich Staatsverträgen (u.a. eine Kopie des berühmten Vertrages zwischen Ḫattušili III. und Ramses II., dessen Original in eine Silberplatte graviert war (GOETZE 1957c:97; auch aus Ägypten sind zwei weitere, allerdings monumentale Abschriften bekannt, s. OTTO 1958:177). Die Tatsache, daß es sich sowohl bei diesem als auch bei einer großen Zahl der anderen auf Büyükkale gefundenen Staatsverträge um Abschriften handelt — erkennbar an dem Fehlen der Siegel (BITTEL 1958:59) — legt die Vermutung nahe, daß sie nur für die Bewahrung in einer Bibliothek hergestellt worden sind. Unter diesem Gesichtspunkt läßt sich das Textmaterial in zwei Gruppen unterteilen, in Archiv- bzw. Kanzleigut (ausl. Korrespondenz, Briefe) und in Bibliotheksgut (Ritualtexte, Abschriften der Staatsverträge, Omina). Bei der Mehrzahl der Tafeln handelt es sich um Bestandteile einer Bibliothek, doch spricht die Vermischung mit Kanzleigut für die Möglichkeit, daß zwei ursprünglich getrennte Schriftgutkörper, die eventuell auf die beiden Räume 4 und 5 verteilt waren, bei der Zerstörung bzw. durch die phrygische Neugestaltung der Burg durcheinander geraten sind.

Hinweise auf die zeitliche Stellung des Schriftguts gehen aus einer Analyse der Texte hervor. Von den vier Tonlebermodellen weist eines eine Beschriftung in einem älteren Duktus auf (Bo 17; dazu ausf. s.S. 43–44) und ist somit in den Beginn des 14. Jhd. v.Chr. zu datieren (Schicht IVb/a); die übrigen Exemplare stammen aus dem 13. Jhd. v.Chr. (Schicht IIIc). Auch das Alter der weiteren in diesem Bereich gefundenen Texte umfaßt den gesamten Zeitraum des hethitischen Großreichs. Da die Bautradition dieser Anlage bis zum Beginn der Großreichszeit zurückverfolgt werden kann, gehören alle Tafeln möglicherweise zu einer seit dem Beginn des 14. Jhd. v.Chr. organisch gewachsenen Schriftgutsammlung, die erst bei der endgültigen Zerstörung der hethitischen Bausubstanz zu Beginn des 12. Jhd. v.Chr. auseinandergerissen wurde.

Eine zweite Konzentration derartiger Modelle findet sich im Bereich der Gebäude BCH (innerhalb von Bau C: Bo 2, 3, 4, 12, 14; zwischen B und C: Bo 10, 31, 35; zwischen B und D: Bo 8; westlich von C und H: Bo 15, 32, 48; östlich von B: Bo 27, 28, 30/31, 34.

Die drei Bauteile wurden zunächst als voneinander unabhängige Einheiten mit unterschiedlichen Funktionen angesehen (z.B. BITTEL/NAUMANN 1938:13–15 Abb. 6). Für den Bau B haben V. Haas und M. Wäfler (1976:65–99; 1977:87–122) eine Gleichsetzung mit dem in hethitischen Ritualen häufig belegten Kultbau É.*heštā*, dem *heštā*-Haus, vorgeschlagen; der Bau C wurde von P. Neve (1971) aufgrund seiner Innengliederung als Regenheiligtum bezeichnet, während die Anordnung und Form der Räume in Bau H auf eine Verwendung als Magazin schließen lassen. Stratigraphische und bautechnische Beobachtungen haben aber ergeben, daß der von den drei Bauten gebildete Komplex BCH eine architektonische Einheit darstellt (dazu zuletzt NEVE 1982:111–118), bestehend aus einem kleinen Heiligtum (Bau C; dazu auch NAUMANN 1971:475) und einem Verwaltungs- (Bau B) und Wirtschaftstrakt (Bau H).

Sollten die Tonlebermodelle tatsächlich auch ursprünglich in diesem Komplex gelagert worden sein, dann wäre, in Analogie zu den Fundumständen der anderen Modelle, auch hier eine Schriftgutsammlung zu erwarten, in die die Modelle integriert waren. Doch stammen aus diesem Bereich kaum Tontafeln (z.B. KBo 14,4.9.49; KUB 30,51) und ein Teil dieser wenigen Textzeugnisse kann zudem mit großer Wahrscheinlichkeit dem Inventar von Archiv A zugeordnet werden. Außerdem sind zwei der erwähnten Modelle, Bo 8, 36, aufgrund des Duktus ihrer Inschriften in das frühe 14. Jhd. v.Chr. zu datieren (Schicht IVb/a), während der Komplex BCH zur Bausubstanz der Schicht IIIb gehört und somit jünger ist als ein Teil der dort gefundenen Modelle; für die Existenz eines älteren Vorgängerbaues fehlen jegliche Hinweise. Diese Gründe sprechen gegen die Annahme einer Zugehörigkeit dieser Modelle zum Inventar des Komplexes BCH.

Ein weiteres Tonmodell stammt aus dem Gebäude D, Raum 5 (Bo 1; OTTEN 1938:42–43). Die architektonische Gliederung des Untergeschosses deutet auf eine Verwendung als Magazin hin, während für das nicht erhaltene Obergeschoß von R. Naumann aufgrund bautechnischer Beobachtungen eine Rekonstruktion als offizieller Audienzsaal vorgeschlagen wurde (NAUMANN 1957:10–17; zuletzt ausführlich NEVE 1982:98–102). Da für die Fundlage des Modells keine gesicherte stratigraphische Zuordnung zur Bausubstanz nachgewiesen werden konnte, stellt sich wiederum die Frage, ob ein ursprünglicher Zusammenhang mit dem weiteren Inventar des Gebäudes denkbar erscheint. Nur in zwei Räumen, in Raum 6 und 11, fanden sich unmittelbar über dem Fußboden eine größere Anzahl auch inhaltlich kohärenter Tafeln (ca. 450 Texte, u.a. Korrespondenz mit dem ägypt. Hof, Briefe an den König, Warenlisten; dazu OTTEN 1955a:14–16); sie können als Reste einer königlichen (oder staatlichen) Kanzlei angesehen werden. Diese offenbar äußerst enge Beziehung der hier angesiedelten Verwaltung zum Herrschaftshaus wird nicht nur durch die politische Korrespondenz, sondern vor allem auch durch einen umfangreichen Siegelfund (BITTEL 1937:28–33; GÜTERBOCK 1957:52–60) und zahlreiche Landschenkungsurkunden (GÜTERBOCK 1940:47–55; OTTEN 1958:18–25) bestätigt (dazu s.a. BITTEL 1950/51:164–165; OTTEN 1955a:22–23). Alle weiteren im Schutt von Bau D geborgenen Tafeln gehören nicht zum Bestand dieser Schriftgutsammlung. Diese Feststellung beruht auf der Beobachtung, daß sich bei der Bearbeitung dieses Textmaterials nur Anschlüsse mit Tafeln ergeben haben, die aus anderen Fundstellen, z.T. sogar direkt aus anderen Gebäuden (Bau A und E) stammen (OTTEN 1955a:15). In Analogie zu diesem Befund besteht durchaus die Möglichkeit auch die Herkunft der Tonleber aus einem der beiden Bereiche anzunehmen. Als Ursache für eine derart extreme Streuung wurden bereits die umfangreichen Erdbewegungen verantwortlich gemacht, die im Zusammenhang mit den jüngeren Baumaßnahmen zur Aufschüttung und Unterfütterung des Geländes notwendig waren. Die gleiche Erklärung trifft auch für die bereits von dieser Untersuchung ausgenommenen Tonlebern aus den Bereichen der Gebäude M (Bo 11, 37, 45, 49, 519), N (Bo 26, 29, 33, 43, 47), der Hallensüdwestwand (Bo 42, 44) und der südlichen Poternenmauer (Bo 39, 41, 50) zu (s.u.).

Alle noch verbleibenden Modelle finden sich, zusammen mit zahlreichen Tontafeln, weit über das Areal des Unteren Burghofes verstreut (Bo 21–23, 25, 46, evtl. auch 24, 38). Die Ausgräber haben mehrfach betont, daß der größte Teil der aus diesem Bereich stammenden Texte — und damit auch die hier gefundenen Tonlebermodelle — ursprünglich in Bau A gelagert war (BITTEL 1932:16–17; GÜTERBOCK 1933:37–40). Diese Vermutung beruht wiederum auf einer Reihe von Textanschlüssen zwischen Tafeln vom Burghof und solchen unmittelbar aus dem Gebäude A (OTTEN 1951:224–232). Für die Streulage lassen sich auch in diesem Fall erneut die beiden bereits erwähnten Ursachen anführen: einerseits die Zerstörung und Plünderung der hethitischen Burg, andererseits die phrygischen Baumaßnahmen zur Aufschüttung des leicht nach Südwesten abfallenden Hofes. In Anbetracht der allgemein akzeptierten Herkunft der Funde vom Unteren Burghof aus dem Bau A soll eine kurze Baubeschreibung und Deutung dieser Anlage erfolgen (ausf. BITTEL/NAUMANN 1952:48–51; BITTEL 1932:1–23; 1934:12–14; OTTEN 1954:676–690; NEVE 1982:104–107).

Dieser Bau gehört zu den besser erhaltenen Anlagen auf der Königsburg. Neben einem für die Architektur des 14./13. Jhd. v.Chr. in Boğazköy typischen Fundament aus Bruchsteinen (vgl. Gebäude D, E, BCH) waren noch Reste des aufgehenden Mauerwerks aus Lehmziegeln vorhanden. Die in Raum 2 freigelegten Baustrukturen weisen auf die Existenz einer Treppe und damit auf die Anlage eines zweiten Stockwerkes hin, über dessen Aufteilung jedoch keine Aussage mehr getroffen werden kann. Eine durchgehende Ziegelmauer zwischen den Räumen 4 und 5 gliedert das Untergeschoß in zwei voneinander unabhängige Raumtrakte. Beide Raumgruppen wurden durch getrennt angelegte Türen erschlossen; während der westlich gelegene Raumtrakt vom Unteren Burghof her zu erreichen war (durch Raum 9), stehen die östlich gelegenen Räume mit dem Treppenhaus (Raum 2) in direkter Verbindung und waren vom Mittleren Burghof her zugänglich (NEVE 1982:106–107).

Von den ca. 4000 hier gefundenen Tafeln entfallen etwa 2000 auf den Raum 5, die restlichen auf den Raum 4 (Karte der Fundverteilung zuletzt BITTEL/NAUMANN 1952:Abb. 11a). Dem Inhalt nach sind die in diesem Bereich gefundenen Tafeln als Bibliotheksgut anzusehen (OTTEN 1955b:74–80), da neben Briefen und Wahrsagetexten auch der Anteil an Wirtschaftsurkunden äußerst gering ist. Auf eine angestrebte Ordnung des Textmaterials weisen die Funde zahlreicher Tontafelkataloge, Kolophone und Etiketten hin (GÜTERBOCK 1933:37–40; ausf. OTTEN 1955b:73–81). Einer nach modernen Maßstäben systematisierten Gruppierung des gelagerten Materials widerspricht aber die Beobachtung, daß sich in den Katalogen z.B. kultische Texte unterschiedlicher Herkunft neben Staatsverträgen finden können (OTTEN 1955b:75). In welchem Maße die räumliche Trennung auch eine inhaltliche Unterscheidung widerspiegelt, kann wegen der starken Vermischung des Textmaterials nicht definitiv gesagt werden; für die Tonlebermodelle ist aber, soweit sie zum Inventar von Bau A gehören, ihre Bewahrung in einer Bibliothek gesichert.

Der größte Teil der mit Sicherheit dem Bau A zuzuordnenden Textzeugnisse stammt — so auch die Tonlebern — aus der jüngeren Großreichszeit (Schicht III, 13. Jhd. v.Chr.); daneben finden sich aber auch mit älteren Schriftformen verfaßte Tafeln aus dem 14. Jhd. v.Chr. (z.B. KBo 17, 1–56). Bei diesen Texten handelt es sich ebenfalls um Ritual- und Festbeschreibungen, also um Bibliotheksgut. Aus dieser Fundzusammensetzung geht hervor, daß offensichtlich älteres Schriftgut über einen langen Zeitraum aufbewahrt und sogar in später eingerichtete Sammlungen übernommen wurde.

Keines der hier untersuchten Tonlebermodelle fand sich in einem eindeutig gesicherten Kontext der hethitischen Bebauung; verantwortlich für die weiträumige Versturzlage der Objekte ist die jüngere Bautätigkeit. Eine Kartierung der einzelnen Fundstellen von Lebermodellen im Plan der phrygischen Siedlung zeigt ein überraschendes Ergebnis (Taf. 3): Weitaus der größte Teil aller Objekte befindet sich im Bereich der phrygischen Burgmauer und der Hangpflasterung. Die Errichtung dieser Anlagen erforderte offenbar umfangreiche Erdbewegungen. Bei diesen Arbeiten handelt es sich einerseits um die Einebnung des neuen, gegenüber dem Areal der hethitischen Burg verkleinerten Siedlungsbereiches, andererseits um die Unterfütterung der Stadtmauer, deren Verlauf im Westen exakt der Begrenzung der hethitischen Bebauung und im Süden dem Verlauf der Poternenmauer folgt. Diese Führung erlaubte eine unmittelbare Überbauung der älteren Bausubstanz (Gebäude F, E, D, C, H, N, M), die damit als Fundament der neu errichteten Stadtbefestigung diente. Das weitere, zur Aufschüttung des Siedlungsgebietes benötigte Erdreich wurde von den im Inneren noch anstehenden Gebäuden genommen, die so weit abgetragen wurden, daß sich ein fast ebenes Baugelände ergab. Durch diese Baumaßnahmen sind die Fundlagen der Modelle, die nicht aus der näheren Umgebung der Stadtmauer stammen (Bo 7, 52 vom Mittleren Burghof; alle Exemplare vom Unteren Burghof; Bo 27, 28, 30/31, 34 östlich von Bau B) zu erklären. Als ein Beleg für ihre ursprüngliche Lagerung im Bau A kann eine von H. Otten geschilderte Fundbeobachtung dienen (OTTEN 1955b:75 m. Anm. 2): Unter den in KUB 30 veröffentlichten Texten befinden sich zwei Tafeln, die Katalogeinträge zu zwei Beschwörungsritualen von der gleichen Verfasserin enthalten. Eine der Tafeln (KUB 30,51 mit Anschlußstück KUB 30,45) stammt aus dem Bau B/C, die andere (KUB 30,42) aus dem Bau A. Für beide Tafeln ist aber ein ursprünglich gemeinsamer Aufbewahrungsort anzunehmen, für den nur Bau A in Betracht kommt.

Auch für die Tonlebermodelle kann daher, unabhängig von ihrer Fundlage, eine Herkunft aus den Gebäuden A und E angenommen werden. Außerdem stammt aus den beiden Anlagen umfangreiches Textmaterial, das überwiegend als Bibliotheksgut einzustufen ist. Während die Grundrißgestaltung von Bau A durch die Aneinanderreihung von korridorartigen Raumeinheiten schon äußerlich auf eine Verwendung als Magazin hinweist, besitzt Bau E die typische Form eines Wohnhauses. Nur zwei Räume (4 und 5) wurden zur Aufbewahrung von Schriftgut benutzt.

Es stellt sich wiederum die Frage, welche Anhaltspunkte sich aus den vorliegenden archäologischen Beobachtungen in Verbindung mit philologischen Kriterien für die Einführung und Verwendungsdauer von Tonlebermodellen und damit der Leberschau in Boğazköy ergeben. Zu Beginn der Großreichszeit um ca. 1400 v.Chr. entstanden im Bereich der sog. Oberstadt (Büyükkale) eine Anzahl von Gebäuden (Schicht IVb), die z.T. als Vorgängerbauten der jüngeren Anlagen anzusehen sind (trifft für die Gebäude A-D-E-F zu). Die nachfolgende Schicht IVa zeichnet sich nur durch lokale Umbauten der bereits bestehenden Komplexe aus; diese geringe Bautätigkeit steht vermutlich mit der Verlegung der Hauptstadt nach Tarḫundašša/Dattašša in Zusammenhang, die unter Muwatalli (ca. 1294–1273 v.Chr.) erfolgte. Eine monumentale Ausgestaltung der Burg setzt dann nach der Machtübernahme des Ḫattušili III. (ca. 1266–1236 v.Chr.) ein (Schicht IIIc). Die relative Abfolge der Neugestaltung ist durch stratigraphische und bautechnische Beobachtungen zu den einzelnen Gebäuden gesichert und kommt in der Phaseneinteilung zum Ausdruck (Schicht IIIb/a); der zeitliche Unterschied zwischen diesen Bauphasen ist allerdings äußerst gering. Die Errichtung der Schicht IIIb erfolgte ebenfalls noch unter Ḫattušili III., die der Schicht IIIa unter Tutḫaliya IV./III. (ca. 1236–1220 v.Chr.), kurz vor der endgültigen Zerstörung des hethitischen Reiches (der Untergang des Hethiterreiches erfolgte etwa in den ersten Jahren der Regierung des Merneptah, ca. 1205/04 v.Chr., dazu HELCK 1962:234; ALBRIGHT 1966a:35; zur Datierung der Bauabfolge vgl. zuletzt NEVE 1982).

Diese Bauabfolge erklärt das Auffinden von Texten, die in einem älteren Duktus geschrieben sind; sie stammen offensichtlich aus Schriftgutsammlungen der Bauschichten IVb/a und wurden in die neu errichteten Textbewahrungen der Gebäude A und E (Schicht IIIc) inkorporiert. Zu diesen älteren Schriftzeugnissen gehört auch ein Teil der Tonlebermodelle (Bo 8, 17, 36, 37, 41; vgl. OTTEN 1962:76; NEU 1974:74 Anm. 111), während bei allen anderen die Zeichenformen des 13. Jhd. v.Chr. verwendet worden sind. Eine ausführliche Diskussion der Duktus-Kriterien kann hier nicht erfolgen (vgl. dazu u.a. OTTEN 1969:42; KAMMENHUBER 1976:81; zuletzt ARCHI 1982:bes. Anm. 11a); es bleibt aber festzustellen, daß die in diesen Modellen verwendeten Zeichenformen vielfach Merkmale eines vor Šuppiluliuma (ca. 1362–1324 v.Chr.) gebräuchlichen Schrifttyps zeigen (n. RÜSTER 1972; NEU/RÜSTER 1975). Die Mehrzahl der für ein älteres Schriftbild als bedeutsam angesehenen Zeichenformen (z.B. Bo 8: *šar,é*; Bo 17: *e, ni, az*, SAG, URU; Bo 36: *su*) ähneln den für Arnuwanda (Schicht IVb) belegten Formen (LAROCHE 1971:28, pré-impériale). Auch wenn einige Schriftzeichen (z.B. Bo 8: *é*; Bo 17: *ni, az*) den Eindruck althethitischer Schreibweise erwecken, fehlen doch die für diese Schriftart typische enge Zeichenstellung und die nach rechts geneigten Köpfe der senkrechten Keile (dazu OTTEN 1969:42). Die graphischen Eigentümlichkeiten erlauben daher eine Zuordnung der Inschriften dieser Modelle zum “Mittelhethitischen”, d.h. in die Zeit vor Šuppiluliuma, etwa in den Beginn des 14. Jhd. v.Chr. (vgl. aber die Einwände, die A. Archi gegen eine derartige Datierung erhebt, ARCHI 1982:Anm. 11a; tatsächlich scheinen einige der für diesen Ansatz in Anspruch genommenen Zeichenformen, z.B. URU, *ni*, noch den unter Muršili II. verwendeten Formen zu ähneln, vgl. dazu NEU/RÜSTER 1975:4–5). Nur die im “älteren Duktus” beschrifteten Tonlebermodelle weisen eine weitere Gemeinsamkeit auf, die eventuell ihre Datierung in das frühe 14. Jhd. v.Chr. bestätigt: die Zweisprachigkeit ihrer Inschriften. Diese Modelle besitzen eine in akkadischer Sprache verfaßte Protasis und eine in hethitisch geschriebene Apodosis, während alle eine jüngere Schriftform aufweisenden Modelle vollständig (Protasis und Apodosis) in akkadischer Sprache beschriftet sind.

Die Art der Beschriftung der Tonmodelle spricht für die Annahme, daß der Gedanke der Leberschau von den Hethitern aus Babylon übernommen wurde (s.S. 266). A. Kammenhuber setzt den Zeitpunkt der Übernahme unter Šuppiluliuma oder dessen Vorgängerdynastie (um ca. 1400 v.Chr.) an (KAMMENHUBER 1976:16–17; ähnlich ARCHI 1982:280; erste schriftl. Erwähnung: Gebet des Kantuzzili, Bruder des Šuppiluliuma). Eine Tradierung und Teilübersetzung der aus Babylon stammenden Texte erfolgte vermutlich durch hurritische Schreiber aus Nuḫašše oder Kizzuwatna (KAMMENHUBER 1976:61; ARCHI 1982:280–281), deren Namen von den Kolophonen verschiedener Opfertexte bekannt sind (für weitere hurr. Überlieferungen babyl. Texte s. GÜTERBOCK 1958:237–240). Dieser erste große Einfluß "hurritischer Gelehrsamkeit" (GÜTERBOCK 1946:109) erklärt sich aus den dynastischen Verbindungen zu Kizzuwatna, die seit Beginn des 14. Jhd. v.Chr. bestanden (Tutḫaliya II., Arnuwanda); trotz fehlender Hurrismen ist die Entstehung der Modelle in diesem Zeitraum anzunehmen, da eine Übernahme im Zusammenhang mit der zweiten Welle hurritischer Einflußnahme wegen der verwendeten Schriftform wenig wahrscheinlich ist. Sollte dieses Datum zutreffen, dann wären allerdings die Lebermodelle dieser Gruppe älter als der bisher früheste schriftliche Nachweis für die Leberschau unter Šuppiluliuma.

Von den Modellen mit vollständig akkadisch verfaßten Inschriften ist möglicherweise ein Teil als Import direkt aus Babylonien anzusehen, der aber nicht vor der Zeit Ḫattušili III. denkbar ist. Die Texte enthalten typische babylonische Zeichen und geben exakt babylonische Lautwerte wieder; auch die Tatsache, daß sie nicht das in Boğazköy gewohnte akkadische Syllabar verwenden, spricht für diese Annahme. Weiterhin besitzt der Ton dieser Modelle nicht die in Boğazköy für Schriftzeugnisse übliche Konsistenz und Magerung; während die Tonqualität der Stücke der älteren Gruppe (z.B. Bo 8) der der gleichzeitigen einheimischen Tafeln entspricht, fehlen bei den jüngeren Beispielen die typischen Steineinschlüsse (dazu BIGGS 1983:521).

Zusammenfassend läßt sich sagen, daß auf Büyükkale zwei zeitlich voneinander abweichende Gruppen von Tonlebermodellen auftreten, deren innere Struktur — die schriftliche Fixierung von Protasis und Apodosis sowie die zusätzliche graphische Kennzeichnung der Protasis (s. Kap. IV) — aber identisch ist und die aus gemeinsamen Fundkontexten — aus Bibliotheken — stammen. Auch die ausschließlich der jüngeren Gruppe zuzurechnenden Modelle aus der Unterstadt befanden sich in einer Bibliothek, in diesem Fall in der des Tempels.

Mari (Tell Hariri)

Im Verlauf der dritten Grabungskampagne im Jahre 1936 in Mari fanden sich im Raum 108 des Palastes zusammen mit einer großen Anzahl von Texten unterschiedlicher Gattungen auch 32 beschriftete Tonlebermodelle (PARROT 1937:74–75; 1958a:102; RUTTEN 1938:36–70). Bei dem aus diesem Raum stammenden Schriftgut handelt es sich vorwiegend um Briefe, Verträge und Verwaltungsurkunden; daneben konnten aber auch einige literarische und religiöse Texte, z.T. in hurritischer Sprache sowie eine Kopie einer Inschrift des Šamšiadad, eine Abschrift der Naramsinlegende und das Fragment einer Chronik geborgen werden (Inventarzusammenstellung bei DOSSIN 1939:97–113; vgl. auch THUREAU-DANGIN 1939b:1–28).

Der Raum 108 befindet sich westlich des Hofes 106, der zusammen mit dem Hof 131 in der jüngsten Bauphase eines der beiden Zentren des Palastes bildete. Mit Sicherheit liegt der endgültigen Grundrißkonzeption nicht nur eine Baumaßnahme zugrunde, sondern sie ist als Ergebnis verschiedener Um-, Ein- und Neubauten anzusehen (dazu ausf. MARGUERON 1982a:209–380 Abb. 147–256). Aufgrund einer umfassenden baugeschichtlichen und stratigraphischen Analyse hat J. Margueron die Entwicklung des Palastes in fünf Phasen einteilen können. Für eine innerhalb des Bauablaufs späte Gestaltung des Hofes 106 sprechen die Baufuge zwischen der Westmauer und der älteren Trennmauer zu den dahinterliegenden Räumen 108, 107 und 55 sowie die mit dieser Baumaßnahme zusammenhängende Gliederung der Fassaden. Dieser Einbau hatte einerseits die Verkleinerung der zu den Räumen 109 und 55 führenden

Durchgänge, andererseits die Zusetzung einer ursprünglich den Raum 108 vom Hof her erschließenden Tür zur Folge. Die neu angelegten Durchgänge weisen die gleichen Ausmaße auf wie die Tür, die zu Raum 116 führt bzw. die Nische (Scheintür) im nördlichen Teil der Ostmauer. Eine zweite Nische in der NW-Ecke der Nordfassade ist als optisches Pendant zu dem zu Raum 110 führenden Durchgang aufzufassen. Durch die geschilderten Umbaumaßnahmen entstand eine wechselseitige Entsprechung der einander gegenüberliegenden West- und Ostfassade sowie eine symmetrische Gliederung der Nordfassade. Die Südmauer dagegen, in der sich der Zugang zu den Thronräumen befindet, weist keine architektonische Gliederung durch Türen und Nischen auf, sondern zeigt eine stärkere Hervorhebung durch die dekorativen Elemente der Wandmalerei.

Die Untersuchungen von J. Margueron haben gezeigt, daß der Hof 106 sowie die westlich angrenzende Raumflucht 108–107–54 zu Beginn der vierten Bauphase des Palastes entstanden sind (MARGUERON 1982a: 223–230 Abb. 160.254). Auch der Umbau dieses Bereichs, der zur endgültigen Gestaltung des Hofes 106 führte und in dessen Verlauf u.a. der direkte Zugang zwischen Hof 106 und Raum 108 aufgegeben wurde, ist als Baumaßnahme dieser Phase anzusehen. Für eine Datierung der beiden Baumaßnahmen in die Zeit des assyrischen Interregnums — nach der hier vertretenen Kurzchronologie um etwa 1750 v.Chr. — sprechen neben baugeschichtlichen Fakten (dazu MARGUERON 1982a: 376–378) auch Überlegungen zu den Bildwerken in Hof 106, insbesondere zu den Darstellungen auf der Westwand. Diese während des vierten Bauabschnitts errichtete Mauer war mit Wandgemälden geschmückt, die in die Zeit des Šamšiadad datiert werden können (vgl. dazu u.a. MOORTGAT 1964: 70–72; PARAYRE 1982: 31–78; dagegen zuletzt TOMABECHI 1980: 143 mit ausf. Lit. Anm. 18). Von Zimrilim wurde dieser Baukomplex übernommen und ohne umfangreiche Veränderungen weiter verwendet.

Es stellt sich die Frage, ob die aufgrund archäologischer Kriterien ermittelte Verwendungsdauer der Palastteile, denen Raum 108 angehört, mit der Datierung, die sich aus der philologischen Auswertung der aus diesem Raum stammenden Texte ergibt, übereinstimmt. Für die Inschriften auf den Lebermodellen wurde anhand morphologischer, grammatikalischer und orthographischer Merkmale eine Entstehung vor der Zeit Zimrilims vorgeschlagen (GELB 1956: 1–10); in ihrer Schreibweise ähneln sie den kappadokischen Texten aus den altassyrischen Handelskolonien, und ihr Dialekt bildet eine der lokalen Sprachgruppen (wie aus Elam und dem Diayala-Gebiet bekannt), die zwischen der ausgehenden Ur-III-Zeit und dem Beginn der altbabylonischen Epoche zu datieren sind (GELB 1956: 7). Aus dem Inhalt der Inschriften ergibt sich ein noch präziseres Datum für die Entstehung dieser Modelle: Sie können in keinem Fall älter sein, als der jüngste auf ihnen erwähnte König. I. J. Gelb hält daher die Ära des Königs Išbierra von Isin (RUTTEN 1938: Nr. 9, 10) für den frühesten Zeitpunkt ihrer Anfertigung. Bei dieser Beurteilung stimmt er offenbar dem Vorschlag G. Dossins zu, den auf den Modellen ebenfalls erwähnten Išmedagan (RUTTEN 1938: Nr. 11) nicht als den noch jüngeren Herrscher von Isin anzusehen, sondern als den gleichnamigen Gouverneur von Mari während der Ur-III-Zeit (DOSSIN 1940: 162–163). Es erscheint aber zweifelhaft, daß es einem von den Ur-III-Herrschern eingesetzten Statthalter erlaubt war, seinen Namen mit dem Gottesdeterminativ zu schreiben. Die erst seit Šulgi wieder eingeführte Deifizierung des Namens beschränkte sich auf den Herrscher nach seiner Akzession; selbst den Prinzen war es nicht gestattet, diesen Titel zu tragen (vgl. HALLO 1957: 60–65), und in das Onomastikon der Privatnamen fand der deifizierte Königsname nur als theophores Element eines zusammengesetzten Namens Eingang. In dem vorliegenden Fall handelt es sich aber eindeutig um eine Titulatur, die nur einem Herrscher zusteht. Daher ist der auf dem Lebermodell erwähnte Name eher mit dem König der Isin-Dynastie zu verbinden, deren Herrscher alle einen vergöttlichten Namen tragen.

Unabhängig von der nur geringen zeitlichen Abweichung — Išbierra hat nach der Kurzchronologie in der zweiten Hälfte des 20. Jhd. v.Chr., Išmedagan in der ersten Hälfte des 19. Jhd. v.Chr. regiert — kann aufgrund der sprachlichen Kriterien eine Entstehung der Tonlebermodelle etwa zur Zeit der *šakkanakku*-Herrschaft in Mari (Dynastie der “Lim”, dazu KUPPER 1971: 113–118) angenommen werden. Damit sind aber die Modelle älter als der Raum, in dem sie gefunden wurden, d.h. sie müssen später von ihrem ursprünglichen Lagerort in den Raum 108 gebracht worden sein.

Das restliche Inventar ist weitgehend in die Epoche des assyrischen Interregnums zu datieren. Ein wichtiger Hinweis auf das Alter dieser Schriftzeugnisse ist den beiden in diesem Raum gefundenen Etiketten zu entnehmen (THUREAU-DANGIN 1939a:119–120); nach ihren Inschriften stammen sie von Körben, in denen die Korrespondenz Šamšiadads bzw. Briefe aus dieser Zeit gelagert worden waren. Die Anfertigung der Etiketten durch Schreiber Hammurabis — erkennbar an der Jahresformel für das 32. Jahr dieses Herrschers — deutet auf eine Systematisierung des Textmaterials nach der Eroberung von Mari hin. Vermutlich geht auch die vorgefundene archivalische Ordnung, das Bestreben, Texte verschiedenen Alters, abweichender Provenienz und unterschiedlichen Inhalts entsprechend zu ordnen, auf babylonische Beamte zurück, doch ist kaum mit einer von den Eroberern ausgehenden Erstkatalogisierung zu rechnen. Vielmehr scheinen die in den einzelnen Schriftgutsammlungen bereits vorhandenen Tafeln nur nach Sachgruppen zusammengestellt und entsprechend gekennzeichnet worden zu sein (vgl. zur Verwendung derartiger Etiketten aus dem Raum 115 auf Texten aus der Zeit des Zimrilim, THUREAU-DANGIN 1939a:120).

Auch die wenigen z.T. in hurritischer Sprache geschriebenen literarischen und religiösen Texte (dazu THUREAU-DANGIN 1939b:1–28) sowie das weitere Schriftgut stammen bis auf wenige Ausnahmen — einige Briefe Zimrilims, z.B. ARM XII,126 — aus der Epoche des assyrischen Interregnums unter Šamšiadad. Diese heterogene Zusammenstellung der Texte aus Raum 108 kann möglicherweise damit erklärt werden, daß in dem von Hof 15 gebildeten Raumkomplex (Sektor L bei MARGUERON 1982a) der Sitz einer älteren Verwaltung zu sehen ist (vgl. HEINRICH 1975:262). Dieser Komplex ist in der Zeit der *šakkanakku* entstanden (Phase 3; MARGUERON 1982a:377) und im nachfolgenden Bauabschnitt als Vorratsraum des königlichen Bereichs verwendet worden (dazu MARGUERON 1982a:366.539 Abb. 246). Es erscheint daher vorstellbar, daß im Rahmen der Neuorganisation des Palastes zur Zeit der assyrischen Vorherrschaft eine ursprünglich im Komplex um Hof 15 angesiedelte Schriftgutsammlung in Raum 108 verlegt wurde. In der jüngsten Benutzungsphase des Palastes — unter Zimrilim — wurde dann diese Schriftgutsammlung als Teil einer "arbeitenden" Verwaltungsinstitution aufgegeben, die Texte aber an ihrem Platz belassen. Diese Schlußfolgerung wird auch dadurch bestätigt, daß die neu angelegten Verbindungswege zwischen den im Westen gelegenen Palastteilen durch den Raumtrakt 108–107–54 hindurchführten (MARGUERON 1982a: 368–369 Abb. 247); Schriftgutsammlungen befinden sich aber niemals in Durchgangsräumen, sondern werden immer in gesonderten Räumen aufbewahrt.

Die Bedeutung des Textmaterials in Mari wird durch die Lagerung auch älterer Schriftzeugnisse — sogar über einschneidende Regierungswechsel hinaus — nachhaltig hervorgehoben (vgl. auch weitere Texte aus der *šakkanakku*-Zeit in den Räumen 134/5 und 215). Möglicherweise besaß das ältere Schriftgut auch für die jüngeren Epochen einen tatsächlichen (z.B. im Falle der Wirtschaftsurkunden) oder ideellen (zur Legitimation; z.B. hist. und relig. Texte) Wert. Die geringe inhaltliche Einheitlichkeit des Inventars von Raum 108 läßt sich durch die Vermischung unterschiedlicher Schriftgutsammlungen erklären (vgl. z.B. Ninive, Bibliothek des Assurbanipal, WEIDNER 1952/53:198 Anm. 1). Aus der *šakkanakku*-Zeit stammen vor allem Wirtschaftstexte, die als Archivgut klassifiziert werden können sowie die Tonlebermodelle; aus der Zeit des assyrischen Interregnums wurden neben historischen und religiösen Texten (Bibliotheksgut) insbesondere Briefe hinzugefügt (Archivgut), d.h. es erfolgte offenbar eine Zusammenlegung von zwei unterschiedlichen Schriftkörpern. Da für die Lebermodelle mit Sicherheit eine Sekundärlage angenommen werden muß, kann die Frage, ob sie ursprünglich zu einem Archiv oder einer Bibliothek gehört haben, nicht endgültig beantwortet werden.

Tell al-Seib (Hamrin)

Das einzige Tonlebermodell, das aus einer offiziellen Grabung im mesopotamischen Raum stammt, wurde vor kurzem in Tell al-Seib (Hamrin) gefunden. Über die Ergebnisse der dort durchgeführten Arbeiten liegt bisher nur eine Kurzinformation vor (HANOUN 1979:439–438 Abb. 6).

Die als Tell al-Seib bezeichnete Ruine stellt die eine Hälfte eines Zwillingshügels dar, dessen andere Hälfte heute Tell Hadad heißt. Sie befindet sich nördlich des Diyala und östlich des größeren Tell Baradan (zur hist. Topographie vgl. POSTGATE 1979:594:591; s.a. POSTGATE/WATSON 1979:167). Eine Gleichsetzung der beiden Siedlungsgebiete mit den antiken Orten Meturnat bzw. Sirara wurde von F. Raschid vorgeschlagen (28. CRAI 1980 Paris).

Von den vier freigelegten Bauschichten spiegelt die dritte offensichtlich die bedeutendste Epoche dieser Siedlung wider. Das Gebiet beider Hügel war zu einer Stadtanlage vereinigt und von einer gemeinsamen Stadtmauer umgeben. Die aus dieser Periode freigelegte Bausubstanz besteht aus mehreren voneinander unabhängigen Komplexen; ihre relativ lange Verwendungsdauer geht aus vier übereinanderliegenden Fußbodenniveaus, mehreren Umbauten und verschiedenen Verputzschichten während der einzelnen Phasen hervor. Eine besondere Bedeutung hatten zweifellos die beiden als 1 und 2 bezeichneten Gebäude; sie bestehen aus unterschiedlich großen Räumen, die um einen Arbeitshof mit Ofenanlagen und anderen Installationen angeordnet sind. Im Hof des im Zentrum der Ruine gelegenen Baues 1 fanden sich u.a. sechs runde Schultafeln ("Linsen") mit literarischen Auszügen (ISMAIL KHALIL 1982:198).

Das etwas größere Gebäude 2 besitzt unmittelbar neben dem Hof einen Raum (Raum 14), der an allen vier Wänden mit flachen Lehmziegelbänken und zwei kleineren Podesten ausgestatten ist. Aufgrund der Inneneinrichtung und vermutlich auch in Analogie zu Raum 24 im Palast von Mari (dazu PARROT 1958a:188–191; entgegen HEINRICH 1975:262:Schatzkammer) interpretieren die Ausgräber diesen Raum als Schule. Nach den jüngsten Untersuchungen J. Marguerons ist diese Annahme für die betreffenden Räume im Palast von Mari nicht mehr aufrechtzuerhalten (MARGUERON 1982a:345–349); seiner Meinung nach haben die reihenartig angeordneten Bänke zur Lagerung von großen Gefäßen gedient. Daher sind diese Räume (wie z.B. auch Raum 122) als Lagerräume für die im königlichen Palast benötigten Versorgungsgüter anzusehen. Das dort gefundene Textmaterial — neben Schülertafeln auch zahlreiche Wirtschafts- und Verwaltungsurkunden (z.B. ARM XIII, 58–101) — sind als Schriftgut der zuständigen Administration zu erklären (möglicherweise mit integrierter Schule).

Eine vergleichbare Interpretation ist auch für den Raum 14 des Gebäudes 2 in Tell al-Seib vorzuschlagen. Hier hat sich offensichtlich der Sitz der örtlichen Verwaltung befunden, die auch für die Vorratshaltung verantwortlich war. Die Schriftzeugnisse aus diesem Gebäude können daher als Reste einer Kanzlei bezeichnet werden; die wenigen religiösen, literarischen und grammatikalischen Texte sowie das Tonlebermodell sind dann als Teile einer Dienstbibliothek aufzufassen.

Eine Datierung der Bauschicht 3 in Tell al-Seib ist nur mit Hilfe der dort gefundenen Schriftzeugnisse möglich, da weitere kennzeichnende Funde wie z.B. Keramik, Siegel usw. bisher nicht in ausreichendem Maße publiziert sind. Die zahlreichen Tontafeln stammen alle aus der altbabylonischen Zeit. Die Inschrift auf dem Tonlebermodell erlaubt zumindest für dieses Objekt eine noch exaktere zeitliche Eingrenzung; in ihr wird nämlich erwähnt, daß das betreffende Modell einen Omenbefund aus der Regierungszeit des Daduša wiedergibt (ISMAIL KHALIL 1982:198). Bei Daduša kann es sich nur um den Herrscher von Ešnunna handeln, der durch einen Sieg über Išmedagan, den Sohn Šamšiadads, die Eigenständigkeit seines Herrschaftsbereichs, zu dem auch Tell al-Seib gehörte, gegenüber Assur sicherte. Für die Datierung besitzt die Inschrift auf dem Lebermodell allerdings nur den Wert eines terminus post quem; theoretisch ist auch eine Entstehung unter Ibalpiel II., dem Nachfolger des Daduša, der von Hammurabi besiegt wurde, denkbar, oder es kann sogar ein noch späteres Datum, die Zeit der babylonischen Einflußnahme auf Ešnunna — dann mit Reflexionen auf zurückliegende historische Ereignisse (vgl. Lebermodelle aus Mari, YOS X 1) — angenommen werden. Mit Sicherheit ist aber eine Datierung in die zweite Hälfte des 18. Jhd. v.Chr. zutreffend.

Die Auswertung der archäologischen Ergebnisse

Die Auswertung der Funde und Befunde einzelner Grabungen bzw. der jeweiligen Schichten, aus denen die Tonlebermodelle stammen, hat hinsichtlich der Datierung weitgehende Übereinstimmung mit den entsprechenden philologischen Ergebnissen erbracht. Darüber hinaus ermöglicht eine unter verschiedenen Aspekten durchgeführte Analyse des Fundzusammenhanges Aufschlüsse über den Ort, an dem Tonlebermodelle verwendet und aufbewahrt werden. Auf Ursprung und Verbreitung soll unter Einbeziehung der Resultate zur Bedeutung der Tonlebermodelle in einer Schlußbetrachtung eingegangen werden (s.S. 264–269).

Datierung

Die aus der Untersuchung der archäologischen Kriterien resultierende Datierung der einzelnen Lebermodelle bzw. ihrer Fundschichten ergibt folgendes Bild:

	Hazor	Megiddo	Ugarit	Ebla	Emar	Mumbaqat	Mari	Tell al-Seib	Boğazköy
1900									
1875							x		
1850									
1825									
1800									
1775									
1750									
1725								x	
1700									
1675									
1650		XII							
1625				IIIB					
1600	4		XI						
1575			6						
1550	3	X							
1525									
1500									
1475	2	IX	5						
1450						Tor 5			
1425									
1400						Tor /4			
1375		VIII	4			St.B./3			IVb
1350	1B					Häuser /2c			
1325									
1300									
1275					x	St.B /2			IVa
1250			3			Häuser /2b			IIIc
1225	1A	VIIA							IIIb
1200									IIIa
1175									

Tabelle 5: Schichtzugehörigkeit und Datierung der Tonlebermodelle in den einzelnen Fundorten

Aus dieser Zusammenstellung ist ersichtlich, daß nur bei den Modellen aus Hazor die archäologischen und philologischen Datierungen divergieren. Die nach sprachlichen Kriterien in das Ende der altbabylonischen Zeit zu datierenden Tonlebern wurden in einer jüngeren Fundschicht geborgen; eine Entstehung in einer älteren Phase (Schicht 3) und die daraus resultierende Wieder- bzw. Weiterverwendung zu einem späteren Zeitpunkt (Schicht 2) ist aufgrund stratigraphischer Beobachtungen wenig wahrscheinlich. Die voneinander abweichenden Ergebnisse sind vermutlich mit der längeren Tradierung altbabylonischer Schriftgewohnheiten in den "peripheren" Gebieten zu erklären (s.S. 25).

Auch die Modelle aus Mari und Boğazköy stammen aus Fundkontexten, die jünger sind, als es dem Schriftbild ihrer Texte zu entnehmen ist. In beiden Fundorten konnte aber ein längerer, sich über mehrere Bauschichten erstreckender Zeitraum der Aufbewahrung von Textmaterial nachgewiesen werden.

In allen anderen Fällen haben sich die Ergebnisse beider Untersuchungsmethoden wechselseitig bestätigt.

Fundzusammenhang

Folgende tabellarische Übersicht zeigt die Ergebnisse einer Untersuchung der Fundkontexte nach dem jeweiligen Ort der Verwendung bzw. dem der Aufbewahrung von Tonlebermodellen.

Datierung	Fundort	Kategorie	Ort der Verwendung	Ort der Aufbewahrung
	Mari	III	Palast	Bibliothek (+ Archiv)
MBZ	Tell al-Seib	III	"Schreiberhaus"	Bibliothek (+Archiv)
	Ebla	IV		
	Hazor	II (+IV)	Tempelhof	Opferbereich
	Mumbaqat 1	IV	Torbereich	Deponierung (?)
	Mumbaqat 2	IV	Tempel	Deponierung
	Megiddo 1	IV	Tempel	Deponierung
SBZ	Megiddo 2	IV	Tempelbereich	Zingelraum
	Mumbaqat 3–20	IV	Haus (eines Wahrsagers)	Bibliothek (+ Archiv)
	Emar	I	Tempel eines Wahrsager	Bibliothek
	Ugarit	IV	Haus eines Wahrsagers	Bibliothek
	Boğazköy	I	Palast/Tempel	Bibliothek (+ Archiv)

Tabelle 6: Funktionale Analyse der Fundzusammenhänge von Tonlebermodellen

Ort der Verwendung von Tonlebermodellen

Aus einer Analyse der einzelnen Fundstellen geht hervor, daß Tonlebermodelle, bis auf wenige Ausnahmen, in drei funktional unterschiedlichen Gebäudekomplexen vorkommen:

1. im Palastbereich; die Exemplare aus Mari sowie der überwiegende Teil der Stücke aus Boğazköy stammen aus einem derartigen Baukomplex; aber auch die Anlage in Tell al-Seib ist vermutlich dieser Gebäudekategorie zuzurechnen, da angenommen werden darf, daß sich dort der örtliche Sitz der Verwaltung befunden hat;
2. im Tempelbereich; die übrigen Modelle aus Boğazköy sowie die Tonlebern aus Hazor, Megiddo, Emar und der Einzelfund aus Mumbaqat (MBQ 2) sind im Bereich sakraler Anlagen gefunden worden (zur unterschiedlichen Interpretation der einzelnen Fundlagen s.u.);
3. in Privatbauten; die Modelle aus Ugarit sowie die Stücke Mumbaqat 3–20 wurden in Gebäuden geborgen, die als Privatbauten zu bezeichnen sind.
4. Nur für das Modell Mumbaqat 1 (Torbereich) und die Exemplare aus Ebla liegen abweichende oder unbestimmbare Fundzusammenhänge vor.

Die drei Fundkomplexe repräsentieren jeweils unterschiedliche Institutionen, deren Personal, sofern die Modelle zum jeweiligen Inventar gerechnet werden können, für die Durchführung der Opferschau verantwortlich war. Aus der Datierung der betreffenden Anlagen ergibt sich eine Abfolge der jeweiligen Zuständigkeitsbereiche. In der älteren Phase (altbabylonisch) ist der Palast (Mari) oder dessen Verwaltungsorganisation in der Provinz (Tell al-Seib) der Ort, an dem die Leberschau vollzogen werden konnte (zu den Aufgaben der Wahrsager in staatl. Institutionen vgl. RENGER 1969:215 m. Anm. 1015, s.S. 51). Offensichtlich erfolgt in der altbabylonischen Zeit eine — möglicherweise auch regional bedingte — Verlagerung zum Tempelbereich (Hazor, Megiddo, Emar). Allerdings können die Modelle aus Hazor und Megiddo (Meg. 2) nicht direkt zum Inventar der jeweiligen Sakralbauten gerechnet werden, da sie sich entweder im Hof (Hazor) oder in einem der Zingelräume (Megiddo) fanden. Die beiden Exemplare aus Emar stammen dagegen unmittelbar aus einem Tempel, der zudem offensichtlich ausschließlich der Durchführung von Opferschauritualen vorbehalten war.

Aus der Fundlage dieser Modelle ist eine Trennung zwischen den Haupttempeln, die dem Kult vorbehalten sind, und dem Ort, an dem die Leberschau stattfindet, zu entnehmen; vermutlich war die Leberschau (bzw. das Orakelwesen) niemals mit dem Kult der "großen Götter" verbunden. Diese Trennung gilt auch für die Befunde in Hazor und Megiddo, auch wenn die Verbindung dort enger erscheint. Es gibt aber auch hier keine Anzeichen dafür, daß die Opferschau im Heiligtum selbst durchgeführt wurde.

Etwa gleichzeitig treten Lebermodelle auch in Privatbauten auf. In Ugarit handelt es sich bei dem Gebäude eindeutig um das "Haus eines Wahrsagers"; auch für die Anlage in Mumbaqat darf diese Interpretation in Anspruch genommen werden. Die hier als Opferplatz bezeichnete Fläche vor dem betreffenden Gebäude läßt sich zudem mit dem Tempelkomplex in Emar vergleichen. Darüber hinaus befinden sich die jeweiligen Bauten in Ugarit, Mumbaqat und Emar in einem Wohnviertel, und auch in Hazor und Megiddo liegen die Tempel, die auf Zusammenhänge mit der Opferschau hinweisen, in den Wohnvierteln der Unterstadt. Daß es sich bei der Entstehung von eigenen Komplexen für die Wahrsager um eine verbreitete Entwicklung während der zweiten Hälfte des 2. Jts. v.Chr. handelt, bestätigt die Freilegung eines entsprechenden Gebäudes im kassitischen Babylon (REUTHER 1926:59), in dessen Bereich neben zahlreichen Wahrsagetexten auch ein Tonfragment mit Zeichnungen von Eingeweiden gefunden wurde (REUTHER 1926: Abb. 12).

Insgesamt scheint sich seit ca. 1500 v.Chr. eine Verlagerung der Opferschau vom Palast zum allgemein-öffentlichen Bereich vollzogen zu haben; auch die Bindung an den Tempel ist nur eine mittelbare, oder sie fehlt völlig. Diese Entwicklung wird auch schon dadurch verständlich, daß die Wahrsager bereits während der altbabylonischen Zeit (und vermutlich auch bereits vorher) weder als Priester gelten noch mit dem Kult des Tempels verbunden sind (vgl. Belegliste für Wahrsager und deren Berufe bei RENGER 1969:204–207). Der *bārû* ist immer Privatmann und übt einen zivilen Beruf aus oder steht im Dienste staatlicher Institutionen; niemals ist er ausschließlich Wahrsager. J. Renger hat darauf hingewiesen, daß die Karriere eines Opferschauers maßgeblich von nachweisbaren Erfolgen abhängig ist (RENGER 1969:216). Es ist daher nicht überraschend, in einer Zeit der Ausbreitung des internationalen Handels, verbunden mit einer Intensivierung privater Gewerbetätigkeit, auch eine Verselbständigung (und gewisse Kommerzialisierung) des Wahrsageberufes zu beobachten.

Eine verbindliche Aussage über die Stellung der Opferschau in Ebla läßt sich aus dem Fundzusammenhang der Tonlebern nicht treffen. Möglicherweise stammt das Exemplar TM 1 aus dem Tempelkomplex B2 oder einem der benachbarten Gebäude. Wichtig wäre aber die Zuordnung des geschlossenen Fundes von zwölf Lebermodellen (und zwei Eingeweidemodellen) zu einer bestimmten Bausubstanz; in Betracht kommen der in der Nähe gelegene West-Palast, aber auch private Gebäude in dessen Umgebung. Somit muß vorerst noch die Frage offen bleiben, ob sich die oben erwähnte Trennung der Opferschau vom Palastbereich bereits in der ausgehenden altbabylonischen Zeit vollzogen hat.

Die Fundlage in Boğazköy stellt insofern eine Ausnahme dar, als dort Lebermodelle sowohl im Palast- als auch im Tempelbereich geborgen wurden. Für diesen Befund können unterschiedliche Gründe verantwortlich gemacht werden. Zunächst erfolgt die Übernahme der Leberschau zu einem relativ späten Zeitpunkt (zu Beginn des 14. Jhd. v.Chr.), und es ist vorstellbar, daß beide Bereiche — Palast und Tempel (Öffentlichkeit?) — die Opferschau gleichzeitig praktiziert haben. Von vermutlich größerer Relevanz ist aber die von den babylonischen Gewohnheiten abweichende Praxis der Opferschau und die Stellung der dafür zuständigen Personen bei den Hethitern. Bei ihnen gehören die Erstellung von Omina und Orakel zum Tätigkeitsbereich der Priesterschaft. Der hethitische Priester ermittelt durch Orakelanfragen die Bedeutung eines Omens (nicht durch Verwendung von Kompendien) und macht es mit Hilfe der Magie unschädlich (vgl. HAAS 1977:148–149). Das Auffinden der Lebermodelle aus Boğazköy sowohl im Palast- als auch im Tempelbereich ist damit zu erklären, daß die Rituale und die magischen Praktiken sich unmittelbar auf die Person des hethitischen Königs beziehen, der im Mittelpunkt des gesamten religiösen Denkens steht. Für Privatpersonen bestand die Möglichkeit Omenanfragen zu stellen, allerdings nur in Verbindung mit der Institution des Tempels. Grundsätzlich ist aber die Leberschau im hethitischen Bereich nie heimisch geworden und erfuhr sehr schnell eine Umwandlung in die SU-Orakel (so nach WILHELM 1982:95).

Auch im babylonischen Einflußgebiet stellt die Leberschau ein Mittel zur Erfragung des göttlichen Willens dar; die Bedeutung einzelner Erscheinungen auf der Leber wird mit Hilfe der Kompendien, d.h. mit einem auf Erfahrung beruhendem, systematisierten Katalog festgestellt. Verantwortlich für die Ausführung der Extispizin ist aber nicht das Tempelpersonal, sondern der Wahrsager (*bārû*), und auch die Rituale zur Abwehr ungünstiger Wahrsagungen, die *namburbi*-Rituale (vgl. dazu u.a. EBELING 1954:1–15; REINER 1967:186–188; CAPLICE 1974) werden von einer eigenen Berufsgruppe, den LÚ *āšipu*, durchgeführt. Nur unter bestimmten Voraussetzungen finden diese Rituale im Tempel selbst statt (dazu MENZEL 1981:44; McEWAN 1982:143–144); in der Regel sind derartige Praktiken nicht direkt mit dem Tempelkult verbunden, sondern sie sind, wie die Magie im allgemeinen, ein Element der Volksreligion, das im babylonischen

Bereich nicht (mehr?) in die "Hoch"religion integriert ist, während im hethitischen Bereich eine Verbindung zwischen der Magie und der Institution des Tempels besteht; dort gehört die Magie zu den kultischen Praktiken der Staatsreligion. Durch diese unterschiedliche Stellung der Magie in den beiden Kulturbereichen wird die voneinander abweichende Fundsituation von Tonlebermodellen verständlich.

Ort der Aufbewahrung von Tonlebermodellen

Für nahezu alle Tonlebermodelle liegt ein gemeinsamer Fundkontext mit Schriftzeugnissen vor, deren Unterscheidung in Bibliotheks- und Archivgut aber nicht immer eindeutig zu treffen ist.

In Mari wurden die Lebermodelle zusammen mit Texten beider Gruppen geborgen. Da es sich sowohl bei den Texten als auch den Modellen fast immer um Schriftzeugnisse einer älteren Periode (aus der *šakkanakku*-Zeit bzw. der Zeit des assyr. Interregnums) handelt, deren Ordnung erst später durch Zimrilim oder Hammurabi hergestellt wurde, ist anzunehmen, daß sie Material verschiedener Schriftkörper darstellen, die nachträglich in eine Sammlung integriert wurden. Zum Zeitpunkt ihrer letzten Lagerung (in Raum 108) sind diese Texte zweifellos als Bibliotheksgut verstanden worden. In welchem Kontext die Tonlebern sich aber ursprünglich befunden haben, läßt sich nicht mehr verbindlich rekonstruieren (s. aber unten).

Die Modelle aus Ugarit und Emar stammen dagegen mit Sicherheit aus der Bibliothek eines Wahrsagers (auch die Exemplare aus Hazor und Megiddo sind in diesem Sinne als Objekte, die bei einer Opferschau verwendet wurden, zu interpretieren).

Das Auffinden der Modelle aus Tell al-Seib und Mumbaqat (MBQ 3–20) in Verbindung mit Bibliotheks- und Archivtexten läßt sich dadurch erklären, daß in den Verwaltungsprovinzen die Fähigkeit des Schreibens weitgehend auf einen Ort — die staatliche Administrationsbehörde — beschränkt ist. Eine wesentliche Voraussetzung für den Wahrsager ist aber die Beherrschung der Schreibkunst; daher ist für diese Orte ein Zusammenhang zwischen den Schreiberschulen der Verwaltung und der Herstellung von Lebermodellen (und der Durchführung der Opferschau) nicht überraschend. Gleichzeitig muß in derartigen Amtsstellen mit einer Vermischung von Archiv- und Bibliotheksmaterial gerechnet werden.

Während die Modelle von Boğazköy, die aus dem Bereich des Großen Tempels stammen, zum Inventar einer Bibliothek gehören, sind die entsprechenden Zusammenhänge der auf Büyükkale gefundenen Modelle aufgrund der ausgeprägten Zerstörung nicht so deutlich zu erkennen. Zwar sprechen auch hier die Anzeichen für das Vorhandensein von jeweils zwei Schriftkörpern in den Gebäuden A und E, doch kann die Zuordnung der Modelle zum Bibliotheksgut nur unter Vorbehalt erfolgen.

Die grundsätzliche Schwierigkeit einer Subsumierung der Lebermodelle unter Archiv- oder Bibliotheksmaterial besteht vor allem in der Beantwortung der Frage, ob sie vorwiegend administrative Bedeutung besessen haben (Archiv) oder ob sie als religiöse Literatur — ohne zwangsläufige Bindung an die Religion — verstanden werden (Bibliothek). Möglicherweise zeichnet sich auch in diesem Fall ein Wandel in der Auffassung derartiger Objekte zwischen der alt- und der mittelbabylonischen Zeit ab.

Als Sonderfälle sind die beiden Einzelfunde aus Mumbaqat (MBQ 1–2) und vermutlich auch das Stück aus Megiddo (Meg. 1; und evtl. TM 1) aufzufassen. Aus ihrer Fundlage geht eine Verwendung im Sinne einer Deponierung hervor. Diese Objekte werden als modellhafte Nachbildungen der Ergebnisse einer Opferschau interpretiert, die für die Errichtung der jeweiligen Bauten durchgeführt wurde. Sollte sich diese Annahme bestätigen, dann haben diese Modelle die gleiche Bedeutung wie die Protokolle, d.h. aus der Darstellung müssen sowohl die Resultate, die aus der Betrachtung einzelner Leberbereiche hervorgehen, als auch das Gesamtresultat der Opferschau ersichtlich sein. Eine derartige Nachbildung ohne erklärende Beischrift ist aber nur dann sinnvoll, wenn allein aus der Darstellung die ominöse Bedeutung zu erkennen ist, d.h. wenn derartige Modelle "lesbar" sind.

Bevor versucht werden soll, ein System aufzustellen, das die "Lesbarkeit" der graphischen Kennzeichnungen auf den Modellen erlaubt, werden im folgenden Kapitel als Voraussetzung dazu zunächst die medizinischen Kriterien besprochen.

III

MEDIZINISCHE KRITERIEN

Allgemeine Voraussetzungen

Die Eingeweideschau (Haruspizium) ist eine Opferschau, in deren Verlauf das zu untersuchende Tier als Opfer dargebracht wird (vgl. RENGER 1969:208–213 m. Belegen in Anm. 953–954; ausf. STARR 1974). Den Beginn des Opferschaurituals (*nēpešti bārî*) bilden verschiedene Gebete sowie Anrufungen der Götter (Šamaš und Adad) mit der Bitte um die rechte Entscheidung (*purussû*). Im Anschluß daran erfolgt die Schlachtung des Tieres und die Untersuchung und Auswertung der Beschaffenheit einzelner Organe bzw. Organteile. Für die Beurteilung des Befundes ist ein umfangreiches medizinisch-anatomisches Wissen der ausführenden Wahrsager (*bārûtu*) notwendig; die erforderlichen Kenntnisse können durch eine gründliche Ausbildung erworben werden, die zunächst auf den Erfahrungen der über Generationen gesammelten Beobachtungen beruht. Seit der altbabylonischen Zeit werden diese Beobachtungen in Omenserien (Kompendien) schriftlich zusammengestellt und durch die Hinzufügung theoretisch möglicher Erscheinungsformen der Organe ergänzt.

Wesentliche Voraussetzung für die Auswertung des beobachteten Befundes ist eine umfassende Kenntnis der morphologischen und pathologischen Veränderungsmöglichkeiten der zu untersuchenden Eingeweide. Um die Vorgänge bei einer Opferschau nachvollziehen zu können, ist es notwendig, die für die einzelnen Organe und Organteile bzw. die Krankheitsbilder verwendete Nomenklatur auf die moderne Begrifflichkeit zu übertragen, da gerade die Veränderungen in Verbindung mit dem jeweiligen topographischen Ort ihres Auftretens auf der Organoberfläche die Grundlage für die Auswertung (Protasis der Omina) darstellen. Aus diesem Grunde erfolgt zunächst anhand moderner medizinischer Literatur (KITT 1923: 93–226; NIEBERLE/CHORS 1931:352–433; HALTENORTH 1969:69–174) eine Beschreibung der Leber, die die Einzelteile des Organs sowie die auf der Oberfläche der Leber sichtbaren Abdrucke anderer Eingeweide umfaßt. Im Anschluß daran sollen die sich bei einer Übertragung der babylonischen Begriffe auf die heute gebräuchlichen Bezeichnungen ergebenden Probleme aufgezeigt werden, die aus der — für den heutigen Betrachter — nicht immer eindeutigen Terminologie resultieren (s.S. 55). Die zentrale Aufgabe dieses Kapitels besteht dann in einer Diskussion der einzelnen in den Omenserien erwähnten Leberbereiche und deren Lokalisation auf der Leberoberfläche (bzw. auf den Modellen). In einem letzten Abschnitt sollen, soweit möglich, die aus Texten und graphischen Darstellungen bekannten Krankheitsbilder mit typischen, real-medizinisch nachgewiesenen Krankheitsbildern verglichen werden.

Beschreibung der Leber (Taf. 4)

Die Leber (Hepar, Jecur), die größte Drüse des Säugetieres, liegt abgeplattet an der rechten Seite der Bauchhöhle. Mit ihrer schwach gewölbten (konvexen) Vorderfläche (facies diaphragmatica) lehnt sie sich an das Zwerchfell, mit ihrer leicht ausgehöhlten (konkaven) Hinterfläche (facies visceralis) an die Eingeweide, wie die verschiedenen Mägen, den Darm und die rechte Niere an. Bei den größeren Säugetieren besitzt die Leber eine geschlossene Form und nur der ventrale Rand — besonders beim Schaf — zeigt in Höhe der Befestigung des Leberbandes (Ligg. teres hepatis) eine tiefere Einbuchtung, die sich auch auf der Oberfläche der Leber als schwacher Eindruck fortsetzt. Dorsal befindet sich an der Eingeweidefläche eine Grube, in die sich das bei älteren Tieren häufig fehlende Leberband einsenkt (fossa venae umbilicalis). Durch dieses Leberband, die Gallenblase (vesica fellea) und den Ausführgang der Gallenblase (ductus cysticus) wird die Leber in einen linken (lobus sinister), einen mittleren und einen rechten (lobus dexter) Lappen geteilt.

Der mittlere Lappen zerfällt durch die die Pfortader (vena portae) enthaltende Leberpforte (porta hepatis) in den ventralen viereckigen (lobus quadratus) und den dorsalen schwanzförmigen (lobus caudatus) Lappen. Letzterer bildet den dorsalen Leberrand, der nach rechts durch den Einschnitt für die Hohlvene (vena cava caudalis; fossa fenae cavae) begrenzt wird, nach links durch die Befestigung des Bauchfellsackes (omentum), der die Leber mit der Magenwand verbindet; dabei handelt es sich um ein Lymphzellennetz, das am linken oberen Rand in dem Gewebe der Leber einen deutlichen Eindruck hinterläßt.

Der lobus caudatus gliedert sich in drei Abschnitte: in den ventral über die Pfortader herabhängenden Papillarfortsatz (processus papillaris), den sich auf die Viszeralfläche des rechten Leberlappens erstreckenden und seinen beckenseitigen Rand überragenden stumpfen, schwanzförmigen Lappen (processus caudatus bzw. processus pyramidalis) und eine beide verbindende, zwischen Hohlvene und Pfortader durchgehende Brücke. Beim Schaf ist der lobus caudatus spitz zulaufend, dreikantig, mit scharfen Rändern und überragt nicht den beckenseitigen Leberrand; an dieser Stelle befindet sich die zum Teil noch vom Rand des lobus caudatus gebildete impressio renalis, in der das brustseitige Ende der rechten Niere liegt. Der processus caudatus selbst ist durch ein Band an dem Darmgekröse und damit direkt an der Wirbelsäule befestigt. Von den zahlreichen Bändern, die das Organ halten und mit anderen verbinden, fehlt beim Schaf das Lig. falciforma, so daß die Leber nur durch das Lig. coronarium sowie die Ligg. triangularia mit dem Zwerchfell und der Bauchwand verbunden ist; ebenfalls auf der rechten Seite des Organs befinden sich das Lig. hepatoduodenale, in dem der ductus choledochus liegt und das die Verbindung mit dem Duodenum herstellt, während der Magen durch das Lig. hepatogastricum an die Leber gebunden ist. Mit der Lösung dieser Bänder beginnt die Teilung in die für jede Tierart charakteristischen Lappen. Sie werden bei den Haussäugetieren, so auch beim Schaf, durch mehr oder weniger tiefe Inzisuren voneinander geschieden. Bei dem Schaf ist vor allem bei älteren Tieren nur ein ausgeprägter Einschnitt zu erkennen, der durch das Fehlen des Lig. teres hepatis hervorgerufen wird.

Die leicht nach rechts verschobene birnenförmige Gallenblase gliedert sich in Scheitel, Körper und Hals; der gerundete Scheitel ragt häufig über den ventralen Rand hinaus, während der Körper in der fossa vesicae fellae liegt und durch das Bindegewebe mit der Leberoberfläche verbunden ist. Der Hals geht in den Gallenblasengang (ductus cysticus) über; dieser verbindet sich auf seinem Weg zur Leberpforte vorher mit dem Lebergang (ductus hepaticus) zum Lebergallengang (ductus choledochus).

In einer Querrinne dazu liegt die Leberpforte, durch die die Pfortader, Leberarterien, Lymphgefäße und Nerven in die Leber eintreten. Die Pfortader und die Leberarterien versorgen das Organ mit Blut; durch die hintere Hohlader gelangt dieses Blut wieder in den Kreislauf des Körpers.

Zwischen der Gallenblase und dem Eindruck des Leberbandes (Ligg. teres hepatis) befindet sich der lobus quadratus, der durch die vorhergehend beschriebene Querrinne vom dorsalen lobus caudatus getrennt ist, mit dem er aber zusammen den mittleren Lappen bildet.

Auf verschiedenen Teilen der Leberoberfläche sind die Eindrucke einiger Magenteile und anderer Organe sichtbar: der Eindruck des Netzmagens (impressio reticularis) an der äußersten linken Seite des lobus sinister, der Abdruck des Labmagens (impressio abomalis) an dessen ventralem Rand und der Eindruck des Blättermagens (impressio omasica), der sich oberhalb der Querrinne der Leberpforte und auf deren benachbarten Leberteilen abzeichnet.

Probleme bei der Übertragung der babylonischen Nomenklatur auf die moderne Begrifflichkeit

Jeder Versuch, die babylonische Terminologie auf die moderne Begrifflichkeit zu übertragen, wird durch eine Reihe von Problemen erschwert (vgl. BIGGS 1969:159–160; JEYES 1978:209–210).

1. Für die einzelnen anatomischen Bezeichnungen wurde z.T. eine Nomenklatur verwendet, die nach ihrer lexikalischen Bedeutung keine eindeutig anatomische Identifikation erlaubt, z.B. *naplastu* "Scheuklappe", *mazzāzu* "Standort", *naṣraptu* "Färbbottich" u.a.. Hierbei handelt es sich offensichtlich um eine nur den ausgebildeten Omenpriestern vertraute Terminologie.
2. Einige der in den Omina erwähnten Organteile besitzen eine unterschiedliche Bezeichnung bzw. unterlagen im Laufe der Zeit einem Wandel; z.B. *padānu/ḫarrānu*: beide mit der Bedeutung "Pfad"; *šulmu/padān imitti marti*: "Wohlbefinden"/"Pfad zur rechten der Gallenblase"; *miḫiṣ pān ummān nakri/padān šumēl marti*: "Schlag gegen die Armee der Feinde"/"Weg zur linken der Gallenblase"; *naplastu/mazzāzu*: "Scheuklappe"/"Standort". Besonders für das letztgenannte Beispiel ist eine Verwendung beider Begriffe im gleichen Text häufiger belegt (z.B. HSM 7494 = AO 7031, 7032; vgl. dazu DENNER 1934:185; NOUGAYROL 1950:3; s.S. 56-57). In ausschließlichen Leberschauberichten wird eine derartige Synonymie allerdings vermieden.
3. Ebenfalls gegen Ende der altbabylonischen Zeit tritt ein Wandel von der syllabischen zur logographischen Schreibweise auf (dazu GOETZE 1947a:5); z.B. *naplastu* (IGI.BAR),*mazzāzu* (KI.GUB, später NA), *padānu* (GÍR),*bāb ekalli* (ME.NI). Dabei können verschiedene Logogramme für einen Begriff stehen: z.B. ME.NI, KÁ.É.GAL oder KÁ *ekalli* für *bāb ekalli*; ZÉ oder EŠ für *martu*; andererseits kann auch ein Logogramm für verschiedene Begriffe benutzt werden, die dann aber die gleiche Wortbedeutung aufweisen: z.B. U für *šīlu* und *pilšu* "Loch", GÍR für *padānu* und *ḫarrānu* "Weg".
4. Ein Zeichen kann zwei Lesungen besitzen, wie z.B. DI: *ziḫḫu* "Pustel", "Blase" oder *šulmu* "Wohlbefinden" (vgl. NOUGAYROL 1969a:149–157).

Zur Identifikation der verwendeten babylonischen Nomenklatur mit den modernen Begriffen dienen folgende Hilfsmittel:

- die sogenannten Schullebern (BM 50494, CT VI,1–3); diese Exemplare weisen eine Einteilung der Leberoberfläche in Felder auf, die einzeln mit den Namen für den jeweiligen medizinisch-topographischen Bereich benannt sind,
- die beschrifteten Tonlebermodelle aus Boğazköy, Emar und Hazor; auf ihnen finden sich Markierungen bestimmter Teilbereiche der Leber, deren Bedeutung in der schriftlich beigefügten Protasis erwähnt wird (da bei den Modellen aus Mari die Relation zwischen Inschrift und Darstellung nicht immer eindeutig ist, sollen diese Exemplare gesondert behandelt werden, s.S. 212-217);
- die "illustrierten" Omenserien (z.B. CT 20 26.28; 31 9–10.12–15.40); auf diesen Tafeln wird ebenfalls die schriftlich formulierte Protasis auch graphisch dargestellt;
- die "normalen" Omenserien; in diesen listenartigen Kompendien werden häufig die einzelnen Leberteile und deren Relation zueinander aufgeführt. Durch die Veröffentlichung zahlreicher Texte, die die Schlachtung eines Opfertieres beschreiben, wird das Verständnis für die Vorgänge bei der Opferschau beträchtlich erweitert (vgl. besonders HSM 7494 mit Duplikat AO 7031, 7032: NOUGAYROL 1941:67–88; HUSSEY 1948:21–32; STARR 1974). Das wichtigste Ergebnis aus der Auswertung dieser Texte besteht in der Erkenntnis, daß aufgrund der Rückenlage des Opfertieres bei der rituellen Schlachtung eine Vertauschung in der Bezeichnung der Leberlappen stattfand; infolgedessen entspricht dem im babylonischen Sprachgebrauch linken Leberlappen der heute als lobus dexter bezeichnete Teil und umgekehrt (BIGGS 1969:159). Noch immer gibt es aber eine Anzahl von Leberbereichen und Anomalien, deren Bezeichnung nicht mit Sicherheit der modernen Begrifflichkeit zugeordnet werden kann.

Die medizinisch-anatomische Einteilung der Leberoberfläche

Im folgenden soll versucht werden, die einzelnen Leberbereiche zu lokalisieren und die jeweiligen babylonischen Termini mit den modernen Begriffen in Übereinstimmung zu bringen. Die Besprechung der einzelnen Bereiche erfolgt analog der in den Leberschauberichten geschilderten Abfolge der Inspektion des Opfertieres. Zunächst werden nur diejenigen Leberteile berücksichtigt, die auch in den beschrifteten Tonlebermodellen auftreten, denn nur hier ist deren topographischer Ort nahezu exakt zu erkennen; abschließend werden weitere wichtige Teilbereiche besprochen, und in einer Diskussion sollen die bisherigen Zuordnungen überprüft und, falls notwendig, Neudefinitionen vorgeschlagen werden.

Die einzelnen Teilbereiche

mazzāzu (*naplastu*)

Aus allen Leberschauberichten geht eindeutig hervor, daß die Untersuchung der Opferleber immer mit dem als *naplastu/mazzāzu* bezeichneten Teilbereich beginnt.

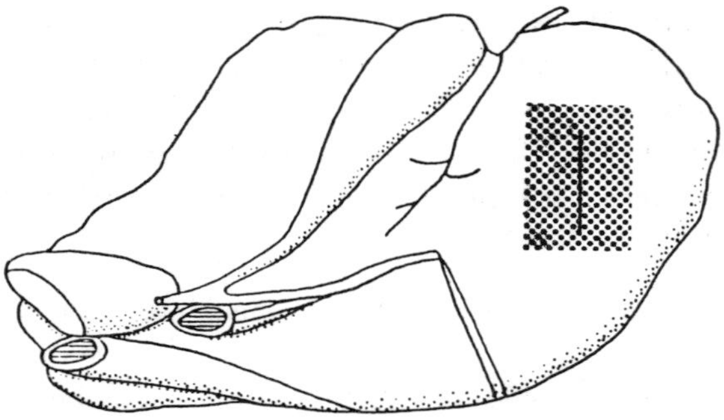

Die Bezeichnung dieses Teilbereiches unterlag im Laufe der Zeit mehreren Veränderungen (vgl. ausf. GOETZE 1947a:5): aB zunächst *naplastu* (IGI.BAR, selten IGI.DAB), später *mazzāzu* (KI.GUB). Für das 1. Jts. v.Chr. läßt sich der bereits erwähnte Wandel in der logographischen Schreibweise für *mazzāzu* von KI.GUB zu NA nachweisen (GOETZE 1947a:5 m. Anm. 33–34). Zwar nimmt in der von NOUGAYROL veröffentlichten Schulleber BM 50494 (1968:50) der Bereich von *mazzāzu* (NA) eine optisch größere Fläche ein als bei anderen Modellen, doch kann darin kein Anzeichen für einen veränderten anatomischen Bereich gesehen werden, wie I. Starr vorschlägt (STARR 1974:114–115). Die Frage, ob mit den Begriffen *naplastu/mazzāzu* in den jeweiligen Zeiträumen unterschiedliche Bereiche der Leber angesprochen wurden oder ob es sich dabei nur um das Ersetzen des älteren Begriffes *naplastu* "Scheuklappe" durch eine jüngere Form *mazzāzu* "Standort" handelt, beantworten einzelne Autoren in unterschiedlicher Weise.

A. Goetze identifiziert *naplastu* mit dem gesamten ventralen Lappen der Leber (lobus sinister). I. Starr vermutet, aufgrund der kürzlich von ihm vollständig publizierten Tafel HSM 7494,41–42 (STARR 1974:37), in *mazzāzu* ursprünglich nur einen Teilbereich des *naplastu*:

> *a-na ša-la-mi-šù na-ap-la-às-tum ki-it-tum lu ša-ak-na-at ma-an-za-az* DINGIR-*lim ki-nu-um lu* [*ša-ki-in*]
> *i-na na-ap-la-aš-tim ni-iš re-ši-im ki-nu-um lu ša-ki-*[*in*]
> "Für sein (d.i. der Auftraggeber der Opferschau) Wohlergehen möge ein normales *naplastu* vorhanden sein; ein normaler Standort des Gotters möge [vorhanden sein]; auf dem *naplastu* möge ein normales Heben des Kopfes vorhanden sein."

Dem Teilbereich *mazzāzu* wurde in der Auswertung eine so starke Bedeutung beigemessen, daß der ursprüngliche Begriff *naplastu* sehr bald, noch in altbabylonischer Zeit, als Bezeichnung für den gesamten Lappen verdrängt wurde. Diese Argumentation, die auch von A. Goetze, B. Landsberger und H. Tadmor (1964:211 m. Anm. 25) vertreten wird (vgl. auch HUSSEY 1948:26), setzt allerdings eine Identität von *mazzāzu* und *mazzāz ili* voraus. J. Nougayrol dagegen sieht in beiden Begriffen von Beginn an nur Bezeichnungen für einen bestimmten Bereich auf dem lobus sinister (NOUGAYROL 1950:3–5; 1967:219 m. Anm. 6). Als Argument für diese Auffassung führt er eine Anzahl von Belegen mit gleichlautenden Veränderungen für beide Begriffe auf, z.B.:

DIŠ *na-ap-la-aš-tum* [*a*]-*na ka-ak-ki-im i-tu-ur-ma*
"Wenn *naplastu* sich gegen eine Waffe wendet" (AO 9066,29)

[*šumma reš manzāzi ana(?)*] ^{giš}TUKUL GUR-*ma*
"[Wenn der Kopf des Standortes sich] gegen eine Waffe wendet" (K 7929,7; ähnlich auch YOS X 17,30; K 1401^{a},18)

Die von J. Nougayrol vertretene Ansicht, in *naplastu/mazzāzu* nur einen Teilbereich des linken Leberlappens zu sehen (vgl. hierzu auch die von NOUGAYROL 1950:5 vorgeschlagene Ergänzung des Textes AO 7031,20), wird auch dadurch bestätigt, daß sich weitere, ebenfalls einzeln bezeichnete und untersuchte Zonen, wie z.B. *padānu, danānu* (dazu s. im folgenden) auf diesem Lappen befinden. In diesem Sinne ist auch der Text YOS X 11 II, 33–34; III,18–19 zu interpretieren:

šum-ma a-mu-tum na-ap-la-às-tam pa-da-nam
KÁ.É.GAL-*li-im mar-tam i-šu*
"wenn die Leber einen Standort, einen Pfad, ein Tor des Palastes, eine Gallenblase besitzt."

Die Verwendung beider Begriffe *naplasti ili* und *mazzāz ili* führt J. Nougayrol auf die in der altbabylonischen Zeit vorherrschende Ansicht zurück, daß die Götter sich in der Leber "real" manifestieren (vgl. Enmeduranki-Epos, s.S. 6). In diesem Zusammenhang ist auch auf die Gleichsetzung des Teilbereiches *naplastu/mazzāzu* mit dem Bereich des "deus" auf der etruskischen Leber aus Piacenza hinzuweisen (vgl. NOUGAYROL 1955:512); die Apodosis einer Reihe von Omina, die diesen Bereich betreffen, weist nämlich einen symbolischen Bezug zur Sphäre der Götter auf (s.S. 83-84).

Eine wichtige Hilfe für die Lokalisierung von *naplastu/mazzāzu* auf der Leberoberfläche ist den Markierungen der beschrifteten Tonlebermodelle zu entnehmen; so bezeichnen die hethitischen Modelle aus Boğazköy, ebenso wie die Exemplare aus Hazor und Emar *mazzāzu* (KI.GUB) immer als einen bestimmten Bereich in der Nähe des äußeren Randes des linken Lappens. Die graphische Kennzeichnung dieses Teilbereiches wird durch eine senkrechte Einritzung ausgedrückt; alle hier auftretenden Krankheitsbilder werden entweder durch eine Veränderung der Form dieser Einritzung dargestellt (z.B. MSK 1) oder durch Markierungen ausgedrückt, die in einer eindeutigen Beziehung zu dieser Einritzung stehen (z.B. Bo 2; zu beiden Darstellungsweisen s. ausf. Kap. IV). Aus der Darstellungsweise geht hervor, daß unter *naplastu/mazzāzu* tatsächlich nur ein Teilbereich des linken Leberlappens zu verstehen ist (daher wird im folgenden nur noch die Bezeichnung *mazzāzu* für diesen Teilbereich verwendet).

Bei dem mit diesem Begriff bezeichneten Leberbereich handelt es sich nicht um ein bestimmtes Organteil, sondern — wie auch die Darstellung in Form einer Einritzung verdeutlicht (s.S. 82) — um den Abdruck eines anderen Organs auf dem linken Leberlappen. Aus dem topographischen Ort dieser Markierung auf den Modellen läßt sich eine Identifikation von *mazzāzu* mit dem Abdruck des Netzmagens (impressio reticularis) entnehmen (s.a. BIGGS 1969:160).

padānu

Der zweite in der kanonischen Abfolge der Untersuchung inspizierte Teilbereich der Leber wird als *padānu* "Pfad" bezeichnet. Eine andere, allerdings weder in den Kompendien noch in den Berichten häufig vorkommende Bezeichnung für *padānu* liegt in der Schreibung GÍR mit der Lesung KASKAL (*ḫarrānu* "Weg") vor (z.B. NOUGAYROL 1950:3 m. Anm. 3). Noch seltener und ausschließlich in jüngeren Texten findet sich *neptû* "Öffnung" als Bezeichnung für diesen Bereich (z.B. BE 14 4,13; K 4702 = CT 20 23,6; vgl. LUTZ 1918:85,56).

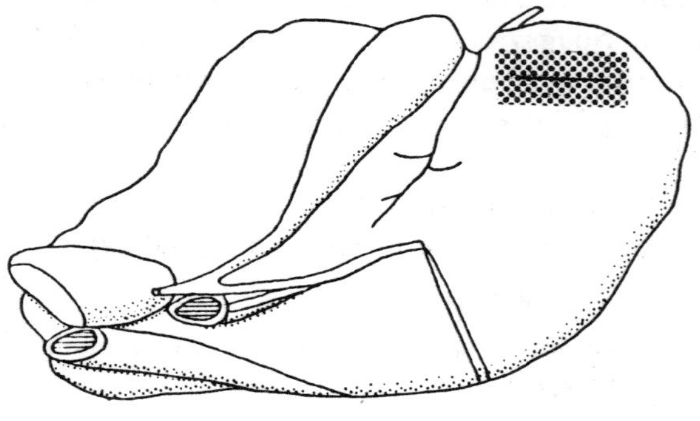

Wiederum sind es vor allem die Darstellungen auf den Modellen aus Boğazköy, die Hinweise für die Lokalisation dieses Teilbereiches auf der Leberoberfläche vermitteln. Das so bezeichnete Gebiet befindet sich (nach babylonischer Sicht) oberhalb des *mazzāzu* am oberen Rand der Leber (vgl. DENNER 1934: 183–186). Die enge Verbindung von *mazzāzu* und *padānu* geht aus einer Reihe von Protasen hervor, die auf das Verhältnis beider Teilbereiche zueinander Bezug nehmen (z.B. NOUGAYROL 1950:24.26):

[DIŠ] *na-ap-la-aš-tum a-na [p]a-da-a-ni miq-ri-ib*
"Wenn sich *naplastu* dem Pfad nähert" (YOS X 7,22–23; 11 II, 14 = NOUGAYROL 1950:24.26, zu AO 9066,12)

DIŠ *na-ap-la-às-tum a-na ka-ak-ki-im*
i-tú-ur-ma pa-da-n[a]-am iṭ-ṭu-ul
"Wenn *naplastu* sich gegen eine Waffe wendet und zum Pfad schaut" (YOS X 17,30; vgl. AO 9066,29–30)

Nach Aussage einer Reihe von Omentexten stehen die beiden bisher besprochenen Leberteile *mazzāzu* und *padānu* mit zwei weiteren Teilbereichen, die allerdings auf den Tonlebermodellen nicht explizit gekennzeichnet sind, in direkter Beziehung. Dabei handelt es sich um die Bereiche *naṣraptu* "Färbbottich" und *ruqqu* "dünne Stelle"; beide Begriffe hat I. Starr in seiner Arbeit über das *bārû*-Ritual ausführlich behandelt und auch ihr Verhältnis zueinander eingehend erörtert (STARR 1974:117–127; vgl. BIGGS 1969:65 Anm. 1). Mit *ruqqu* wird der Zwischenraum zwischen den Gebieten von *mazzāzu* und *padānu* bezeichnet (vgl. z.B. VAT 602,32 = NOUGAYROL 1950:17); *naṣraptu* umfaßt den Bereich rechts und links des *padānu* (vgl. z.B. YOS X 11 IV,16; zu diesem Teilbereich ausf. MAH 15994 = NOUGAYROL 1969a:153–155; vgl. auch BIGGS 1969:165–166).

Auf der natürlichen Leber befindet sich auf diesem Teil des linken Leberlappens der Abdruck des Labmagens (impressio abomalis); vermutlich bezeichnet *naṣraptu* die gesamte Fläche, in der dieser Abdruck auf der Organoberfläche sichtbar ist (s.a. STARR 1974:121) und *padānu* nur eine dort häufig sichtbare tiefe Furche. Diese Annahme wird durch die Darstellungen auf den Modellen bestätigt; die Markierung des *padānu* wird immer durch eine Einritzung wiedergegeben, die im rechten Winkel zu der des *mazzāzu* verläuft. Alle im Bereich von *padānu* auftretenden Krankheitsbilder sind als Veränderungen des Teilbereichs aufzufassen und werden daher unmittelbar an dieser Markierung dargestellt (vgl. z.B. Bo 16–18; s.S. 119). In dieser Darstellungsweise unterscheidet sich der Bereich des *padānu* von dem des *mazzāzu*, in dessen Umfeld (*mātu*) auftretende Krankheitsbilder als Veränderungen des Teilbereichs selbst angesehen werden (vgl. z.B. die Darstellungen auf KBo 9,61 = Bo 30 und Hazor, s.S. 129 bzw. 122), während im Umfeld von *padānu* auftretende Krankheitsbilder auf *naṣraptu* zu beziehen sind.

Für die Darstellung auf Tonlebermodellen ist die Feststellung wesentlich, daß die relativ zahlreichen Texte, die sich auf Veränderungen des *naṣraptu* beziehen, keine Entsprechungen in den Modellen aufweisen; dort werden ausschließlich *padānu* betreffende Krankheitsbilder aufgeführt. Unter Umständen ist in dieser selektiven Darstellungsweise wiederum ein Anhaltspunkt für eine Reduzierung der im Verlauf einer Opferschau tatsächlich untersuchten Bereiche zu sehen, während die "theoretische" Omenliteratur ausführlicher die möglichen Krankheitsbilder beschreibt.

KA.DÙG.GA

Die Untersuchung des Teilbereichs KA.DÙG.GA "der gute Mund" ist nur in mittelbabylonischen Texten belegt (z.B. GOETZE 1957a: 103); sie erfolgt nach der Inspektion des *padānu*, jedoch vor der von *danānu* und *bāb ekalli* (vgl. JEYES 1978: 226–227 m. Belegen).

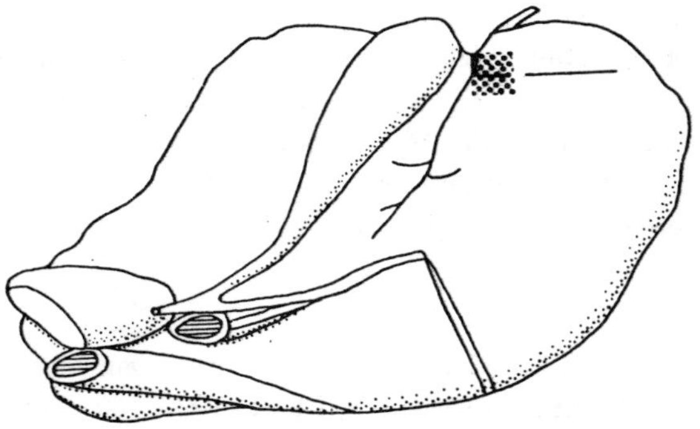

Die graphische Darstellung des KA.DÙG.GA auf den Lebermodellen aus Boğazköy (KUB 4,73 = Bo 18 s.S. 127 bzw. KUB 37,223 = Bo 8 s.S. 127) ist zwar nicht eindeutig zu erkennen, doch scheint es sich dabei um eine dem *padānu* vergleichbare waagerechte Einritzung zu handeln. Auch in dem "illustrierten" Omentext K 4702 (=CT 20 23) wird KA.DÙG.GA in dieser Weise wiedergegeben (s.S. 128).

Die Art der Darstellung legt die Annahme nahe, diesen Bereich ebenfalls als Abdruck eines anderen Organs anzusehen. Da sich aber auf der natürlichen Leber in diesem Gebiet nur die für *padānu* in Anspruch genommene Furche innerhalb des Abdrucks des Labmagens findet, könnte KA.DÙG.GA in der mittelbabylonischen Zeit entweder eine Bezeichnung für das doppelte Auftreten von *padānu* darstellen (so JEYES 1978: 227 m. Anm. 124) oder als ein Teilbereich des *padānu* selbst (SUḪUŠ "Fundament") gelten.

danānu

Das als *danānu* (KAL) "Verstärkung" bezeichnete Leberteil kann mit Hilfe entsprechender Markierungen auf Modellen aus Boğazköy (KUB 4,72.74 = Bo 7.9; KBo 7,7 = Bo 23; 8,8 = Bo 24) eindeutig lokalisiert werden. Die vier in Frage kommenden Beispiele weisen einen Bereich auf dem ventralen Rand des linken Leberlappens als den für *danānu* geltenden medizinisch-topographischen Ort aus; allerdings befindet sich dieser Leberbereich nicht, wie eine diesbezügliche Beschriftung der Schulleber BM 50494 (NOUGAYROL 1950: 50) vermuten läßt, auf der Oberfläche des Organs, sondern an der inneren Wandung in dem Einschnitt, der durch den Eintritt der vena umbilicalis in die Leber gebildet wird.

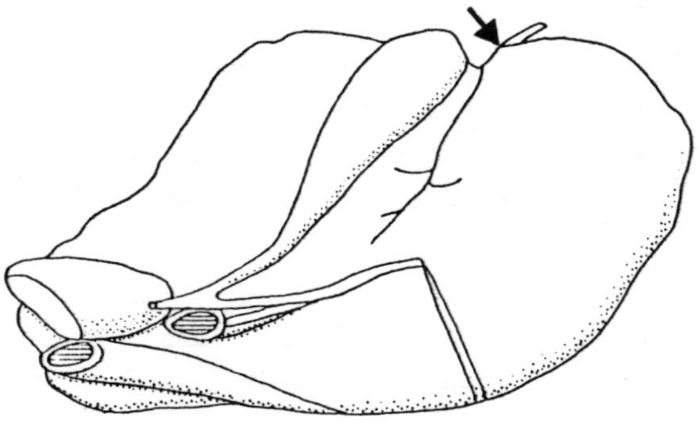

Diese Divergenz zwischen graphischer Kennzeichnung und Beschriftung ist auf Probleme zurückzuführen, die bei der Übertragung der zweidimensionalen Schrift auf die dreidimensionalen Modelle entstehen; auf dem sehr schmalen Rand können zwar Darstellungen angebracht werden, nicht aber längere Inschriften. Die Tonlebermodelle, auf denen der Bereich von *danānu* gekennzeichnet ist, weisen in dem betreffenden Gebiet entweder eine rundliche Erhebung auf (Bo 7.9) oder zwei bzw. drei Ritzlinien (Bo 23 bzw. 24). Auch auf der natürlichen Leber findet sich an dieser Stelle häufig ein kleiner Knoten; dabei handelt es sich um das Lig. teres, das Leberband, an dem die vena umbilicalis befestigt ist. Allerdings tritt diese Befestigung nur bei jüngeren Tieren auf, bei den älteren senkt das Band sich in eine flache Grube. Dieser medizinische Sachverhalt bietet u.U. eine Erklärung für die beiden unterschiedlichen Darstellungsweisen auf den Modellen. Sollte diese Gleichsetzung zutreffen, kann, zumindest bei einem Teil der Tonmodelle, eine Aussage über das Alter der jeweils untersuchten Schafe getroffen werden; eine ausschließliche Verwendung von Jungtieren (so STARR 1974:124) wäre demnach auszuschließen.

Durch die Identifizierung von *danānu* mit dem Leberband wird die von B. Landsberger und H. Tadmor vertretene Ansicht, in der Markierung 5 des Modells aus Hazor die Kennzeichnung einer Veränderung von *danānu* zu sehen (LANDSBERGER/TADMOR 1964:212) hinfällig; zweifellos handelt es sich bei dem mit einem Kreuz versehenen Bereich um das Gebiet von *šulmu* (dazu s.S. 140–141).

bāb ekalli

Die Gleichsetzung von *bāb ekalli* (KÁ.É.GAL; ME.NI) mit der fossa venae umbilicalis ist allgemein unumstritten (HUSSEY 1948:27; NOUGAYROL 1950:4–5; BIGGS 1969:160; STARR 1974:21; JEYES 1978:212).

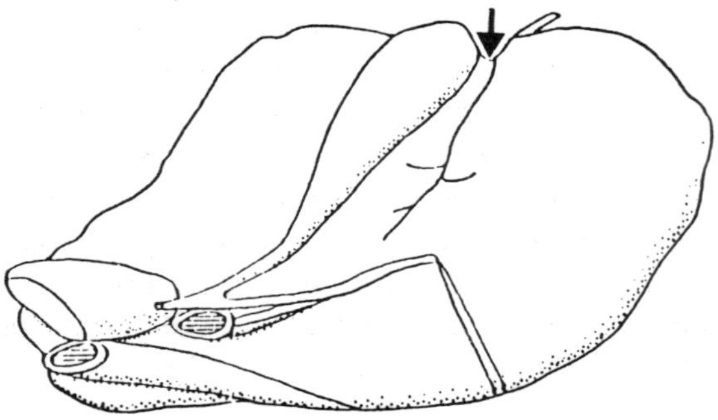

Bei diesem Organbereich handelt es sich um eine leichte Vertiefung am ventralen Rand der Leber, die auch auf der dorsalen Seite erkennbar ist. Dieser Befund spiegelt sich offensichtlich auch in einigen Omentexten wider, die ausdrücklich auf die Rückseite des Organs verweisen (z.B. YOS X 25,14; 26 II,56; GOETZE 1947a:6 m. Anm. 40). Aus Darstellung und Beschriftung der Schulleber BM 50494 geht hervor, daß der mit *bāb ekalli* bezeichnete Bereich bis in die Mitte der Leber zur Pfortader (*nār amūti*; dazu vgl. BIGGS 1969:167; s.S. 67) reicht. Dies wird durch weitere Texte bestätigt (z.B. YOS X 25, 25.75), die auf eine Verbindung zum Kopf bzw. Fundament der Gallenblase (dazu s.S. 141) eingehen (vgl. auch GOETZE 1947a:6 m. Anm. 39). Auf den Lebermodellen wurden die Veränderungen von *bāb ekalli* nicht berücksichtigt, und auch aus den Leberschauberichten geht hervor, daß dieser Bereich in der Regel nicht untersucht wurde (JEYES 1978:Anm. 22), obwohl eine umfangreiche Omenliteratur dazu vorhanden ist (z.B. YOS X 22–27; 29.30). Eventuell liegt auch in diesem Fall eine Reduzierung der tatsächlich ausgewerteten Bereiche im Gegensatz zu einer wesentlich ausführlicheren Omenliteratur vor.

šulmu

Für *šulmu* (DI, SILIM) "Wohlbefinden" sind bisher eine Reihe von Identifikationsmöglichkeiten vorgeschlagen worden; M. Hussey (1948:28) sieht in diesem Bereich die Pfortader und in dem häufig parallel erwähnten Bereich *šulmu tešmê* den ductus choledochus (so auch LANDSBERGER/TADMOR 1964:212 m. Anm. 30); A. Goetze (1947a:7) und J. Nougayrol (1950:4–5) plädieren dagegen für eine Gleichsetzung von *šulmu* mit dem processus papillaris, die auf einer allerdings unsicheren Interpretation des Wortes *šulmu* in Ölomina (HUNGER 1903:20–21) basiert (zur Gleichsetzung von *šulmu, šulmu tešmê* und *rābiṣ šulmi* vgl. JEYES 1978:211 m. Anm. 83; vgl. grundsätzlich zu derartigen Gleichsetzungen NOUGAYROL 1950:3 m. Anm. 3).

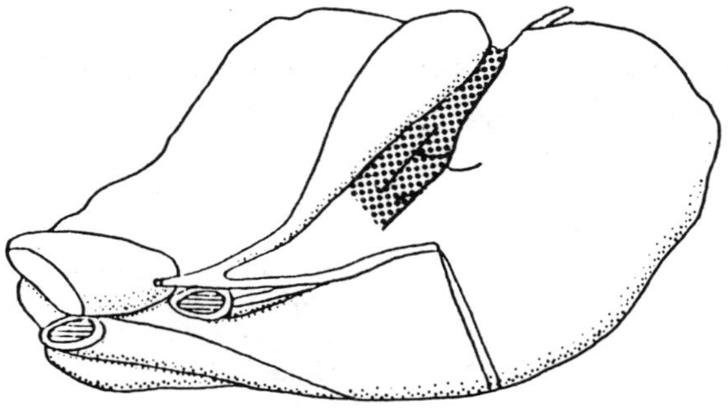

B. Landsberger und H. Tadmor haben eine Identifikation von *šulmu* mit einer auf verschiedenen Modellen (Hazor, Boğazköy, Emar) sichtbaren Einritzung vorgeschlagen, die sich von dem Fundament der Gallenblase horizontal nach links erstreckt (zur hier vertretenen Bezeichnung dieser Darstellung s.S. 137). Alle Interpretationen stimmen darin überein, *šulmu* im Zentrum der Leber anzunehmen. Aus dem großen Leberritualtext HSM 7494,49–50 geht aber hervor, daß dieser Organbereich zwischen *bāb ekalli* und der Gallenblase (*martu*) untersucht wurde und daher auch in diesem Bereich des Organs gelegen haben muß. Eine Bestätigung für diese Annahme geht aus der kanonischen *šulmu*-Tafel TCL 6.3 hervor, in der u.a. als Synonym für *šulmu* der Begriff *padān imitti marti* verwendet wird (vgl. DENNER 1934:219–222):

BE SILIM *hi-píeš-šú* Á.ZÉ GIB-*ik* GÍR 15 ZÉ MU.BÍ

"Wenn *šulmu*(neuer Bruch) auf der Seite der Gallenblase querliegt: Pfad rechts der Gallenblase ist sein Name" (TCL 6 3 Rs 8)

Eine diesem Text entsprechende Lokalisierung von *šulmu* wird auch durch die entsprechenden Kennzeichnungen auf der Schulleber BM 50494 und durch die Darstellungen auf den Modellen aus Boğazköy (KUB 37,228 = Bo 8; KUB 4,74 = Bo 19; KBo 7,7 = Bo 23) und Hazor (Inschrift 5) bestätigt. Die Bezeichnung GÍR 15 ZÉ (*padān imitti marti*) ist von *padān šumēl marti* "Pfad zur linken der Gallenblase", die sich auf einen Bereich auf dem rechten Leberlappen bezieht, zu unterscheiden (s.S. 62). In allen Beispielen sind den jeweiligen Beschreibungen entsprechende Kennzeichnungen in dem Bereich links von der Gallenblase zu erkennen. Daher kommt für die Position von *šulmu* nur eine Lage auf dem lobus quadratus, dem ventralen Teil des mittleren Lappens, in Betracht; die Abgrenzung dieses Gebietes zu den anderen Leberteilen erfolgt durch die Bereiche *bāb ekalli* (zum linken Lappen), *martu* (zum rechten Lappen) und *nār amūti* (zum lobus caudatus). Trifft die Gleichsetzung von *nār amūti* mit *takaltu* sowie deren Identifikation mit dem ductus choledochus oder der Pfortader zu (dazu BIGGS 1969:167, s.S. 67), dann dient die Textstelle HSM 7494,50 als weiterer Beleg für die Richtigkeit der hier vorgeschlagenen Lokalisation von *šulmu*:

šu-ul-mu-um ra-bi-iṣ šu-ul-mi-im i-na i-mi-it-ti ta-ka-al-tim

"*šulmu* und der Wächter des *šulmu* sind rechts vom *takaltu*"

Die Möglichkeit, in *šulmu* die Bezeichnung für einen Abdruck eines anderen Organs auf dem lobus quadratus zu sehen (vgl. dazu GOETZE 1947a:7 m. Anm. 42, der *šulmu* etymologisch mit arab. talmun "Kerbe" verbindet), geht aus einer Reihe von Textbelegen hervor; so kann nach TCL 6 3,5–6 anstelle des Begriffes *šulmu* auch *uṣurtu* (Zeichnung) verwendet werden (JEYES 1978:223), oder es findet sich wie für *mazzāzu* und *padānu* die Aussage, daß *šulmu* auf die Leberoberfläche "gezeichnet" (*eṣir*) sei (z.B. K 3999,20 = CT 20 8; LUTZ 1918:83,26; dazu ausf. s.S. 70–71). Das Problem für eine Identifizierung besteht darin, daß auf der natürlichen Leber in diesem Bereich keine deutlich sichtbaren Furchen oder Abdrucke auftreten. Nur zwischen der fossa venae umbilicalis und der Gallenblase zeigt sich häufig eine leicht geschwungene Linie (vgl. auch die Photos bei KLAUBER 1913:36), die auf eine Erschlaffung des oberen Bindegewebes der Leber (der Lakunen) zurückzuführen ist. Falls *šulmu* eine derartige Erscheinung ausdrückt, liegt ein weiteres Indiz für eine Verwendung auch älterer Tiere bei der Opferschau vor.

martu

Die Gleichsetzung von *martu* (ZÉ; *re' u* "Hirte") mit der Gallenblase (vesica fellea) wird allgemein akzeptiert und auch von den Kennzeichnungen auf den Modellen in vollem Umfang bestätigt.

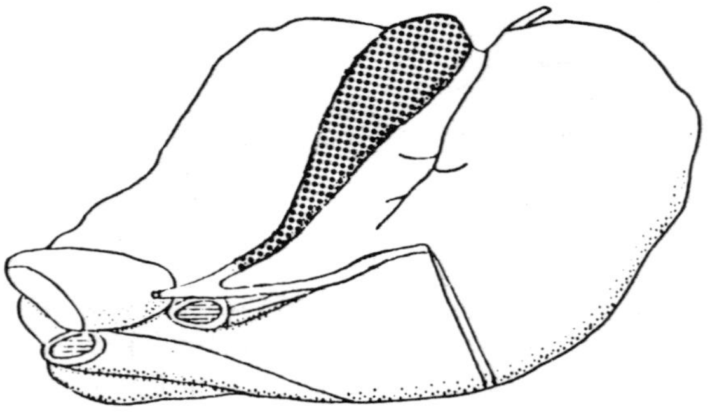

Die für die ominöse Auswertung dieses Organs wichtige Dreiteilung in Kopf (*rēšu*), Mitte (*qablu*) und Fundament (*išdu*) sowie die zahlreichen Synonyme und unterschiedlichen logographischen Schreibweisen der einzelnen Teilbereiche werden im Zusammenhang mit den jeweils auftretenden Veränderungen besprochen (s.S. 141–162). Wichtig ist nur die Beobachtung, daß das "Fundament der Gallenblase" (*išdu, qutnu, maṣraḫu* - SUḪUŠ, SIG, SUR) vom medizinischen Standpunkt aus offensichtlich ein anderes Organteil, den ductus cysticus (vgl. BIGGS 1969:161–162), den Ausführgang der Gallenblase bezeichnet.

padān šumēl marti

Mit *padān šumēl marti* "Pfad links der Gallenblase" (GÍR GUB (ZÉ); KA.GÍR) wird ein dem *padānu*, aber auch dem *padān imitti marti* (=*šulmu*) entsprechender Abdruck auf dem rechten Leberlappen bezeichnet (zur Gleichsetzung von *padān šumēl marti* mit *miḫiṣ pān ummān nakri*, vgl. DENNER 1934:190 Anm. 1).

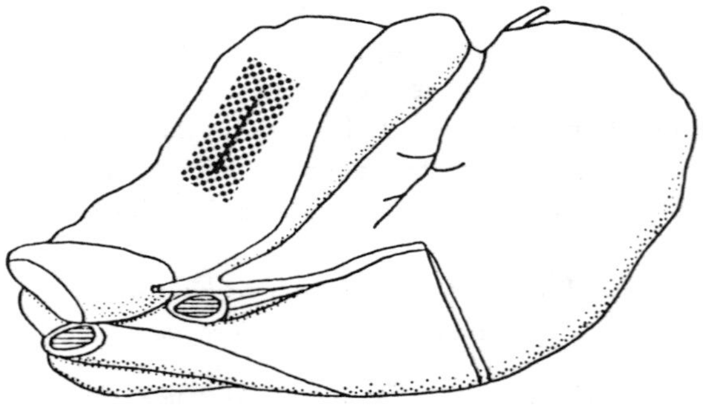

Aus den Darstellungen auf den Boğazköy-Modellen (KUB 37, 228 = Bo 13; KBo 7,7 = Bo 23) geht eindeutig hervor, daß dieser Bereich auf dem rechten Leberlappen liegt. Sowohl durch die Form der Darstellung — eine Einritzung — als auch in Analogie zu den anderen mit *padānu* (*padān imitti marti*) beschriebenen Teilbereichen ist auch in *padān šumēl marti* wiederum die Bezeichnung für einen Abdruck eines anderen Organs zu vermuten. Als Entsprechung auf der natürlichen Leber kommt nur der Abdruck des Magens bzw. der der Anhangsdrüsen des Darmes in Betracht. Eine ebenfalls mögliche Gleichsetzung mit einem der an dieser Stelle befindlichen Bänder (z.B. dem Lig. hepatoduodenale, das die Verbindung zum Zwölffingerdarm herstellt) ist aufgrund der Darstellungsweise von *padān šumēl marti* als Einritzung auszuschließen.

nīd(i) kussî

Ebenfalls auf dem rechten Leberlappen ist der als *nīd(i) kussî* "Standort des Thrones" (auch SUB GIŠ.GU.ZA: NOUGAYROL 1967:229–230 (A 4222,14, Rs 3); *maddi kussîm*: GOETZE 1957a:106 (CUA 101,6)) bezeichnete Bereich zu lokalisieren.

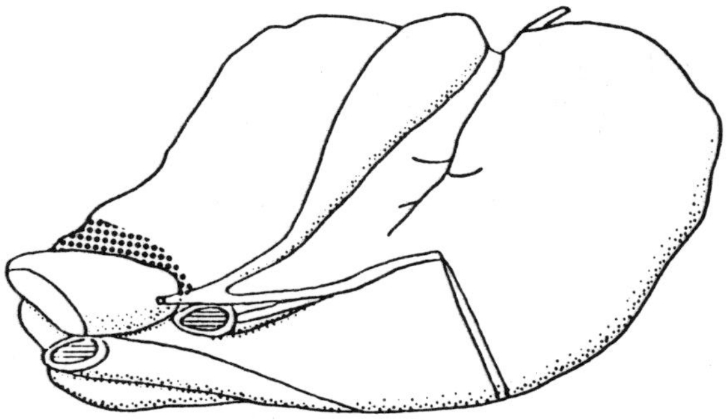

Aus der einzigen Darstellung dieses Bereiches auf einem Lebermodell (KUB 37,228 = Bo 13) ist eine Lokalisierung unmittelbar rechts vom Leberfinger ersichtlich. Die Verbindung beider Teilbereiche wird auch durch den Text YOS X 11 II, 33–36 bestätigt:

> *šum-ma a-mu-tum na-ap-la-às-tam pa-da-nam*
> KÁ.É.GAL-*li-im mar-tam i-šu*
> *ši-lu i-na ú-ba-nim e-le-nu-um*
> *ni-di* [giš] GU.ZA-*im i-ki-im*
> "Wenn die Leber ein *naplastu*, ein *padānu*, ein *bāb ekalli* und eine Gallenblase hat und ein Loch im Finger oberhalb des Standortes des Thrones weggenommen ist" (vgl. CAD E, 67b "stunted", "atrophied"; AHW 194b o. Bedeutung)

Eine noch engere Beziehung zwischen *nīd(i) kussî* und *ubānu* läßt sich möglicherweise aus einem von V. Scheil publizierten Text entnehmen (SCHEIL 1930:144); sollte der dort verwendete Begriff *išid kussîša ubāni* "Fundament des Thrones des Leberfingers" dem Bereich von *nīd(i) kussî* entsprechen, dann ist darin ein Teilbereich des Leberfingers aufzufassen, d.h. eine andere Bezeichnung für das Fundament des Leberfingers.

Für eine Identifizierung des Bereiches *nīd(i) kussî* mit einem Terminus der modernen medizinischen Nomenklatur kommt nur eines der Bänder in Betracht; aufgrund der Nähe zum Leberfinger erscheint eine Gleichsetzung mit der impressio renalis, der Befestigung der Leber an der rechten Niere, denkbar. Dieses Band ist unmittelbar mit dem processus pyramidalis (*ubānu*) verbunden.

ubānu

Das als *ubānu* (ŠU.SI) "Finger" bezeichnete Leberteil wird in der Literatur häufig mit dem lobus caudatus gleichgesetzt (BIGGS 1969:160; STARR 1974:134). Hier liegt aber offensichtlich eine Fehlinterpretation im Sinne der modernen Nomenklatur vor. Der lobus caudatus bildet den dorsalen, stumpfen Leberrand und zerfällt seinerseits in drei Abschnitte, von denen jedoch nur der den beckenseitigen Rand überragende dreikantige processus caudatus oder processus pyramidalis als *ubānu* angesehen werden kann (so auch HUSSEY 1948:28; GOETZE 1947a:7; NOUGAYROL 1950:4). Diese Gleichsetzung wird schon durch die äußere Form dieses Organs in der Wiedergabe auf den Tonmodellen bestätigt (s.S. 22).

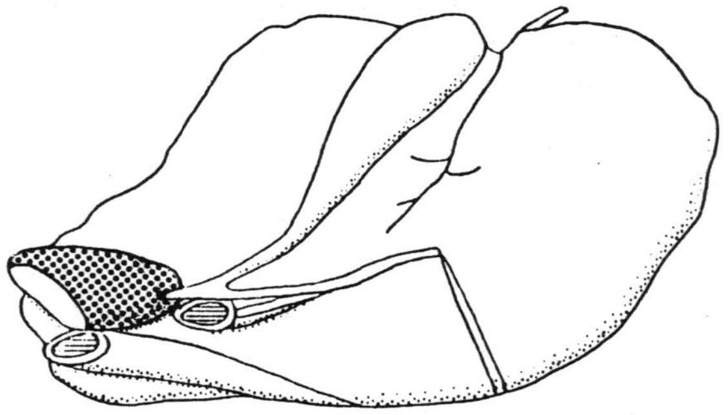

nīru

Der als *nīru* "Joch" bezeichnete Teilbereich der Leber gehört ebenfalls zum Bereich des lobus caudatus, stellt aber nicht diesen Lappen in seiner Gesamtheit dar (so HUSSEY 1948:29), sondern nur die Brücke zwischen den beiden Fortsätzen, dem processus caudatus und dem processus papillaris.

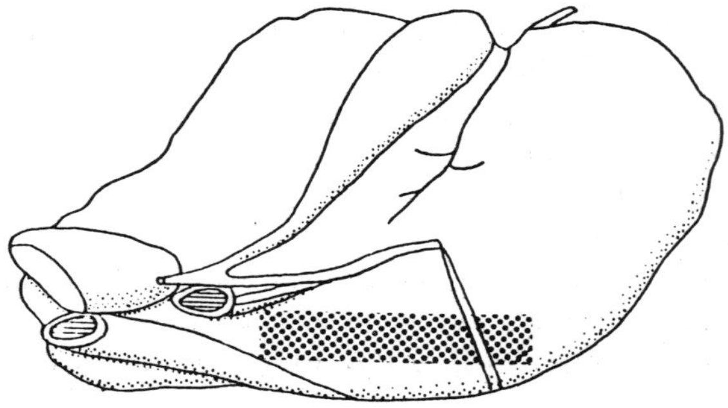

Für die Festlegung des Bereichs von *nīru* ist die aus der Schulleber BM 50494 ersichtliche Einteilung von grundsätzlicher Bedeutung. Aus dem Text geht hervor, daß der Bereich von *nīru* den gesamten dorsalen Rand der Leber vom Leberfinger bis zum Einschnitt für den Bauchfellsack (omentum; zu dessen Gleichsetzung mit *kiṣirtu*vgl. S. 67) umfaßt; beide Gebiete werden als SAG *nīri* (in der Nähe des Leberfingers gelegen, vgl. z.B. HSM 7494,67.126; YOS X 42 IV,6–7) bzw. MÚRU *nīri* (gegenüber von *ṣibtu, meḫret ṣibti*, vgl. z.B. VAT 4102,4.15 = NOUGAYROL 1950:12–14; ähnlich KAR 454, Rs 8 = BIGGS 1969:163) bezeichnet. Darüber hinaus findet sich ein dritter Abschnitt (SIG/ *qutun nīri*) auf der gegenüberliegenden Seite des Einschnitts für den Bauchfellsack (vgl. BIGG3 1969:162–163.166).

Alle drei Teilbereiche (SAG/MÚRU/SIG *nīri*) bezeichnen ein Gebiet, auf dem bei der natürlichen Leber der Abdruck des Blättermagens (impressio omasica) zu sehen ist. In Analogie zu der bisher beobachteten Darstellungsweise von Abdrucken anderer Organe auf der Leberoberfläche müßte, falls sich die hier vorgeschlagene Gleichsetzung bestätigt, auch *nīru* durch eine Einritzung gekennzeichnet sein. Die einzige Darstellung dieses Bereichs auf einem Lebermodell (KBo 9,63 = Bo 32) zeigt tatsächlich eine Ritzlinie, neben der das in der Inschrift erwähnte Krankheitsbild (*šīlu*) angegeben ist.

ṣibtu

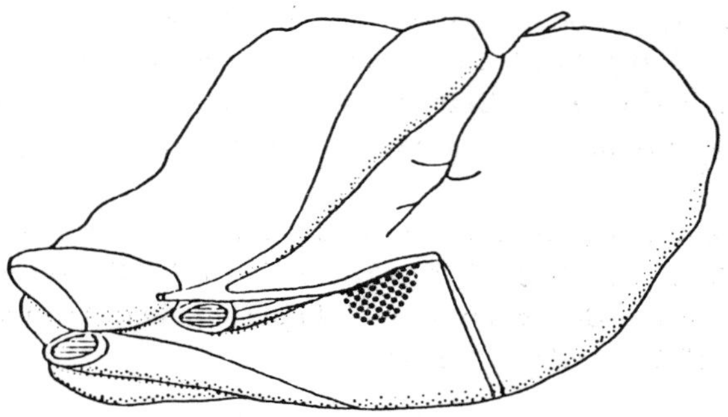

Die Identifikation von *ṣibtu* (MÁŠ) "Greifen", "Packen" mit dem processus papillaris (HUSSEY 1948:29; BIGGS 1969:166) ist mit Sicherheit zutreffend und wird durch entsprechende Kennzeichnungen auf den Schullebern bestätigt. In diesen Modellen (CT VI 1–3; BM 50494) wird *šibtu* entweder — plastisch — als halbrunde Erhöhung oder — zeichnerisch — durch einen Kreis (BM 50494) wiedergegeben. In beiden Darstellungsweisen ist dieser Bereich auf drei Seiten — rechts, links und am dorsalen Rand des Organs — von dem Bereich *nīru* "Joch" umgeben. Zur Lebermitte hin erfolgt die Abgrenzung durch die tiefer gelegene *nār amūti* "Pfortader" (vgl. BIGGS 1969:167). Bei allen anderen Modellen findet sich eine entsprechende Erhebung nur dann, wenn dieser Bereich ausgewertet, d.h. wenn dort eine Veränderung beobachtet wurde (s.S. 172-175).

tību

Von der Schulleber BM 50494,1–2 ist ein als *tību* (ZI) "Erhebung" bezeichneter Bereich bekannt, der auch auf zwei Modellen aus Boğazköy (KUB 37,217 = Bo 2; KBo 7,6 = Bo 22) erwähnt wird.

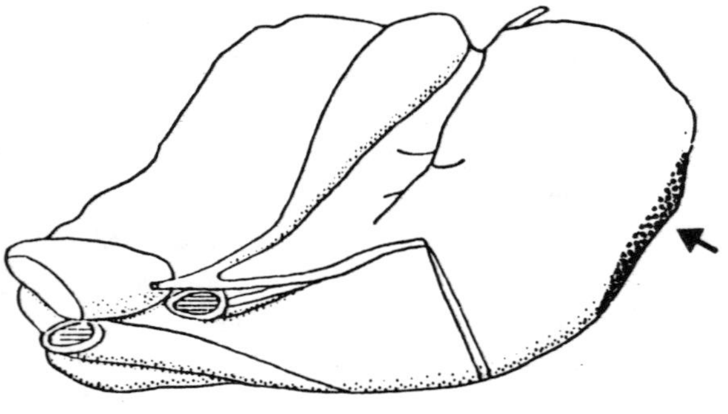

Aus der Position der entsprechenden Darstellungen auf den Modellen geht hervor, daß mit *ṭību* ein am äußersten linken Rand der Leber befindlicher Bereich bezeichnet wird; unklar bleibt allerdings, welchem Teilbereich der natürlichen Leber *ṭību* entspricht. Aus der Omenliteratur ist ein als *ṭīb šumēl marti* "Erhebung links der Gallenblase" bekannt (SCHEIL 1930:145–148; zu beiden Begriffen vgl. NOUGAYROL 1941: 79–80, doch erscheint die vorgeschlagene Ergänzung für die Inschrift auf dem Modell AO 8894 fraglich; vgl. MEYER 1984a:127); dieser Teilbereich ist auf der rechten Seite der Leber zu lokalisieren. Bei beiden Teilbereichen handelt es sich offensichtlich um korrespondierende Gebiete auf der rechten bzw. linken Seite des Organs; möglicherweise dienen sie zur Bezeichnung des Leberrandes, da aus Darstellungen und Texten (z.B. SCHEIL 1930:148: *ṭi-bu šu-me-lim .... a-na wa-ar-ka-at a-mu-tim i-ṭu-ul*) ein Bezug zur Rückseite des Organs ersichtlich ist.

Daneben ist in den Texten auch eine als *ṭīb šāri* "Gasblase(?)" (AHW 1355) bezeichnete Anomalie belegt (z.B. HSM 7494,61.119.123; CT 20 14 I 15; NOUGAYROL 1967:221), die auf verschiedenen Leberteilen auftreten kann (Homographie von Bezeichnungen für Leberteile und Anomalien ist nur selten belegt: z.B. DI für *šulmu* "Wohlbefinden" bzw. *ziḫḫu* "Pustel").

Neben den bisher besprochenen Organbereichen finden sich in der Omenliteratur noch eine Reihe weiterer Teilgebiete, die in den Omenserien aufgeführt bzw. in den Leberschauberichten untersucht und ausgewertet werden. Aus den Inschriften der Tonlebermodelle gehen allerdings keine Hinweise auf deren Berücksichtigung hervor. Da auch die entsprechenden Texte nicht sehr zahlreich sind, scheint es sich dabei um Bereiche zu handeln, auf denen nur selten Krankheitsbilder zu beobachten sind. Deshalb sollen diese Abschnitte der Leber auch nur summarisch behandelt werden.

puzru

Mit Ausnahme von zwei Leberschauberichten aus Mari (NOUGAYROL 1967:226 = A.860,10; 229 = A 4222,9) wird *puzru* (MAN, $BUZUR_4$) "der geheime Platz" nur in späten Texten erwähnt (vgl. JEYES 1978:225 m. Anm. 109). Diese Texte lassen aber den Schluß zu, in *puzru* eine Bezeichnung des Gebietes zu sehen, in dem sich *danānu* befindet. Trifft diese Annahme zu, dann ist das Verhältnis zwischen *puzru* und *danānu* zu vergleichen mit dem zwischen *naṣraptu* und *padānu* (s.S. 58).

abullu

Für die Möglichkeit in *abullu* (KÁ.GAL) "Stadttor" ein Synonym für *bāb ekalli* zu sehen, hat U. JEYES eine Anzahl von Argumenten vorgelegt (1978:212–213; vgl. aber die ebenfalls ausführliche Diskussion dieses Bereiches bei STARR 1974:122–123, jedoch ohne Lösungsvorschlag).

dannat šumēli

Die wenigen Belege für *dannat šumēli* "Verstärkung der linken Seite" (NOUGAYROL 1967:227) erlauben keine endgültige Lokalisierung, doch handelt es sich vermutlich bei diesem Bereich um eine Entsprechung des *danānu* auf dem rechten Lappen (vergleichbar mit *padānu* und *padān šumēl marti*). Da die Inspektion dieses Bereichs nach der der Gallenblase durchgeführt wird, ist eine Lokalisierung auf dem *danānu* gegenüberliegenden Rand des durch die vena umbilicalis gebildeten Einschnitts auszuschließen.

nērebti šumēli

Der selten belegte Bereich *nērebti šumēli* "Tor auf der linken Seite" (NOUGAYROL 1967:221 = AO 7615,6) scheint auf eine "Öffnung", d.h. auf eine Ader oder Vene hinzuweisen, die sich auf der rechten Seite des Organs befindet. Die markanteste "Öffnung" auf der rechten Leberseite weist der ductus choledochus auf. Für diese Identifikation spricht, daß von allen Gefäßen sich nur der ductus choledochus — entsprechend der Inspektionsabfolge — zwischen der Gallenblase und dem Leberfinger öffnet.

nār tākalti

Das Problem bei der Identifizierung des *nār tākalti* (ÍD.TÙN) "Kanal des Magens(?)" besteht vor allem darin, daß er weder auf der Schulleber BM 50494 noch auf anderen Modellen ausdrücklich erwähnt wird (zu Belegen vgl. BIGGS 1969:167).

J. Nougayrol und R.D. Biggs halten *nār tākalti* und *nār amūti* für Synonyme und schlagen eine Gleichsetzung der Begriffe mit der Pfortader vor (NOUGAYROL 1950:26 m. Anm. 1; BIGGS 1969:167). Andererseits erscheint aber auch die Identität von *nār tākalti* mit *tākaltu* möglich.

takaltu

Die wenigen Belege für *tākaltu* "Magen" erlauben zwar keinen Aufschluß über dessen exakte Lokalisierung, aber aus der Abfolge der Inspektion (z.B. YBC 5105,8–12 = NOUGAYROL 1967:220) geht eine Position zwischen der Gallenblase und dem Leberfinger hervor. Daher ist es denkbar, daß die letzten drei Begriffe jeweils Synonyme darstellen und alle den einzigen Gefäßausgang bezeichnen, der sich auf der rechten Leberseite befindet, nämlich den ductus choledochus. Als weiteres Indiz für diese Interpretation kann die medizinische Funktion des ductus choledochus dienen, der als einziges Organteil eine Verbindung zwischen der Leber und dem Magenbereich bildet.

abul kutum libbi

Aus der Schulleber BM 50494,68 geht hervor, daß *abul kutum libbi* (KÁ.GAL DU$_6$.ŠÀ) "Tor des inneren Darmfettgewebes(?)" (AHW 518b) sich oberhalb des SAG *nīru* befindet. R.D. BIGGS identifiziert diesen Bereich aufgrund der Lage und des Namens (KÁ = Tor = Ader) wohl zu Recht als caudale Hohlvene.

nār amūti

Die Gleichsetzung von *nār amūti* (ÍD.BÀ) "Kanal der Leber" mit der Pfortader (BIGGS 1969:167) dürfte unumstritten sein.

Mit großer Wahrscheinlichkeit ist die auf den Modellen aus Boğazköy (z.B. KUB 37,228 = Bo 13) und Emar (MSK 1) sichtbare Ritzlinie, die sich horizontal vom Fundament der Gallenblase über den linken Leberlappen erstreckt, als Darstellung der Pfortader anzusehen. Die Position dieser Einritzung entspricht dem Bereich auf der Schulleber BM 50494, der mit *nār amūti* bezeichnet wird.

kiṣirtu

Auch der Bereich *kiṣirtu* "Verdickung" wird in den Omentexten nur selten ausführlich behandelt (z.B. SCHEIL 1930:142–143). Aus diesen Texten sowie der Lokalisation auf der Schulleber BM 50494,63 geht hervor, daß sich *kiṣirtu* auf dem dorsalen Rand der Leber befindet; außerdem läßt sich eine Position zwischen MÚRU *nīri* und SIG *nīri* entnehmen. Auf der natürlichen Leber zeigt sich in diesem Bereich die Befestigung des Bauchfellsacknetzes (omentum), dessen Bindegewebe bis zur Pfortader deutlich sichtbar ist (vgl. Einteilung auf der Schulleber BM 50494). Daher erscheint die Identifizierung dieses Organteils als *kiṣirtu* gesichert. Auch R.D. BIGGS erwägt diese Möglichkeit, doch zieht er eine Gleichsetzung von SUR *naṣrapti* mit omentum vor (BIGGS 1969: 165 m. Anm. 3). Dagegen spricht aber die Einteilung auf der Schulleber BM 50494, nach der SUR *naṣrapti* auf der ventralen Seite der Pfortader liegt.

Auswertung der medizinisch-anatomischen Ergebnisse

Struktur der Teilbereiche

Die Untersuchung der in den Omenserien verwendeten Bezeichnungen einzelner Leberteile mit Hilfe des "illustrierten" Textmaterials (beschr. Modelle, illustr. Omentexte) sowie durch die in den Omenserien selbst beschriebenen Positionen einzelner Teilbereiche zueinander hat zahlreiche gesicherte Identifikationen mit der modernen Begrifflichkeit ergeben. Die 22 hier behandelten Leberteile lassen sich in vier durch ihre Beschaffenheit voneinander unterschiedene Gruppen gliedern:

1. Bestandteile des Organs: *bāb ekalli* (Einschnitt für das Leberband), *martu* (Gallenblase), *ubānu* (Leberfinger), *ṣibtu* (processus papillaris) und eventuell *ṭīb šāri*, wenn sich dessen Gleichsetzung mit dem Rand der Leber bestätigt;
2. Bänder, die die Leber mit anderen Eingeweideteilen verbinden: *danānu* (Leberband), *nīd(i) kussî* (Befestigung der Leber an der rechten Niere);
3. Abdrucke anderer Organe oder Organteile auf der Leber: *mazzāzu* (Abdruck des Netzmagens), *padānu* (Teilbereich auf dem *naṣraptu*, dem Abdruck des Labmagens), KÁ.DÙG.GA (Teilbereich des *padānu*), *padān šumēl marti* (Abdruck des Magens bzw. Darms), *nīru* (Abdruck des Blättermagens), *kisirtu* (Abdruck des Bauchfellsacknetzes); auch der Bereich von *šulmu* gehört nach Beschreibung in den Texten und Darstellung auf den Modellen zu dieser Gruppe, doch läßt sich keine sichere Entsprechung nachweisen;
4. Teile des Gefäßsystems: *nār amūti* (Pfortader), *nār tākalti* (Lebergallengang), *abul kutum libbi* (caudale Hohlvene); zu diesen Teilbereichen ist nach der modernen Nomenklatur auch *maṣraḫ marti* (Ausführgang der Gallenblase) zuzuordnen, doch wird dieser Bereich nach den babylonischen Texten als Teil der Gallenblase (SIG *marti*) aufgefaßt, d.h. es fehlt eine präzise, der modernen Medizin entsprechende anatomische Unterscheidung.

Alle eigentlichen Teilbereiche der Leber werden auf den Modellen entweder plastisch aus dem Werkstoff herausgearbeitet oder appliziert. Auch die Darstellung der Bänder erfolgt durch Applizierung kleiner Erhebungen. Diese Darstellungsweise ist auf Vorgänge bei der Opferschau zurückzuführen. Normalerweise besitzt die Leber des Schafes wegen des Fehlens der Incc. interlobares eine geschlossene Form (u.a. bei Rind, Ziege und Mensch, natürliche Lappenbildung u.a. bei Hund, Katze, Schwein). Die ausgeprägte Lappenbildung, die in den Modellen erkennbar ist, tritt erst dann auf, wenn die Bänder, die das Organ mit den Eingeweiden und der Bauchwand verbinden, durchtrennt werden. Diese Beobachtung kann als weitere Bestätigung für die Herausnahme der Leber zur Inspektion dienen. Die Darstellung dieser Bereiche durch Erhebungen (Applikationen) ist demnach darauf zurückzuführen, daß Reste der durchschnittenen Bänder auf der Organoberfläche als Gewebekügelchen zurückbleiben.

Die Abdrucke anderer Organe oder Organteile werden auf den Modellen durch Einritzungen wiedergegeben. Auch hierin ist eine naturalistische Darstellungsweise zu sehen, da die Abdrucke tatsächlich Furchen auf der Leberoberfläche hinterlassen.

Auch die Gefäße (Adern, Venen) müssen vor der Herausnahme der Leber zur Inspektion durchschnitten werden. Eine Darstellung dieser Bereiche erfolgte aber nur auf einem Teil der Modelle aus Boğazköy und Emar, und zwar in Form einer Einritzung; bei allen anderen Modellen werden diese Teilgebiete graphisch nicht berücksichtigt. Eine ominöse Auswertung findet sich auf keiner der Tonlebern, und auch aus den Omenserien bzw. den Leberschauprotokollen gibt es nur wenige Belege für eine Untersuchung dieser Organteile.

Die innere Gliederung der Teilbereiche

Die im Verlauf einer Opferschau zu untersuchende viszerale Oberfläche der Leber läßt sich demnach in klar voneinander abgegrenzte Bereiche (= partie constitutive: NOUGAYROL 1967:233; zone: JEYES 1978:209) einteilen. Die räumliche Abgrenzung der einzelnen Teilbereiche untereinander sowie deren gebräuchliche Nomenklatur geht aus einer entsprechenden Auswertung der beschrifteten Tonlebermodelle (vor allem der "Schullebern" BM 50494 und CT VI, 1–3) hervor (s.S. 10). Wie im vorhergehenden Abschnitt dargelegt wurde, ist dabei zwischen vier Gruppen derartiger Bereiche zu unterscheiden: den die Leber konstituierenden Bestandteilen (z.B. *martu, ubānu, ṣibtu*), den Blutgefäßen (z.B. *nār amūti, abul kutum libbi*), den Abdrucken anderer Organteile auf der Leber (z.B. *mazzāzu, padānu, šulmu*) und den Bändern (z.B. *danānu, kizirtu*).

Die Möglichkeit, die jeweils beobachtete Beschaffenheit exakt und allgemein verbindlich einem bestimmten Leberbereich zuordnen zu können, ergibt sich durch eine schematische Unterteilung und Abgrenzung der Bereiche untereinander (vgl. dazu JEYES 1980:20–21). Jeder Bereich besteht aber nicht nur aus dem eigentlichen Leberteil (wie z.B. der Gallenblase, dem Leberfinger, dem Abdruck des Netzmagens, den Blutgefäßen oder den Bändern), sondern dazu gehört auch das sich jeweils rechts und links davon befindende Gebiet (*mātu*; seltener *qaqqaru*, z.B. YOS X 25,17; *erṣetu*, z.B. YOS X 13,22); daraus resultiert eine Unterscheidung von rechts und links gelegenen Gebieten, d.h. eine Dreiteilung der Bereiche, die entscheidende Bedeutung für die Bewertung einer auftretenden Veränderung besitzt (s.S. 87-90). Jedes dieser drei Gebiete ist wiederum in drei Zonen (*ašru*, KI-*ár*, KI; vgl. JEYES 1978:230 m. Anm. 142–144) untergliedert, die jeweils als "Kopf" (*rēšu*), "Mitte" (*qablu*) und "Fundament" (*išdu*) bezeichnet werden.

Aus dieser Darstellung geht hervor, daß alle Teilbereiche der Leber eine horizontale und eine vertikale Dreiteilung aufweisen; es ergeben sich somit neun Felder (*ašru*), die in der Opferschau einzeln untersucht und ausgewertet werden. Diese schematische Gliederung muß als wesentliches Hilfsmittel der Wahrsager für die Beurteilung von Befunden angesehen werden:

> BE-*ma* KI.MEŠ *ša* IGI BÀ *u* NIGIN-*ti* BÀ
> *ana* IGI-*ka* UŠ$_4$-*ši-na ana iḫ-zi-ka*
> "Wenn die Zonen der Leberoberfläche und die Umgebung der Leber vor dir liegen: (dies ist) ihre Bedeutung für dich als Vorschrift" (Überschrift auf der Schultafel K 70 + 7844 +3222, n. NOUGAYROL 1968:36 m. Anm.2)

Weiterhin geht aus dem Text des Lebermodells BM 50494 hervor, daß weder für die Bezeichnung der jeweils als rechts und links angesehenen Gebiete (*mātu*) noch für die der Zonen (*ašru*) "Kopf" und "Fundament" eine zwischen den einzelnen Bereichen übereinstimmende Systematik vorliegt; vielmehr kann die jeweilige Bezeichnung von Bereich zu Bereich variieren. Der Grund für diese veränderbare Nomenklatur ist in der Abfolge der Inspektionen (dazu ausf. STARR 1974) und der sich dabei verändernden Betrachtungsrichtung — hervorgerufen durch ein Drehen der Leber — zu sehen (entsprechend ändert sich auf der "Schulleber" BM 50494 auch die Schreibrichtung; vgl. dazu ausf. Kap. IV).

Die nach modernen medizinischen Gesichtspunkten in vier anatomische Gruppen unterschiedenen Teilbereiche der Leber (s.S. 68) werden in der babylonischen Nomenklatur vermutlich unter zwei Begriffen zusammengefaßt:

> GIŠ.ḪUR.MEŠ *ši*-⌈*ri*⌉ SAG.UŠ.MEŠ GAR.MEŠ-*ma*
> "Die normalen Zeichnungen und Organteile (d.h. Fleisch) sind vorhanden" (CT 20 1,18)

> UZU.MEŠ SILIM.MEŠ GIŠ.ḪUR.MEŠ SILIM.MEŠ
> "Die günstigen Organteile (Fleisch) und die günstigen Zeichnungen" (ZIMMERN 1901: 100,Z.72)

Es gibt eine Reihe von Anzeichen dafür, daß unter den "normalen Zeichnungen" (GIŠ.ḪUR.MEŠ; *uṣurātu kajjānātu*) die natürlichen Abdrucke anderer Organteile auf der Leberoberfläche sowie — allerdings nur bei einem Teil der Modelle aus Boğazköy und Emar dargestellt (s.u.) — die Gefäße, unter

"Fleisch" (*šīru*, UZU.MEŠ) die organischen Bestandteile der Leber und die Bänder zu verstehen sind (vgl. JEYES 1978:228 Anm. 86).

Die mit diesen Begriffen beschriebene unterschiedliche Auffassung über die anatomische Beschaffenheit der Teilbereiche beruht auf einer exakten Beobachtung und Interpretation entsprechender Konditionen der betreffenden Leberteile. Auf den Modellen sind diese beiden Klassen von Organbereichen durch unterschiedliche Markierungsformen wiedergegeben; die als "Zeichnungen" (GIŠ.ḪUR.MEŠ) aufgefaßten Bestandteile (z.B. *mazzāzu, padānu, nīru*) werden auf den Tonmodellen als Einritzungen dargestellt, während die als "Fleisch" (*šīru*) bezeichneten Bereiche (z.B. *bāb ekalli, martu, ubānu, ṣibtu*) plastisch ausgearbeitet sind.

Für die Gallenblase (*martu*, vgl. UM 12 71,26: UZU.ZÉ) und den Leberfinger (*ubānu*) geht eine plastische Ausarbeitung aus allen Modellen eindeutig hervor; diese Bereiche werden immer durch eine dem natürlichen Aussehen der betreffenden Organteile entsprechende Applikation angegeben. Auch der proc. papillaris (*ṣibtu*) ist auf den "Schullebern" (BM 50494, CT VI 1–3) sowie auf einem Teil der Modelle aus Boğazköy (z.B. KUB 4,72 = Bo 17; KUB 37,223 = Bo 8) und Emar (MSK 74.30 = MSK 1) durch eine kleine Erhebung links vom Leberfinger (nach der modernen Sichtweise) dargestellt.

Dagegen sind für den Bereich "Tor des Palastes" (*bāb ekalli*) keine vergleichbaren Applikationen nachzuweisen, sondern die Zugehörigkeit dieses Leberteils zur Klasse *šīru* ("Fleisch") kommt allein durch die Form des Modells — den tiefen Einschnitt, durch den die Teilung in zwei Lappen hervorgerufen wird — zum Ausdruck (vgl. JEYES 1978:228). Offenbar haben die Wahrsager unter diesem Bereich nicht einen Teil der Organoberfläche verstanden. Zwar findet sich auf der Schulleber BM 50494 die Beschriftung für diesen Teilbereich auf der Oberfläche des Modells (oberhalb der Einritzung zwischen den Bereichen *mazzāzu* und *šulmu*), doch geht aus einer schematischen Rekonstruktion, die alle Beziehungen von *bāb ekalli* zu anderen Teilbereichen berücksichtigt (vgl. JEYES 1978:220 Abb. 1), hervor, daß mit diesem Begriff der eigentliche Rand der Leber sowie ein kleiner Teil der Vorder- und Rückseite des Organs bezeichnet wird. Insofern ist der Abschnitt, den *bāb ekalli* einnimmt, demjenigen des Leberteiles *danānu* ("Verstärkung") vergleichbar. Während aber für den Bereich *danānu* eine graphische Wiedergabe in Form einer Einritzung auf dem Rand der Modelle belegt ist (z.B. KBo 7,7 = Bo 23; KBo 8,8 = Bo 24) — obwohl auch für diesen Bereich die entsprechende Beschriftung auf der Oberfläche des Modells (BM 50494) erfolgt — findet sich auf den Tonlebern keine explizite Kennzeichnung von *bāb ekalli*. Dem Fehlen einer Markierung von *bāb ekalli* entspricht die seltene Erwähnung dieses Teilbereiches in den Leberschauberichten (obwohl in altbabylonischer Zeit ausführliche Kompendien zur Untersuchung dieses Bereichs erstellt wurden, z.B. YOS X 22–27; allerdings nimmt in jüngerer Zeit die textliche Erwähnung dieses Bereichs ab, vgl. dazu JEYES 1978:212 Anm. 22 m. Belegen). Als Grund für die geringe Berücksichtigung in jüngerer Zeit kann möglicherweise ein Überlappen der Bereiche von *bāb ekalli* mit denen von KÁ.DÙG.GA, *padānu, danānu* und *šulmu* angesehen werden (so JEYES 1978:228); da diese Bereiche alle auf den Tonmodellen dargestellt werden, kann die erwähnte Substitution von *bāb ekalli* eventuell schon im Verlauf des 2. Jts. v.Chr. angenommen werden.

Die Ursache für die von der tatsächlichen topographischen Lage abweichende Beschriftung der Bereiche *danānu* und *bāb ekalli* auf den "Schullebern" steht vermutlich mit dem Problem der Beschriftung dreidimensionaler Objekte im Zusammenhang. Auf einem Modell können zwar sämtliche Teilbereiche plastisch dargestellt, nicht aber durch die häufig mehr Raum beanspruchende zweidimensionale Schrift auch entsprechend bezeichnet werden. Daher finden sich Notierungen über Veränderungen beider Teilbereiche auf der Oberfläche der Modelle und nicht, wie eigentlich zu erwarten, auf deren Rand.

Die Annahme, in *uṣurtu* (GIŠ.ḪUR.MEŠ "Zeichnungen") einen Sammelbegriff für die zweite Klasse von Leberteilen sehen zu können, wird durch die ausschließliche Verwendung der Verbalform *eṣēru* "zeichnen" in solchen Omentexten bestätigt, die die Beschaffenheit von Leberteilen dieser Klasse beschreiben:

> SILIM *i-na* A.SUR ZÉ *e-ṣir*
> "*šulmu* ist gegen den Ausfuhrgang der Gallenblase gezeichnet" (LUTZ 1918:83,26)
>
> *ú-ṣu-úr-tum a-na* IGI.BAR (über Rasur) *eṣ-r[e-e]t*
> "Eine Zeichnung ist auf dem Standort eingezeichnet" (YOS X 20,27)

BE GÍR 2-*ma ina* KA.NÍG.TAB *eṣ-ret*
"Wenn der Pfad zweimal (vorhanden) und auf den Mund des *naṣraptu* gezeichnet ist"
(K 3999,20 = CT 20 8)

BE TA *maš-kán* SILIM GIŠ.ḪUR *ana* ME.NI *eṣ-ret-ma* DUḪ.MEŠ TUK-*ši*
"Wenn von der Stelle des *šulmu* eine Zeichnung in Richtung auf das Tor des Palastes gezeichnet ist und Ablösungen besitzt" (TCL 6 3,7; ähnlich 3,5–6)

Das Auftreten von *eṣēru* im Zusammenhang mit den zur Kategorie der "Zeichnungen" (*uṣurātu*) gehörenden Leberteilen stimmt außerdem mit einer bereits von R.D. Biggs (1969: 159 m. Anm. 1) hervorgehobenen Beobachtung überein, daß der Gebrauch betimmter Verben in Omentexten auf die Beschreibung bestimmter Krankheitsbilder beschränkt ist; so ist z.B. die Verwendung von *pašāṭu* (LÁL) "einschnüren" nur zur Beschreibung von Veränderungen der Bereiche *mazzāzu, padānu, danānu* belegt, d.h. von Teilbereichen, die alle zur Kategorie AII, "Zeichnungen" (*uṣurātu*) gehören. Auch die mit *paṭāru* bezeichneten Veränderungen werden, wie aus den Darstellungen illustrierter Omentexte (z.B. K 4069 = CT 20 28) hervorgeht, durch Ritzungen (*uṣurātu*) wiedergegeben (vgl. auch Darstellung und Text in Modell KUB 4,72 = Bo 17, s.S. 114-115).

Der Einwand von I. Starr, die Verwendung des Verbes *pašāṭu* auch auf den Bereich von *nīd(i) kussî* "Sitz des Thrones" auszudehnen (STARR 1974: Anm. 255) erscheint nicht zutreffend, da der als Beleg hierfür herangezogene Text KUB 37,227 falsch interpretiert wurde. I. Starr liest am Ende der Inschrift F**pu-ṣú-ut*, ohne kenntlich zu machen, daß nur das Element *bu/pu* tatsächlich erhalten ist (STARR 1974: 134); für das Zeichen *bu/pu* ist aber auch die Lesung GÍD mit der Bedeutung *arāku* "lang sein" belegt, so daß diese Zeile wie folgt lautet:

BE *ma-an-di* GIŠ.GU.ZA GÍD
"Wenn der Sturz des Thrones lang ist"

Für die vorgeschlagene Deutung der Protasis können zwei Argumente angeführt werden: Zum einen besteht keine Notwendigkeit, den Text an einer Stelle, an der kein Bruch auftritt, zu ergänzen; somit sprechen die inschriftlichen Indizien für die vollständige Erhaltung der Protasis. Zum anderen entspricht die so aufgefaßte Protasis der zugehörigen graphischen Darstellung: unmittelbar rechts neben dem Leberfinger, dem Bereich, an dem *nīd(i) kussî* zu lokalisieren ist (s.S. 164), findet sich eine längliche Applikation, die ausgezeichnet mit der in der Protasis genannten Beschaffenheit dieses Bereichs — beschrieben durch *arāku* "lang sein" — übereinstimmt.

Im Zusammenhang mit den als *uṣurātu* ("Zeichnungen") angesehenen Leberteilen ist noch auf eine weitere Information hinzuweisen, die sich zwei Textstellen jüngerer Schriftzeugnisse entnehmen läßt; im Rahmen der Auswertung von Opferlebern besitzen auch die Größenverhältnisse einzelner Teilbereiche maßgebliche Bedeutung; zu diesem Aspekt finden sich für die Klasse der "Zeichnungen" folgende Hinweise:

3 ŠU.SI.TA.ÀM GIŠ.ḪUR.MEŠ IGI TÙN *man-da*
"Drei Finger lang sind die Zeichnungen vor der Pfortader gemessen" (CT 20 44,54 n. JEYES 1978: Anm. 86)

al-la 3 ŠU.SI.GÍD.DA-*ma mi-ši-iḫ-tú* NA SA[G U]Š 3 ŠU.SI
"Mehr als drei Finger ist lang; und das Maß des normalen Standortes ist drei Finger"
(TCL 6,6 Vs II,3; n. JEYES 1980: 23 m. Anm. 64)

Eine Länge von 3 ŠU.SI entspricht in spätbabylonischer Zeit, aus der dieser Text stammt, etwa 6 cm; da eine normale Schafsleber eine durchschnittliche Größe von 40–50 cm aufweist, beträgt die normale Länge des Teilbereichs *mazzāzu* etwa ein Achtel der Gesamtlänge der Leber. Diese Maßangaben treffen tatsächlich bei einer großen Anzahl vom Verfasser selbst untersuchter Schafslebern für die Länge der impressio reticularis (Abdruck des Netzmagens), der modernen Entsprechung des *mazzāzu*, zu. Aus einem Vergleich dieser Angaben mit den Darstellungen von *mazzāzu* auf den Tonlebermodellen geht aber hervor, daß die dort verwendeten Maßverhältnisse mit den Textangaben nicht übereinstimmen; die graphische Kennzeichnung ist in Relation zur Größe des Modells erheblich zu lang (etwa 1:2). Dieses Mißverhältnis zwischen den natürlichen Ausmaßen einzelner Leberteile und den im Modell wiedergegebenen trifft auch für andere Bereiche zu. So weist die Gallenblase z.B. ein natürliches Größenverhältnis zur Leber von etwa 1:3 auf, in den Modellen beträgt das Verhältnis dagegen nahezu 1:1. Der Grund für diese Überbetonung der Teilbereiche kann vermutlich in dem Bestreben gesehen werden, die einzelnen Bereiche, auf denen die Omenaussage basiert, deutlich wiederzugeben und darüber hinaus alle auftretenden Veränderungen eindeutig erkennbar kennzeichnen zu können (vgl. aber die kürzere Wiedergabe der Gallenblase auf den Modellen aus Ugarit, s.S. 218).

Die in den oben genannten Texten erwähnten Maßangaben beziehen sich daher nicht auf die graphische Darstellung, sondern sind als Anleitung zur Auswertung der Opferleber zu verstehen. Die exakte Angabe der Maßverhältnisse spricht für eine genaue Beobachtung und Analyse der Leber durch die zuständigen Wahrsager. Auch die "Diagnose" anderer Leberteile bzw. der dort auftretenden Veränderungen weist selbst nach modernen medizinisch-anatomischen Vorstellungen auf eine Differenzierungsfähigkeit hin, die als eine frühe Stufe der medizinischen Wissenschaft angesehen werden muß. Diese Tatsache ist für die Verbindung von Magie, Mantik und Wissenschaft (vgl. dazu MALINOWSKI 1925) von weitreichender Bedeutung.

Dagegen scheint in bezug auf die Maßverhältnisse zwischen den Vorlagen — den untersuchten Lebern — und den Modellen keine große Übereinstimmung zu bestehen. Doch liegt auch der Kennzeichnung der einzelnen Leberbereiche und der Veränderungen ein Schema zugrunde, das durchaus auf einer einmal definierten und dann verbindlichen Systematik beruht (s. Kap. IV).

Differenzierung der Krankheitsbilder

Die Klassifikation der möglichen Krankheitsbilder erfolgte ebenfalls nach festgelegten Kategorien. Dabei wurde zwischen mindestens zwei (drei) Kategorien unterschieden, deren Darstellung auf den Modellen sich wiederum durch Einritzungen oder Applikationen nachweisen läßt.

Wie schon im Falle der durch Einritzungen dargestellten Leberbereiche, wird auch für die ebenso wiedergegebenen Krankheitsbilder der Begriff "Zeichnungen" (*uṣurātu*) verwendet (z.B. YOS X 20,21: *padānu*; LUTZ 1918:82, 13: *danānu*). Aus diesen Beispielen geht hervor, daß der Begriff "Zeichnung" (*uṣurāti*) durchaus zur Bezeichnung von Veränderungen der Leberteile verwendet werden kann. Dabei handelt es sich um solche Anomlien, deren Krankheitsbild schon äußerlich den Abdrucken von Organteilen (z.B. *mazzāzu, padānu, danānu*) ähnlich ist (z.B. wird *pillurtu* "Kreuz" als *uṣurtu* bezeichnet, vgl. WEIDNER 1941:144, Taf. 7 I 18); als graphische Wiedergabe dieser Anomalie findet sich eine Einritzung in Form eines Kreuzes, vgl. z.B. Hazor, MBQ 2). Die gleiche Form der Darstellungsweise (Einritzungen) wird somit durch die homophone Bildung des jeweils verwendeten Begriffes (*uṣurtu*) betont.

Offensichtlich ist auch bei den Krankheitsbildern zwischen mehreren Gruppen zu unterscheiden, die verschiedene Bezeichnungen tragen:

> BE-*ma šu-ta-bul-ta* GIŠ.ḪUR.MEŠ GIŠ.TUKUL.MEŠ *u si-i-bi ana* IGI-*ka*
> "Wenn ein Omenbefund (dazu vgl. BORGER 1957:192 m. Belegen) Zeichnungen, Waffen und Deutungen (?) vor dir zeigt" (K 3797 + 6764, Z.19; K 6601, 9; n. NOUGAYROL 1974:61)

Auch dieser Text gehört zu einer Gruppe von Lehrtexten der Spätzeit (vgl. z.B. MEIER 1937:237–246). Neben den "Zeichnungen" werden noch "Waffen" als mögliche Anomalien genannt. Unter "Waffe" (GIŠ.TUKUL) ist nach Texten des 1. Jts. v.Chr. ebenfalls eine Veränderung zu verstehen, die durch Einritzungen wiedergegeben wird. Dabei handelt es sich aber nicht um lineare Ritzungen, wie im Falle von *uṣurtu*, sondern um verschiedenartig geformte Ritzungen, deren Aussehen im Text beschrieben wird (vgl. z.B. NOUGAYROL 1974; v. WEIHER 1983:Nr. 45; CT 31 10.12.13–15) und auf den Tonlebermodellen vorwiegend im Zusammenhang mit den Exemplaren von Ugarit zu beobachten ist (dazu ausf. s.S. 218-220).

Im *Enuma Eliš* werden GIŠ.ḪUR.MEŠ als "kosmische Zeichen" aufgefaßt, die die Weltordnung repräsentieren (vgl. KAR 100, 13–14; dazu ausf. ROCHBERG-HALTON 1982:364). Insofern kann die Leber als ein Mikrokosmos interpretiert werden, auf dem sich alle im Makrokosmos, der göttlichen Sphäre, vollziehenden Ereignisse — angefangen von der Weltschöpfung bis hin zu den Dingen des täglichen Lebens —

widerspiegeln und somit durch die Leberschau für den Menschen erkennbar werden. Daher wird die Opferschaukunst "das Geheimnis des Himmels und der Erde" genannt (so im Text W 22729/14,Rs 1 = v. WEIHER 1983: Nr. 46).

mazzāzu (*naplastu*)	KI.GUB	"Standort"	impressio reticularis	Abdruck des Netzmagens
	(IGI.BAR,NA)			
padānu	GÍR	"Pfad"	impressio abomalis	Abdruck des Labmagens
naṣraptu		"Scheuklappe"		
ruqqu		"dünne Stelle"		
KÁ.DÙG.GA		"der gute Mund"		
danānu	KAL	"Verstärkung"	ligg.teres	Leberband
bāb ekalli	KÁ.É.GAL	"Palasttor"	fossa venae	Grube für das Leberband
	(ME.NI)		umbilicalis	
(*abullu*)	KÁ.BÀ	"Stadttor"		
šulmu	DI, SILIM	"Wohlbefinden"		Abdruck auf d. lobus quadratus
(*padān imitti marti*)	GÍR ZAG (ZÉ)	"Pfad rechts d. Gallenblase"		
martu	ZÉ	"Galle"	fescia vellea	Gallenblase
maṣrāḫ marti	SIG ZÉ	"Sockel d. Gallenblase"	ductus cysticus	Ausführgang d.Gallenblase
padān š. marti	GÍR GUB (ZÉ)	"Pfad links d. Gallenblase"		Abdruck des Magens
(*miḫiṣ pān nakri*)				
dannat šumēli	MAN BUZUR$_4$	"Verstärkung d.Linken"		
nār tākalti	ÍD.TÙN	"Kanal d.Magens"(?)	ductus choledochus	Lebergallengang
(*tākaltu*)		"Magen"(?)		
(*nerebti šumēli*)		"Tor d. Linken"		
nīd(i) kussî	ŠUB GIŠ GU.ZA	"Stand d. Thrones"	imressio renalis	Band zw. Leber u. r. Niere
ubānu	ŠU.SI	"Finger"	proc. caudatus	Leberfinger
abul kutum libbi	KÁ.GAL DU$_6$ŠÀ	"Tor d. inneren Fettgewebes"		
nār amūti	ÍD.BÀ	"Kanal d. Leber"	porta hepatis	Pfortader
ṣibtu	MAŠ	"Greifen"	proc. papillaris	
nīru		"Joch"	impressio omasica	Abdruck d. Blättermagens
kiṣirtu		"Haarschopf"	omentum	Abdruck d. Bauchfellsacknetzes
tīb(*šāri*)	ZI(.IM)	"Erhebung (d. Windes)"		Rand der Leber (?)

Tabelle 7: Babylonische Bezeichnung der einzelnen Leberteile und deren moderne Entsprechung

Abfolge der Inspektion

In Tabelle 7 sind sowohl die babylonischen Bezeichnungen für die einzelnen Leberbereiche als auch deren Gleichsetzung mit der modernen Nomenklatur zusammengestellt. Die Abfolge der Auflistung entspricht der Abfolge der Inspektion, wie sie aus den Leberschauberichten (Omenprotokollen) belegt ist. Aus diesen Protokollen geht hervor, daß es seit der altbabylonischen Zeit eine festgelegte Reihenfolge in der Betrachtung der Einzelteile der Leber und deren Anomalien gegeben hat, wobei nur die Einhaltung der Reihenfolge — nicht aber die Untersuchung sämtlicher Leberteile — obligatorisch war.

Eine Analyse dieser Texte ergibt, daß die Opferschau mit der Auswertung des linken Leberlappens (nach der modernen Nomenklatur) beginnt; sie wird dann mit der Untersuchung von *bāb ekalli*, der Abgrenzung des linken Leberlappens zum lobus quadratus fortgesetzt. Die weitere Reihenfolge läßt darauf schließen, daß die folgenden Auswertungen — aus babylonischer Sicht — entgegen dem Uhrzeigersinn durchgeführt und mit der Untersuchung der sich am dorsalen Rand befindlichen Leberteile beendet wurden. Dabei ist auffällig, daß für den rechten Leberlappen wesentlich mehr Begriffe als für den linken aufgeführt werden. Dieser Befund steht im Gegensatz sowohl zu den Omentexten als auch zu den graphischen Darstellungen; beide verzeichnen — entsprechend den medizinischen Gegebenheiten (s.S. 53-54) — für den Bereich des lobus sinister eine größere Anzahl von Veränderungen. Als Ursache für diesen widersprüchlichen Sachverhalt kann die relativ einheitliche Strukturierung des linken Leberlappens in wenig deutlich voneinander abgegrenzte Bereiche angesehen werden, die im Gegensatz zur Oberflächengestaltung des rechten Lappens, der durch verschiedene Ausführgänge wesentlich stärker gegliedert ist, steht. Andererseits stellt der linke Leberlappen — nach babylonischer Sicht — die rechte Seite des Organs dar, auf der auftretende Anomalien in unmittelbarer Beziehung zu dem jeweiligen Befrager stehen (pars familiaris, dazu s.S. 89). Daher kann die Vielzahl der in den Omenserien (Kompendien) beschriebenen und auf den Modellen dargestellten

Krankheitsbilder dieser Bereiche mit einer "wissenschaftlichen" Systematik erklärt werden, hinter der das Bestreben steht, gerade für die Organteile, die den Menschen direkt betreffen, alle auch nur theoretisch denkbaren Veränderungsmöglichkeiten sorgfältig zu notieren.

Neben dieser eher spekulativen Ausarbeitung der Kompendien werden aber auch eine Anzahl von Krankheitsbildern beschrieben, die auf tatsächliche Erkrankungen bzw. durch Krankheiten hervorgerufene Erscheinungsbilder auf der Leberoberfläche zurückzuführen sind. Wie anhand der folgenden Beispiele gezeigt werden kann, liegen diesen Beschreibungen offensichtlich häufig detaillierte medizinische Betrachtungen zugrunde.

Krankheitsbilder in Darstellung und Beschreibung

Die aus den Omenserien bekannten Anomalien lassen sich generell in zwei Gruppen einteilen: in die morphologischen Veränderungen des Organs, d.h. in Veränderungen der äußeren Form der Leber und in pathologische, d.h. durch Krankheiten bedingte Leberveränderungen. Da verschiedene Krankheiten aber durchaus gleichartige Symptome aufweisen können, sind die in den Texten beschriebenen und auf den Modellen dargestellten Krankheitsbilder nicht eindeutig bestimmten Krankheiten zuzuordnen. Für die ominöse Auswertung ist allein das Bild der veränderten Leber, wie es auf den Modellen dargestellt ist, entscheidend. Bei der Inspektion der Opferleber handelt es sich aber nicht um eine wirkliche medizinische Untersuchung, die nach den Ursachen der Erkrankungen fragt, sondern um die Beschreibung ihrer Auswirkungen (damit wird die Protasis auf deduktive Weise erschlossen). Da die (schriftlich und graphisch) beschriebenen Anomalien dem Bild häufig auftretender Lebererkrankungen entsprechen, kann durchaus von einer "realen" Anschauungsweise bzw. von einer realistischen Wiedergabe gesprochen werden.

Morphologie

Infolge einer vielseitigen, straffen Bindung der Leber an Bauchwand, Zwerchfell, Magen und Darm sind größere Verlagerungen des Organs kaum möglich. Dagegen treten häufiger Mißbildungen der Leber oder einzelner Leberteile auf, die auf Entwicklungsstörungen zurückzuführen sind:

- vollständiges Fehlen (Agenesis) der Leber (sehr selten und für diese Arbeit irrelevant, da es in einem solchen Fall nicht zur Untersuchung des Organs und Herstellung eines Tonmodells kommen konnte);
- vollständiges Fehlen der Gallenblase, z.B.:

  šum-ma mar-tum
  na-as-ḫa-at-ma
  it-ta-na-aq-ra-ar
  "Wenn die Gallenblase herausgerissen ist und sich windet" (YOS X 31 III,41–43)

- Fehlen eines oder mehrerer Lappen bzw. Fehlen von Einzelbereichen der Leber, z.B.:

  DIŠ *ni-ru ḫa-li-iq*
  "Wenn *nīru* verschwunden ist" (VAT 4102,9 = NOUGAYROL 1950:13)

- abnormes Wachstum eines oder mehrerer Lappen bzw. der Einzelbereiche, z.B.:

  DIŠ *ni-ru da-li-il*
  "Wenn *nīru* verkümmert ist" (VAT 4102,10 = NOUGAYROL 1950:13)

- abnorme Furchen (dadurch werden überzählige Leberlappen gebildet); auch die extreme Vertiefung der Inzisuren (z.B. incissura umbilicalis) bzw. deren mehrfache Einschneidung gehören zu dieser Form der Mißbildung, z.B.:

  DIŠ *pa-da-nu i-na li-bi pa-da-ni*
  "Wenn ein *padānu* in einem (anderen) *padānu* liegt" (AO 7028,5 = NOUGAYROL 1945/46:56)

- Verdoppelung der Gallenblase (durch medizinische Untersuchungen nachgewiesen); es kann zu zwei mehr oder weniger weit voneinander entfernten Gallenblasen kommen, die entweder getrennte Ausgänge aufweisen oder aber einen einzigen Ausgang haben, wobei dessen Trennung erst im Körper der Gallenblase erfolgt, z.B.:

  šum-ma ma-ra-t[um] 2–*ta*
  "Wenn zwei Gallenblasen (vorhanden sind)" (YOS X 31 I,47; vgl. I,51: drei Gallenblasen; II,13: fünf Gallenblasen)

  BE 2–*ta* ZÉ.MEŠ-*ma* SUR-*š[i-n]a a-ḫe-e*
  "Wenn zwei Gallenblasen vorhanden sind und ihre Ausgänge (getrennt) sind" (KAR 423 Vs III 23)

  šum-ma 2 *ma-ra-tum ma-aṣ-raḫ-ši-na iš-te-en-ma*
  "Wenn zwei Gallenblasen (vorhanden sind) und ihr Ausgang einer ist" (KAR 434 Rs 10; BIGGS 1969:161)

  DIŠ *da-na-nu* 2–*ma ri-it-ku-bu*
  "Wenn zwei *danānu* (vorhanden sind) und sie aufeinander reiten" (AO 7028,30 = NOUGAYROL 1945/46:58)

Neben den durch unzureichende Ernährung bedingten Entwicklungsstörungen treten morphologische Veränderungen auch durch äußere Einflüsse auf. Ein Beispiel dafür ist die Leberberstung (Ruptur), die eine Folge von Quetschungen oder Erschütterungen ist. Optisch zu erkennen ist sie durch eine unterschiedlich große, herdförmige Zertrümmerung der Leberoberfläche. Durch den Druck von außen reißt die Oberfläche des Organs, wobei die Rißränder ein zerfetztes Aussehen haben und der Riß sich mit Blut füllt. Dieses Zerreißen der Oberfläche wird in den Texten wahrscheinlich mit *paṭāru* "lösen", "reißen" umschrieben (vgl. Zusammenstellung ähnlicher Verben mit gleichem Bedeutungsfeld, die immer ein ungünstig zu interpretierendes Erscheingungsbild beschreiben, deren jeweilige ominöse Bedeutung aber aus dem Ort ihrer Beobachtung resultiert; STARR 1974:182–183, z.B. *ekēmu* "wegnehmen", *parāsu* "abtrennen", *šatāqu* "zerreißen", "abspalten", *šamātu* "los/abreißen", *kaṣāṣu* "abschneiden"), z.B.:

  DIŠ (*naplastu*) *i-na qá-ab-li-a-ti-ša ip-tù-ur*
  "Wenn (*naplastu*) in ihren Mittelteilen sich gelöst hat" (AO 9066,40 = NOUGAYROL 1950:27)

  DIŠ *ni-ru imitta-šu ša-mi-it*
  "Wenn *nīru* rechts zerrissen ist" (VAT 4102,7 = NOUGAYROL 1950:13)

  [DIŠ *da-na-nu p*]*a-ti-ir*
  "[Wenn *danānu* ge]rissen ist" (AO 7028,20 = NOUGAYROL 1945/46:58)

Pathologie

Als zentrales Organ für den Stoffwechsel des Körpers erfüllt die Leber zahlreiche Aufgaben. Neben der Entgiftung der aus dem Darm kommenden Stoffe ist sie vor allem für den Blutaufbau und die Blutreinigung verantwortlich. Die im Blut befindlichen Stoffe (Kohlehydrate, Fette, Eiweiß, Vitamine, Spurenelemente usw.) werden in der Leber gespeichert und nach der Umwandlung bei Bedarf an den Körper abgegeben. Aufgrund der Tatsache, daß die Leber an das große Blutkreislaufsystem angeschlossen ist, geraten alle im Blut enthaltenen Krankheitserreger in die Leber, wo sie einen guten Nährboden antreffen. Da das venöse Blut durch die Pfortader in der linksseitig gelegenen Hauptblutbahn durch die Leber geführt wird, sind im allgemeinen die linke Leberhälfte und die Pfortader sowie deren Umgebung stärker von Krankheiten befallen. In den rechten Leberlappen dagegen führen nur kleine Adern, die weniger Blut und damit auch weniger Krankheitserreger transportieren.

Häufig rufen ein und dieselben Erreger bzw. Erregerfamilien unterschiedliche Krankheiten hervor, deren Erscheinungsbild gleich oder ähnlich ist. Eine Unterscheidung wäre nur durch mikroskopische Untersuchungen möglich; für die Leberomina konnten allerdings nur die makroskopischen Beobachtungen, d.h. die optisch wahrnehmbaren Veränderungen ausgewertet werden: So kann die äußere Erscheinungform z.B. von Bohrgängen (*pilšu, šīlu*), die durch Leberegel oder Würmer entstehen, auf der Leberoberfläche — als Löcher oder Durchbohrungen — sichtbar gemacht werden, ohne die eigentliche Ursache zu erkennen. Im folgenden sollen deshalb nur makroskopisch faßbare Krankheitsgruppen aufgeführt werden, und zwar diejenigen, die am häufigsten auftreten und darüber hinaus ein spezifisches Krankheitsbild aufweisen. Die im folgenden vorgeschlagene Gleichsetzung einzelner Krankheitsbilder mit babylonischen Bezeichnungen bestimmter Anomalien ist hypothetisch und soll nur die Möglichkeit aufzeigen, die Textbeschreibungen mit tatsächlich auftretenden Veränderungen in Übereinstimmung bringen zu können.

Als Krankheitserreger kommen vor allem Parasiten, Bakterien und Bazillen in Betracht.

- Die am häufigsten auftretende Krankheit ist die Leberegelkrankheit (Distomatose). Etwa 75% aller Schafe werden von ihr befallen. Als Erreger kommen Leberegel oder andere Trematodenarten in Frage. Da der Leberegel sehr viel Feuchtigkeit benötigt, kommt er hauptsächlich in Sumpfgegenden und Überschwemmungsgebieten vor; in besonders feuchten Jahren tritt er häufiger auf. Er entwickelt sich im Wasser und wird von den Säugetieren mit dem Trinkwasser aufgenommen. Durch die Pfortader dringen diese parasitären Fremdkörper in die Leber ein. Von innen bohren (*palāšu*) sie sich an verschiedenen Stellen an die Leberoberfläche. Hier finden sich dann die Bohrlöcher (*pilšu, šīlu*), die häufig von Entzündungen umgeben sind. Die Fremdkörper, die ihr Ziel, die Gallengänge, nicht erreichen, werden abgekapselt und sind als kleine Erhebungen an der Leberoberfläche sichtbar (*šēpu; erištu; ziḫḫu*); diejenigen aber, die die Gallengänge erreichen, wachsen dort zu geschlechtsreifen Tieren heran und rufen durch eingeschleppte Bakterien ebenfalls Entzündungen hervor, durch die die Gallenblase erweitert (*rapāšu*) und mit Flüssigkeit gefüllt wird, z.B.:

  šum-ma mar-tum
  me-e li-ib-ba-ša
  ḫa[!]*-pi-ir*
  "Wenn das Innere der Gallenblase mit Wasser umgeben ist" (YOS X 31 II,38–40, vgl. III,20–22)

  šum-ma mar-tum
  li-ib-ba-ša
  da-ma-am ma-li
  "Wenn das Innere der Gallenblase mit Blut gefüllt ist" (YOS X 31 III,20–22)

- Makroskopisch das gleiche Krankheitsbild weist die Leber beim Befall durch verschiedene Wurmarten auf. Auch hier tritt vor allem im Bereich der Pfortader, des lobus caudatus und des lobus sinister die Krankheit in Erscheinung.
- Eine weitere häufig beim Schaf festgestellte Krankheit ist die Echinokokkose. Sie wird durch eine Finne hervorgerufen, deren Larven ebenfalls durch die Pfortader in die Leber gelangen. Dort entwickeln sie sich zu dem Echinokokkus und bedingen eine deutlich sichtbare Entzündung, die von der sich um den Parasiten legenden Kapsel ausgeht. Dabei entstehen ovoide oder schlauchförmige Blasen (*erištu*), in denen sich neben den Parasiten eine wäßrige, häufig mit Blut durchsetzte Flüssigkeit befindet, z.B.:

  DIŠ *i-na* KÁ.É.GAL *zi-ḫu sú-ru-uš*
  "Wenn im *bāb ekalli* sich eine *ziḫḫu*-Blase verzweigt(?)" (YOS X 22,Rs 23)

  BE *i-na re-eš* IGI.BAR *zi-hu-*⌈*um*⌉ *na-di*[?] *mu-šu* ⌈*ṣa*⌉*-al-m*[*u*(-)]
  "Wenn auf der Spitze des *naplastu* sich eine *ziḫḫu*-Blase befindet, und ihr Wasser schwarz ist" (YOS X 16,2)

  [DIŠ *ṣ*]*i-ib-tum ki-ma ú-šu-ul-ti ša da-m*[*i*]
  "Wenn *ṣibtu* wie eine Blutader ist" (AO 7029,12 = NOUGAYROL 1945/46:82)

- Vergleichbare Krankheitsbilder entstehen auch durch andere Parasiten, die ebenso wie die Echinokokken nach dem Absterben eingekapselt werden.
- Im Körper der Tiere befindliche Eitererreger (Bakterien) können ebenfalls Entzündungen hervorrufen, durch die scharf begrenzte Abszesse entstehen, die auf der Leberoberfläche als Erhebung sichtbar (*šēpu*?,*kakku*?) und mit einer eitrigen Masse gefüllt sind. Ein Beispiel für die durch Eitererreger erzeugten Krankheiten ist die infektiöse Hepatitis; sie hinterläßt auf der Leberoberfläche tief einschneidende Furchen, z.B.:

  BE IGI.BAR *ki-ma ki-sí-im ḫu-ru-ra-at*
  "Wenn *naplastu* wie ein Geldbeutel ausgehöhlt ist" (YOS X 14,10)

Bei einer langwierigen, starken Erkrankung kann es häufig zu Einkerbungen sowohl der Oberfläche als auch der Ränder kommen (vgl. z.B.: KUB 37, 217 = Bo 2, Darstellung der Anomalie im Bereich von *tību*, s.S. 176).

- Eine andere Bakterieninfektion stellt der Paratyphus dar. Die Bakterien dringen in die Leber ein und bilden dort Knötchen, die an der Oberfläche als kleine Punkte erkennbar sind.

  [DIŠ *i-n*]*a ma-aš-ka-an da-na-ni e-ri-iš-tum*
  "[Wenn an] der Stelle des *danānu* eine *erištu*-Marke (vorhanden ist)" (AO 7028,25 = NOUGAYROL 1945/46: 58)

- Ein dem Paratyphus ähnliches Krankheitsbild zeigt die Tuberkulose. Die Infektion vollzieht sich auf zwei verschiedenen Wegen: zum einen durch die Pfortader — die Tuberkulose breitet sich dann vor allem über die linke Leberhälfte aus — zum anderen über den Darm — die Tuberkulose ist dann besonders an der Gallenblase erkennbar, z.B.:

  [*šum-ma šu-me-e-lam si-ip-p*]*i* KÁ.É.GAL *ši-lum ip-lu-uš-ma uš-te-eb-ri*
  "[Wenn links die Lai] bung des *bāb ekalli* von einem Loch durchbohrt ist und (hindurch) sehen läßt" (YOS X 25,32)

  DIŠ *i-na* MÚRU^{at} IGI.BAR *ši-lu* 2 *i-mi-tam ù šu-me-lam na-du-ú*
  "Wenn in der Mitte des *naplastu* zwei Löcher rechts und (eines) links vorhanden sind" (MAH 15874,14 = NOUGAYROL 1950: 37)

  [DIŠ *da-na-n*]*u i-na qá-ab-li-šu pa-li-iš*
  "Wenn *danānu* in seiner Mitte durchbohrt ist" (AO 7028,22 = NOUGAYROL 1945/46: 58)

Bei dem Heilprozeß entstehen in der Regel kleine, mit erschlafftem Lebergewebe überzogene Löcher oder Knötchen. Für den harmloseren Verlauf der Erkrankung ist die Häufung solcher Löcher oder Knötchen an einer Stelle typisch, bei einer schwereren Erkrankung sind diese Knötchen über die ganze Leber verbreitet.

- Durch Abszesse, Geschwulste oder Zysten kann eine Verengung der Gallenblase oder ihres Ausganges hervorgerufen werden. Infolge einer Entzündung sind Teile der Gallenblase oder auch die Gallenblase als Ganzes verdickt. Durch die dabei aufgestaute Galle tritt eine Erweiterung der Gallengänge oder eine Verlagerung sowohl der Gallenblase als auch der Gallengänge ein, z.B.:

  DIŠ *mar-tum ki-*⌈*i*⌉*-ma ti-gi-*RI*-li a-ga/bi-im ti-tu-ra-tim i-ta-da-a-*⌈*at*⌉
  "Wenn die Gallenblase wie ... mit "Brücken"besetzt ist" (YOS X 59,6; GOETZE 1947b: 255 m. Anm. 13; vgl. AHW 708a zur Textherstellung sowie AHW 1363b: *ti-gi-ri-li a-BI(?)-im* mit unklarer Bedeutung; vgl. ferner CAD A/1 156a)

Es bilden sich zylindrische, häufig gewundene Stränge, z.B.:

  šum-ma mar-tum
  i-ši-is-sà
  a-na e-le-nu-um
  SAG-*ša a-na ša-ap-la-nu-um*

"Wenn der untere Rand der Gallenblase nach oben (und) ihr Kopf nach unten (schaut)" (YOS X 31 I,32–35)

šum-⌈ma⌉ mar-tum
iš-ḫu-ur-ma
mu-úḫ-ḫa-am
ša ú-ba-ni-im
il-ta-we
"Wenn die Gallenblase sich wendet und sich um den oberen Teil des Leberfingers legt" (YOS X 31 II,31–35)

Bei diesen zottenartigen Gewebewucherungen handelt es sich um lappige, traubenähnliche Schleimhautfalten; der Kopf der Gallenblase ist häufig abgeplattet, z.B.:

šum-ma mar-tum
⌈SAG.⌉?-*ša mu-ṣa-am*
la i-šu
"Wenn der Kopf der Gallenblase keinen Ausgang besitzt" (YOS X 31 III,6–8)

Die Wände sind verdünnt und Wasser oder eine andere Flüssigkeit tritt aus, z.B.:

šum-ma mar-tum
me-e li-ib-ba-ša
ḫa!-pi-ir
"Wenn das Innere der Gallenblase mit Wasser umgeben ist" (YOS X 31 II,38–40)

šum-ma mar-tum
li-ib-ba-ša
da-ma-am ma-li
"Wenn das Innere der Gallenblase mit Blut gefüllt ist" (YOS X 31 III,20–23)

- Daneben wird auch eine Berührung oder Überlagerung zweier oder mehrerer Leberteile als Anomalie verstanden, z.B.:

šum-ma na-ap-la-às-tum a-na pa-da-nim iq-te-er-ba-am
"Wenn *naplastu* sich dem *padānu* nähert" (YOS X 11 II,14)

šum-ma mar-tum
iš-ḫu-ur-ma
ú-ba-na-am il-ta-we-e
"Wenn die Gallenblase sich wendet und sich um den Leberfinger legt" (YOS X 31 II,24–26)

šum-ma mar-tum
na-as-ḫa-at-ma
[*i-n*]*a* KÁ.É.GAL-*im*
[*la-w*]*i-a-at*
"Wenn die Gallenblase herausgerissen ist und sich um das *bāb ekalli* legt" (YOS X 31 I,12–15)

- Nahezu alle durch Parasiten und Bakterien verursachten Erkrankungen führen zu einer farblichen Veränderung der Leber sowie zu einer unterschiedlichen Verfärbung der an der Leber bzw. an den erkrankten Teilen austretenden Flüssigkeit. Die beiden häufigsten Ursachen für eine Verfärbung der Leber sind Gelbsucht (Ikterus) und Melanose. Die Gelbsucht, die eine Gelbfärbung der Leber bewirkt, ist eine Folgeerscheinung vieler Infektionen. Die Melanose, die eine Schwarzfärbung der Leber verursacht, entsteht durch starke Pigmentablagerungen, z.B.:

šum-ma i-na ma-aš-ka-an šu-⌈ul⌉-mi-im ḪAL
"Wenn an der Stelle des *šulmu* ein schwarzer Fleck (vorhanden ist)" (YOS X 61,7)

Alle farblichen Veränderungen sind auf den Modellen nicht unmittelbar wiederzugeben; da aber derartige Verfärbungen häufig als Folge bestimmter Erkrankungen auftreten können (z.B. Eiterbildung (weiß), Blut (rot), Pigmentierungen (gelb, weiß, schwarz)), ist deren Darstellung, ebenso wie die der anderen Erkrankungen nur durch ein festgelegtes, konventionalisiertes Markierungssystem möglich. Die Prinzipien dieses Systems sollen, soweit es das erhaltene Material erlaubt, in Kapitel IV behandelt werden.

IV

GRUNDLAGEN ZUR INTERPRETATION DER TONLEBERMODELLE

Die theoretische Struktur der Darstellungen

Die Fundgruppe der Tonlebern besteht, wie oben ausgeführt, aus unbeschrifteten und nur mit Kennzeichnungen versehenen Modellen (Gruppe IV) und solchen, die neben den graphischen Kennzeichnungen einen erklärenden Text enthalten; dieser kann allerdings im Sinne der Omenliteratur unterschiedlich vollständig verfaßt sein. (Gruppen I-III; die Gruppe V, die "Schullebern", weisen eine eindeutige Struktur auf (= Kompendien) und werden hier nicht untersucht.)

Während die beschrifteten Modelle in mehr oder minder deutlicher Form eine bestimmte Information — die Beschreibung und Auswertung eines Leberschaubefundes — direkt vermitteln, enthalten die unbeschrifteten Exemplare nur dann Informationen, wenn ihre Kennzeichnungen — zumindest für einen bestimmten Personenkreis, die Wahrsager — ebenfalls Informationen enthalten bzw. als Informationsträger aufzufassen sind. Daher müssen auch die unbeschrifteten Tonlebern verständlich, d.h. "lesbar" sein. Eine "Lesbarkeit" ist aber nur dann gegeben, wenn die enthaltenen graphischen Kennzeichnungen als Zeichen aufzufassen sind, die sich in einem System von syntaktischen Regeln befinden, in dem Kompetenzen und Inkompetenzen in einem Code festgelegt sind, der aus einem begrenzten und damit überschaubaren Repertoire von Zeichen besteht. Nur wenn die graphischen Kennzeichnungen Zeichencharakter besitzen, können sie eine Information — in diesem Fall die Beobachtung einer Anomalie und deren ominöse Deutung — , die sich sonst dem Erkennungsprozeß entziehen würde, an den Betrachter vermitteln.

Bei der Interpretation von Darstellungen auf Tonlebermodellen ergeben sich zwei Probleme. Eines besteht in der Gleichsetzung der babylonischen Terminologie mit der heutigen medizinischen Begrifflichkeit. Vor allem mit Hilfe der Inschriften auf den "Schullebern" konnten einzelne Leberbereiche isoliert und namentlich identifiziert werden (vgl. Kap. III). Das zweite Problem ist die Interpretation der Darstellungen auf den Modellen. Zur Lösung bedarf es der Beantwortung einer Reihe von Fragen:

- In welcher graphischen Form werden die einzelnen Leberbereiche und deren Beschaffenheit dargestellt?
- Welche graphischen Unterscheidungsmöglichkeiten werden verwendet?
- Gibt es ein festes Repertoire von Kennzeichnungen, und in welcher Beziehung stehen sie zueinander?

Die Marken

Die graphischen Kennzeichnungen lassen sich in zwei Kategorien unterteilen, die wiederum aus zwei Gruppen bestehen:

A. Leberteile

I	Applikationen	Bestandteile der Leber und Bänder	*šīru*
II	Ritzungen	Abdrucke und Gefäße	*uṣurātu*

B. Krankheitsbilder

I	Applikationen		*sību*(?)
II	Ritzungen		*uṣurātu*

Jede einzelne Kennzeichnung ist als Marke zu verstehen, die jeweils ein Leberteil oder eine Veränderung repräsentiert; somit entsprechen die beiden Kategorien A und B jeweils einer Markenklasse. Unter Markenklasse wird demnach die Zusammenfassung aller Elemente einer der beiden Kategorien A und B verstanden. Die Form der graphischen Wiedergaben auf den Modellen ist aber nicht als ein "wahres Abbild" der jeweiligen Erscheinung zu verstehen, sondern diese gibt nur einige Aspekte des Repräsentierten wieder, die erst durch Auswahl und Verwendung charakteristisch geworden sind. So wird der proc. pyramidalis (Leberfinger, *ubānu*) durch eine pyramidale Erhebung (Markenklasse AI (*šīru*)) am oberen Rand der Lebermodelle nachgebildet; dagegen befindet sich auf der natürlichen Leber dieses Organteil als konischer Gewebewulst flach auf dem rechten Leberlappen. Eine kleine, ovale Erhebung, ebenfalls am oberen Rand der Leber gelegen, jedoch deutlich vom Leberfinger abgesetzt, wird als *ṣibtu* bezeichnet; aus den Texten geht eine Gleichsetzung des Bereichs von *ṣibtu* mit dem proc. papillaris hervor (s.S. 65). In Wirklichkeit bilden aber proc. papillaris und proc. pyramidalis ein zusammenhängendes Organteil, den lobus caudatus.

Die zur Markenklasse AII gehörenden Darstellungen der Leberteile *mazzāzu, padānu, nīru* (verschiedene Abdrucke anderer Organteile) werden durch eine lineare Einritzung wiedergegeben (s.S. 68); auf der Schafsleber finden sich an den entsprechenden Stellen breitere und flachere Furchen, die durch den Druck der aufliegenden Organteile entstanden sind.

Auch für die graphische Form der Markenklasse B, die eine bestimmte Beschaffenheit der Organteile (Kategorie A) beschreibt, können vergleichbare Abweichungen zwischen dem Dargestellten und der Darstellung nachgewiesen werden. Dabei handelt es sich immer um eine Reduktion der Darstellung auf eine vereinfachte graphische Form, der eine Konvention zugrunde liegt (s.S. 86–87). Eine realistische Wiedergabe war offensichtlich nicht beabsichtigt; vielmehr bestehen die Marken aus relevanten, bzw. als relevant angesehenen Aspekten der betreffenden Erscheinungsbilder (Leberteile bzw. Krankheitsbilder). Von der Auswahl der Aspekte hängt die Erkennbarkeit der Marken ab.

Für den modernen Betrachter, ebenso wie für den "Nichteingeweihten" in babylonischer Zeit, sind diese Marken zunächst nur Bilder eines unbekannten Systems. Die Erkennbarkeit der Markenbedeutung setzt die Kenntnis des zugrundeliegenden Systems voraus, das auf einer Übereinstimmung — in diesem Falle der zuständigen Wahrsager — beruht. Grundlage eines solchen Systems ist ein Code, der die Bedeutung der einzelnen Elemente der Markenklassen festlegt. Für die Wahrsager ist die Bedeutung der Marken zu einer Norm geworden, und sie stellen innerhalb des ihnen bekannten Systems eine realistische, wenn auch ungenaue Repräsentation von Leberteilen bzw. von deren Veränderungen dar. Auswahl und Aktualisierung des verwendeten Systems hängen von der kommunikativen Absicht der "Verfasser" ab und beruhen auf einer Übereinkunft der jeweils verantwortlichen Personengruppe (der Wahrsager).

Für eine Interpretation der Marken auf den Tonlebermodellen ist es daher zunächst erforderlich, das ursprüngliche Repräsentationsschema zu rekonstruieren, d.h. festzustellen, welches Leberteil bzw. welche Anomalie durch welche Markierung repräsentiert wird. Die Schwierigkeiten einer solchen Rekonstruktion beruhen auf einer zutreffenden Interpretation der durch die graphische Wiedergabe mitgeteilten Informationen; da die Marken, wie oben gezeigt wurde, kein absolut realistisches Abbild des jeweils Dargestellten sein müssen, sondern es sich dabei um eine Abkürzung oder Konvention handeln kann, ermöglicht nur das Erkennen des zugrundeliegenden Codes — nach dem die einzelnen Marken in ein System eingebunden sind — das Verstehen und Zuordnen einzelner Marken.

Der Code besteht aus einem Repertoire von Marken, deren Bedeutung, nachdem sie einmal festgelegt (systematisiert) wurde, stets Gültigkeit besessen hat. Diese Annahme wird dadurch bestätigt, daß sich im gesamten Zeitraum der Ausübung der Leberschau weder die Grundlage der Omenauswertung, d.h. die Interpretation der Anomalien, noch die graphische Darstellungsweise auf den Modellen geändert hat. Die Notwendigkeit einer permanenten Tradierung dieses Codes von Wahrsagergeneration zu Wahrsagergeneration kommt seit altbabylonischer Zeit in der Anlage der großen Omensammlungen zum Ausdruck. Darüber hinaus führte die Übernahme dieser Omen-"Wissenschaft" in außerbabylonischen Gebieten (Syrien, Palästina, Anatolien) zu einer Beschriftung einzelner Modelle. Diese Exemplare können heute zur Rekonstruktion der Markenbedeutung und damit des zugrundeliegenden Systems (des Repräsentationsschemas) verwendet werden.

Die symbolische Bedeutung der Marken

Ein Teil der Bezeichnungen der Leberteile und der zahlreichen Krankheitsbilder weist neben der geläufigen lexikalischen Bedeutung noch eine "Meta"-Bedeutung auf, die sich ausschließlich auf die Verwendung dieser Begriffe in Omentexten bezieht. Bereits J. Nougayrol hat auf das Bestehen eines "technischen Vokabulars" innerhalb der Omenliteratur hingewiesen (NOUGAYROL 1966:10 m. Anm. 1). Vielfach existiert zwischen den Erscheinungen auf der Leber und bestimmten Ereignissen des menschlichen Lebens ein symbolischer Bezug. Die Beziehungen werden nicht durch Ähnlichkeiten des betreffenden Erscheinungsbildes bzw. dessen Darstellung mit dem jeweils Symbolisierten hervorgerufen, sondern die Bezeichnungen beruhen auf einer bildhaften Umschreibung der unterstellten symbolhaften Bedeutung, d.h. sie stellen Synonyme einer "übersprachlichen Wirklichkeit" dar (möglicherweise hat sich hierin eine archaische Bedeutungsebene der Omenauswertung erhalten, die sonst nicht zu belegen ist).

Für Marken der Klasse A und B lassen sich folgende symbolische Bedeutungen belegen (vgl. dazu NOUGAYROL 1966:9–10; JEYES 1980:24–25):

Klasse A		
mazzāzu	"Standort"	Standort d. Gottes
padānu	"Weg"	Feldzug, menschl. Leben
bāb ekalli	"Tor d. Palastes"	Palast
martu	Gallenblase	königl. Sphäre
šulmu	"Wohlbefinden"	menschl. Sphäre
ṣibtu	"Greifen"	Ernte
Klasse B		
šīlu	"Loch"	phys. Vernichtung, Tod
kakku	"Waffe"	Krieg
ziḫḫu	"Pustel"	Regen
šēpū	"Fundament"	Angriff (d. Feindes)
erištu	"Verlangen"	Wunsch d. Götter

Aus dieser Zusammenstellung wird deutlich, daß sich die Nomenklatur einzelner Begriffe häufig auf die jeweilige symbolische Bedeutung bezieht (z.B. Waffe = Krieg; Pfad = Feldzug, Verlauf des menschlichen Lebens; falls die Symbolbedeutung tatsächlich ein älteres Stadium der Omen-"Wissenschaft" widerspiegelt, kann die verwendete Nomenklatur sowie die jeweils intendierte Deutung als Rest der älteren Auffassung angesehen werden).

Bei den Omentexten werden in der Apodosis zum Teil Begriffe wieder aufgenommen, mit denen in der Protasis die Veränderung beschrieben wurde, z.B.:

DIŠ *i-na mu-uḫ-ḫi ṣí-ib-tim e-ri-iš-tum ta-ar-ka-at*
e-ri-iš-ti i-na É*-ti a-wi-li i-ni-ri-šu*
ú-ul i-na-di-in

"Wenn in der Mitte des *ṣibtu* eine *erištu-*"Blase"schwarz ist: der Wunsch (*erištu*), der im Hause des Menschen (des Befragers) gewünscht wird, wird nicht befriedigt werden" (AO 7029,3–5; n. NOUGAYROL 1944/45:81–82)

šum-ma i-na b[i]-ri-it
mar-tim
ši-lum ša-ki-[i]n
šar-ra-am
i-na pa-ni p[i-i]l-ši-im
i-du-uk-ku-šu
"Wenn in der Mitte der Gallenblase sich ein Loch befindet: man wird den König bei der Durchbruchstelle (*pilšu* — *šīlu*) töten" (YOS X 31 I 41–46)

Vielfach erlaubt die symbolische Bedeutung einzelner Krankheitsbilder Hinweise auf die ominöse Bedeutung (z.B. *šīlu* - Tod — Negativmarke, s.S. 103); außerdem haben einzelne Bereiche gerade für die Gebiete, die sie symbolisieren, besondere Aussagekraft gehabt (z.B. *martu* - für den König). Die daraus resultierende Omenaussage besitzt aber grundsätzlich einen allgemeingültigen Wert.

Die Zeichen

Die einzelnen Elemente (Marken) der beiden Markenklassen A und B bezeichnen jeweils ein Leberteil oder ein Krankheitsbild, enthalten aber noch keine Aussage im Sinne der Omina. Erst durch die Verbindung von jeweils einem Element beider Markenklassen ergibt sich eine Aussage. Diese Verbindung soll im folgenden "Zeichen" genannt werden. Die Zeichen besitzen somit eine morphologische (Klasse A) und eine pathologische Komponente (Klasse B). Insofern entsprechen die Zeichen der Protasis der Omentexte (dazu s.S. 85-86).

Durch Kombination der Marken untereinander entsteht eine Anzahl von Zeichen, deren Menge durch die Anzahl der Elemente, die in beiden Klassen aufgenommen sind, begrenzt ist. Jede Marke der Klasse A kann theoretisch mit jeder beliebigen Marke der Klasse B verbunden werden, wodurch ein neues Zeichen (Z) entsteht:

$$A_1 + B_1 = Z_1$$
$$A_1 + B_2 = Z_2$$
$$A_2 + B_1 = Z_3$$
$$A_3 + B_1 = Z_4$$

Zwei Einschränkungen sind allerdings anzuführen; die erste betrifft eine bestimmte Gruppe von Anomalien, die nur auf einer begrenzten Anzahl von Leberteilen auftreten können. In diesem Zusammenhang ist auf Marken wie *pašāṭu* "einschnüren" u.ä. hinzuweisen, die nach den bisher bekannten Belegen nur mit Marken der Kategorie AII (*uṣurtu*) kombiniert werden können (s.S. 120).

Darüber hinaus kann aber auch jede Abweichung eines Leberteiles (Klasse A) von dem als normal definierten Zustand als zeichenbildend aufgefaßt werden:

šum-ma mar-tum
iš-ḫu-ur-ma
mu-úḫ-ḫa-amša ú-ba-ni-im
il-ta-we
"Wenn die Gallenblase sich wendet und sich um den oberen Teil des Leberfingers legt"
(YOS X 31 II,31–35)

Daher ist das Diagramm für die Transformation von Marken und Zeichen wie folgt zu erweitern:

$$A_1 \Rightarrow A_x = Z_5$$
$$A_1 \Rightarrow A_y = Z_6$$
$$A_2 \Rightarrow A_x = Z_7$$

Dieses Diagramm läßt den Schluß zu, daß Marken der Klasse A als invariant anzusehen sind, und jede Abweichung von einer als normal definierten Form selbst als Zeichen aufzufassen ist.

Die Marken der Klasse B dagegen sind permutabel und können theoretisch (außer den oben erwähnten Ausnahmen) an jedem Leberteil auftreten; erst durch die Kombination mit einer Marke der Klasse A erhalten sie Zeichenbedeutung.

Es wurde bereits darauf hingewiesen, daß die Definition der Zeichen — Kombination von Anomalie und dem topographischen Ort ihres Vorkommens — dem Aufbau der Protasis in den Omentexten entspricht. Da die eigentliche Omenaussage, die in der Apodosis mitgeteilt wird, aus den Bedingungen hervorgeht, die in der Protasis beschrieben werden, gilt die Beziehung:

wenn X (Protasis), dann Y (Apodosis)

Es besteht also eine Abhängigkeit der Apodosis von der Protasis; wenn aber die Protasis einerseits einer Kombination der Markenklassen A und B (Zeichen) entspricht und andererseits sich die Apodosis aus der Protasis bedingt, dann muß die Apodosis auch aus den graphischen Zeichen hervorgehen. Daher kann in den Markenkombinationen auf den Tonlebermodellen — die bildhafte Darstellung der schriftlichen Protasis (deskriptiver Aspekt) — ein System "graphischer Aussagen" gesehen werden, das dem der schriftlichen Aussagen entspricht (axiologischer Aspekt). Zeichen sind demnach als codierte Botschaft zu verstehen und besitzen somit metasprachliche Funktion:

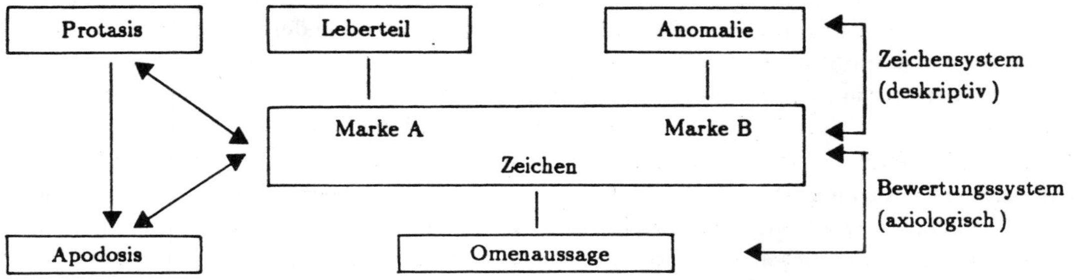

Diese Beziehungen zwischen Zeichen und Omentext treffen nur unter der Voraussetzung zu, daß die Zeichen dem Omentext äquivalent sind (Zeichen/Omentext), d.h. daß die Beziehung ein-eindeutig ist. Äquivalenz ist aber nur dann gegeben, wenn die Zeichen voneinander unterschieden werden können und darüber hinaus jedes Zeichen einer bestimmten Aussage zugeordnet werden kann. Für die Zeichen gilt daher die Forderung, daß sie unzweideutig, differenzierbar und kompatibel sein müssen, da sie sonst ihre Identität verlieren. Eine weitere Voraussetzung für eine Anwendbarkeit der Zeichen ist deren Überschaubarkeit, d.h. die Zeichenmenge muß begrenzt sein. Nur dann ist das Erlernen des "Lesens" dieser Zeichen sowie deren Reproduzierbarkeit auf den Modellen gewährleistet; derart eindeutige Zeichen führen zu einer graphischen Suggestivität und mnemotechnischen Effizienz, die die Wahrsager in die Lage versetzt, schnell und eindeutig eine Omenaussage zu erkennen, bzw. darzustellen. Gerade die mögliche Mehrdeutigkeit von Zeichen setzt bei der Übermittlung von Information, die auf einer Beziehung zwischen graphischen Zeichen und Sprache (sprachliche Zeichen) beruht (d.h. auf einer referentiellen Beziehung), eine Verankerung der graphischen Zeichen in einem verbalen Text voraus.

Als Beleg für die Festlegung von Zeichen durch schriftliche Definitionen können die illustrierten Omentexte des 1. Jts. v.Chr. in Anspruch genommen werden. Sie enthalten eine Texterklärung (*šūt pî*) für einzelne Krankheitsbilder sowie die zeichnerische Darstellung (*ṣâtu* "Wortbild") der beschriebenen Anomalie (vgl. dazu MEIER 1937:237–239); häufig findet sich am Schluß der Beschreibung der Hinweis *anniti usurta-šu* "dies ist seine Zeichnung" (z.B. W 22 7 29/16,6 = v. WEIHER 1983:Nr. 45). Aber auch in der älteren Zeit werden Krankheitsbilder häufig in einer bildhaften Sprache beschrieben und die zugehörige Darstellung entspricht ebenfalls der Beschreibung. In dem Tonmodell KUB 4,72 = Bo 17 wird eine Veränderung des Leberteils *mazzāzu* in Form einer Säge beschrieben; die Darstellung zeigt im Bereich des *mazzāzu* eine Zickzacklinie, die an die Zähne einer Säge erinnert (weitere Beispiele in Kap. IV). Es läßt sich häufig sehr leicht eine Wechselbeziehung zwischen Text und Darstellung aufzeigen: Eine bildhafte Sprache wird umgesetzt in sprachliche Bilder (vgl. dazu NOUGAYROL 1976:343–350).

Die Forderung nach Eindeutigkeit und gleichbleibender Deutung identischer Zeichen (Markenkombinationen) trifft nicht nur für die Kennzeichnungen auf den Tonlebermodellen zu, sondern, in viel stärkerem Maße, auch für die "Zeichen", die im Verlauf der Opferschau auf der Leber der untersuchten Tiere festgestellt wurden; zur Festlegung eines einheitlichen Zeichensystems sind vermutlich die umfangreichen Omensammlungen sowie ein Teil der beschrifteten Modelle entstanden.

Das Zeichensystem

Voraussetzung für die "Lesbarkeit" der Informationen, die die Tonlebermodelle enthalten, ist die Einbindung der Zeichen in ein System, das ein Repertoire von Marken, deren Kombinationsmöglichkeiten (Zeichen) sowie die Entsprechung zwischen jedem Zeichen und einer bestimmten Omenbedeutung festlegt; die Richtlinien für die Festlegung finden sich in der Omenliteratur. Zur Übertragung dieser Richtlinien auf die Zeichen der Tonlebermodelle, d.h. zum Verstehen der Botschaft, die durch die Darstellung auf den Modellen vermittelt wird, bedarf es aber bestimmter Ordnungskriterien (Code), die die Äquivalenz zwischen den graphischen Kennzeichnungen und bestimmten schriftlichen Aussagen herstellen.

Ausgangspunkt für eine Interpretation der Zeichen sind die in den Kompendien und Schullebern (als modellhafte Variante der Kompendien) festgelegten, d.h. konventionalisierten Beziehungen zwischen den Markenklassen (den Elementen der Zeichen) und den sich daraus ergebenden Aussagen. Da es sich aber um ein uns nicht vertrautes System handelt, kann grundsätzlich zunächst nur solches Material als Schlüssel zur Interpretation herangezogen werden, das neben schriftlich fixierten Omina auch deren graphische Realisierungen aufweist. Dies bedeutet eine Einschränkung auf die beschrifteten Lebermodelle sowie auf die illustrierten Omentexte. Eine Verwendung der umfangreichen Omenliteratur enthält zwangsläufig einen Unsicherheitsfaktor, da die graphische Darstellung der jeweils beschriebenen Protasis nicht bekannt ist und allein die Ähnlichkeit der Abbildung mit einer schriftlichen Aussage kein ausreichendes Argument ist (s.S. 85). Wenn im Verlauf der Arbeit in einigen Fällen trotzdem zu dieser Verfahrensweise gegriffen wird, so ist das daraus resultierende Ergebnis nur unter Vorbehalt aufzunehmen. Die Kombination zwischen einer bestimmten Veränderung und einem Leberteil wurde als Zeichen aufgefaßt — in den Texten als verbales, in den Darstellungen als graphisches Zeichen — , das zunächst nur eine Ausgangssituation — die Protasis — verständlich macht. Die Zeichen vermitteln erst dann die aus der Protasis resultierende Omenaussage (Apodosis), wenn sie wiederum in einem übergeordneten System von Funktionen eingebunden sind. Die einfachste Form dieses Systems läßt sich in einer Formel, wie folgt, darstellen:

Z = f (Element d. Markenklasse A + Element d. Markenklasse B) ⇒Tendenz der Omenaussage

$$Z = f\,(A+B) \Rightarrow \pm$$

Dieses Zeichensystem kann aber nur dann verbindlich sein, wenn für die einzelnen Zeichen eine Zeicheninvarianz besteht; bei einer bestimmten Markenkombination (Zeichen) muß das sich daraus bedingende Ergebnis immer die gleiche Tendenz aufweisen, d.h. für den jeweiligen Fragesteller muß sich ein günstiges oder ungünstiges Omen ergeben. Unter Tendenz einer Omenaussage soll ihr positiver oder negativer Charakter verstanden werden. Die strikte Einhaltung dieser Forderung geht aus einer Vielzahl von Protasen in Omentexten hervor, für die Duplikate belegt sind und deren Apodosen immer vergleichbare Ergebnisse aufweisen. Aus der Datierung dieser Texte wird ersichtlich, daß die geforderte Zeicheninvarianz während des gesamten Zeitraums der Ausübung der Leberschau bestanden hat (vgl. z.B. die von NOUGAYROL 1950:1–40 veröffentlichten Omentexte mit entsprechenden Duplikaten, die von der altbabylonischen bis zur spätbabylonischen Zeit datiert werden). Diese Feststellung erlaubt für die Auswertung der Darstellungen auf den Tonlebermodellen auch Textmaterial zu verwenden, das nicht aus der gleichen Periode stammt wie die Modelle.

Die theoretische Rekonstruktion des Zeichensystems soll zunächst anhand schriftlich formulierter Omentexte durchgeführt werden, da dieses Material umfangreicher ist als das der graphischen Darstellungen.

Dieses Verfahren ist aus dem Grund auch erlaubt, da beiden Darstellungsweisen — der schriftlichen und der graphischen — die gleiche Systematik zugrunde liegen muß (s.S. 84–85). Mit Hilfe des so erstellten Zeichensystems wird dann versucht, die graphischen Darstellungen auf den Tonlebermodellen zu interpretieren.

Ein von J. Nougayrol (1945/46:79–80) zitierter Text (AO 6454 = TCL 6 4) soll im folgenden dazu dienen, die Grundlagen der Omenauswertung und die ihr immanente Systematik zu verdeutlichen:

BE *ina* SAG ZÉ BAR-*tum* 15 SÙḪ *ina* KUR GAR-*an*
"Wenn auf dem Kopf der Gallenblase ein Kreuz (vorhanden ist): die Göttin wird Verwirrung ins Land schicken" (TCL 6 4 Rs.7)

Das in diesem Text verwendete Zeichen (Z), aufgefaßt als Funktion von Marken der Klasse A und B, kann durch folgende Formel ausgedrückt werden:

Z = f ("Kopf der Gallenblase" + "Kreuz") ⇒negatives Omen für den Fragesteller

$$Z = f(A^{+} + B^{-}) \Rightarrow -$$

Das Zeichen (Z), bestehend aus einer als "Kreuz" (*pillurtu*) bezeichneten Veränderung (Markenklasse B), die sich auf dem "Kopf der Gallenblase" (SAG ZÉ) befindet (Markenklasse A), besitzt eine negative Tendenz. Wie das gleiche Krankheitsbild (Klasse B) durch Auftreten in anderen Zonen des Leberteiles (oder auf einem anderen Leberteil) bereits eine andere Tendenz der Omenaussage hervorrufen kann, zeigt der weitere Verlauf dieses Textes:

BE *ina* SAG 150 ZÉ BAR-*tum* SÙH *ina* KUR KÚR GÁL-*ši*
"Wenn auf dem Kopf der linken Seite der Gallenblase ein Kreuz (vorhanden ist): Verwirrung wird im Land des Feindes vorhanden sein" (TCL 6 4 Rs 13)

Z = f (Gebiet links von "Kopf der Gallenblase" + "Kreuz") ⇒positives Omen für den Fragesteller

$$Z = f(A^{-} + B^{-}) \Rightarrow +$$

Wenn die jeweilige Zeichenbedeutung (Tendenz) als Funktion aus je einem Element der Mengen A und B aufgefaßt werden kann, dann ist die Tendenz der Omina abhängig von dem Aussagewert der einzelnen Elemente. Daher soll im folgenden nach einem Code gesucht werden, der die Auswertung der einzelnen Elemente ermöglicht.

Interpretation der Leberteile (Markenklasse A)

In Klasse A werden die morphologischen Bestandteile der Leber zusammengefaßt, die entweder zur Gruppe *šīru* (Fleisch; Klasse AI) oder *uṣurtu* (Zeichnung; Klasse AII) gehören: Beide Markenklassen weisen eine horizontale (das eigentliche Organteil sowie die Gebiete rechts und links davon) und eine vertikale ("Kopf", "Mitte" und "Fundament") Dreiteilung auf (s.S 69–72). Die schematische Wiedergabe eines Leberbereichs ergibt folgendes Bild:

Leberteil

links		rechts	
−	+	+	Kopf
−	+	+	Mitte
−	+	+	Fundament

Betrachtungsrichtung

Aus dem weiteren Verlauf des bereits zitierten Textes TCl 6 4 ergibt sich der Wert (Tendenz) einzelner Teilgebiete (*ašru*) im Bereich (*mātu*) der Gallenblase:

BE *ina* MÚRU ZÉ BAR-*tum* d15 *gaba-rah-ha ina* KUR GAR-*an*
"Wenn in der Mitte der Gallenblase ein Kreuz (vorhanden ist): die Göttin wird Verzweiflung im Lande festsetzen" (TCL 6 4 Rs 8)

Z = f ("Mitte der Gallenblase" + "Kreuz") ⇒negatives Omen für den Fragesteller

$$Z = f(A^{+} + B^{-}) \Rightarrow -$$

BE *ina* SIG ZÉ BAR-*tum* DINGIR SÙḪ *ina* IGI KÁ.GAL.MU GAR-*an*
"Wenn an der Einschnürung der Gallenblase ein Kreuz (vorhanden ist): der Gott wird Verwirrung vor mein Stadttor setzen" (TCL 6 4 Rs 9)

Z = f ("Fundament der Gallenblase" + "Kreuz") ⇒negatives Omen für den Fragesteller

$$Z = f(A^{+} + B^{-}) \Rightarrow -$$

BE *ina* SAG 15 ZÉ BAR-*tum* SÙḪ *ina* KUR GÁL-*ši*
"Wenn an dem Kopf der rechten Seite der Gallenblase ein Kreuz (vorhanden ist): Verwirrung wird im Land vorhanden sein" (TCL 6 4 Rs 10)

Z = f ("Kopf der rechten Seite der Gallenblase" + "Kreuz") ⇒negatives Omen für den Fragesteller

$$Z = f(A^{+} + B^{-}) \Rightarrow -$$

BE *ina* MÚRU 15 ZÉ BAR-*tum* MÚRU URU NIGIN-*ma in-neš-ši*
"Wenn in der Mitte der rechten Seite der Gallenblase ein Kreuz (vorhanden ist): das Zentrum der Stadt wird belagert und fortgetragen werden" (TCL 6 4 Rs 11)

Z = f ("Mitte der rechten Seite der Gallenblase" + "Kreuz") ⇒negatives Omen für den Fragesteller

$$Z = f(A^{+} + B^{-}) \Rightarrow -$$

BE *ina* SIG 15 ZÉ BAR-*tum sag-ga-šá-a-tum ina* KUR GAL-*ši*
"Wenn an der Einschnürung der rechten Seite der Gallenblase ein Kreuz (vorhanden ist): Morden wird im Lande vorhanden sein" (TCL 6 4 Rs 12)

Z = f ("Fundament der rechten Seite der Gallenblase" + "Kreuz") ⇒negatives Omen für den Fragesteller

$$Z = f(A^{+} + B^{-}) \Rightarrow -$$

BE *ina* MÚRU 150 ZÉ BAR-*tum* MÚRU URU KÚR NIGIN-*ma in-neš-ši*
"Wenn in der Mitte der linken Seite der Gallenblase ein Kreuz (vorhanden ist): das Zentrum der Stadt des Feindes wird belagert und wird weggetragen werden" (TCL 6 4 Rs 14)

Z = f ("Mitte der linken Seite der Gallenblase" + "Kreuz") ⇒positives Omen für den Fragesteller

$$Z = f(A^{-} + B^{-}) \Rightarrow +$$

BE *ina* SIG 150 ZÉ BAR-*tum sag-ga-šá-a-tum ina* KUR KÚR GAL-*ši*
"Wenn an der Einschnürung der linken Seite der Gallenblase ein Kreuz (vorhanden ist): Morden wird im Lande des Feindes vorhanden sein"

Z = f ("Fundament der linken Seite der Gallenblase" + "Kreuz") ⇒positives Omen für den Fragesteller

$$Z = f(A^- + B^-) \Rightarrow +$$

Auffällig ist der sehr schematische Aufbau dieser lehrbuchhaft wirkenden Reihe von Omina, die nahezu wörtliche Entsprechungen für jeweils korrespondierende Gebiete enthalten. Vergleicht man die Aussagen für die Zonen, die sich jeweils rechts und links des eigentlichen Organs — der Gallenblase — befinden, miteinander, dann liegt der einzige, jedoch für die Auswertung ausschlaggebende Unterschied darin, daß auf der rechten Seite ein Bezug zu dem eigenen Land zum Ausdruck kommt, während auf der linken Seite sich die Aussage auf das Land des Feindes bezieht. Es zeigt sich ein Gegensatz zwischen dem Gebiet des Feindes (linke Seite) und dem eigenen Gebiet (rechte Seite), zu dem — nach Art und Aussage der Apodosen — auch das Organ selbst, die Gallenblase, zu zählen ist. Die Zuordnung geht aus der Tendenz der für diesen Bereich beschriebenen Omina hervor, die mit der Tendenz der entsprechenden Bereiche auf der rechten Seite übereinstimmen; darüber hinaus weist auch die Hervorhebung des göttlichen Einflusses auf die Ereignisse, die in den Apodosen für die einzelnen Zonen der Gallenblase selbst (SAG ZÉ, MÚRU ZÉ, SIG ZÉ) geschildert werden, auf eine besondere Bedeutung dieser Zonen hin.

Aus der schematischen Gliederung geht eine Opposition von rechts und links hervor: Auf der rechten Seite ("dem eigenen Gebiet") werden günstige Omina erwartet, auf der linken Seite ("dem Gebiet des Feindes") dagegen ungünstige. Dieser Gegensatz tritt auch in den Einleitungsformularen der Opferschaurituale auf; durch Gebete werden für die rechte Seite der Leber bzw. die günstigen (eigenen) Bereiche der Leberteile (*ikrib imitti*) positive Weissagungen, für die linken Gebiete dagegen negative Weissagungen erbeten (*ikrib šumēli*) (vgl. dazu ausf. STARR 1974:57–65). Diese Opposition von rechts und links bildet die Grundlage der Omen-"Wissenschaft". Daher ist es naheliegend, daß die Auswertung der Omina nach dem Prinzip pars familiaris versus pars hostilis erfolgt: Aus der Sicht des Fragestellers werden im Verlauf der Interpretation einzelner Leberteile auf den jeweils als rechts bezeichneten Zonen (*ašru*) — pars familiaris — günstig zu interpretierende Krankheitsbilder erwartet, auf den zur linken Seite gehörenden Zonen — pars hostilis — dagegen ungünstige.

Schon J. Nougayrol hat auf die Grundzüge dieses Prinzips hingewiesen (NOUGAYROL 1945/46:80), aber, ebenso wie J. Starr (1974:11–16), eine konstante, alle Bereiche gleichermaßen betreffende Opposition zwischen der jeweils rechten und linken Seite angenommen, wie sie auch aus dem oben zitierten Beispiel hervorgeht. Die Einteilung der Schulleber BM 50494 zeigt aber, daß die rechte Seite immer eine günstige Zone für den Fragesteller bedeutete und die linke Seite entsprechend eine ungünstige, doch welche Zone eines Leberbereichs jeweils als "rechts" oder "links" verstanden wird, kann variieren; "rechts" und "links" sind nur als Synonym für "günstig" und "ungünstig" bzw. für "eigene Seite" und "Seite des Feindes" zu verstehen. Offensichtlich beruht auch die Zuordnung einzelner Zonen — ihre Wertigkeit (Tendenz) — auf Übereinkunft der Wahrsager und stellt somit Teil des Codes dar, der nur mit Hilfe der Texte verständlich wird.

Für die Zielsetzung der Arbeit ist es daher notwendig, für jeden Bereich ein Diagramm zu erstellen, aus dem hervorgeht, welche Zonen eines Leberteils positiv und welche negativ zu bewerten sind, d.h. welche zur pars familiaris und welche zur pars hostilis gehören. Aufgrund einer Analyse des hier zitierten Textes TCL 6 4 lassen sich die Zonen des Bereichs der Gallenblase in einem Diagramm wie folgt gliedern und bewerten:

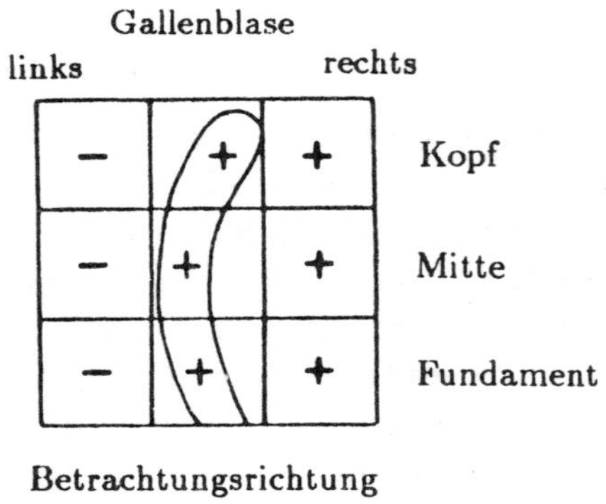

Interpretation der Krankheitsbilder (Markenklasse B)

In Klasse B sind die möglichen pathologischen Veränderungen einzelner Leberteile zusammengefaßt; sie lassen sich ebenfalls in zwei Gruppen untergliedern: Veränderungen, die durch Applikationen (*šību?*) dargestellt werden und solche, die durch Ritzungen (*uṣurātu*) gekennzeichnet werden (s.S. 72–73).

Krankheitsbilder können in allen Zonen eines Leberbereichs auftreten. Die zahlreichen Möglichkeiten, derartige Anomalien zu beschreiben, sind hier nicht im einzelnen darzustellen; daher soll nur auf Veränderungen eingegangen werden, die auf den Tonlebermodellen vorkommen bzw. deren graphische Darstellung mit schriftlichen Quellen in Übereinstimmung gebracht werden kann.

Im allgemeinen ist in den Omentexten zwischen nominal und verbal beschriebenen Veränderungen zu unterscheiden. Die Bedeutung der nominal gebildeten Marken für die Omenauswertung geht bereits aus der Erstellung von Kompendien für einzelne Krankheitsbilder hervor (z.B. *šēpu* YOS X 44,50; *kakku*: YOS X 43,46; vgl. auch die zahlreichen z.T. bereits erwähnten jüngeren Texte GIŠ.TUKUL betreffend). Zu dieser Gruppe gehören u.a. auch die Marken *pillurtu* "Kreuz", *ziḫḫu* "Pustel", *šīlu* "Loch", *kakku* "Waffe", *šēpu* "Fundament". Auf die jeweilige ominöse Bedeutung der einzelnen Marken, d.h. auf die Frage, ob mit ihrem Auftreten ein günstiger oder ungünstiger Befund verbunden ist, soll ebenfalls in Kapitel IV ausführlich eingegangen werden.

Die grundsätzlich negative Formulierung aller Omenaussagen in dem oben zitierten Text TCL 6 4 läßt aber darauf schließen, daß eine als *pillurtu* "Kreuz" bezeichnete Erscheinung auf der Leberoberfläche immer, unabhängig vom topographischen Ort des Auftretens, ungünstig zu bewerten ist (dazu NOUGAYROL 1945/46: 79–80 m. Belegen; MEYER 1984; vgl. die negative Bewertung einer so bezeichneten Erscheinung in astronomischen Texten, LARGEMENT 1957: 250,89). Daher kann die Marke *pillurtu* als eine Negativmarke angesehen werden, deren Vorhandensein zunächst immer ein ungünstiges Omen bedeutet. Nun geht aber aus dem hier zitierten Text hervor, daß sich in allen zur "linken Seite" gehörenden Zonen (pars hostilis) die ungünstigen Aussagen auf "die Feinde" beziehen, nicht auf den Fragesteller bzw. auf das "eigene Land". Aufgrund dieses Bezugs der negativen Ereignisse auf "den Feind" stellen die betreffenden Omenaussagen eine günstige Deutung für den jeweiligen Fragesteller dar. Auch in den *ikrib šumēli*, den "Gebieten der linken Seite", werden ausdrücklich ungünstige Erscheinungsbilder erbeten (z.B. HSM 7494,76), um dadurch ein günstiges Omen für sich selbst zu erwirken. Aus dieser Verfahrensweise läßt sich ein wichtiges Prinzip der Auswertung von Erscheinungsbildern auf der Leberoberfläche ableiten: Eine doppelte Negation, d.h. das Auftreten einer ungünstigen Marke in einer ungünstigen Zone, verwandelt die an sich negative Aussage (das Vorkommen einer Negativmarke) in eine positive Deutung für den Fragesteller (ein ungünstiges Omen für den "Feind" ist eine günstige Vorhersage für "mich"). Die in den Texten durch Verben wiedergegebenen Veränderungen hat J. Starr in seiner Arbeit über das *bārû*-Ritual ausführlich behandelt. Es lassen sich Gegensatzpaare wie z.B. *šalāmu* "wohlbehalten", "unversehrt" — *paṭāru* "zerrissen" erkennen, deren Auftreten ebenfalls nach dem Prinzip pars familiaris versus pars hostilis erbeten wird: Verben mit positiver Bedeutung (z.B. *kapāsu* "sich zusammenziehen", *kânu* "fest sein", *šalāmu*) werden in den günstigen Zonen der Leberbereiche erwartet, solche mit einer negativen Bedeutung (z.B.

naparqudu "auf den Rücken fallen", *nasāḫu* "ausreißen", *paṭāru*) in den ungünstigen Zonen (vgl. STARR 1974:31 m. weiteren Beispielen). Daraus ergibt sich eine positive Omenaussage für den Fragesteller; werden mit diesen Verben umschriebene Veränderungen auf der jeweils entgegengesetzten Seite beobachtet, dann resultiert daraus für den Fragesteller ein negatives Omen.

Neben dieser Verwendung von Gegensatzpaaren, die auch häufig in Protasis und Apodosis der Omentexte miteinander korrespondieren, können die Veränderungen auch mit "einfachen" Verben beschrieben werden. Das in der Beschreibung verwendete Bild drückt häufig bereits die enthaltene Tendenz aus, die durch den Gebrauch bestimmter Verbformen noch betont wird; die ominöse Bedeutung ist dann wiederum abhängig vom topographischen Ort, auf dem das jeweilige Bild vorkommt. Bei dieser Art der Beschreibung überwiegen Verbformen, die eine ungünstige Tendenz beinhalten (z.B. *palāšu* "durchbohren", *maḫāṣu* "schlagen", *kasāsu* "abschneiden"), und damit auf eine vorwiegend negative Auslegung der Veränderungen des als normal definierten Zustandes hinweisen.

Die Darstellung aller Krankheitsbilder auf den Tonlebermodellen erfolgt wiederum nach einem Code, der jeder Veränderung eine bestimmte Darstellungsform zuweist. Formale Ähnlichkeiten zwischen sprachlichem Bild und graphischem Abbild treten zwar auf, sind aber nicht notwendig; die Beziehung kann ebenfalls durch ein System festgelegt werden. Aufgabe der weiteren Arbeit wird es sein, die einzelnen, auf Tonmodellen auftretenden Krankheitsbilder ausführlich zu beschreiben und in einem Repräsentationsschema zusammenzufassen.

Auswertung der Zeichen

Das Repertoire — die Gesamtheit aller Elemente beider Markenklassen — erscheint zunächst sehr groß, doch durch die ordnende Funktion des Codes wird die Anzahl der Kombinationsmöglichkeiten eingeschränkt. Die Zeichen bestehen aus jeweils einem Element der beiden Markenklassen A und B. Da die einzelnen Elemente (Marken) entweder eine positive oder eine negative Tendenz im Sinne der Omina aufweisen, stehen theoretisch vier Kombinationen zur Bildung von Zeichen zur Verfügung (unter Einbeziehung der Abweichung der Leberteile selbst von einem als normal definierten Zustand):

$$Z = f(A^{+} + B^{+}) \Rightarrow +$$
$$Z = f(A^{+} + B^{-}) \Rightarrow -$$
$$Z = f(A^{-} + B^{+}) \Rightarrow -$$
$$Z = f(A^{-} + B^{-}) \Rightarrow +$$
$$Z = f(A^{+} \Rightarrow B^{+}) \Rightarrow +$$
$$Z = f(A^{+} \Rightarrow B^{-}) \Rightarrow -$$

Die ominöse Bedeutung (Tendenz) eines Zeichens ist abhängig von der Tendenz der beiden Marken, die zur Bildung des Zeichens verwendet werden. Da jede Marke eine positive oder negative Bedeutung (im Sinne der Omina) besitzt, liegt für beide Wahlmöglichkeiten — zwischen jeweils einem Element der beiden Markenklassen A und B — eine binäre Opposition (Disjunktion) vor, d.h. eine maximale Schwankung zwischen ja und nein, positiv und negativ. Insofern ist es möglich, die Axiome der Informationstheorie auch auf die Interpretation der Zeichen auf den Tonlebermodellen anzuwenden.

Ein Zeichen stellt ein Ereignis (Botschaft) aus insgesamt vier jeweils binären (positiv und negativ) Wahlmöglichkeiten dar. Die Beziehung zwischen einer Reihe von Ereignissen (mögliche Markenkombinationen) und einer Reihe von damit verbundenen Wahrscheinlichkeiten wird nach den Gesetzen der Informationstheorie durch das Verhältnis einer arithmetischen Progression und einer geometrischen Progression ausgedrückt; die Reihe der Wahrscheinlichkeit (das Zutreffen eines bestimmten Ereignisses, d.h. positives oder negatives Zeichen) besteht aus dem Logarithmus der Anzahl der möglichen Ereignisse:

$$Z = {}_{2}\log 4 = 2$$

Für das Erkennen der Tendenz eines Zeichens bleibt nur eine Alternative zwischen zwei Wahlmöglichkeiten (Informationen). Demnach benötigt der Wahrsager für das Erkennen eines Zeichenwertes (Tendenz) nur zwei bit Informationen:

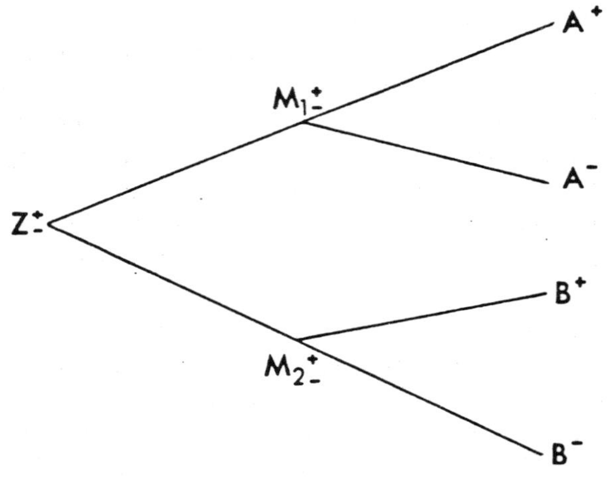

Somit handelt es sich bei dem Zeichensystem, das den graphischen Kennzeichnungen auf den Tonlebermodellen zugrunde liegt, um ein System von geringer Entropie (Unordnung). Nur zwei Wahlmöglichkeiten (Informationen) reichen aus, um ein Zeichen zu identifizieren und mit Hilfe des Codes, der den Elementen der Markenklasse eine positive oder negative Tendenz zuschreibt, auch (im Sinne der Omina) zu bewerten (Botschaft). Bei Kenntnis des Codes ist es daher einfach, aus einer beobachteten Veränderung eines Leberteiles eine Omenausssage zu treffen bzw. aus der Darstellung auf einem unbeschrifteten Lebermodell eine bestimmte Markenkombination sowie die daraus resultierende ominöse Deutung zu entnehmen.

Zur Interpretation der unbeschrifteten Tonlebermodelle ist es daher erforderlich, den zugrundeliegenden Code, der die Beziehung der einzelnen Marken untereinander sowie die ominöse Bedeutung der Zeichen festlegt, zu rekonstruieren. Deshalb sind zunächst die Kriterien für die Darstellungsweise der einzelnen Marken (Leberteile und Krankheitsbilder) bzw. Markenkombinationen (Zeichen) zu untersuchen (Zeichensystem). Weiterhin muß der Charakter der Krankheitsbilder (Markenklasse B) — deren positiver oder negativer Wert — erschlossen werden. Eine schematische Einteilung der einzelnen Leberbereiche in Zonen (*ašru*), die entweder als günstig oder ungünstig anzusehen sind, sowie die Zuordnung der Anomalien in diesen Zonen (Zeichenbildung) ermöglicht dann das Erkennen der Omenaussage (Bewertungssystem).

Im folgenden soll versucht werden, mit Hilfe des illustrierten Textmaterials (beschriftete Lebermodelle und illustrierte Omentexte) den Code, der die Positionen der Zeichen in den beiden (übereinanderliegenden) Systemen bestimmt, zu rekonstruieren. Nur für die nicht bestimmbaren Zeichen müssen — in dem vertretenen Rahmen (dazu s.S. 86) — Entsprechungen in der "normalen" Omenliteratur gesucht werden.

Die Krankheitsbilder auf den beschrifteten Tonlebermodellen

Die Möglichkeiten der graphischen Kennzeichnung von Krankheitsbildern und die Bedeutung einzelner Zeichen (Markenkombinationen) sollen zunächst anhand der beschrifteten Modelle sowie der illustrierten Omentexte untersucht werden. In diesen Beispielen ist eine Übereinstimmung von Wort und Bild, d.h. von Darstellung und beigefügtem (erklärendem) Text zu erwarten. Aus der Abhängigkeit dieser beiden Formen der Wiedergabe von Omina resultieren Aufschlüsse über das System der Darstellung von Leberschaubefunden (Zeichensystem). Die Abfolge der Besprechung einzelner Leberteile und ihrer Veränderungen erfolgt entsprechend der Abfolge, die sich aus dem Verlauf der Opferschau ergibt. Nach einer Einteilung des jeweiligen Teilbereichs in günstige und ungünstige Gebiete (*mātu*) und Zonen (*ašru*) soll zunächst die

"Normalform" des betreffenden Leberteils, d.h. dessen graphische Darstellung in unverändertem Zustand aufgezeigt bzw. erschlossen werden. Im Anschluß daran werden dann alle Veränderungen besprochen, die für das betreffende Leberteil auf den beschrifteten Modellen (bzw. in den illustrierten Omentexten) zu belegen sind. Daraus ergibt sich ein Repertoire von Zeichen sowie — aus der Verbindung von Text und Darstellung — das System der Zeichenbildung; zugleich resultiert aus dieser Verbindung aber auch die ominöse Bedeutung der Zeichen, die positive oder negative Omenaussage (Bewertungssystem).

Mit Hilfe des so erhaltenen Repertoires von Zeichen und den Prinzipien der Zeichenbildung — auf welche Weise schriftlich formulierte Omina in Zeichen (Markenkombinationen) umgesetzt werden können — soll versucht werden, auch die unbeschrifteten Modelle zu interpretieren. Im Zusammenhang mit einzelnen Zeichen ist auf weitere Gesetzmäßigkeiten der Auswertung einzugehen, die bisher nicht berücksichtigt wurden. Dabei handelt es sich um Erweiterungen der weiter oben dargelegten Prinzipien; diese Erweiterungen erlauben von der Regel abweichende, jedoch ebenfalls systematisierte Interpretationsmöglichkeiten.

Die einzelnen Leberteile und deren Veränderungen (graphische Darstellung und Deutung)

mazzāzu "Standort"

Den Beginn einer Inspektion stellt immer die Untersuchung des Bereichs *mazzāzu* "Standort" dar. Nach Aussage des Textes auf der Schulleber BM 50494 besitzt das Gebiet (*mātu*), in dem sich bei einer Inspektion festgestellte Veränderungen auf diesen Bereich beziehen, eine große Ausdehnung. Den Verfassern dieser Schulleber stand ein derart großer Raum für die Beschreibung zur Verfügung, weil dieser Teilbereich nahezu den — aus babylonischer Sicht — gesamten rechten Leberlappen umfaßt. Außerdem ist die ausführliche Behandlung des Leberteiles *mazzāzu* auf die komplexe strukturelle Gliederung dieses Bereiches zurückzuführen, die eine wesentliche Rolle bei der ominösen Auswertung spielt:

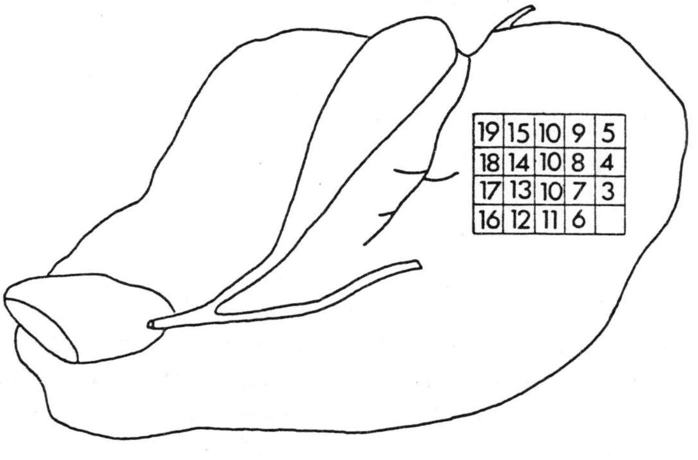

Zeilen der Schulleber BM 50494, die sich auf den Bereich *mazzāzu* "Standort" beziehen

Das eigentliche Organteil (Z. 10) — der Abdruck des Netzmagens (impressio reticularis) — sowie die unmittelbar rechts (Z. 7–9) und links (Z. 13–15) angrenzenden Gebiete bilden den Kern des Bereiches *mazzāzu*; außerdem sind noch zwei weiter rechts (Z. 3–5) bzw. links (Z. 17–19) gelegene Abschnitte dem "Wirkungsbereich" des "Standortes" hinzuzurechnen, so daß auch im weiteren Umfeld (=*tarbaṣu* "Hof", s.S. 97–98) auftretende Veränderungen auf diesen Bereich bezogen werden können.

Für alle fünf Gebiete ist eine vertikale Dreiteilung in Kopf (*rēšu*), Mitte (*qablu*) und Fundament (*išdu*) belegt. Zur Mitte der Leber hin wird der Bereich *mazzāzu* durch eine weitere vertikale Kette von Zonen (*ašru*) abgegrenzt (Z. 6.11.12.16), deren Positionen — mit Ausnahme des Gebiets auf der äußersten rechten Seite (Z.6 = SUR *naṣrapti*, s.S. 119) — jeweils den einzelnen Gebieten entsprechen; die aus dieser

Gliederung resultierende fünffache horizontale Unterteilung spiegelt zwar ein jüngeres, vermutlich stark theoretisiertes Schema wider, das aber grundsätzlich auch auf die während des 2.Jts. v.Chr. geltenden Grundlagen der Auswertung übertragen werden kann. Alle auftretenden Krankheitsbilder sollen nach ihrer Zugehörigkeit zu einer dieser neunzehn Zonen untersucht und gedeutet werden.

Im Gegensatz z.B. zu den Bereichen der Gallenblase (*martu*) oder des Leberfingers (*ubānu*) basiert diese Gliederung nicht auf einer real-medizinisch begründeten Einteilung, sondern es handelt sich um eine künstliche, für die Bedürfnisse der Opferschau vorgenommene Gliederung in Zonen. Hierin sind die Ansätze eines esoterischen Aufbaus der Omenlehre zu erkennen, durch die die Leberschau zu einer Geheimlehre (*niṣirti bārûti*, dazu BORGER 1957: 190–195) wird, die nur noch Eingeweihten — den *bārû* — verständlich ist.

Auch die Tendenz einzelner Zonen, die für die Auswertung von Krankheitsbildern besondere Relevanz besitzen, geht aus dem Text auf der Schulleber BM 50494 hervor und wird durch zahlreiche weitere Omentexte sowie durch die Inschriften auf den Tonlebermodellen bestätigt:

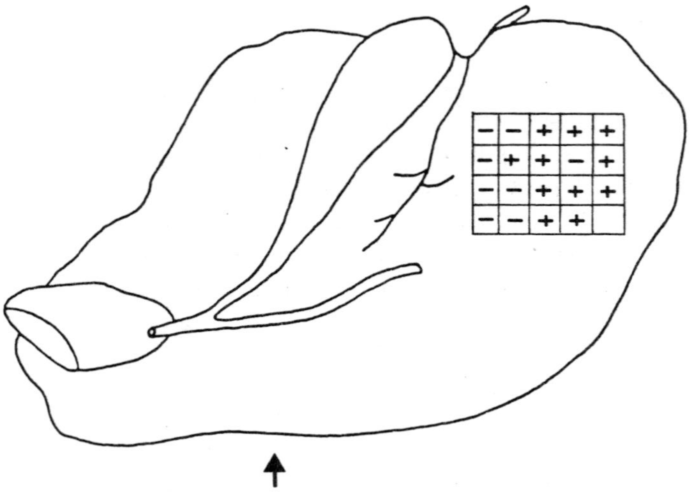

Betrachtungsrichtung

Tendenz der einzelnen Teilbereiche des *mazzāzu* "Standort"

Das zentrale Gebiet (*mātu*) des Organs wird in seiner Gesamtheit (Kopf, Mitte, Fundament) als günstige Zone aufgefaßt (pars familiaris), so daß jede Beobachtung einer als negativ angesehenen Veränderung einen ungünstigen Omenausgang hervorruft. Aufgrund der Opposition von rechts und links sowie den daraus sich ergebenden Zuordnungskriterien gehört auch das Gebiet auf der rechten Seite des "Standorts" zu den günstigen Zonen, das Gebiet auf der linken Seite dagegen zu den ungünstigen. In diesem Fall trifft allerdings eine einheitliche Zuordnung aller Zonen (Kopf, Mitte, Fundament) eines Gebiets (rechts bzw. links) zu einer der beiden Auswertungsrichtlinien — pars familiaris oder pars hostilis — nicht zu; die mittleren Zonen unterliegen einer Vertauschung ihrer Wertigkeit (Tendenz), d.h. die mittlere Zone auf der rechten Seite des "Standortes" (MÚRU *imitti mazzāzi*) besitzt, entgegen der allgemeinen Tendenz, einen negativen Aspekt, die der linken Seite (MÚRU *šumēli mazzāzi*) einen positiven. Entsprechend ändert sich auch die aus den jeweils festgestellten Befunden resultierende Omensaussage. Diese Abweichung wurde von U. Jeyes mit einer Notiz aus der zweiten Tafel der systematisierten Serie *multabiltu* in Zusammenhang gebracht (JEYES 1978: 230) und trifft nicht nur für den Bereich von *mazzāzu* zu:

MÚRU.MEŠ *sar-ra-tu*$_4$

"Die Mitten sind falsch" (CT 20 44,52)

Aus dieser Textstelle geht eine bereits seit der altbabylonischen Zeit nachzuweisende Änderung der Tendenz rechts und links der Mitte eines Leberteils gelegenen Zonen gegenüber den oberen (Kopf) und unteren (Fundament) Zonen hervor; allerdings trifft diese Feststellung nicht für alle Leberteile zu (vgl. dazu die entsprechenden Hinweise bei den einzelnen Leberteilen). Anhand einer Reihe von paradigmatisch aufzufassenden Beispielen, bei denen das gleiche Krankheitsbild (*šīlu*) auf verschiedenen Zonen des "Standortes" zu unterschiedlichen Deutungen führt, soll das System der Auswertung exemplarisch illustriert werden; die durch *šīlu* beschriebene Veränderung wurde deshalb gewählt, weil sie auf den Tonlebermodellen häufig belegt ist (vgl. MAH 15874 = NOUGAYROL 1950:33–40 mit weiteren Duplikaten):

allgemein:

⌈BE⌉ *ina* 15 NA U ⌈ŠUB⌉-*di* SU[B-*t*]*i* ERÍN-*ni*
"Wenn auf der rechten Seite des Standortes ein Loch (vorhanden ist): Niederlage der Armee" (STT 308 III,3)

Tendenz: negativ

BE *ina* 150 NA U ŠUB-*di* ŠU[B-*t*]*i* E[RÍN] KÚR
"Wenn auf der linken Seite des Standortes ein Loch vorhanden ist: Niederlage der Armee des Feindes" (STT 308 III,4)

Tendenz: positiv

für die Zonen der rechten Seite des "Standortes":

DIŠ *i-na re-eš* IGI.BAR *i-na i-mi-tim ši-lum na-di i-na*
aš-ta-pi-ir bi-it LÚ *ma-ma-na-an i-ma-at ša-nu šum-šu*
na-am-ta-li ba-ra-ar-tim
"Wenn auf dem Kopf des Standortes, auf der rechten Seite, ein Loch vorhanden ist: aus dem Gesinde des Hauses eines Mannes wird jemand sterben; seine andere Bedeutung: Finsternis in der ersten Nachtwache" (YOS X 17,49)

Tendenz: negativ

[DIŠ] *i-na qá-ab-li-at* IGI.BAR *i-na i-mi-ti ši-lum na-di*
i-na a-ḫi-at LÚ (über Rasur) *ma-ma-na-[an] i-ma-at*
ša-nu šum-šu na-am-ta-al-li qá-ab-li-tim
"[Wenn] in den mittleren Teilen des Standortes, auf der rechten Seite, ein Loch vorhanden ist: aus der Umgebung des Mannes wird jemand sterben; seine andere Bedeutung: Finsternis in der zweiten Nachtwache" (YOS X 17,50)

Tendenz: unbestimmt

[DIŠ *i*]-*na iš-di* IGI.BAR *i-na i-m*[*i*]-*ti ši-lum na-di*
i-n[*a n*]*i-šu-ut* LÚ *ma-ma-na-an* (Rasur) *i-ma-at* [*š*]*a-nu šum-šu*
na-am-ta-al-li ša-tu-r[*i*]-*im*
"[Wenn a]m Fundament des Standortes, auf der rechten Seite, ein Loch vorhanden ist: aus der Verwandtschaft des Mannes wird jemand sterben; seine andere Bedeutung: Finsternis in der dritten Nachtwache" (YOS X 17,51)

Tendenz: negativ

[DIŠ *i-na r*]*e-eš* IGI.BAR *i-na* ŠÀ *ši-lum na-di*
⌈LÚ *mu*⌉-*ut s*[*i-im*]-*ti-šu i-ma-at* ⌈*ša-nu*⌉ *šum-šu*! *na-a*[*m-t*]*a-al-lu-um*
"[Wenn auf dem Ko]pf des Standortes, in seinem Inneren (?) ein Loch vorhanden ist: der Mann wird eines natürlichen Todes sterben; seine andere Bedeutung: Finsternis" (YOS X 17,53)

Tendenz: negativ

D[IŠ *i-n*]*a* ⌈*qá*⌉-*ab-li-at* IGI.BAR *i-na* ŠÀ *š*[*i-lum na-di*

LÚ] ⌈*e*⌉-*nu we-du-um i-ma-at* LÚ! (Text: LU) *pa*!-*ši*-⌈*šu*⌉ *w*[*e-d*]*u-u*]*m*
i-ma-at ⌈*ša-nu šum-šu ki*⌉-*i*[*š n*]*a-ri-im*
"Wenn in den mittleren Teilen des Standortes, in seinem Inneren, ein Loch vorhanden ist: ein hochgesalbter *enu*-Priester wird sterben; seine andere Bedeutung: Macht (?) des Flusses (Flußordal)" (YOS X 17,54; vgl. CAD K 463a)

Tendenz: negativ

Für die dritte Zone, das Fundament des "Standortes", sind die entsprechenden Texte (z.B. NOUGAYROL 1950:39–40; YOS X 15,55) zwar nicht vollständig erhalten, doch ist, in Analogie zu vergleichbaren Beispielen (s.u.), ebenfalls eine ungünstige Aussage zu erwarten.

Die Zonen der linken Seite des "Standortes" werden in dem Text nicht ausdrücklich behandelt, doch erlaubt die Inschrift auf dem Lebermodell KUB 37,217 (= Bo 2) Hinweise auf die Auswertung dieses Gebietes:

i-na MÚRU GÙB KI.GUB *ši-lum na-di* MUNUS *a-ḫi-it* LÚ BA.ÙŠ
"In der Mitte links vom Standort ist ein Loch vorhanden: eine Frau in der Umgebung des Mannes wird sterben" (dazu ausf. s.S. 101)

Tendenz: unbestimmt

Das Vorkommen eines Loches (*šīlu*) in den benachbarten Zonen "Kopf der linken Seite des Standortes" (*ina rēš* KI.GUB *šumēli*) und "Fundament der linken Seite des Standortes" (*ina išdi* KI.GUB *šumēli*) führte zu einem günstigen Ergebnis für den Fragesteller (vgl. TCL 6 5, RS 21–22, s.S. 101).

Aus der Beobachtung des gleichen Krankheitsbildes (*šīlu*) in verschiedenen Zonen des "Standortes" resultiert immer eine ungünstige Omendeutung, die mit "Tod" beschrieben wird. Auch bei diesem Beispiel ist wiederum auf die symbolische Bedeutung der verwendeten Marke (*šīlu*) hinzuweisen (vgl. S. 83); das Vorkommen eines Loches auf einem Leberteil assoziiert zunächst grundsätzlich eine gedankliche Verbindung mit Tod. Die nähere Bestimmung, die Feststellung, wer davon betroffen ist — der "eigene" Umkreis oder ein "fremder" — resultiert aus den Gesetzmäßigkeiten, die sich aus dem Prinzip pars familiaris/pars hostilis ergeben. Der Befund eines Loches in den als günstig angesehenen Zonen (*ašru*) impliziert Tod oder ein anderes negatives Ereignis in der Umgebung des Fragestellers ($Z = f(A^+ + B^-) \Rightarrow -$); ein Loch in einer der ungünstigen Zonen ergibt eine negative Aussage für den "Feind", die aber eine positive Wahrsagung für den Fragesteller bedeutet ($Z = f(A^- + B^-) \Rightarrow +$).

Die mit "rechts" (+) bezeichneten Zonen beziehen sich unmittelbar auf den Fragesteller, und die zugehörigen Apodosen schildern Ereignisse, die ihn selbst oder seine Umgebung betreffen; dagegen kommt in den Omenaussagen für die "linken" (-) Zonen — die "Seite des Feindes" — nur indirekt ein Ergebnis für den Fragesteller dadurch zum Ausdruck, daß ein positiv/negativ formuliertes Ergebnis für den "Feind" ein negativ/positives Ergebnis für den Fragesteller ergibt.

Von diesem Schema weicht die Auswertung der mittleren Zonen (vgl. YOS X 17,50.54; KUB 37,217) ab. Die ebenfalls negativ formulierten Aussagen — bedingt durch das Vorhandensein eines Loches — beziehen sich weder auf den Fragesteller noch auf den "Feind", sondern sie sind in allgemeiner, unbestimmter Form ("jemand wird sterben") ausgedrückt: Das aufgrund der Beobachtung einer Negativmarke (*šīlu*) nach dem zugrundeliegenden Prinzip folgerichtig eingetretene ungünstige Ergebnis betrifft in diesem Fall nicht den Fragesteller, der in den anderen Beispielen Ziel der Omenaussage ist.

Es ist zu fragen, ob ein in dieser Weise neutral gedeuteter Omenbefund nicht auch als sogenanntes *nanmurtu/pitruštu*-Ergebnis aufgefaßt werden kann (dazu NOUGAYROL 1944/45:76–77; 1950:37; 1971: 80; JEYES 1980:26; ausf. m. zahlreichen Belegen STARR 1976:241–247). Nach der bisherigen Auffassung resultiert ein derartiges Ergebnis aus der Beobachtung von gegensätzlichen Merkmalen zu beiden Seiten eines Leberteiles, wie z.B. *tarāku – nawāru* "schwarz sein – hell sein" als Beschreibung jeweils eines Gebietes; darüber hinaus kann aber auch z.B. eine mit *paṭāru* "einschnüren" beschriebene Veränderung dann zu einer unentschiedenen Aussage führen, wenn sie symmetrisch auf beiden Seiten eines Leberteiles auftritt (vgl. STARR 1976:243 m. Anm. 10). Ausschlaggebend für das Eintreten eines derartigen Ergebnisses ist offenbar das paarweise Auftreten eines Krankheitsbildes jeweils rechts und links eines Leberteiles (vgl.

z.B. MAH 15874, 10–18 = NOUGAYROL 1950:35–37 m. Duplikaten). Eine Reihe von Argumenten spricht für die Annahme, auch dann ein *nanmurtu/pitruštu*-Ergebnis vermuten zu können, wenn in den mittleren Zonen bestimmte Negativmarken vorkommen:

- die unbestimmte, neutrale Apodosis bezieht sich nicht unmittelbar auf den Fragesteller;
- die inhaltlich und sprachlich sich entsprechenden Formulierungen gelten für vergleichbare Befunde in den Zonen "Kopf" und "Fundament" im Gegensatz zur abweichenden Ausdrucksweise für die Deutung der mittleren Zonen; während für die Zonen "rechts" und "links" der Mitte wiederum ähnliche Aussagen vorliegen (YOS X 17,50 bzw. KUB 37,217), die aber wenig spezifisch sind ("jemand wird sterben"), findet sich für die mittlere Zone des "Standortes" zusätzlich die Deutung *nārum* LÚ *izear* "das Flußordal haßt den Menschen" (vgl. AHW 748 sub *nāru* I).

In diesen Aussagen sind zwar negative, in der Zuordnung aber unbestimmbare Wahrsagungen zu sehen, die nicht ohne weiteres auf den jeweiligen Fragesteller übertragen werden können. Die abweichende Interpretation für bestimmte Befunde in den mittleren Zonen scheint zunächst der Gesetzmäßigkeit zu widersprechen, die sich aus dem zugrundeliegenden Prinzip pars familiaris/pars hostilis ergibt. Die Feststellung, daß "die Mitten falsch sind" (CT 20 44, 52; s.S. 94), bezieht sich offenbar nicht auf eine Vertauschung der Tendenz der mittleren Zonen, da in diesem Fall für die beiden Zonen eine unterschiedliche Deutung hätte erfolgen müssen; vielmehr besteht die Möglichkeit, darin einen Hinweis dafür zu sehen, daß bei bestimmten Veränderungen (u.a. *šīlu*) *nanmurtu/pitruštu*-Ergebnisse eintreten können.

Die Bedeutung dieser Ergebnisform für die Omenauswertung geht aus einem weiteren neuassyrischen Text (CT 20 47,53) der Serie *multabiltu* hervor, dessen Anleitungen aber auch für die Opferpraktiken des 2. Jts. v.Chr. Gültigkeit besitzen:

[UR$_5$.Ú]Š DÙ-*ma ina* SILIM-*ti* 1 GAB-*ús-tu*$_4$
GAR-*at* NU SILIM-*át* NU SILIM-*ti* SILIM-*át*
"(Wenn) du eine Opferschau machst und auf der günstigen Seite ein *pitruštu* vorhanden ist: ungünstig; auf der ungünstigen Seite: günstig"

Dieser Text verdeutlicht, daß bei der Auswertung ein *pitruštu*-Ergebnis sich wie eine Negativmarke verhält. Allerdings handelt es sich bei dieser Ergebnisform nicht, wie bei den üblichen Krankheitsbildern, um ein Einzelergebnis, das nur im Zusammenhang mit weiteren Einzelergebnissen die endgültige Aussage der Opferschau bestimmt, sondern es wirkt unmittelbar auf das Gesamtresultat; derartige Ergebnisse können, als "Joker", wie U. JEYES (1980:26–27) es nennt, die gesamte Omenaussage direkt beeinflussen (vgl. CT 20 47,38–39.54). Damit besitzt diese Kategorie von Ergebnissen entscheidende Bedeutung bei der Auswertung von Leberschaubefunden (vgl. in diesem Zusammenhang auch die als *niphu* bezeichnete Ergebnisform; dazu STARR 1976:244–247; JEYES 1980:26–27).

Es ist nicht auszuschließen, daß die auf der Schulleber BM 50494 durch Umrandung hervorgehobenen Zonen (Z. 4.18) in den als *tarbāṣu* "Hof" bezeichneten Gebieten (dazu s.u.) mit der Vertauschung der Tendenz in Zusammenhang stehen und eventuell sogar als Hinweis auf die Möglichkeit des Auftretens von *pitruštu*-Ergebnissen aufzufassen sind. So tritt auch in den mittleren Zonen des Leberteils *šulmu* eine Vertauschung der Tendenzen auf, und wiederum ist eine der betreffenden Zonen als *tarbāṣu* gekennzeichnet; im Bereich der Gallenblase ist dagegen weder eine entsprechende Vertauschung noch ein *tarbāṣu*-Feld nachzuweisen (s.S. 141). Doch können vor einer ausführlichen Bearbeitung so grundlegender Texte wie YOS X und der Serie *Bārûtu*, dem wichtigsten Handbuch der neuassyrischen Wahrsager, zu diesem für eine umfassende Interpretation wichtigen Bereich keine verbindlichen Aussagen getroffen werden.

Neben den bisher beschriebenen Zonen des "Standortes" (nach BM 50494,6–15 =NOUGAYROL 1968:31–50), die zu den drei Gebieten gehören, die jedes Leberteil besitzt — rechte Seite, Leberteil, linke Seite — und deren regelmäßige Auswertung durch eine große Anzahl von Texten belegt ist, findet sich auf der Schulleber BM 50494 zusätzlich ein weiteres Gebiet auf der linken aus vier, auf der rechten Seite aus drei Zonen bestehend; beide Gebiete gehören nach ihrer Beschriftung ebenfalls zum Bereich *mazzāzu* (Z. 3–5; 16–19). Sie weisen jeweils ein durch Umrandung hervorgehobenes Feld (Z. 4.18) auf, das als *tarbāṣu* "Hof", "Hürde" bezeichnet wird. Die Bezeichnungen der weiteren Zonen des linken Gebietes beziehen sich eindeutig auf das betonte Feld — oberhalb (UGU-*nu*), am Eingang (?) (*ba*?-*bat*), unterhalb (KI-*nu*) des *tarbāṣu* "Hof". Ihre Tendenz enspricht der allgemeinen Tendenz der linken Seite, d.h. sie gelten alle als ungünstige Zonen. Für die Zonen der rechten Seite wird eine vergleichbare Beziehung untereinander nicht erwähnt. Aus der Bearbeitung dieses Textes durch J. NOUGAYROL geht hervor, daß für die Zonen 3 und 4 eine positive Tendenz vorliegt, für das Feld 5 schlägt der Verfasser eine negative Wertigkeit vor, doch lassen die erhaltenen Reste der Zeichen auch eine Lesung "rechts" (= positiv) zu, so daß alle Zonen auf der rechten Seite eine positive Tendenz aufweisen würden. Trifft diese Ergänzung zu, dann geben diese Gebiete die jeweils geläufige Tendenz der rechten bzw. linken Seite des "Standortes" wieder, wie sie auch der allgemein formulierten Anleitung im Text STT 308 III, 3–4 (s.S. 95) zu entnehmen ist. Es besteht daher die Möglichkeit, unter *tarbāṣu* die unmittelbare Umgebung des Bereichs *mazzāzu* zu verstehen (evt. sogar den rechten bzw. linken Rand des "Standortes", dazu s.S. 99). Eine vergleichbare Bedeutung findet sich auch für die Verwendung dieses Begriffes in astronomischen Texten; in dieser Textgruppe wird unter *tarbāṣu* "Hof" oder "Halo" des Mondes verstanden (z.B. KUB 37 160 passim: dUTU *tar-ba-ṣa la-mi-ma*, wie auch durch die Texterklärung in RMA 124b deutlich wird: *tarbāṣu šumma* SÎN *nārum lami* "Hof, wenn der Mond von einem Wasserlauf umgeben ist").

Die enge topographische und inhaltliche Beziehung zwischen dem "Standort" und den als *tarbāṣu* bezeichneten Zonen kommt auch in einer Reihe von Omentexten zum Ausdruck:

SUR NÍG. TAB IGI-*et* TÙR 15 15
"Die enge Stelle des *naṣraptu* gegenüber dem rechten Hof: rechts (günstig)" (BM 50494,45)

BE SUR NÍG.TAB *šà* 15 IGI-*et* TÙR KI.TA KAR
"Wenn die Einschnürung der rechten Seite des *naṣraptu* gegenüber dem unteren Teil des Hofes zusammengedrückt ist" (CT 20 50,Rs 2)

Beide Textstellen weisen auf eine Beziehung zwischen den benachbarten Teilbereichen SUR NÍG.TAB (*maṣrāḫ naṣrapti*; vgl. BIGGS 1969: 164–166; s.S 119) und *tarbāṣu* hin, die sich beide, aufgrund der Kennzeichnungen auf der Schulleber BM 50494 in unmittelbarer Nähe des *mazzāzu* befinden. Innerhalb der Auswertung von Leberschaubefunden scheint in neuassyrischer Zeit zwar für den Bereich von *tarbāṣu* eine gewisse Verselbständigung stattgefunden zu haben; aus der Definition dieses Bereiches auf der Schulleber BM 50494 geht aber dessen Zugehörigkeit zum Leberteil *mazzāzu* eindeutig hervor.

Die Auswertung von Zonen, die als *tarbāṣu* bezeichnet werden, ist vorwiegend auf die neuassyrische Zeit beschränkt; eine Ausnahme stellt der altbabylonisch zu datierende Text YOS X 46 IV,47–48 dar, doch bezieht sich in diesem Beispiel der Begriff *tarbāṣu* nicht auf die Umgebung eines Leberteiles, sondern auf den gesamten rechten Leberlappen: DIŠ GIŠ.TUKUL *i-mi-tim i-na ta-ar-ba-aṣ a-m[u]-tim ša-ki-im-ma a-bu-ul-lam i-ṭ-ṭu-ul* "Wenn eine Waffe der rechten Seite auf dem Hof der Leber vorhanden ist und zum *abullu* schaut" (YOS X 46 IV,47–48).

Diese Textstelle kann u.U. als weiteres Indiz dafür dienen, daß unter *tarbāṣu* ein größerer Bereich — der gesamte Leberlappen oder die Umgebung eines Leberteiles — verstanden wurde. Sollte diese Erklärung zutreffen, dann werden die Tendenzen der einzelnen Zonen des *tarbāṣu* verständlich; die jeweils auf der rechten bzw. linken Seite gelegenen Zonen besitzen eine positive bzw. negative Wertigkeit und entsprechen damit der grundsätzlichen Tendenz der Gebiete rechts bzw. links des "Standortes" (s.S. 95; vgl. STT 308 III, 3–4). Ob die graphische Hervorhebung der mittleren Zonen tatsächlich auf eine mögliche Vertauschung der Wertigkeit zurückzuführen ist, läßt sich nicht endgültig beantworten; bei den anderen auf gleiche Weise gekennzeichneten Zonen (BM 50494, 21b.26.67) kann mit Sicherheit für den Bereich von *šulmu* ebenfalls eine entsprechende Vertauschung der mittleren Zonen angenommen werden (vgl. S. 137), während für die anderen Zonen (Z. 21b: *bāb ekalli*; Z. 67 *nīru*?) die notwendigen Informationen für eine diesbezügliche Aussage dem Text nicht zu entnehmen sind.

Eine weitere Unterteilung des Gebietes von *mazzāzu* betrifft die Abgrenzung dieses Bereiches zur Mitte der Leber, d.h. zur Pfortader (ÍD.BÀ); dabei handelt es sich wiederum um eine Kette von drei Zonen, deren babylonische Bezeichnung *birītu* "Zwischenraum" auf deren topographische Lage zwischen zwei Leberteilen hinweist (BM 50494, 6.11.12; vgl. *nīru*). Die Tendenz dieser Zonen entspricht der Tendenz der jeweils übergeordneten Zonen "rechts vom Kopf des Standortes", "Kopf des Standortes", "links vom Kopf des Standortes":

> *bi-rit* 15 *ia-um-ma* 150 *šá* KÚR
> "Der Zwischenraum der rechten Seite (ist) der meinige, (der der) linken Seite (ist der) des Feindes" (CT 20 44,59; vgl. JEYES 1978:231)

Für eine Interpretation der Darstellungen auf den Tonlebermodellen ist in diesem Zusammenhang dem Text auf der Schulleber BM 50494 eine weitere Information zu entnehmen: Dieses Gebiet wird dort als "Zwischenraum" zwischen dem Gebiet des "Standortes" und dem des "Jochs" (*nīru*) angesehen (*bi-rit* ... NA *u ni-ri* ...), obwohl beide Leberteile nicht unmittelbar aneinander grenzen, sondern — auch auf dem Modell — durch das als ÍD.BÀ und KÁ.BÀ bezeichnete Gefäßsystem voneinander getrennt sind. Auf den Lebermodellen (wie auch in den Omentexten) wird dieser Bereich nur selten ausgewertet (einziges Beispiel KBo 9,64 = Bo 33, s.S. 172); eine graphische Darstellung des Gefäßsystems findet sich nur auf den Tonlebern aus Boğazköy und Emar (Gruppe I) in Form einer Einritzung, jedoch immer ohne einen inschriftlichen und graphischen Hinweis auf eine auftretende Veränderung (auch in den Omentexten werden diese Bereiche nur in Verbindung mit anderen Leberteilen genannt, z.B. CT 30 36,3: mit *bāb ekalli*). Auf den Schullebern zeichnet sich das Gebiet der Pfortader durch eine deutliche Vertiefung von seiner Umgebung ab, so daß in beiden Darstellungsweisen — der Einritzung wie der Vertiefung — eine Wiedergabe des zentralen Gefäßsystems der Leber zu sehen ist. Anatomisch stellen sie die Abgrenzung zwischen den heute als lobus sinister und lobus caudatus bezeichneten Abschnitten dar.

Der Behandlung dieser Gebiete in der Schulleber liegt offensichtlich die Intention der Verfasser zugrunde, die Bereiche der hauptsächlich untersuchten Leberteile — in diesem Fall der von *mazzāzu* und *nīru* — deutlich gegeneinander abzugrenzen (alle Krankheitsbilder zwischen dem "Standort" und der Pfortader gehören zum Bereich des "Standortes").

Trotz der zunächst komplex wirkenden Unterteilung liegt auch für den Bereich des "Standortes" (wie auch für die meisten der anderen Leberteile) eine Gliederung in drei Gebiete vor; die auf den Schullebern zusätzlich aufgeführten Gebiete (*tarbāṣu, birītu*) dienen als Interpretationshilfe für die verschiedenen Auswertungsmöglichkeiten sowie zur räumlichen Begrenzung des relativ ausgedehnten Bereiches (nahezu der gesamte "rechte" Leberlappen). Das Gebiet des "Standortes" selbst (KI.GUB *ina libbi-šu*) sowie das der rechten Seite (KI.GUB *ina imitti*) gehören grundsätzlich zu den günstigen ("eigenen") Gebieten (pars familiaris), die der linken Seite (KI.GUB *ina šumēli*) zu den ungünstigen (pars hostilis); die Tendenz der mittleren Zonen kann bei Auftreten bestimmter Krankheitsbilder eine Vertauschung der gewohnten Wertigkeit erfahren.

Für die graphische Darstellung des Leberteils *mazzāzu* ist dessen Zugehörigkeit zur Markenklasse AII, den "Zeichnungen" (*uṣurātu*, s.S. 82) von Bedeutung. Auf den Modellen ist daher die Wiedergabe dieses Teilbereiches in Form einer Einritzung zu erwarten. Zwar findet sich kein Beispiel für die Darstellung der Normalform des "Standortes" (vgl. aber die vertiefte Einkerbung auf der Schulleber BM 50494 an der betreffenden Stelle), doch kann dafür aufgrund zahlreicher Indizien eine einfache senkrechte Ritzung auf dem "rechten" Leberlappen angenommen werden:

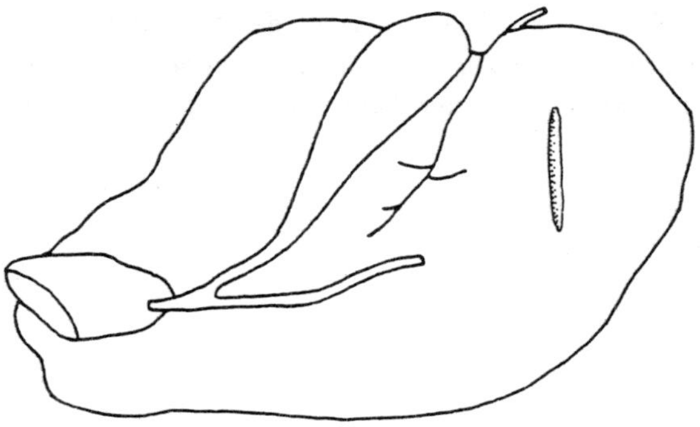

mazzāzu išu / šakin / šalim
"Der Standort ist vorhanden/wohl erhalten"

$$Z = f(A^+ + B^+) \Rightarrow +$$

Die Annahme, in der senkrechten Ritzung die Darstellung der "normalen" Erscheinungsform des "Standortes" zu sehen, wird auch durch die folgenden Beispiele bestätigt; entweder findet sich eine derartige Markierung, und die im Text erwähnten Krankheitsbilder sind in gleicher Weise graphisch wiedergegeben (vgl. z.B. KUB 37,217 = Bo 2), oder es fehlt gerade diese Einritzung, bzw. sie weicht von der linearen Form ab, wenn im Text ausdrücklich das Fehlen (z.B. KUB 4,74 = Bo 19) bzw. die Verformung (z.B. KUB 37,223 = Bo 8) des "Standortes" erwähnt wird.

Auch die Darstellung zur Inschrift 3 auf der Hazorleber kann als Bestätigung dieser Interpretation dienen; in den zwei parallel nebeneinander angeordneten Einritzungen haben bereits B. Landsberger und H. Tadmor (1964:211) die Kennzeichnung für das zweifache Vorkommen des "Standortes" erkannt:

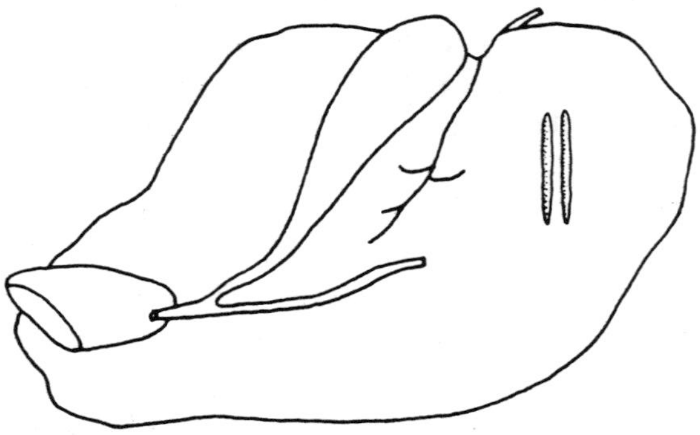

[*šumma mazzāzu 2-ma*]
URU DINGIR.MEŠ-*ša i-tu-ru-ni* "Wenn der Standort doppelt ist: die Götter der Stadt werden zurückkehren"

$$Z = f(A^+ + B^+) \Rightarrow +$$

Die Möglichkeit, diese Darstellung als Kennzeichnung einer Erscheinungsform des "Standortes" anzusehen, wird neben der topographischen Lage auf dem Modell noch durch folgende Überlegung gestützt: Dem Leberteil *mazzāzu* — - Kurzform für *manzāz ili* "Standort des Gottes" — wird ein symbolischer Bezug zum Wirken der Götter zugeschrieben (s.S. 83); dieser Aspekt kommt auch in der Inschrift (Apodosis) zum Ausdruck. Darüber hinaus läßt der Gebrauch des Plurals (DINGIR.MEŠ) auf ein mehrfaches Vorkommen (*mazzāzu 2-ma*) des "Standortes" schließen (vgl. zum einfachen Vorkommen z.B. [DIŠ *na-ap-l*]*a-às-t*[*am*] *i-šu* [DINGIR *i*]*-na ni-qía-wi-lim iz-zi-iz* "Wenn der Standort vorhanden ist: der Gott ist im Tempel anwesend", AO 9066,1–2 = NOUGAYROL 1950:23).

Der illustrierte Omentext K 2094 (= CT 31 13) zeigt das Vorhandensein eines "doppelten Standortes", doch wird in dem Text noch eine weitere Veränderung beschrieben, deren graphische Darstellung aufgrund des fragmentarischen Erhaltungszustandes der Tafel nur rekonstruiert werden kann:

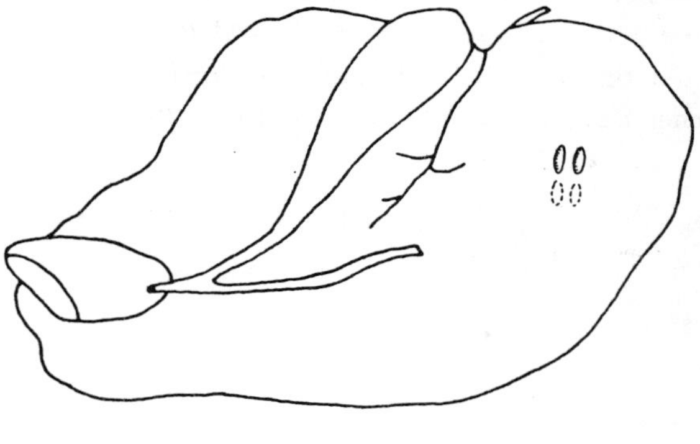

BE NA 2–*ma* MÚRU-*šú-nu pa-áš-ṭa*
"Wenn der Standort zweifach ist und seine Mitte ist eingeschnürt(?)"

$$Z = f(A^+ + B^-) \Rightarrow -$$

Das Fehlen der Apodosis in allen Texten dieser Tafel ist vermutlich darauf zurückzuführen, daß sie nur als Anleitung für die Darstellung bestimmter Opferschaubefunde diente, als ein "Muster"katalog für die Wiedergabe bestimmter Krankheitsbilder.

Auch die zahlreichen Darstellungen von Befunden im Umfeld des "Standortes" können als Bestätigung für die oben geäußerte Annahme herangezogen werden, in einer einfachen senkrechten Ritzung die Kennzeichnung dieses Leberteiles in seiner unveränderten Form zu sehen:

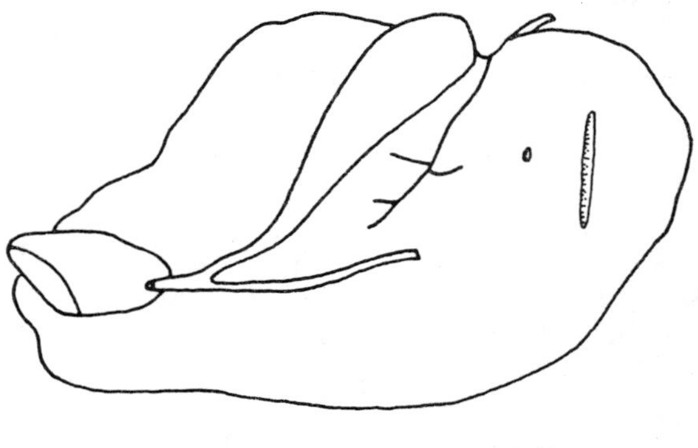

i-na MÚRU GÙB KI.GUB *ši-lum na-di*
MUNUS *a-ḫi-it* LÚ BA.ÚŠ
"In der Mitte links vom Standort ist ein Loch vorhanden: eine Frau aus der Umgebung des Mannes wird sterben" (KUB 37,217 = Bo 2; n. RIEMSCHNEIDER 1972)

$$Z = f(A^+ + B^-) \Rightarrow \pm$$

Der Text dieses Modells wurde bereits im Zusammenhang mit der Besprechung von ***nanmurtu/pitruštu***-Ergebnissen erwähnt (s.S. 97–97); die Darstellung (Taf. 5,3-4) zeigt, wie beschrieben, ein Loch in der Mitte links neben der Markierung des "Standortes".

Weitere Gesetzmäßigkeiten für die Auswertung von Krankheitsbildern, die durch das Auftreten von Löchern auf der Leberoberfläche charakterisiert sind, gehen aus dem ebenfalls bereits erwähnten neuassyrischen Text TCL 6 5, Rs 21–22 hervor:

BE *a*$_6$*-mu-tum* U 15 1 ḪUL 2 ḪUL 3 SIG$_5$ *ina* 3–*ši it-te-kìr*
BE U 150 1 SIG$_5$2 SIG$_5$3 ḪUL *ina* 3–*ši it-te-kìr*

"Wenn die Leber ein Loch der rechten Seite hat: ein (Loch): ungünstig; zwei (Löcher): ungünstig; drei (Löcher): günstig; (die Tendenz) ändert sich bei der dritten (Anomalie)"
"Wenn ein Loch der linken Seite vorhanden ist: ein (Loch): günstig; zwei (Löcher): günstig; drei (Löcher): ungünstig; (die Tendenz) ändert sich bei der dritten (Anomalie)"

Das Zutreffen der hier genannten Richtlinien, auch in älterer Zeit, bestätigen Text und Darstellung auf dem Modell KBo 7,6 = Bo 22 (Taf. 10, 3-4):

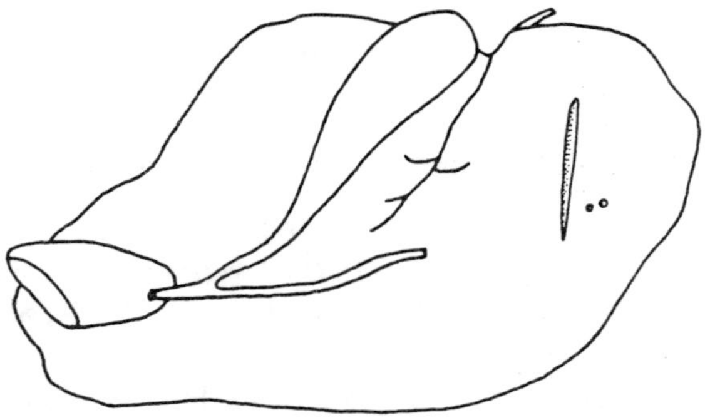

i+na SAG ZAG KI.GUB 2 *ši-lu na-du-*⌈*ú*⌉
DINGIR.MEŠ 2[*é*]?*-nu-tum-ma* LUGAL-*am*
⌈*us*!?*-ma-at-t*[*u*]
"Auf dem Kopf der rechten Seite des Standortes sind zwei Löcher vorhanden: die zornigen(?) Götter werden den König sterben lassen" (vgl. RIEMSCHNEIDER 1972; BIGGS 1974:353)

$$Z = f(A^- + B^-) \Rightarrow -$$

Aus dem Text MAH 15874,21 (= NOUGAYROL 1950:40; vgl. YOS X 17,58; zahlreiche weitere jüngere Beispiele in BIGGS 1974:353–354) geht hervor,daß das zugrundeliegende Auswertungsschema bis in die altbabylonische Zeit zurückreicht und somit für den gesamten Zeitraum, in dem die Leberschau ausgeübt wurde, in Anspruch genommen werden kann. Dieses Schema läßt sich graphisch wie folgt darstellen:

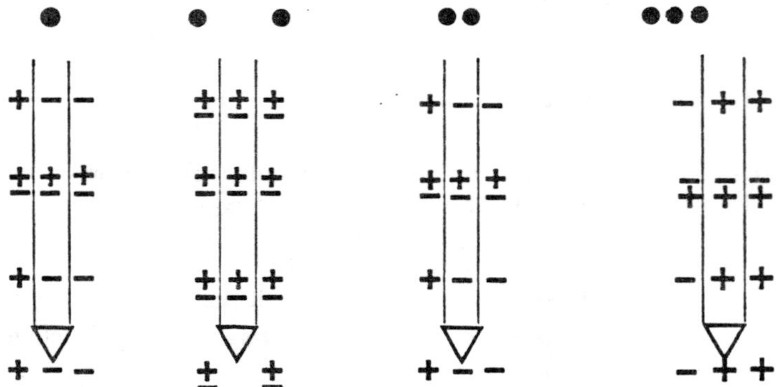

Mit Hilfe der Gesetzmäßigkeit, die durch dieses Schema festgelegt wird, lassen sich fragmentarisch erhaltene Omentexte (z.B. BIGGS 1974:353–354) ebenso ergänzen wie unvollständige Inschriften und Darstellungen auf Tonlebermodellen:

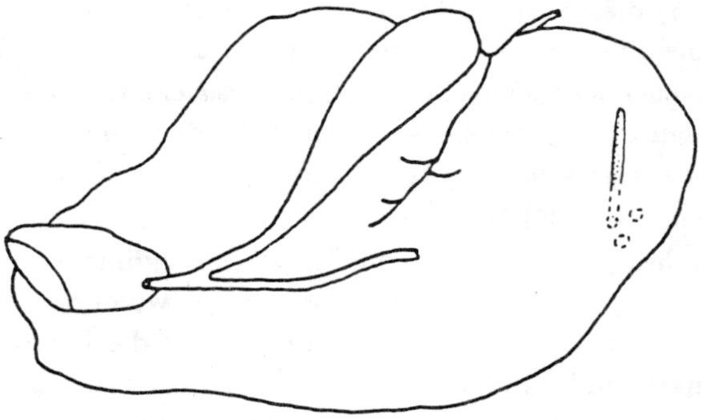

a-n]*a* KI[!].GUB[!] *ši-lum na-di*
] BA.ÚŠ
B]E (?) NIN[!]-*tum* BA.ÚŠ
"...a]m Standort ist ein Loch vorhanden: [ ] wird sterben, [(...)] oder (?) die Königin wird sterben" (KUB 37,226 = Bo 11; vgl. RIEMSCHNEIDER 1972)

$$Z = f(A^+ + B^-) \Rightarrow -$$

Aufgrund der negativ formulierten Omenaussage (vgl. KBo 7,6 = Bo 22) muß sich die Anomalie — die Negativmarke *šīlu* — in einer zur pars familiaris (günstigen) gehörigen Zone befunden haben. Da von der Darstellung (Taf. 6,2) nur der untere Teil (*išdu* "Fundament") erhalten ist und dort keine Veränderung zu erkennen ist, muß sich die Marke entweder in den Zonen "Kopf des Standortes" (SAG KI.GUB) oder "rechts vom Kopf des Standortes" (SAG KI.GUB) bzw. in den darüberliegenden Zonen (*birīt* SAG (ZAG) KI.GUB *u nīri*) befunden haben.

Charakteristisches Darstellungsmerkmal der als *šīlu* bezeichneten Krankheitsbilder (Negativmarken) ist die Anbringung eines Loches an der betreffenden Stelle auf den Modellen. Dabei kann es sich entweder um eine deutlich sichtbare Vertiefung handeln oder um eine vollständige Durchbohrung des Modells (*šutebrû*, vgl. KUB 4,74 = Bo 19, s.S. 108). Von dieser Marke muß die Wiedergabe einer weiteren Veränderung unterschieden werden, deren Darstellung auf den Tonlebermodellen in ähnlicher Weise erfolgt:

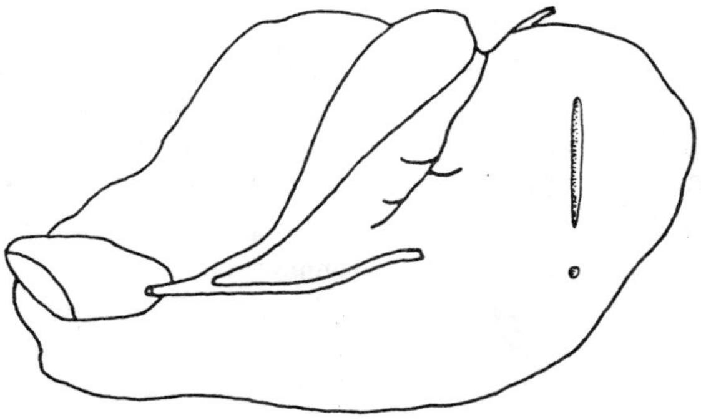

[*i-na* S]AG KI+GUB *pu-ṣum na-di*KI!.GUB! ^{d}UTU
"[Auf dem Ko]pf des Standortes ist ein weißer (grauer) Fleck vorhanden: Standort der Sonne (Sonnenfinsternis)" (KBo 9,64 = Bo 33; vgl. RIEMSCHNEIDER 1972)

$$Z = f(A^{+} + B^{-}) \Rightarrow —$$

Als Darstellung (Taf. 11,5) dieser Anomalie (*pūṣu* "ein weißer (grauer) Fleck") findet sich ein kleiner Einstich über dem "Kopf des Standortes" (= *birīt* KI.GUB *u nīri*). Diese Kennzeichnung ist aber kaum von der für *šīlu* "Loch" gebräuchlichen Wiedergabe zu unterscheiden. Die geforderte Unzweideutigkeit von Marken (s.S. 85) ist jedoch nur dann gegeben, wenn das Auftreten beider Veränderungen zu vergleichbaren Omenaussagen führt, d.h. wenn es sich bei *pūṣu* ebenfalls um eine Negativmarke handelt.

Die Interpretation der Apodosis (KI.GUB ^{d}UTU "Standort der Sonne") bereitet aber eine Reihe von Problemen. Da sich das beschriebene Krankheitsbild in einer als günstig angesehenen Zone befindet, kann es nur unter der Voraussetzung als Negativmarke angesehen werden, daß die Tendenz der Omenaussage ungünstig eingeschätzt werden kann. Es wurde bereits auf die Opposition zwischen *nawāru* "weiß, hell sein" und *tarāku* "dunkel sein" hingewiesen (s.S. 96) und festgestellt, daß auch Verfärbungen nach dem Prinzip pars familiaris/pars hostilis bewertet werden. J. Starr (1974:20–27) hat in seiner Arbeit zahlreiche Beispiele für die Auswirkung von farblichen Veränderungen an einzelnen Leberteilen ausführlich behandelt. So resultieren aus einer Weißfärbung der als günstig angesehenen Zonen (pars familiaris) auch günstige Omina, während eine entsprechende Verfärbung der ungünstigen Zonen (pars hostilis) ungünstige Aussagen ergeben; für die Schwarzfärbung treffen entgegengesetzt lautende Ergebnisse zu:

BE ÉLLAG ZAG *nu-um-ri* SUB.MEŠ INIM-*at* SIG$_{5}$-*ti ana* NUN DA-*a*
BE ÉLLAG GÙB *nu-um-ri* SUB.MEŠ INIM-*at* ḪUL-*ti ana* NUN DA-*a*
"Wenn die rechte Niere mit weißen Flecken besetzt ist: gute Worte (Nachrichten) werden sich dem Fürsten nähern; wenn die linke Niere mit weißen Flecken besetzt ist: schlechte Worte (Nachrichten) werden sich dem Fürsten nähern" (KAR 152:Rs 9–10)

Es stellt sich die Frage, ob *pūṣu* (Stamm *peṣû* "weiß/grau sein") das gleiche Bedeutungsfeld besitzt wie *nawāru* "hell sein" (bzw. die davon abgeleitete Nominalbildung *namru* "heller Fleck"). Aus zahlreichen Textbelegen (vgl. AHW 768–771) geht hervor, daß *nawāru/namru* häufig im Zusammenhang mit Gestirnen und Göttern (astral) verwendet wird und in diesem Zusammenhang auch "strahlend", "glänzend" bedeuten kann; bei der Verwendung in Omentexten (z.B. YOS X 26 III,57) erfolgt immer eine positive Deutung. Der Gebrauch von *peṣû/pūṣu* beschränkt sich dagegen auf terrestrische Erscheinungen (vgl. AHW 857.883), und in Verbindung mit Leberschaubefunden ergeben sich ungünstige Wahrsagungen (z.B. YOS X 33 IV,35.38).

Die ungünstige Bedeutung von *peṣû/pūṣu* und *tarāku* für Omenaussagen geht auch aus einem von R.D. Biggs (1974:351–356) publizierten Text hervor, der den Befund von zwei Löchern (B^{-}) auf dem "Kopf des Standortes" (A^{+}) beschreibt und deren Farbe als weiß (BABBAR mit der Lesung *peṣû*, Z. 7) bzw. schwarz (GI$_{6}$ mit der Lesung *tarāku*, Z. 6) angegeben wird; in beiden Beispielen erfolgt eine ungünstige Omenaussage. Dieser Befund bedeutet, daß eine Negativmarke (*šīlu*) keine günstige Deutung ermöglicht, wenn sie zusammen mit einer weiteren ungünstigen Erscheinung (*peṣû, pūṣu* bzw. *tarāku*) auftritt (in diesem Fall ergibt die doppelte Negation keine positive Deutung; vgl. dazu auch die Kombination *ziḫḫu* ("Pustel") und *pūṣu*, NOUGAYROL 1969:150–152). Da sowohl *šīlu* als auch *peṣû/pūṣu* eine negative Tendenz besitzen, führt das Vorkommen derartig beschriebener Krankheitsbilder auf entsprechenden Leberteilen zu vergleichbaren Ergebnissen. Daher können auf den Tonlebermodellen beide Anomalien in ähnlicher Weise dargestellt werden (*šīlu* durch ein Loch oder eine Vertiefung, *peṣû/pūṣu* durch einen kleinen Einstich), ohne daß die Gefahr einer Fehlinterpretation der davon abhängigen Omenaussage besteht. Diese Feststellung ist deshalb wichtig, weil farbliche Veränderungen auf den Modellen nicht wiedergegeben werden können. Die oben erhobene Forderung nach graphischer Eindeutigkeit der Kennzeichnugen als Voraussetzung für ein allgemeinverbindliches Zeichensystem (s.S. 85) wird dadurch erfüllt, daß beide Krankheitsbilder die gleiche Tendenz besitzen und somit in jedem Fall eine korrekte Deutung des Befundes gewährleistet ist.

Die übereinstimmende Bedeutung der beiden Anomalien *šīlu* und *peṣû/pūṣu* für die Omenauswertung wird auch an einem weiteren Beispiel deutlich:

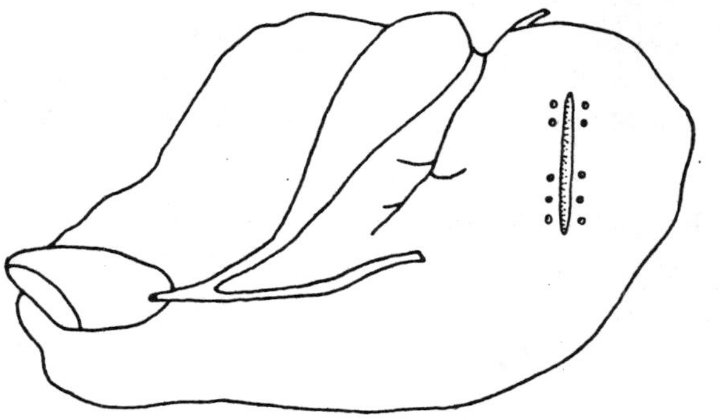

KI+GUB *qé-e pé?-e-ṣú?-u?-ti!? i-ta-ad-d*[*u-(u)*]
ti-bu-ut ša-ni-i
BE *ti-bu-ut*! ERÍN.MEŠ-*ma* X[
"Der Standort ist mit weißen(?) Fädchen besetzt (liegen einander gegenüber): Angriff eines anderen (Heeres) oder Angriff des (eigenen) Heeres und ..." (KBo 7,5 = Bo 21; vgl. RIEMSCHNEIDER 1972)

$$Z = f(A^{\pm} + B^{\pm}) \Rightarrow \pm$$

Die Darstellung auf dem Modell (Taf. 9,1) zeigt fünf Einstiche, die sich jeweils rechts und links der Markierung des "Standortes" gegenüberliegen. Ein derartiges Krankheitsbild entspricht den Bedingungen, die zu einem *nanmurtu/pitruštu*-Ergebnis führen (s.S. 97), einem Ergebnis mit unentschiedenem Omenausgang. Da die beigefügte Inschrift nicht vollständig erhalten ist, kann das Zutreffen der angenommenen Ergebnisform nicht endgültig bestätigt werden. Für diese Annahme sprechen aber sowohl der erkennbare Inhalt der Apodosis (dazu STARR 1975: 242) als auch deren Aufbau (Gegenüberstellung: Angriff des Feindes — Angriff des eigenen Heeres). Darüber hinaus kommt das entscheidende Kriterium, die "Ausgewogenheit", d.h. die gleichmäßige Verteilung der Anomalie auf günstige und ungünstige Gebiete in der Darstellung zum Ausdruck (vgl. S. 177, zu einem ähnlichen Krankheitsbild für den Bereich *tību*).

Ist diese Ausgewogenheit aber nicht gegeben und die betreffende Anomalie tritt unregelmäßig im gesamten Bereich eines Leberteiles auf, dann können sich die als günstig und ungünstig anzusehenden Befunde nicht gegenseitig aufheben, und es erfolgt eine negative Vorhersage; in diesem Sinne lassen sich Inschrift und Darstellung des folgenden Lebermodells interpretieren:

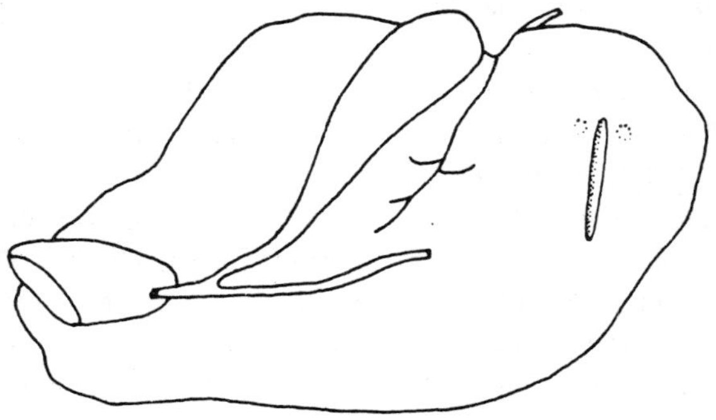

KI.GUB *pu-si*⌈*-i*⌉*t*!-[*t*]*a*!*(it)-ad-*[*du*]
dIŠKUR*i-ra-aḫ-ḫi-iṣ ḫu-š*[*a-aḫ-ḫu*?]
la-pa-an x LÚ [
"Der Standort ist mit weißen Flecken besetzt: Adad wird (die Saaten) überschwemmen; Hun[gersnot?] ... der Mensch ..." (KUB 37,230 = Bo 15; vgl. RIEMSCHNEIDER 1972)

$$Z = f(A^{\pm} + B^{-}) \Rightarrow —$$

Obwohl auch in diesem Beispiel die Apodosis nicht vollständig erhalten ist, kann eine ungünstige Deutung angenommen werden (vgl. YOS X 36 I,27–28: DIŠ ḪAR *pa-na-am ú wa-ar-ka-tam pu-ṣi ma-li-a-at* dIŠKUR *i-ra-aḫ-ḫi-iṣ-ma ḫu-ša-ḫu-um ma-a-tam i-ṣa-ba-at* "Wenn die Lunge auf der Vorder- und Rückseite voll mit weißen Flecken ist: Adad wird (das Land) überschwemmen, und eine Hungersnot wird das Land ergreifen").

Eine zweite Interpretationsmöglichkeit besteht in der Annahme, daß die in der Protasis beschriebene Beschaffenheit sich ausschließlich auf das Gebiet des "Standortes" selbst, d.h. auf einen günstigen Teilbereich, bezieht (vgl. z.B. YOS X 31 I,18–24; V,25–30):

$$Z = f(A^{+} + B^{-}) \Rightarrow —$$

Eine endgültige Entscheidung für einen der beiden Lösungsvorschläge mit Hilfe einer Interpretation der zugehörigen Darstellung ist aufgrund des fragmentarischen Erhaltungszustandes des Modelles (Taf. 6,6) nicht möglich. Aus den noch vorhandenen Resten — eine senkrechte Einritzung, die etwa "Mitte" und "Kopf" des "Standortes" umfaßt — geht allerdings mit Sicherheit hervor, daß das betreffende Krankheitsbild (*pūṣu*) nicht, wie beschrieben, im gesamten Bereich des "Standortes" wiedergegeben ist; im Falle einer Übereinstimmung von schriftlich geschildertem Befund und dessen graphischer Realisierung auf dem Modell hätten sich entsprechende Kennzeichnungen finden lassen müssen. Sichtbar ist aber nur die "normale", unveränderte Form des Leberteiles (= günstiges Omen), eine Darstellungsweise, die nicht mit der Textaussage (= ungünstiges/unbestimmtes Omen) kongruent ist. Die erhobene Forderung nach Identität zwischen Wort und Bild ist in diesem Beispiel nur dann realisiert, wenn sich im unteren Abschnitt (*išid mazzāzi*) eine Darstellung befunden hat, die sowohl das beschriebene Krankheitsbild (*pūṣu*) als auch die dadurch intendierte Omenaussage (ungünstig bzw. unbestimmt) widerspiegelt.

Aus den zuletzt besprochenen Beispielen lassen sich für das System der Darstellungsweise von Omenbefunden verschiedene Informationen ableiten:

- Die mit *šīlu* "Loch", *pūṣu* "weißer Fleck" und *qû, peṣû* "(weißes) Fädchen" beschriebenen Krankheitsbilder werden in ähnlicher Form — durch Löcher oder kleine Einstiche — auf den Modellen wiedergegeben (vgl. dazu auch die Darstellung der als *piṭru* und *pilšu* bezeichneten Anomalien, s.S. 108). Dieser homonymen Darstellungsweise liegt vermutlich ein ähnliches Erscheinungsbild der betreffenden Anomalien auf der natürlichen Leber zugrunde. Die Eindeutigkeit der Kennzeichnungen ist dadurch gewährleistet, daß diese Veränderungen als Negativmarken aufzufassen sind und ihr Vorkommen in einzelnen Zonen eines Leberteiles jeweils zu vergleichbaren Omenaussagen führt.
- Die in den Texten erwähnte Farbgebung kann auf den Modellen zeichnerisch nicht zum Ausdruck gebracht werden (vgl. KUB 4,72 = Bo 17 zur Rotfärbung einer Anomalie, s.S. 115). Als Mittel der Darstellung dieser Veränderungen (z.B. *pūṣu, qû peṣû*) dient die Kennzeichnung mit einer Marke (Einstich, Loch), die zwar zu einem anderen Krankheitsbild (*piṭru*, s.S. 108, *šīlu*) gehört, jedoch die gleiche Tendenz (ungünstig) aufweist. Es handelt sich also nicht um das "wahre Abbild" der betreffenden Anomalie, sondern nur um eine — nach dem zugrundeliegenden System — "ungenaue Wiedergabe" des Erscheinungsbildes; entscheidendes Kriterium für die Darstellungsweise ist die Erkennbarkeit der positiven oder negativen Tendenz des Dargestellten.
- Die als *peṣû* "weiß/grau" bezeichnete Farbnuance gehört ebenso zu den ungünstigen Erscheinungen wie *tarāku* "dunkel/schwarz sein"; beide stehen daher in Opposition zu *nawru/namru* "weiß glänzend".

Wenn der "normale" Zustand des "Standortes" graphisch durch eine senkrechte Einritzung wiedergegeben wird, dann darf diese Kennzeichnung auf den Modellen nicht vorhanden sein, bei denen aus der Inschrift hervorgeht, daß dieses Leberteil fehlt (*lā īšu*):

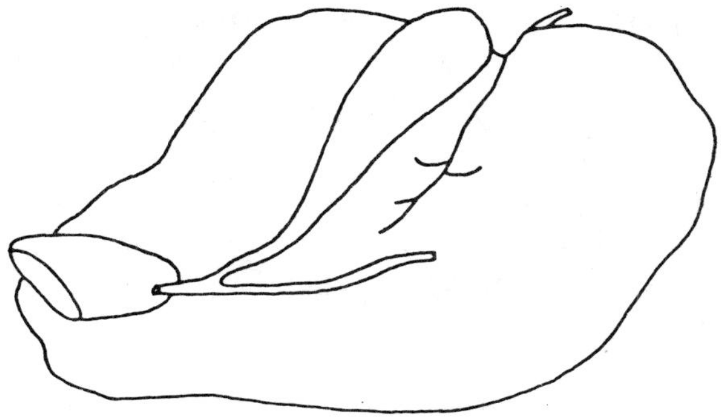

BE KI+GUB! NU GAR-*ma*
i-na maš-kán-ni-šu GIŠ.TUKUL ŠU.SI IGI
x GAL RI.RI.GA ERÍN-*ni*
"Wenn der Standort nicht vorhanden ist und an seiner Stelle eine Waffe den Finger anschaut: ... Niederlage des Heeres" (KUB 37,228 = Bo 13; vgl. RIEMSCHNEIDER 1972)

$$Z = f(A^+ + B^-) \Rightarrow -$$

Auf dem vollständig erhaltenen Modell findet sich weder die Kennzeichnung des "Standortes" noch die der erwähnten Anomalie (GIŠ.TUKUL "Waffe"). Da grundsätzlich bereits das Fehlen zur Erstellung einer ungünstigen Deutung ausreicht (vgl. STARR 1974:5–9 m. Bsp.), die auch durch das zusätzliche Auftreten einer weiteren Anomalie nicht verändert wird, ist ein derartig beschriebener Befund allein durch das Fehlen einer Kennzeichnung des betreffenden Leberteils sichtbar und verständlich zu machen.

Diese "verkürzte Darstellungsweise" trifft auch für die Interpretation des Befundes auf einem weiteren Modell aus Boğazköy zu:

[B]E KI+GUB NU GAR-*ma i+na maš-kán-ni-šu* GIŠ.TUKUL KA.DÙG.GA I[GI?
[LUG]AL ÌR.MEŠ-*šu*
i-ba-ar-ru-šu
"Wenn der Standort nicht vorhanden ist und an seiner Stelle eine Waffe zum KA.DÙG.GA sch[aut?:(...)] gegen den König werden sich seine Diener empören" (KBo 8,8 = Bo 24; vgl. RIEMSCHNEIDER 1972; JEYES 1978:226)

$$Z = f(A^+ + B^-) \Rightarrow -$$

Die Inschrift befindet sich nicht, wie in den bisherigen Publikationen angenommen, auf der Rückseite des Modells, sondern auf der Vorderseite des "rechten" Leberlappens und zwar exakt in dem Bereich, in dem der "Standort" zu erwarten ist (Taf. 10,1-2). Nur unter dieser Voraussetzung erhält auch die Kennzeichnung für *danānu* (dazu s.S. 135) die topographisch zutreffende Position am inneren Rand dieses Lappens; außerdem verläuft dann die Schriftrichtung, wie gewohnt, parallel zum äußeren Rand des Modells.

Auch in diesem Beispiel weist der Bereich des "Standortes" keine Kennzeichnung auf (die Darstellung am unteren Teil des Fragments gehört zum Bereich *padānu*, dazu s.S. 130), und die Darstellung der zusätzlich beschriebenen Anomalie fehlt ebenfalls. Andererseits kann das Krankheitsbild, das anstelle des "Standortes" beobachtet wird, auch auf dem Modell wiedergegeben werden:

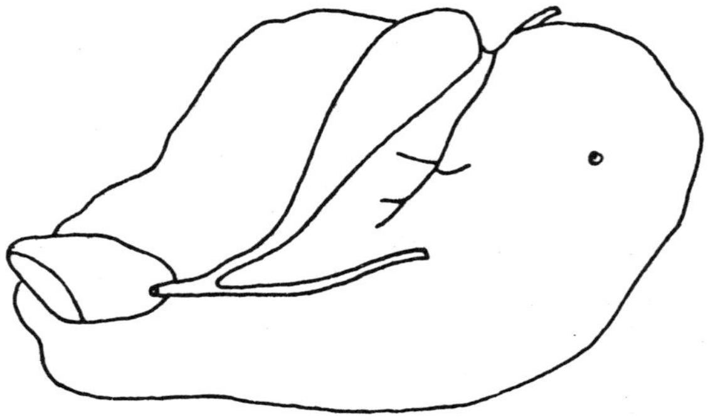

[B]E KI.GUB NU GAR-*ma*
⌈*i*⌉-*na maš-kán-ni-šu*
[*š*]*i-lum šu-te-eb-rù*
URU *šu-bat* LUGAL *iṣ-ṣa-bat*
BE DUMU LUGAL *a-ba-šu*
i-ba-ar
"Wenn der Standort nicht vorhanden ist und an seiner Stelle ein Loch hindurchgeht: für die Stadt: die Wohnung des Königs wird eingenommen werden ; oder der Sohn des Königs wird sich gegen seinen Vater auflehnen" (KUB 4,74 = Bo 19; vgl. RIEMSCHNEIDER 1972)

$$Z = f(A^+ + B^-) \Rightarrow -$$

Eine zweite Inschrift auf diesem Modell beschreibt eine weitere Veränderung im Bereich des "Standortes":

BE KI.GUB NU GAR-*ma*
i-na maš-kán-ni-šu
[*pi*]*ṭ-ru* LUGAL BA.ÚŠ-*ma*
[*z*]*i-kir-šu*
⌈*ú*⌉-*uṣ-ṣi*! (ḪU)
"Wenn der Standort nicht vorhanden ist und an seiner Stelle sich eine Spalte befindet: der König wird sterben, und sein Name wird verschwinden" (KUB 4,74 = Bo 19; vgl. RIEMSCHNEIDER 1972)

$$Z = f(A^+ + B^-) \Rightarrow -$$

Die beiden Texte beschreiben jeweils unterschiedliche Krankheitsbilder, die anstelle des "Standortes" auftreten, und das Vorkommen von Negativmarken dient wiederum zur Verstärkung der schon durch das Fehlen des Leberteiles intendierten ungünstigen Omenaussage. Als Darstellung (Taf. 8,3-4) von *šīlu* findet sich ein Loch, das in diesem Fall durch das ganze Modell hindurchgeht (*šutebrû*), während *piṭru* durch einen Einstich, ähnlich der Kennzeichnung von *pūṣu*, wiedergegeben ist (zur ominösen Bedeutung dieser einander ähnlichen Anomalien vgl. NOUGAYROL 1950:29). Es ist denkbar, daß beide Veränderungen nebeneinander dargestellt wurden, um ihre unterschiedliche Darstellungsweise zu illustrieren (zum gemeinsamen Auftreten von *šīlu* und *piṭru* vgl. den Leberschaubericht YOS X 10,8–9: *i-na šu-mé-lim ši-lam ù pi-it-*⌈*ru*⌉*i-šu* "(Sie) hat auf der linken Seite ein Loch und eine Spalte").

Das Fehlen einer senkrechten Einritzung auf dem "rechten" Leberlappen zeigt das Fehlen des "Standortes" (*mazzāzu*) an und impliziert eine ungünstige Omenaussage; anstelle des Leberteiles können im Text Krankheitsbilder beschrieben werden (z.B. GIŠ.TUKUL, *šīlu*, *piṭru*), die aber nicht dargestellt werden müssen, da die Tendenz der Wahrsagung unabhängig von dem Vorkommen der zusätzlichen Veränderungen (stets Negativmarken) ist.

In den bisher erwähnten Beispielen wurde bereits eine mit GIŠ.TUKUL "Waffe" bezeichnete Veränderung behandelt und als Negativmarke angesehen; eine graphische Darstellung dieser Anomalie findet sich jedoch auf keinem der Modelle; auch die Inschrift auf einer weiteren Tonleber aus Boğazköy behandelt die Veränderung des "Standortes" durch eine "Waffe", doch ist wiederum die zugehörige Darstellung stark beschädigt:

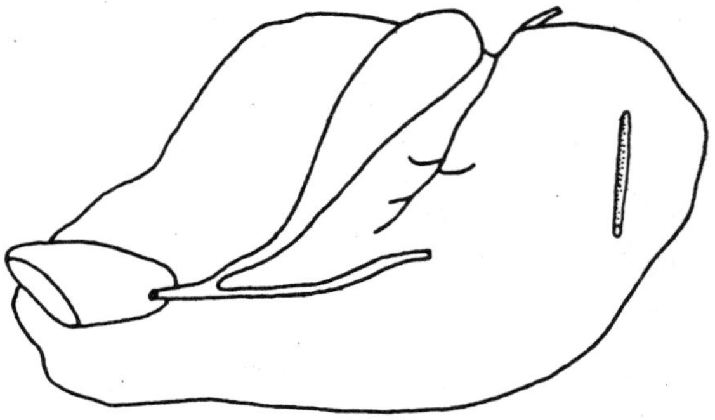

i-na ŠÀ SAG KI+GUB GIŠ.TUKUL *im-qut*
GIŠ.TUKUL ⌈*ba*⌉-*ar-t*[*im*]
"Auf den Kopf des Standortes (in der Mitte des Kopfes des Standortes) fiel eine Waffe: Waffe des Aufstandes" (KUB 37,216 = Bo 1; vgl. RIEMSCHNEIDER 1972; *im-qut*: Lesungsvorschlag G. Wilhelm)

$$Z = f(A^{+} + B^{-}) \Rightarrow -$$

Die negative Tendenz des Erscheinungsbildes "Waffe" wird dadurch bestätigt, daß ihr Vorkommen in einer günstigen Zone des "Standortes" zu einer ungünstigen Omenaussage führt (vgl. die Apodosis zu einem vergleichbaren Befund im Bereich des *ubānu*, KBo 9,57 = Bo 26, s.S. 167; ferner KUB 4,72 = Bo 17, s.S. 166; zu *maqatu* vgl. MSK 2).

Von der Darstellung (Taf. 5,1) ist eine senkrechte Ritzung als Wiedergabe des "Standortes" noch deutlich zu erkennen; sie hebt sich durch eine stärkere Vertiefung von der leicht abgeplatzten Oberfläche gut sichtbar ab. In dem als Kopf (SAG KI.GUB) bezeichneten Bereich scheint sich diese Ritzung zu erweitern. Vermutlich gab es an dieser Stelle eine Vertiefung (Loch) als Kennzeichnung des beschriebenen Befundes (vgl. KUB 4,72 = Bo 17); zur Darstellungsweise von "Waffen" auf den gleichzeitigen Modellen aus Ugarit sowie in den jünger zu datierenden "illustrierten" Omentexten, z.B. von WEIHER 1983: Nr. 46, s.S. 218–220 m. weiteren Belegen).

Weiterhin geht aus der vorliegenden Darstellungsweise hervor, daß unterschiedlich bezeichnete Veränderungen durch gleiche oder einander ähnliche Marken (hier durch ein Loch) wiedergegeben werden können. Da es sich dabei ausschließlich um Negativmarken handelt (*šīlu, peṣû*, GIŠ.TUKUL), ist die geforderte Eindeutigkeit der Marken auch weiterhin gegeben; für die Auswertung von Opferschauergebnissen besitzt offensichtlich nicht die Art der Veränderung determinierende Bedeutung, sondern die Tendenz des jeweiligen Krankheitsbildes. Zwar werden in den Omentexten unterschiedliche Befunde auch unterschiedlich beschrieben, inhaltlich ergeben sie aber dann eine gleichwertige Omenaussage, wenn die jeweils auftretenden Veränderungen zum gleichen Typ von Marken — Positiv- oder Negativmarken — gehören. So resultiert aus der Beobachtung einer "Waffe" auf dem "Kopf des Standortes" ebenso eine ungünstige Omenaussage wie aus dem Auftreten eines "Loches" in dieser Zone (vgl. YOS X 17,53). Daher ist auch nicht die Ähnlichkeit der Darstellung mit dem Dargestellten erforderlich, sondern nur die Wahl des entsprechenden Markentyps (positiv oder negativ); die Wiedergabe eines Loches auf der Leberoberfläche repräsentiert die Kennzeichnung eines ungünstigen Befundes, der verbal, d.h. in einem Omentext, unterschiedlich beschrieben werden kann.

Weiterhin gibt es eine Reihe von Krankheitsbildern des "Standortes", die auf einer Veränderung der "normalen" Form des Leberteiles — der linearen Einritzung — beruhen; in den Omentexten werden derartige Anomalien häufig mit Hilfe von Bildern beschrieben (KI.GUB *kīma* X), die auch, im Gegensatz zu den oben besprochenen Veränderungen, auf den Modellen möglichst "wortnah" wiedergegeben werden:

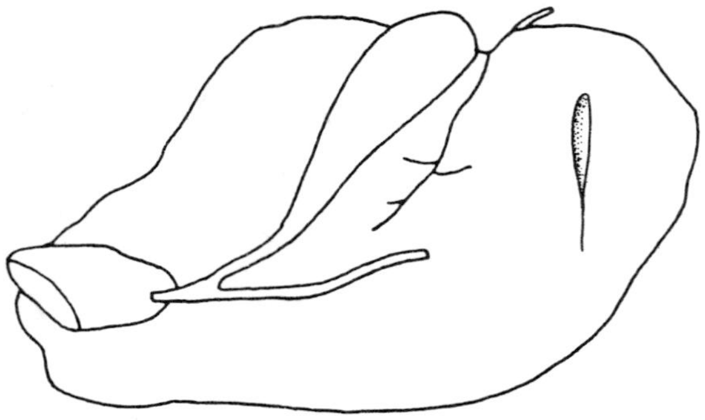

SAG KI.GUB *pa*!-*ši-iṭ*
uz-zu ša dIŠ8.TÁR *a-na* LÚ
a-lik KASKAL SAG A.ŠÀ-*šu* NU *i-ka-aš-šad*
"Der Kopf des Standortes ist zusammengepreßt: Zorn der Göttin auf den Menschen; wer eine Reise (Feldzug) unternimmt, wird sein Ziel nicht erreichen" (KUB 4,71 = Bo 16; vgl. RIEMSCHNEIDER 1972)

$$Z = f(A^+ + B^-) \Rightarrow -$$

Aus der schriftlich formulierten Protasis geht eine Veränderung hervor, die den "Kopf des Standortes", eine positive Zone, betrifft; da eine mit *pašāṭu* "einschnüren", "zusammenpressen" beschriebene Anomalie ein ungünstiges Erscheinungsbild beschreibt (vgl. z.B. YOS X 17,65 für den Bereich "Mitte des Standortes"; KUB 37,168 III, 10–11 für den Bereich von *šulmu*), resultiert aus dieser Kombination eine ungünstige Wahrsagung.

Die dazugehörige Darstellung auf dem Modell (Taf. 7,1) — als graphische Realisierung der Protasis — entspricht exakt dem Wortlaut der Inschrift: Die Kennzeichnung des "Standortes" — die senkrechte Einritzung — verjüngt sich im Bereich des "Kopfes" zu einer schmalen Linie (= *pašāṭu* "einschnüren"; zu vergleichbaren Darstellungsweisen der so beschriebenen Krankheitsbilder s.S. 112–113). Da es sich bei dem Prinzip, das der Omenauswertung zugrunde liegt, um ein System von Oppositionen handelt, ist im Falle einer gegensätzlich beschriebenen Anomalie eine günstige Deutung zu erwarten (Gegensatz: *pašāṭu* "zusammenpressen" — *rapāšu* "vergrößern"). Das Zutreffen dieser Annahme geht aus einem von J. Nougayrol publizierten Text hervor (AO 9066,5–6 = NOUGAYROL 1950: 24): [DIŠ] *na-ap-la-às-tum re-eš-ša ra-pa-aš* DINGIR *re-eš a-wi-lim i-na-aš-ši* "(Wenn) der Kopf des Standortes vergrößert ist: Der Gott wird sich um die Angelegenheiten des Menschen kümmern" (vgl. YOS X 26 I, 25 für *bāb ekalli*).

Die graphische Darstellung eines derartigen Befundes ist den illustrierten Omentexten zwar nicht zu entnehmen, doch findet sich auf einem Modell aus Emar/Meskene eine vergleichbare Veränderung für den Bereich "Fundament des Standortes":

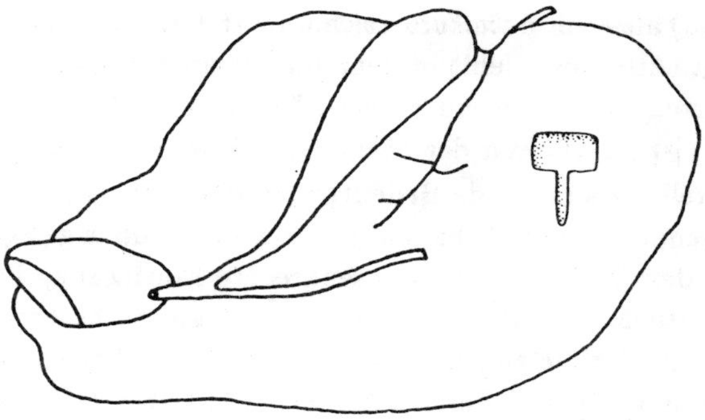

ki-bi-ir SUHUŠ KI.GUB
ir-pí-iš LÚ DINGIR.MEŠ-*šu*
i-TAG₄-*zi-bu-šu*
"Der Rand des Fundamentes vom Standort ist vergrößert: Der Mensch, seine Götter werden ihn verlassen" (MSK 7430 = MSK 1; vgl. ARNAUD 1982:50)

$$Z = f(A^- \Rightarrow B^+) \Rightarrow —$$

Die Darstellung auf dem Modell (Taf. 12,3) entspricht wiederum dem Wortlaut des Textes: Während "Kopf" und "Mitte" des Leberteiles durch die normale senkrechte Einritzung wiedergegeben werden, verbreitert sich die als "Fundament" bezeichnete Zone nach beiden Seiten.

Eine weitere Veränderung des "Fundamentes" ist auf der zweiten Tonleber aus Emar/Meskene beschrieben und dargestellt (Taf. 12,4):

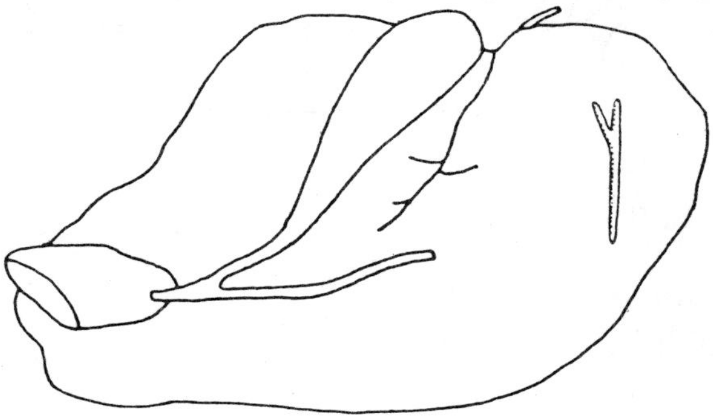

[BE] SUḪUŠ KI.GUB
BAL LUGAL *gab-ra-tu-šu*
i-zi-ba-šu
BE ILLAT-*su i-zi-ib-šu*
BE LÚ ŠAG
pi-ri-iš-ti LUGAL
uš-te-né-ṣí
[*b*]*i-il-ta-a*₅ *i-ṣe-en-nu-ú*
"[Wenn] das Fundament des Standortes sich umwendet (übergreift): Der König, seine Wache wird ihn im Stich lassen, oder seine Truppe wird ihn im Stich lassen, oder ein Mundschenk wird das Geheimnis des Königs verraten; meinen Tribut wird man verladen (?)" (MSK 7431 = MSK 2; übersetzt nach ARNAUD, schriftliche Mitteilung)

$Z = f(A^+ \Rightarrow B^-) \Rightarrow -$

Für das Ideogramm BAL ist aus Omentexten sowohl die Lesung *ebēru* "übergreifen" (so ARNAUD; vgl. z.B. YOS X 20,24 für *padānu*) als auch *nabalkutu* "sich umwenden" (vgl. dazu ausf. NOUGAYROL 1944/45: 64–65.67 m. Belegen) belegt. Allerdings fehlt in dem vorliegenden Beispiel die häufig genannte Richtung, in die das betreffende Leberteil "sich umwendet" bzw. "übergreift" (z.B. YOS X 17,41–42: DIŠ IGI.BAR *ib-ba-al-ki-it-ma mar-tam* ⌈*i*⌉-*ṭu-ul* "Wenn der Standort sich wendet und die Gallenblase anschaut").

Ausgehend von der Darstellung sind beide Bedeutungen denkbar: ein "Übergreifen" auf das links gelegene Gebiet oder ein "Umwenden" (und "Schauen") zu einem der links gelegenen Leberteile (z.B. *padānu, martu*). Die Abbildung auf dem Modell zeigt eine senkrechte Einritzung, die sich im Gebiet des "Fundamentes" spaltet. Eine vermutlich identische Veränderung ist auf dem illustrierten Omentext K 2094 (= CT 31 13) wiedergegeben, doch ist die zugehörige Inschrift nicht erhalten (vgl. auch K 4702 = CT 20 23 mit einer ähnlichen Darstellung für den Bereich KA.DÙG.GA: BE IGI-*ma* KA.DÙG.GA DUḪ "Wenn KA.DÙG.GA vorne gespalten ist", s.S. 128, ferner CT 20 28 für *padānu* s.S. 129). Die ungünstige Deutung beruht auf der Verlagerung des "Standortes" zum links gelegenen ("feindlichen") Gebiet.

Neben einer Veränderung der äußeren Gestalt des "Standortes" finden sich auch zahlreiche Krankheitsbilder, die an der "normalen" Form — der senkrechten Einritzung — beobachtet und auf den Modellen dargestellt werden:

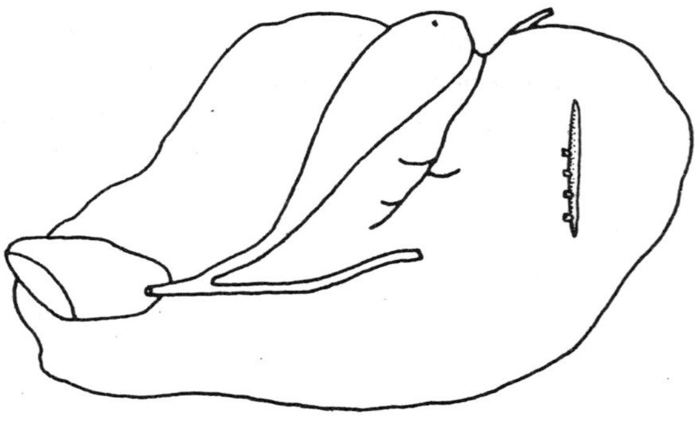

KI.GUB *a-di* 4–*šu* (Rasur: ⌈GÙB?⌉)
pu-uš-šu-uṭ
a-na KASKAL *ki-la*
a-n[*a* G]IŠ.TUKUL? *ar-bu-ut*
ERÍN-[*ni*
"Der Standort ist (links?) viermal zusammengepreßt: mit dem Feldzug: halte zurück; für? die Waffe: Flucht des Heeres" (KUB 4,73; ähnlich RIEMSCHNEIDER 1972; ERÍN-*ni*: Lesungsvorschlag G. Wilhelm)

$Z = f(A^- + B^+) \Rightarrow -$

Mit *pašātu* "einschnüren", "zusammenpressen" beschriebene Veränderungen sind in den Omentexten häufig zu belegen und bezeichnen eine als ungünstig angesehene Erscheinungsform auf der Leberoberfläche. Die betreffenden Befunde zeigen ausschließlich Krankheitsbilder, die sich nur unmittelbar in oder an den jeweiligen Leberteilen befinden, nicht im Gebiet (*mātu*) rechts oder links davon. Dieser restriktive Gebrauch gilt auch für die Anomalien, die durch *paṭāru* "gerissen", "zerfasert" (z.B. YOS X 11 II, 20–22; AO 9066,15–17.40–53 = NOUGAYROL 1950: 24–25.27–31 mit weiteren Belegen, s.S. 114) und *palāšu* "durchbohren" (z.B. NOUGAYROL 1950: 29 m. weiteren Belegen) bezeichnet werden. Das paarweise Auftreten — jeweils an der rechten und linken Seite eines Leberteiles — der durch *paṭāru* ausgedrückten Veränderungen hat ein unbestimmtes (*pitruštu*) Ergebnis zur Folge (z.B. YOS X 47,82; 51 II, 29–30; vgl. STARR 1974: 185–186, s.S. 96–97). Eine derartige Ergebnisform ist auch für die durch *pašātu* beschriebenen Anomalien anzunehmen, doch fehlen bisher entsprechende Textbelege. Auch die substantivierten Formen dieser Verben (*pilšu, piťru*) sind als Negativmarken aufzufassen (s.S. 106), doch können diese, im Gegensatz zu den Verbalformen, zur Beschreibung von Krankheitsbildern aller Zonen eines Leberteiles verwendet werden. Während bei der Auswertung dieser Gruppe von Negativmarken die veränderte Tendenz der mittleren Zonen zu berücksichtigen ist ("die Mitten sind falsch", s.S. 94–95), trifft diese Gesetzmäßigkeit für die Interpretation der verbal beschriebenen Anomalien nicht zu, da sie nur im Zusammenhang mit einem Leberteil auftreten können. Es ist daher möglich, daß die als *tarbāṣu* bezeichneten Gebiete (s.S. 97–98) sich auf die Tendenz der Seiten eines Leberteiles (im Gegensatz zu deren Gebiet rechts und links) beziehen. Auch in dem vorliegenden Beispiel ist eine Veränderung der "linken Seite des Standortes" behandelt, die insgesamt als negative ("feindliche") Seite verstanden wird; dagegen weisen die "Zonen des Gebietes links vom Standort" variierende Wertigkeiten auf (Kopf: negativ; Mitte: positiv; Fundament: negativ).

Bei der Interpretation der vorliegenden Marke muß berücksichtigt werden, daß die beobachtete Anomalie (*pašāṭu*) zwar eine ungünstige Tendenz besitzt, diese aber infolge des vierfachen Vorkommens in eine günstige Bewertung umwandelt; für das Auftreten eines als günstig angesehenen Krankheitsbildes gilt dann: $Z = f(A^- + B^+) \Rightarrow -$ (zu der hier verwendeten Apodosis, vgl. YOS X 33 V,25.40 zu *ubānu*).

Die Darstellung auf dem Tonmodell (Taf. 8,1) entspricht dem schriftlich formulierten Befund: An der linken Seite der senkrechten Einritzung — der Kennzeichnung des "Standortes" — sind vier waagerechte Einkerbungen angebracht, die die erwähnte vierfache Einschnürung des Leberteiles wiedergeben. Wichtig für die Interpretation dieser Marke und zugleich ein Beleg für die Notwendigkeit einer exakten Ausführung der Darstellung ist die Beobachtung, daß die Einkerbungen nicht die gesamte Markierung des "Standortes" unterbrechen, sondern nur an dessen linker Seite angebracht sind. Nur durch diese Darstellungsweise kann der Befund — die Einschnürung der linken Seite — korrekt wiedergegeben werden; Einkerbungen, die die Kennzeichnung vollständig unterteilen, würden eine Veränderung des "Standortes" selbst anzeigen, ein Krankheitsbild, das eine ungünstige Omenaussage ergibt (vgl. AO 9066,47–53 = NOUGAYROL 1950: 30–31: *naplastum ana 4 puṭṭurat*).

Die auf diesem Modell verwendete Darstellungsweise unterscheidet sich von derjenigen anderer ebenfalls mit *pašāṭu* beschriebener Krankheitsbilder (KUB 4,71 = Bo 16, s.S. 110; CT 31 13, s.S. 101); anstelle von Unterbrechungen (so CT 31 13) bzw. Verjüngungen (so KUB 4,71) als Kennzeichnung der Veränderung wurde in diesem Fall eine dem Befund entsprechende Anzahl von Einkerbungen angebracht. Es zeigt sich, daß verbal übereinstimmend beschriebene Krankheitsbilder aus Gründen der Eindeutigkeit der Darstellung auf den Tonmodellen durchaus graphisch unterschiedlich realisiert werden können; sogar eine Ähnlichkeit mit den Darstellungen anderer Veränderungen ist denkbar, ohne daß dadurch die beabsichtigte Aussage verändert wird (vgl. die vorliegende Markierung z.B. mit der für *paṭāru* in KBo 9,61 = Bo 30, s.S. 114). Für den Interpreten, den *bārû*, ist es nur erforderlich, die sich jeweils ergebende Tendenz (positiv oder negativ) zu erkennen; im Falle ähnlicher Veränderungen ist dagegen die tatsächliche Ursache der Wahrsagung unerheblich für die Omenaussage (z.B. ergeben durch *pašāṭu* und *paṭāru* beschriebene Veränderungen gleiche Aussagen).

Die vergleichbare Darstellungsweise der mit *pašāṭu* und *paṭāru* beschriebenen Veränderungen kann durch die Interpretation eines fragmentarisch erhaltenen Lebermodells aus Boğazköy eine gewisse Bestätigung erhalten:

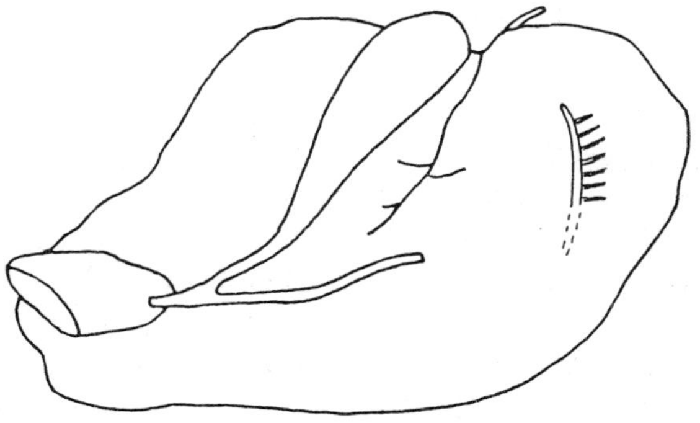

[BE KI.GUB ZAG] *ki-ma* ZÚ GA.ZUM
[*pu-ṭu-ur*]
"[Wenn die rechte Seite des Standortes] wie der Zahn eines Kammes [eingerissen ist]":
(KBo 9,61 = Bo 30; ähnlich RIEMSCHNEIDER 1972)

$$Z = f(A^{+} + B^{-}) \Rightarrow -$$

Die Ergänzung der Verbalform beruht auf Formulierungen vergleichbarer Textstellen (z.B. VAT 4102,3–4 = NOUGAYROL 1950:13) sowie auf graphischen Ähnlichkeiten mit Darstellungen von Befunden, die im Text durch *paṭāru* beschriebenen werden (z.B. KB 4,72 = Bo 17 (*mazzāzu*); CT 20 28 (*padānu*)). Entsprechende Omentexte sind bis in die neuassyrische Zeit nachzuweisen (z.B. CT 30 24) und ergeben immer einen ungünstigen Bescheid, der auch im vorliegenden Beispiel erwartet werden darf (von der zugehörigen Apodosis sind nur unergiebige Zeilenreste (D 1–4) auf der Rückseite des Modells erhalten).

Die Annahme eines ungünstigen Omenergebnisses wird auch durch die Form der Darstellung auf dem Modell (Taf. 11,2) unterstützt: An der rechten (günstigen) Seite des "Standortes" befinden sich (sieben) waagerechte Einritzungen, die dem bildhaften Vergleich des Textes ("wie Zähne eines Kammes") durchaus entsprechen. Die Beobachtung dieses Krankheitsbildes auf der rechten Seite des "Standortes" (so die Darstellung) muß, nach der oben vorgeschlagenen Gesetzmäßigkeit, zu einer negativen Wahrsagung für den Fragesteller führen.

Eine ähnliche Darstellung findet sich auf dem bereits erwähnten Modell aus Boğazköy (Taf. 7,2):

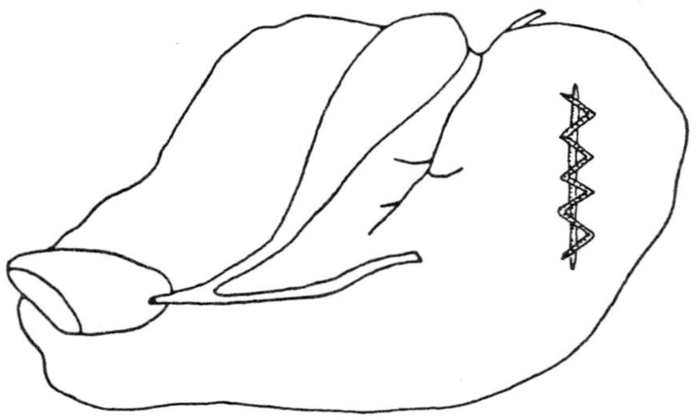

BE KI.GUB *ki-ma* ZÚ *ša-ar-ša-ri*
pu-ṭur-ma LAL.MEŠ-*šu sa-am-du*
ERÍN^{MEŠ}-*TI-kán ma-uš-zi na-aš-šu-ma*
x x x x x ⌈*pa-iz*⌉-*zi na-aš a-ap-pa*
[...] ⌈-*zi*⌉
"Wenn der Standort wie der Zahn(rand) einer Säge gerissen ist und seine Zacken (Risse) (?) sind: Das Heer wird fallen oder .... wird kommen und er wird wieder ...."
(KUB 4,72 = Bo 17; vgl. RIEMSCHNEIDER 1972)

$$Z = f(A^{+} + B^{-}) \Rightarrow -$$

Das hier verwendete Bild ("wie der Zahn(rand) einer Säge") ist seit der altbabylonischen Zeit als Beschreibung von Befunden belegt (z.B. YOS X 11 IV,5 für *ubānu*; ARO/NOUGAYROL 1973:42 für die Milz) und hat immer (für das 1. Jts. v.Chr. vgl. CT 20 33,88) eine ungünstige Bedeutung. Dieses Ergebnis resultiert aus der Verbindung von *paṭāru* mit dem Gebiet des "Standortes" selbst (im Gegensatz zu den vorher erwähnten Veränderungen des rechten und des linken Randes).

Die Darstellung auf dem Modell zeigt eine gezackte Ritzlinie, die durch die Markierung des "Standortes" gezogen ist; das so entstandene Bild vermittelt tatsächlich den Eindruck einer Säge (vgl. die Darstellung auf dem Modell KBo 9,61 = Bo 30, Taf. 11,2 für den Bereich von *padānu*, s.S. 129).

Die Markierungen auf den zuletzt besprochenen Modellen zeigen eine besonders prägnante Übereinstimmung von schriftlich formulierter Beschreibung (schriftliche Protasis) und deren graphischer Realisierung (graphische Protasis). Dieser bildhaften Darstellungsweise entsprechen in den Texten die durch die Präposition *kīma* eingeleiteten bildhaften Vergleiche (vgl. sprachliche Bilder — bildhafte Sprache, s.S. 86–86; zahlreiche weitere Beispiele, z.B. YOS X 31 I, 5–6; II, 16–18). Auch auf einem weiteren Modell aus Boğazköy wird mit Hilfe dieser Konstruktion die Kennzeichnung des "Standortes" beschrieben:

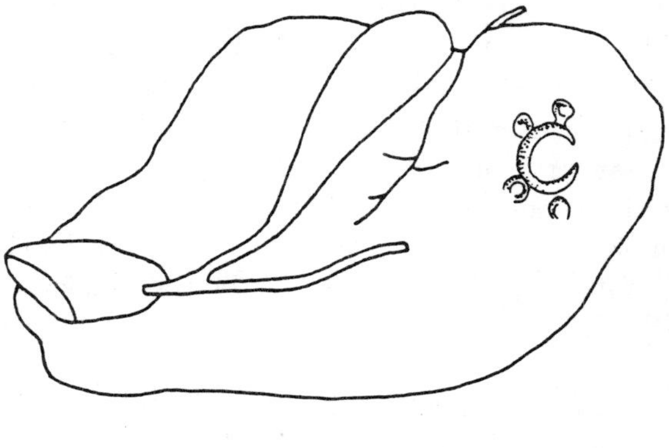

BE KI.GUB *ki-ma* ŠU <SI> GUR-*ma* GIŠ.TUKUL DUḪ$^{!}$-*ir*
A-NA LÚ^{LÚ} *šar-di-aš e-di ne-a*
URU^{DIDLI} *pi-ip-pa-an-zi* ^{LÚ}KÚR LÚ-*an*
ḫu-ul-la-az-zi na-aš še-e-er-ši-i[*ṭ*]
ši$^{?}$-w[a]-*an-ta-ri-at-*⌈*ta*⌉
"Wenn der Standort wie ein Finger sich krümmt und die Waffe gespalten ist: Dem Menschen wird ein Bundesgenosse abfallen; die Städte werden sie umstürzen; der Feind wird den Mann schlagen, und er wird über ihn Sieger bleiben" (KUB 37,224 = Bo 9; vgl. RIEMSCHNEIDER 1972)

$$Z = f(A^{+} \Rightarrow + B^{-}) \Rightarrow —$$

Die im vorliegenden Omenbefund beschriebene Verbindung zwischen der Lage des Leberteiles GUR (*târu*) "sich umwenden" und der Anomalie GIŠ.TUKUL "Waffe" ist aus zahlreichen Texten belegt (z.B. YOS X 17,26–30; NOUGAYROL 1944/45:60–61 m. weiteren Belegen). Die negative Wahrsagung resultiert aber nicht aus der Abweichung des "Standortes" von dessen "normaler" Form — der senkrechten Einritzung — , sondern in entscheidendem Maße von der Richtung, in die der "Standort" abweicht; als Möglichkeit stehen wiederum die Bereiche rechts und links des Leberteiles, d.h. günstige oder ungünstige Gebiete zur Verfügung. In ausführlich verfaßten Omentexten wird ebenfalls die Ausrichtung des "Standortes" auf eine "Waffe" beschrieben (*ana* GIŠ.TUKUL *itūr*), darüber hinaus aber auch das Leberteil angegeben, zu dem sich der "Standort" umwendet (X *iṭṭul*); dadurch wird die Richtung der Abweichung und damit eine Beziehung zu einem günstigen oder ungünstigen Gebiet eindeutig festgelegt.

Zwei Beispiele sollen dieses Auswertungssystem verdeutlichen: DIŠ IGI.BAR *a-na* GIŠ.TUKUL *i-tu-ur-ma pa-da-nam i-ṭù-ul* LÚ *i*[*-zi-im-ti li-ib*]*-ba-šu qá-aš-šu i-ka-ša-ad* "Wenn der Standort sich nach einer Waffe umwendet und dabei zum Pfad schaut: Der Mensch wird das Begehren seines Herzens auf seinen Händen erreichen" (nach NOUGAYROL 1950; vgl.YOS X 17,30). In diesem Text wird eine Ausrichtung des "Standortes" auf das Leberteil *padānu* geschildert, das sich "links oberhalb" vom Bereich des "Standortes" befindet. Daher kann die "Waffe" nur auf der linken Seite des "Standortes" liegen, einem als ungünstig angesehenen Gebiet (pars hostilis). Im Gegensatz dazu findet sich in einem anderen Text: BE IGI.BAR *a-na* GIŠ.⌈TUKUL *i*⌉*-tu-ur-ma r*[*u*]*-q'i i-mi-tim* ⌈*i*⌉*-ṭù-ul ri-ig-mu i-na ma-tim* [x x] "Wenn der Standort sich gegen eine Waffe wendet und dabei zur dünnen Stelle rechts schaut: Lärm (Kriegslärm, Beschwerde) im Land..." (YOS X 17,26). Das Leberteil *ruqqu* "dünne Stelle" befindet sich — und diese Lage wird durch die Angaben im Text bestätigt — am "rechten äußeren Rand, etwas unterhalb" vom Gebiet "Kopf des Standortes" (s.S. 56–57). Wenn aber der "Standort" auf dieses Gebiet ausgerichtet ist, dann kann die "Waffe" zu der er sich umschaut, nur auf der rechten, günstigen Seite (pars familiaris) liegen.

Die Deutungen der beiden Omentexte belegen, daß vorwiegend die Position der "Waffe" ausschlaggebend für das Resultat ist: Befindet sie sich auf der rechten Seite (YOS X 17,26), ergibt sich eine ungünstige Aussage ($Z = f(A^+ + B^-) \Rightarrow -$), befindet sie sich auf der linken Seite (YOS X 17,30), erfolgt ein günstiges Omen ($Z = f(A^- + B^-) \Rightarrow +$). Eine andere Interpretationsmöglichkeit einer derartigen Befundsituation, die zu dem gleichen Ergebnis führt, findet sich für eine Veränderung der Lage der Gallenblase (s.S. 152). Durch die beschriebene Position wird entweder das Gebiet der rechten Seite des "Standortes" (= ungünstig) oder das der linken Seite (= günstig) kleiner. Die zusätzliche Beobachtung, daß die "Waffe" gespalten (DUḪ) ist, scheint keine maßgebliche Bedeutung für die Auswertung zu besitzen.

Die graphische Darstellung auf dem Modell (Taf. 6,1) entspricht exakt der verbalen Beschreibung im dazugehörigen Text: Der "Standort" ist in diesem Fall als eine fast ringförmige Einkerbung wiedergegeben, an deren Außenseite vier rundliche Auswüchse angebracht sind. Dabei handelt es sich um kleine Applikationen (?), die von einer Ritzung umgeben sind. Nach der Beschreibung kann in diesen Gebilden eine Wiedergabe der "Waffen" gesehen werden (im Text wird allerdings nur eine "Waffe" erwähnt); auch die "Spaltung" (DUḪ-*ir*) ist nicht zu erkennen (Riemschneider sieht die gesamte Darstellung als "fingerförmige Waffe" an).

Für eine Interpretation dieser Darstellung besitzen die Ausrichtung des Leberteiles sowie die Position der vermuteten "Waffen" maßgebliche Bedeutung. Nach der Beschreibung ist die "normalerweise" senkrechte Einritzung des "Standortes" "wie ein Finger gebogen" (GUR mit der Lesung *târu* "sich wenden"). Die vorliegende Beschreibung läßt vermuten, daß das "obere" Ende der Einritzung als Bereich des "Kopfes" anzusehen ist; da beide Endbereiche zur rechten Seite "schauen", ist in jedem Fall eine dem oben zitierten Text YOS X 17,26 vergleichbare Veränderung anzunehmen. Außerdem befinden sich die als "Waffen" angesehenen Gebilde auf der rechten Seite der Einritzung (in seiner Normalform); eine derartige Konstellation ergibt in Analogie zu dem erwähnten Omentext eine ungünstige Wahrsagung, wie sie auch in der Inschrift zum Ausdruck kommt.

Eine weitere Veränderung der Lage des "Standortes" wird möglicherweise auf einem anderen Modell aus Boğazköy (Taf. 9,5-6) beschrieben und dargestellt:

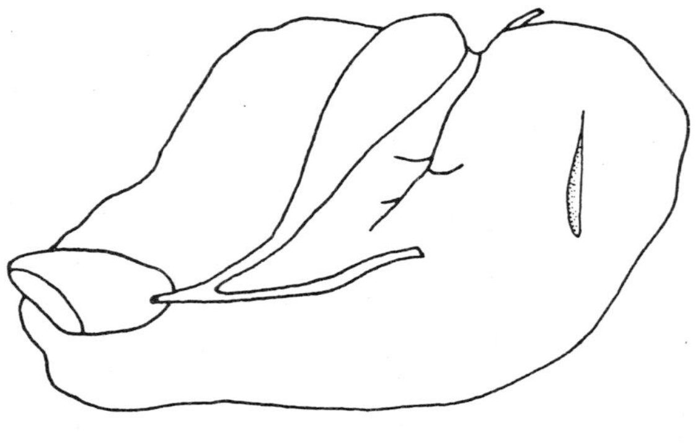

BE [K]I.GUB GAR-*ma* UGU-*šu*
x x *ip*?-*ri-ik*
a-m[*a*?]x TUG-*ši*
"Wenn der Standort vorhanden ist und auf ihm [.....] sich querlegt?: ..... wird vorhanden sein" (KBo 7,7 = Bo 23; ähnlich RIEMSCHNEIDER 1972)

$$Z = f(A^+ + B^{+?}) \Rightarrow +^?$$

Die Interpretation sowie die eindeutige Zuordnung der Darstellung zu einer bestimmten Veränderung (Zeichensystem) ist aufgrund des fragmentarischen Erhaltungszustandes der Inschrift problematisch; dagegen kann die Tendenz der vorliegenden Marke (Bewertungssystem) als günstig angesehen werden, da die Apodosis offensichtlich positiv formuliert ist (TUG-*ši* "ist vorhanden"). Eine Bestätigung dieser Annahme geht möglicherweise aus der Darstellungsweise — der mittlere Teil der an sich linearen Einritzung erweitert sich nach links — hervor, die als Ausdehnung des "Standortes" auf das linke ("feindliche") Gebiet interpretiert werden kann; weiterhin spricht auch der Befund, daß die betreffende Anomalie "auf" dem "Standort" (UGU-*šu*) und nicht "unter" ihm (KI-*šu*) beobachtet wurde, für eine günstige Wahrsagung (vgl. zu dem Gegensatz "oberhalb" - "unterhalb" die Auswertung von Veränderungen (*paṭāru*) im Bereich des *padānu*, s.S. 120–121).

Für die vorgeschlagene Ergänzung der Verbalform (*parāku* "sich querlegen") läßt sich aus den Omentexten kein direkt vergleichbarer Zusammenhang nachweisen; mit diesem Verb beschriebene Befunde weisen immer eine weitere Anomalie auf, die sich zu dem betreffenden Leberteil "querlegt" (z.B. *bāb ekalli, qû*: YOS X 26 I 34; *bāb ekalli,šīru*: YOS X 26 IV 7). Es läßt sich aber durchaus eine gewisse Übereinstimmung zwischen der Darstellung und dem angenommenen Befund feststellen; unabhängig davon ist der positive Charakter dieser Marke wahrscheinlich.

Das Verhältnis der beiden häufig untersuchten Leberteile *mazzāzu* und *padānu* wird ebenfalls durch die Omentexte festgelegt. Aus Darstellungen auf den Modellen sowie aus entsprechenden Texten geht eindeutig hervor, daß zwischen beiden Bereichen ein räumlicher Abstand besteht. Die Beschaffenheit dieses Zwischenraumes ist vielfach Thema der Kompendien. Neben dort auftretenden Krankheitsbildern (z.B. VAT 602,32 = NOUGAYROL 1950:17) wird auch der Abstand selbst untersucht:

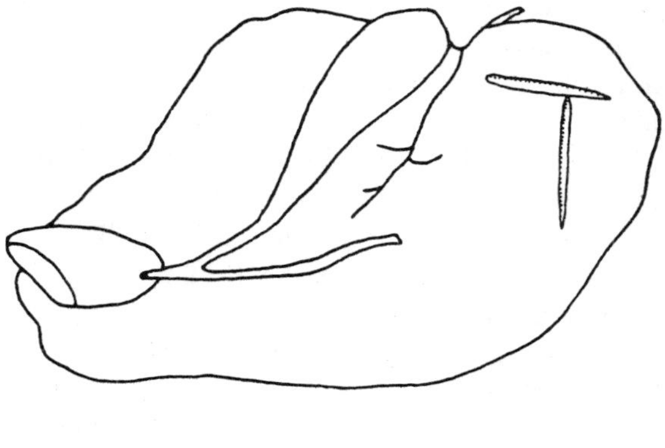

BE SUḪUŠ NA GÍD.DA-*ma*
ana GÍR *u* GÍR KU!.NU
15 ŠUB-*ut*
"Wenn das Fundament des Standortes lang ist und sich ein Pfad dem (anderen) Pfad nähert(?) und nach rechts herabfällt" (CT 31 13, K. 2094)

$$Z = f(A^{+} \Rightarrow B^{-}) \Rightarrow -$$

Die ungünstige Deutung eines derartigen Krankheitsbildes wird durch vergleichbare Omentexte der altbabylonischen Zeit hervorgehoben: [DIŠ] *na-ap-la-<às>-tum a-na pa-da-ni-im [i]q-ri-ib* DINGIR *zi-nu-um [a-n]a a-wi-lim i-tu-úr-ra-ma* "[Wenn] der Standort sich dem Pfad nähert: Der zornige Gott wird sich gegen den Menschen wenden" (AO 9066,12–14 = NOUGAYROL 1950:24 m. weiteren Belegen).

Die Darstellung in dem illustrierten Omentext zeigt zwei rechtwinklig aufeinanderstehende Einritzungen und damit ein dem beschriebenen Befund entsprechendes Bild.

Der Erhaltungszustand der restlichen beschrifteten Tonlebermodelle ist sehr fragmentarisch und erlaubt keine eindeutige Zuordnung der Inschriften und der Darstellungen zu dem Bereich des "Standortes"; nur bei dem Modell KBo 9,67 = Bo 36 könnte es sich um ein weiteres Bruchstück des rechten Leberlappens handeln, und auch die Inschrift läßt sich aufgrund der Schriftrichtung als Beschreibung des "Standortes" auffassen:

> [KI.GÙB?] *qé* [*-e? p*]*é1-sú-ti!?* [*i-ta-ad-du-ú?*]
> [LU-*aš*] *a-ši-wa-an-te-ez-zi* DINGIR *an*[
> [...] DINGIR?-*lim? ki-na?-at?* ERÍN ME[Š]
> x x x *ša-an-na-pí-li* [
> *ú-wa-az-zi*
> "[Der Standort] ist links? mit weißen Fädchen {besetzt]: [der Mann?] wird verarmen; .... des Gottes? ...; die Heere ... wird kommen" (KBo 9,67 = Bo 36; vgl. RIEMSCHNEIDER 1972)

$$Z = f(A^{+} + B^{-}) \Rightarrow —$$

Sollten die hier vorgeschlagenen Ergänzungen zutreffen, dann wird auf diesem Modell der gleiche Befund beschrieben, der bereits auf dem Modell KBo 7,5 = Bo 21 (s.S. 105) behandelt wurde; auch in diesem Fall ergibt sich eine ungünstig (oder unentschieden) formulierte Deutung. Im Gegensatz zu dem bereits besprochenen Exemplar ist hier aber die Omenaussage in hethitischer Sprache abgefaßt. Auch die Darstellung (Taf. 12,1) ist sehr stark zerstört , so daß die graphische Kennzeichnung des Befundes ebenfalls unsicher bleibt und nicht zur Rekonstruktion des Textes beitragen kann; zu erwarten wären wiederum kleine Einstiche rechts und links des "Standortes".

Zusammenfassend läßt sich feststellen, daß auf allen beschrifteten Tonlebermodellen (aus Boğazköy, Emar und Hazor), bei denen der Bereich des "Standortes" erhalten ist, eine schriftliche Auswertung und graphische Kennzeichnung in diesem Bereich auftretender Krankheitsbilder erfolgt. Auch in den Leberschauberichten wird die Beschaffenheit dieses Leberteiles immer beschrieben, doch kann in dieser Übereinstimmung keineswegs ein Indiz für die Annahme gesehen werden, diese Tonlebern als modellhafte Nachbildung dieser Gruppe von Omentexten auffassen zu können (dazu s.S. 188). Gegen eine derartige Möglichkeit spricht auch die Beobachtung, daß auf den bisher untersuchten Modellen, mit Ausnahme eines einzigen Krankheitsbildes — *qê peṣûti itaddu* "mit weißen Fädchen besetzt" — keine Veränderung mehrfach auftritt; und auch in diesem Fall beruht die entsprechende Protasis, deren Bezug zum Bereich des "Standortes" nicht eindeutig ist, auf einer ungesicherten Ergänzung des Textes. Außerdem gehören die beiden beschrifteten Modelle unterschiedlichen Zeitstufen an (KBo 7,5 = Bo 21: 13. Jhd. v.Chr., ausschließlich in babylonischer Sprache verfaßter Text; KBo 9,67 = Bo 36: 14. Jhd. v.Chr., Text in babylonischer und hethitischer Sprache, s.S. 43–44). In fast allen Beispielen besteht zwischen schriftlich formuliertem Befund und graphischer Darstellung — zwischen Wort und Bild — Übereinstimmung, und immer liegt die geforderte Eindeutigkeit der verwendeten Marken in bezug auf das intendierte (positive oder negative) Omenergebnis vor, d.h. die Omenaussage läßt sich anhand der Darstellung erkennen.

padānu "Pfad"

Der zweite nach der kanonischen Abfolge der Inspektion zu untersuchende Teilbereich ist das als *padānu* "Pfad" bezeichnete Leberteil; es befindet sich am "oberen" Rand des rechten Lappens (lobus sinister; zur allgemeinen Lage auf der Leber s.S. 58). Für diesen Bereich vermittelt die Schulleber BM 50494 keine Informationen zur Lage und Einteilung in Zonen sowie zur Abgrenzung gegenüber benachbarten Gebieten, da gerade dieser Abschnitt nicht erhalten ist. Nur durch entsprechende Auswertung der zahlreichen Omentexte zu diesem Bereich kann dessen innere Gliederung sowie die Bezeichnung einzelner Teilgebiete rekonstruiert werden.

In seiner Arbeit über das *bārû*-Ritual hat I. Starr diesen Bereich ausführlich behandelt (STARR 1974: 116–121); der von ihm erstellten Einteilung sind aber noch die Tendenzen der einzelnen Zonen, die gerade für die hier zu untersuchende Fragestellung größte Bedeutung besitzen, hinzuzufügen.

Die beiden Leberteile *mazzāzu* und *padānu* werden durch den als *ruqqu* "dünne Stelle" bezeichneten Bereich voneinander getrennt (VAT 602,32 = NOUGAYROL 1950:17–19, vgl. NOUGAYROL 1944/45:63–65); *ruqqu* ist ein Synonym für die rechte Seite des Leberteiles *naṣraptu* "Färbbottich" (vgl. YOS X

20,14–17), während dessen linke Seite EGIR *naṣrapti* "Rücken" des *naṣraptu* genannt wird. Der "Pfad" befindet sich demnach im Gebiet von *naṣraptu* (vgl. YOS X 11 IV,16; CT 20 31–37) und stellt die Begrenzung zwischen den beiden Gebieten *ruqqu* und EGIR *naṣrapti* dar (vgl. YOS X 20,14–25). Aus dieser Abgrenzung der topographischen Lage von *padānu* geht hervor, daß die Nomenklatur der benachbarten Gebiete sich nicht auf diesen Bereich bezieht (wie im Falle des "Standortes"); er ist vielmehr als Teil des übergeordneten Leberbereiches, des *naṣraptu* zu verstehen. Der Begriff *padānu* beschränkt sich daher unmittelbar auf den Abdruck des Labmagens (impressio abomalis), auf den Eindruck, den dieser auf der Leberoberfläche hinterläßt. Eventuell ist der Bereich von *padānu* mit dem Gebiet vergleichbar, das *manzāz ili* "Standort des Gottes" in den älteren Texten umfaßt, dem eigentlichen Abdruck eines anderen Organs (impressio reticularis). Während aber *manzāz ili* zur Bezeichnung eines Leberbereiches (*mazzāzu*) dient, bleibt die Verwendung von *padānu* auf den Abdruck selbst beschränkt, und der Leberbereich, in dem sich dieser Abdruck befindet — das Gebiet rechts und links von *padānu* — entspricht den Gebieten von *naṣraptu*. Dieser restriktive Gebrauch ist auch an der Bezeichnung für die einzelnen Zonen des *padānu* (= Abschnitte auf dem Abdruck) zu erkennen. Die häufig erwähnten Zonen *padān imitti* "rechte Seite des Pfades" und *padān šumēli* "linke Seite des Pfades" können daher nur als Teil des "Pfades" (Abdrucke) selbst aufgefaßt werden. Aus den Inschriften auf den Lebermodellen in Verbindung mit den dazugehörigen Darstellungen wird ersichtlich, daß unter der "rechten Seite des Pfades" ein Abschnitt in der Nähe des "rechten" Leberrandes zu verstehen ist, unter der "linken Seite" der entsprechende Abschnitt in der Nähe des Einschnittes zwischen den beiden Lappen (vgl. KUB 37,228 = Bo 13 und KBo 7,7 = Bo 23). Für die "rechte Seite" ist darüber hinaus auch die Bezeichnung SAG "Kopf" belegt, für die "linke Seite" entsprechend SUḪUŠ "Fundament" (z.B. YOS X 20, 14.15); der dazwischenliegende Abschnitt wird als MURU "Mitte" bezeichnet (z.B. YOS X 20,15).

Die Beziehung zwischen den Leberteilen *padānu* und KA.DÙG.GA ist bereits erwähnt worden (s.S. 59); darauf ist im Zusammenhang mit der Diskussion einzelner Krankheitsbilder erneut einzugehen (s.S. 127–128). Im Zusammenhang mit dem Leberteil *naṣraptu* ist darauf hinzuweisen, daß Veränderungen, die diesen Bereich betreffen, auf den Modellen weder beschrieben noch dargestellt werden (vgl. dazu BIGGS 1969: 164–166, vor allem zu SUR *naṣrapti*).

Die (horizontale) Dreiteilung des Leberteiles *padānu* in die Zonen "Kopf" ("rechts"), "Mitte" und "Fundament" ("links") entspricht genau der Einteilung des "Standortes" (KI.GUB *ina libbi-ša*), und auch die Tendenz dieser Zonen ist durchgehend positiv ("eigenes Gebiet"); so resultiert aus dem Befund eines Loches (*šīlu*) für jede dieser Zonen eine ungünstige Omenaussage ($Z = f(A^{+} + B^{-}) \Rightarrow$ — ; vgl. z.B. YOS X 18,56–59). Eine dem Bereich *mazzāzu* entsprechende vertikale Dreiteilung liegt für dieses Leberteil nicht vor, da die rechts und links gelegenen Gebiete, wie bereits erwähnt, zum Bereich von *naṣraptu* gehören, der hier aber nicht untersucht werden muß. Dagegen findet sich für die Seiten (Ränder) der einzelnen Zonen eine von diesem Bewertungsschema abweichende Tendenz, falls — und darin wiederum mit Konditionen vergleichbar, die für entsprechende Abschnitte des "Standortes" nachgewiesen wurden (s.S. 93) — bestimmte Krankheitsbilder dort auftreten (z.B. *paṭāru, pašāṭu*, d.h. Veränderungen, die die "normale" Form des Leberteiles beeinträchtigen). Anhand eines illustrierten Omentextes aus der neuassyrischen Zeit läßt sich die zugrundeliegende Gesetzmäßigkeit erkennen, die auch schon im 2. Jts. v.Chr. Gültigkeit besaß (vgl. z.B. KUB 4,72 = Bo 17):

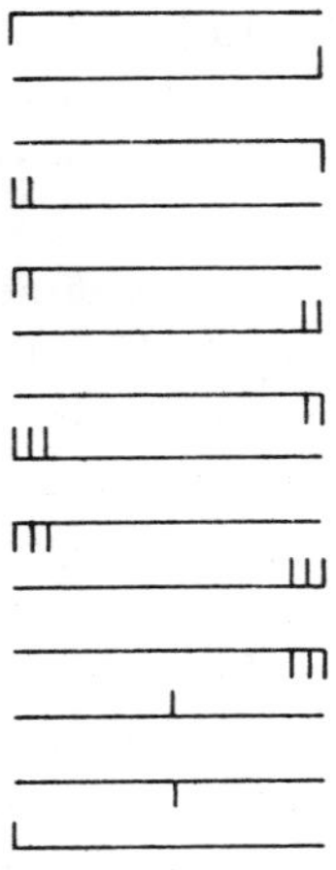

[BE]		SIG$_5$	KI.A	MÚRU	⌈GÍR	15⌉		[DUḪ]
[BE]		SIG$_5$		MÚRU	GÍR	150		DUḪ
[BE]		BAR	KI.A	MÚRU	GÍR	150		DUḪ
[BE]		BAR		MÚRU	GÍR	15	2	DUḪ
[BE]		SIG$_5$	KI.A	MÚRU	GÍR	15	2	DUḪ
[BE]		SIG$_5$		MÚRU	GÍR	150	2	DUḪ
[BE]		BAR	KI.A	MÚRU	GÍR	150	2	DUḪ
[BE]		SIG$_5$		MÚRU	GÍR	15	3	DUḪ
[BE]		BAR	KI.A	MÚRU	GÍR	15	3	DUḪ
[BE]		BAR		MÚRU	GÍR	150	3	DUḪ
[BE]		SIG$_5$	KI.A	MÚRU	GÍR	150	3	DUḪ
BE		BAR		MÚRU	GÍR			DUḪ
BE		SIG$_5$	KI.A	MÚRU	GÍR			DUḪ
BE		BAR		MÚRU	GÍR	15		DUḪ

(K 4069 =CT 20 28,Rs. 2–12 + K 2146 + 6270 =CT 20 26, Rs. 7–9)

Diese als "Sachkommentare" (*mukallimtu*) bezeichneten Texte (vgl. dazu MEIER 1937:239–240) geben ein geordnetes System für die Auswertung einer Gruppe von Leberschaubefunden wieder: Zunächst ist zwischen einer "oberen" (hier nicht benannt, sonst AN.TA) und "unteren" (KI.A) Seite zu unterscheiden; unter "oberer" Seite wird die zur Mitte der Leber gelegene Seite (dem "Betrachter" zugewandt) verstanden, unter "unterer" Seite diejenige, die zum Rand der Leber liegt (vom "Betrachter" abgewandt). Die als "rechts" (= "Kopf") und "links" (= "Fundament") bezeichneten Zonen des "Pfades" befinden sich jeweils am "rechten" bzw. "linken" Rand des "rechten" Leberlappens (s.S. 121). Das ein- oder zweifache Auftreten einer mit *paṭāru* "gerissen", "zerfasert" beschriebenen Veränderung (vermutlich ebenso *pašāṭu* "einschnüren", "zusammenpressen", s.S. 124) ergibt im "oberen" Teil des "Pfades" in den Zonen "links" ("Fundament") und "Mitte" eine günstige Wahrsagung, in der Zone "rechts" ("Kopf") eine ungünstige; da es sich bei dieser Veränderung um eine Negativmarke handelt, besitzt die Grundtendenz dieser Zonen jeweils die entgegengesetzte Wertigkeit. Für die "untere" Seite des "Pfades" finden sich, entsprechend dem System von Oppositionen, Ergebnisse und damit auch Wertigkeiten, die wiederum konträr zu denen der "oberen" Seite gebildet sind. Eine bereits bekannte Gesetzmäßigkeit besteht in der grundsätzlichen Änderung dieser Ergebnisformen bei einem drei- oder mehrmaligen Vorkommen der betreffenden Anomalie; diese Regel entspricht dem Prinzip, das sich für die Veränderung durch Löcher nachweisen ließ (vgl. TCL 6 5,21–22, s.S. 163; wohl ähnlich die Auswertung von *paṭāru* und *pašāṭu* an der rechten und linken Seite des "Standortes").

Aus diesen topographischen Angaben geht weiterhin hervor, daß die Untersuchung des Leberteiles *padānu* aus der gleichen Betrachtungsrichtung erfolgte wie die des *mazzāzu*, d.h. die Wahrsager brauchten für die Inspektion dieser beiden Leberteile das Organ nicht zu drehen (als "Kopf" (Standort) bzw. "oben" (Pfad) werden jeweils die Gebiete angesehen, die nahe beim Betrachter liegen).

Die Gliederung des Leberteiles *padānu* und die Wertigkeit der einzelnen Zonen ergibt folgendes Bild:

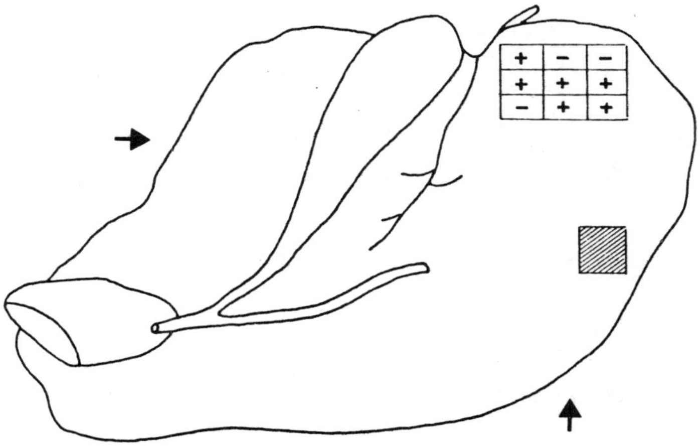

Tendenzen der Teilbereiche des *padānu*

Die graphische Kennzeichnung des Leberteiles *padānu* "Pfad" wurde der Markenkategorie AII, den "Zeichnungen" (*uṣurātu*), zugeordnet (s.S. 69–71); seine Darstellung auf den Tonlebermodellen ist daher in Form einer Einritzung zu erwarten. Aus dem illustrierten Omenmaterial geht keine Wiedergabe des "normalen", unveränderten Zustandes von *padānu* hervor, doch kann anhand der Beschriftung zahlreicher Modelle aus Boğazköy eine waagerechte Ritzlinie — parallel zum ventralen ("unteren") Rand des rechten Leberlappens — als Markierung dieses Leberteiles angesehen werden:

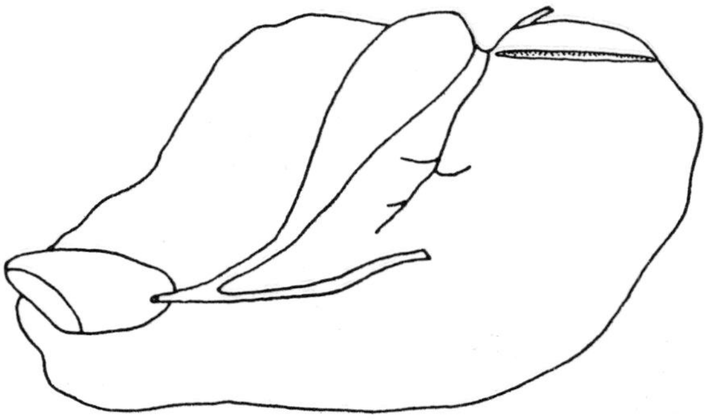

DIŠ *pa-da-nu it-ta-zi-iz mi-ši-ir-tum i-te-bi-a-ma ma-at* LÚ.KÚR *i-kal*]
"Wenn der Pfad vorhanden ist: Mangel wird sich erheben und das Land der Feinde verzehren" (AO 7028,3 = NOUGAYROL 1944/45:56)

$$Z = f(A+ \Rightarrow A+) \Rightarrow +$$

Eine Bestätigung dieser Annahme geht auch aus der Darstellung auf dem Modell aus Hazor (Inschrift f; nur Apodosis) hervor (Taf. 13,5):

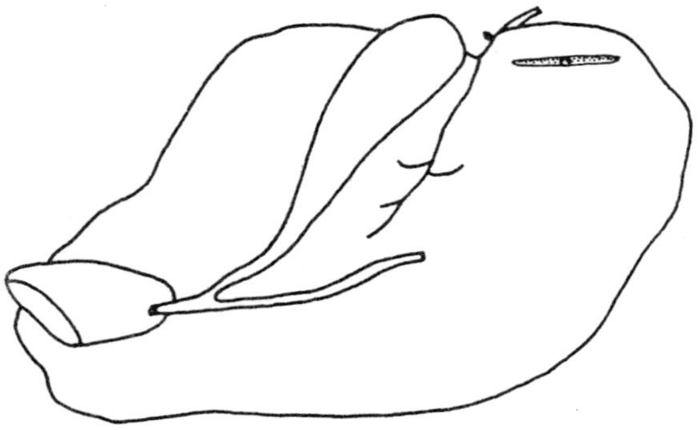

U x *ma-tam i-ka-al*
^{d} GÌR.UNU.GAL *šu-ma-am* x x
"Ištar wird das Land fressen; Nergal wird den Namen..." (n. LANDSBERGER/TADMOR 1964:210)

$$Z = f(A^{+} + B^{-}) \Rightarrow —$$

Alle Inschriften auf dem Modell aus Hazor enthalten nur eine Apodosis, nicht die Ursache (Protasis), die zu dem betreffenden Ergebnis geführt hat; diese ist der beigefügten Darstellung (graphische Protasis) zu entnehmen. In diesem Fall handelt es sich um eine waagerechte Einritzung (Kennzeichnung des *padānu*), in deren Mitte sich ein Loch befindet. Ein derartiges Krankheitsbild wird auch in dem Omentext YOS X 18,57 beschrieben und ergibt ebenfalls eine ungünstige Deutung: [DIŠ *i-n*]*a* ⌈ŠÀ⌉*pa-da-*[*ni*]*m i-na* MÚRU *ši-lum na-di* LÚ *i-na* MÚRU KASKAL *i-ma-ra-aṣ-ma i-ma-a-at* "[Wenn i]m Pfad (selbst), im mittleren Teil, ein Loch vorhanden ist: Der Mann wird in der Mitte der Reise krank und stirbt".

Auch aus Text und Darstellung eines weiteren Modells aus Boğazköy wird ersichtlich, daß die waagerechte Ritzlinie als Kennzeichnung des "Pfades" anzusehen ist:

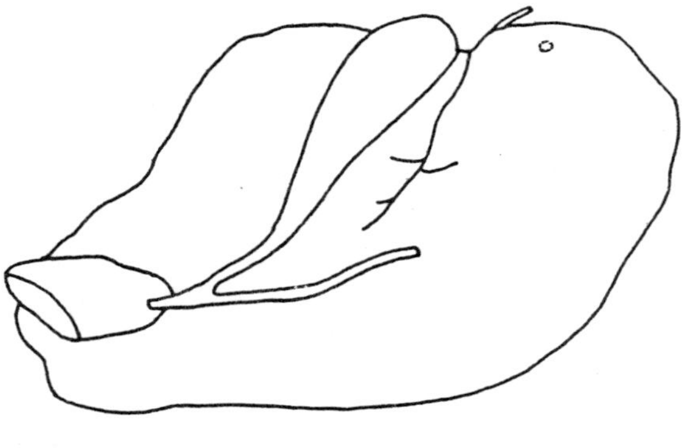

[BE GÍ]R NU GAR-*ma*
[*i-na*] *maš-kán-ni-šu*
[*ši*?]-*lu*!-*u* ŠUB ERÍN.MEŠ-*ni*
SAG A.ŠÀ >*ta*< NU
i-ka-ša-ad
"[Wenn der Pfa]d nicht vorhanden ist und an seiner Stelle ein Loch liegt: Mein Heer wird das Ziel nicht erreichen" (KUB 4,74 = Bo 19; ähnlich RIEMSCHNEIDER 1972)

$$Z = f(A^{+} + B^{-}) \Rightarrow —$$

Aus der Darstellung auf dem Modell (Taf. 8,2-3) kann nicht erschlossen werden, welche Veränderung anstelle des "Pfades" beobachtet wurde, da in diesem Bereich keine Markierung auftritt (vgl. aber YOS X 18,58 mit ähnlicher Apodosis). Die ungünstige Aussage wird aber auch durch die fehlende Kennzeichnung für den "normalen" Zustand des "Pfades" — die waagerechte Ritzlinie — deutlich (vgl. S. 108 für eine derartige Darstellungsweise im Bereich des "Standortes").

Alle weiteren Darstellungen des "Pfades" lassen sich auf diese Grundform zurückführen, und die jeweils beschriebenen Krankheitsbilder werden dann als entsprechende Abweichungen von diesem "Normalzustand" wiedergegeben. Dabei ist wiederum zu unterscheiden zwischen einer Veränderung des "Pfades" selbst, d.h. seiner Form, und zusätzlich beobachteten Anomalien. Die graphische Wiedergabe beider Arten von Krankheitsbildern bestätigt die angenommene topographische Position auf der Leberoberfläche sowie die Kennzeichnung durch eine waagerechte Ritzlinie:

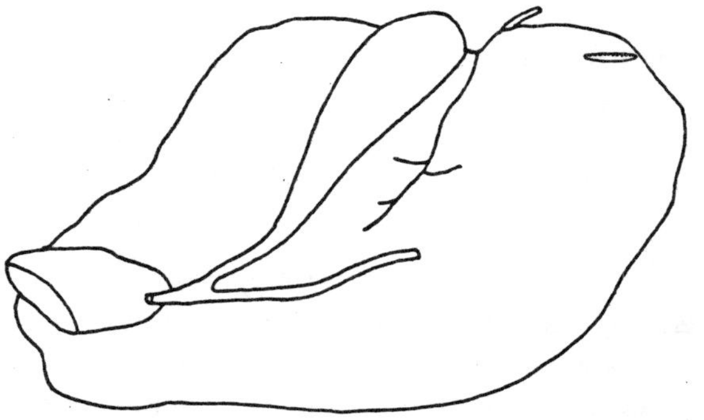

BE SAG! GÍR ZAG GAR-*ma* GÍR GÙB NU GAR
ERÍN LÚ dIŠKUR DÙG?
LUGAL *i-zi-im-ta-šu*
i-kaš-šad
"Wenn der Kopf des Pfades rechts vorhanden ist und das Fundament links nicht vorhanden ist: Das Heer des Mannes wird der Wettergott gut machen; der König wird sein Begehren erreichen" (KUB 37,228 = Bo 13; ähnlich RIEMSCHNEIDER 1972)

$$Z = f(A^+ + A^+) \Rightarrow +$$

Obwohl nur eine Zone des Leberteiles — der Kopf (SAG) — vorhanden ist, ergibt sich eine günstige Omenaussage. Ein derartiges Ergebnis wird durch eine auswertungstechnische Eigenschaft ermöglicht, die nur für diesen Bereich belegt ist: Für die Erstellung eines günstigen Befundes reicht das Auftreten des Abdruckes aus, der mit dem Begriff *padānu* "Pfad" bezeichnet wird; seine Ausmaße sind offensichtlich irrelevant (vgl. dagegen TCL 6,6 II 3 für den Bereich von *mazzāzu* mit festgelegter Länge, s.S. 71–72). Im vorliegenden Beispiel wird die Kennzeichnung als eine kürzere (der linke Teil fehlt), jedoch unveränderte (ohne weitere Krankheitsbilder) Form des Leberteiles aufgefaßt (evt. hängt diese Auffassung mit der symbolischen Bedeutung zusammen, die dem "Pfad" beigemessen wird; als Symbol für den "Verlauf des menschlichen Lebens" oder für "den Feldzug" kann der "Pfad" bereits dann als vollständig angesehen werden, wenn Anfang und Ende vorhanden sind und sich auf dem rechten Leberlappen befinden; seine Länge ist von sekundärer Bedeutung). Die positive Omenaussage wird im Text mit dem Vorhandensein der rechten ("eigenen") Seite erklärt, und in der Darstellung auf dem Modell zeigt sich, entsprechend dieser Beschreibung, auf der rechten Seite eine Einritzung, die aber kürzer ist als üblicherweise. Trotzdem handelt es sich im omentechnischen Sinn um die Darstellung des "normalen" unveränderten "Pfades" und damit um einen Befund, der eine günstige Deutung impliziert.

Doch auch der entgegengesetzte Befund, daß nur die linke Seite vorhanden ist, hat eine günstige Omenaussage zur Folge. Voraussetzung ist wiederum die vollständige (Anfang und Ende aufweisende) und ohne weitere Krankheitsbilder (Negativmarken) versehene Form des Abdruckes, der als *padānu* verstanden wird:

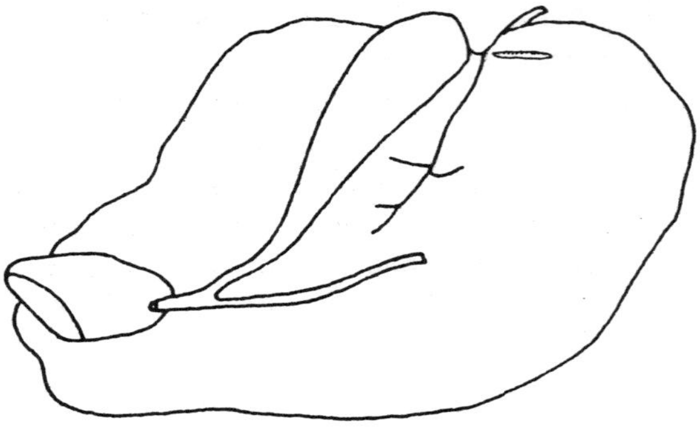

BE G[ÍR] GÙB *a-di* 1 ŠU.⌈SI?⌉ *pa-ši-iṭ*
[LUG]AL *ṣú-mi-ra-ti-šu i-kaš-šad*
"Wenn die linke Seite des Pfades bis (zur Breite) eines Fingers zusammengepreßt ist: Der König wird seine Wünsche erreichen" (KBo 7,7 = Bo 23; vgl. RIEMSCHNEIDER 1972)

$$Z = f(A+ \Rightarrow A+) \Rightarrow +$$

Die Protasis der Beschreibung des Befundes ist so formuliert, daß eine ungünstige Beschaffenheit für die linke Seite zum Ausdruck kommt, wodurch das günstige Ergebnis möglich wird. Die Darstellung (Taf. 9,5-6) zeigt wiederum eine unveränderte, wenn auch kürzere Einritzung, die sich im linken Teil des Bereiches von *padānu* befindet; auf der rechten Seite findet sich keine Kennzeichnung. Die im Text als Bedingung (Protasis) genannte Veränderung wird auf dem Modell durch die "normale" Form des "Pfades" wiedergegeben; es besteht also keine unmittelbare Übereinstimmung zwischen Wort und Bild, wohl aber zwischen der jeweiligen Omenaussage und der dazugehörigen Darstellung.

Als Ursache für die zu beobachtende Diskrepanz zwischen Text und Darstellung muß die bereits erwähnte abweichende Auswertungstechnik angesehen werden, nach der die Beschaffenheit des Bereiches *padānu* beurteilt wird; findet sich bei der Inspektion der Opferleber auch nur ein Teil des als *padānu* bezeichneten Abdruckes, so resultiert daraus bereits eine günstige Deutung. Während im Omentext der jeweils beobachtete Zustand genau beschrieben wird, reicht für die graphische Kennzeichnung eine verkürzte, die Omenaussage interpretierende Darstellungsweise aus. Daher können die beiden verbal unterschiedlich ausgedrückten Veränderungen zeichnerisch in vergleichbarer Weise wiedergegeben werden: durch eine lineare Einritzung, d.h. durch die "normale" Kennzeichnung des "Pfades". Entsprechend der Textbeschreibung wird diese Einritzung auf der rechten oder linken Seite angebracht, doch immer ist sie ein "optisches Zeichen" für das Auftreten der "normalen" unveränderten Form dieses Leberteiles; dadurch ist die günstige Omenaussage jederzeit erkennbar.

Das Auftreten des als *padānu* bezeichneten Abdrucks (impressio abomalis) führt, unabhängig von dessen Ausmaßen, zu einer günstigen Wahrsagung. Erst durch Veränderung der Lage durch ein Abweichen von der linearen Ausrichtung oder durch das Auftreten zusätzlicher Krankheitsbilder ergeben sich abweichende Auswertungsmöglichkeiten:

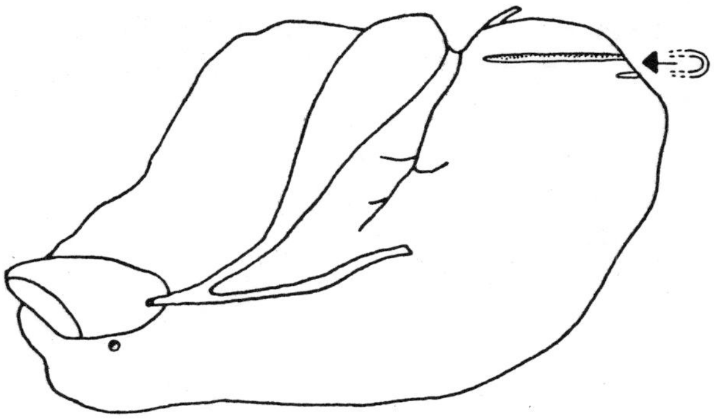

BE GÍR *a-an* ZAG *im-qut-ma i-li*
ERÍN LÚ.KÚR SAG A.ŠA-*su*? NU *i-ka-aš-šad*
a-kal? NAM!.RI GIG BA.ÚŠ
"Wenn der Pfad nach rechts abfällt und sich erhebt: Das Heer des Feindes wird sein Ziel nicht erreichen; Verzehr der Beute; der Kranke wird sterben" (KUB 4,71 = Bo 16; vgl. RIEMSCHNEIDER 1972)

$$Z = f(A+ \Rightarrow A\pm) \Rightarrow \pm$$

Die Beschreibung des Befundes (Protasis) enthält zwei Aspekte, die beide auf das Ergebnis einwirken: das "Herabfallen" (*maqātu*) des "Pfades" von seiner "normalen" Position (dem linearen Verlauf) sowie das erneute "Aufsteigen" (*elû*). Während die Verwendung von *maqātu* in Omentexten eine ungünstige Bedeutung impliziert (z.B. BM 12875, 25–29 = ARO/NOUGAYROL 1973:50–51 für *padānu*; YOS X 13,25 für *mazzāzu*), ist mit *elu* eine günstige Aussage zu verbinden (z. B. YOS X 23,8 für *bāb ekalli*). Beide Aspekte sind auch in der Darstellung auf dem Modell wiedergegeben (Taf. 7,1); die Kennzeichnung des "Pfades" — die Einritzung — reicht über den rechten Rand hinaus bis auf die Rückseite der Tonleber und führt in einem Bogen auf die Vorderseite zurück. Die Dualität zwischen den beiden Befunden — *maqātu* "herabfallen" und *elû* "aufsteigen" — scheint auch in der Omenaussage zum Ausdruck zu kommen. Die erste Apodosis bezieht sich auf ein ungünstiges Omen für den Fragesteller; die beiden folgenden Apodosen sind ebenfalls negativ, doch ist nicht zu erkennen, auf wen sie sich beziehen (in allen drei Apodosen spiegelt sich aber die symbolische Bedeutung wider, die dem Bereich *padānu* zugeschrieben wurde (s.S. 83): der Feldzug und der Verlauf des menschlichen Lebens). Die dritte Apodosis findet sich in dem oben bereits zitierten Omentext (BM 12875, 20–24) als Deutung für den Befund: *šum-ma pa-da-nu-um a-na ru-qi a-mu-tim im-ta-qù-ut* "Wenn der Pfad auf die dünne Stelle der Leber fällt" (n. ARO/NOUGAYROL 1973:50). Auf dem oben genannten Modell aus Boğazköy dagegen "erhebt sich" (*elû*) der Verlauf des "Pfades" wieder, d.h. er führt auf die "Schau"seite zurück; daher ist in diesem Fall eine unentschiedene Omenaussage zu erwarten (die negative Deutung ist ohne direkten Bezug auf eine bestimmte Person formuliert).

Eine gewisse Bestätigung dieser Annahme geht aus Text und Darstellung eines ähnlichen Krankheitsbildes hervor:

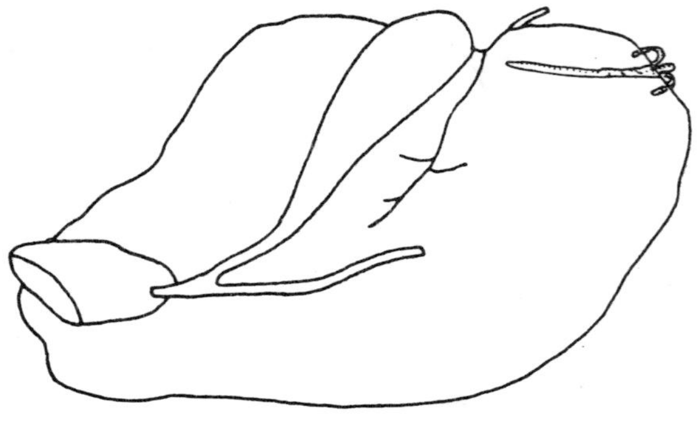

[BE ZA]G GÍR *a-na 3-šu im-qut-ma*
[LÁ LÚ.K]UR NAM.RI
[*il*$_5$]-*qú-ú ú-ša-da-a-šu*
"[Wenn der Pf]ad auf der rechten Seite dreimal herunterfällt [und zurückkehrt: Der Fei]nd wird die Beute, die er genommen hat, zurückgeben" (MSK 7431 = MSK 2; n. schriftlicher Mitteilung von Prof. D. Arnaud)

$$Z = f(A^{+} \Rightarrow A\pm) \Rightarrow \pm$$

Im Unterschied zum vorherigen Beispiel wird hier die negative Tendenz des Befundes — bedingt durch *maqātu* "herabfallen" — aufgehoben durch das "Zurückkehren" (LÁ = *naḫāsu*) des "Pfades" auf die Leberoberfläche. Die Ursache für diesen Omenausgang ist wiederum der Darstellung auf dem Modell zu entnehmen (Taf. 12,4). Die den "Pfad" kennzeichnende Einritzung verläuft bis zum rechten Rand geradlinig und teilt sich dann in zwei (!) Zweige, die über die Rückseite des Modells auf die Vorderseite "zurückkehren"; in diesem Fall enden sie jedoch jeweils "oberhalb" (AN.TA) und "unterhalb" (KI.A) der Markierung des *padānu*, d.h. sowohl in dem positiven als auch in dem negativen Gebiet (als dritter Teil des "Pfades" (3–*šu*) ist die lineare Einritzung anzusehen, die am Leberrand endet und von der die beiden anderen Zweige ausgehen). Dieser Befund ist vergleichbar mit dem Vorkommen von Löchern, die sich zu beiden Seiten eines Leberteiles gegenüberliegen (s.S. 103), einem Krankheitsbild, das einen unentschiedenen Omenausgang (*nanmurtu/pitruštu*-Ergebnis) zur Folge hat. Ein derartiges Ergebnis wird im vorliegenden Beispiel dadurch ausgedrückt, daß ein zunächst eintretendes negatives Ereignis ("der Feind wird Beute nehmen") durch das nachfolgende Geschehen ("er wird die Beute zurückgeben") "neutralisiert" wird.

Auch die Darstellung auf einem weiteren Tonlebermodell aus Boğazköy könnte zu dieser Gruppe von Krankheitsbildern gehören; allerdings ist die zugehörige Inschrift sehr stark zerstört und erlaubt keine eindeutige Zuordnung zu einer bestimmten Veränderung:

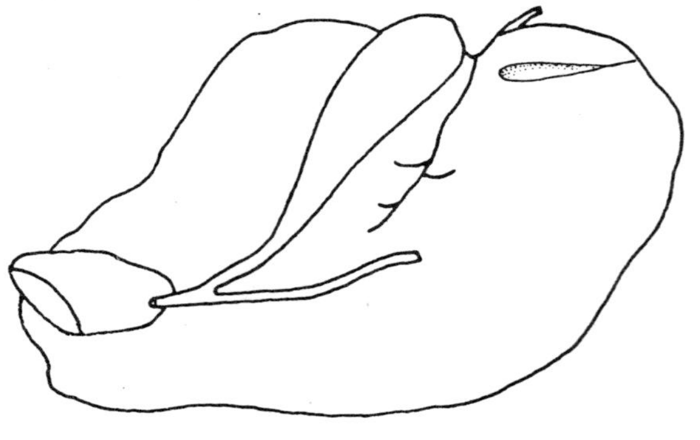

BE G[ÍR *n*]*u*$^{?}$ *uš*$^{?}$ *ki* ZAG [*im*$^{?}$-*qut*$^{?}$-*ma*$^{?}$ *a-n*]*a* LÚ.K[ÚR]-*i*[*a*
[
[...] [*u*]*m I-NA* É [LÚ$^{?}$
ut-tar-ma it-ki ki-i-sa [
"Wenn der Pfad ... auf der rechten Seite herunterfällt$^{?}$: ... meinem Feind ...; im Hause des [Mannes ...] eine Sache aber ... wird geschehen" (KUB 37,223 = Bo 8; ähnlich RIEMSCHNEIDER 1972)

$$Z = f(A^{+} \Rightarrow B^{-?}) \Rightarrow - \; ?$$

Die zugehörige Darstellung zeigt eine Einritzung, die vermutlich bis an den Rand des rechten Leberlappens reicht. Sollte diese Annahme zutreffen, dann kann es sich dabei um die Wiedergabe eines "Pfades" handeln, der "herunterfällt" (vgl. BM 12875, 26–28 = ARO/NOUGAYROL 1973: 50–51, ungünstige Omenaussage).

Eine weitere Abweichung von den "normalen" Ausmaßen des "Pfades" wird vermutlich durch folgende Inschrift auf einem Lebermodell aus Boğazköy beschrieben:

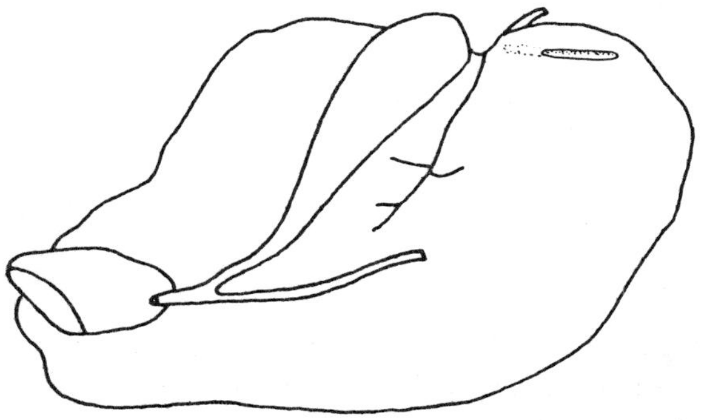

BE GÍR *a-na* KA.DÙG.G[A *ik*$^{?}$-*šud*]
x x x x x [
"Wenn der Pfad bis zum KA.DÙG.GA reicht: ...." (KUB 4,73 = Bo 18; vgl. JEYES 1978: 226)

$$Z = f(A^{+} \Rightarrow B^{?}) \Rightarrow ?$$

In der zugehörigen Darstellung (Taf. 8,1) ist die rechte Seite des "Pfades" unverändert und die linke Seite, auf die sich der Text bezieht, abgebrochen, so daß über die geschilderte Beziehung zwischen den beiden Teilbereichen keine Aussage getroffen werden kann. U. Jeyes vermutet, in dem Keilschriftzeichen unmittelbar links von der Einritzung den Beginn des KA.DÙG.GA (JEYES 1978: 226). Der in der altbabylonischen Zeit nicht belegte Begriff KA.DÙG.GA findet sich vor allem in kassitischen Leberschauberichten und wird in diesen unmittelbar nach der Untersuchung des *padānu* ausgewertet (vgl. z.B. GOETZE 1957a: 103). Zahlreiche Indizien sprechen für die Annahme, in diesem Bereich einen Teil des "Pfades", das Gebiet des "Fundaments" (*išdu padāni*) zu sehen (s.S. 58). In diesem Zusammenhang ist auf eine Darstellung des KA.DÙG.GA hinzuweisen, die graphisch mit der Wiedergabe des "Pfades" übereinstimmt und bei der die behandelte Anomalie sich tatsächlich am Ende der Einritzung (= "Fundament des Pfades") befindet:

BE IGI-*ma* KA.DÙG.GA DU_8
"Wenn nur der vordere Teil des KA.DÙG.GA gespalten ist" (K 4702 = CT 20 23, K 2702, Rs.2)

$$Z = f(A^+ \Rightarrow B\pm) \Rightarrow \pm$$

Sollte die oben geäußerte Annahme zutreffen, dann entspricht der als "vorderer Teil des KA.DÙG.GA" bezeichnete Abschnitt dem "Fundament des Pfades". Auch wenn im Text keine Deutung des Befundes aufgeführt wird, so ist doch eine unentschiedene (*nanmurtu/pitruštu*) Omenaussage zu erwarten, da die mit "spalten" (DU_8 (DUḪ)= *paṭāru*) bezeichnete Veränderung — wie auch die Darstellung verdeutlicht — auf beiden Seiten des Leberteiles auftritt. Eine vergleichbare Anomalie wird möglicherweise in dem Text BM 12875, 14–19 erwähnt, jedoch durch ein anderes (synonymes) Bild beschrieben: *šum-ma pa-*[*d*]*a-*[*nu-um*] *la-ri-a-a*[*m i-šu*] "Wenn der Pfad einen Zweig hat" (n. ARO/NOUGAYROL 1973:50); auch in diesem Fall ergibt sich ein unbestimmtes Ergebnis.

Das gleiche Bild wird in einem weiteren neuassyrischen Text im Zusammenhang mit Veränderungen des "Pfades" verwendet (K 219 + 2095 = CT 20 28):

Die Darstellung zeigt in allen drei Zonen des "Pfades" jeweils gegenüberliegende Ritzungen (DU_8 (*paṭāru*), *lāru*), die als Darstellung von Krankheitsbildern zu entsprechenden Omenaussagen führen (zum einfachen Auftreten von *paṭāru* in den einzelnen Zonen, s.S. 120).

Die graphische Identität der durch *paṭāru* und *pašāṭu* bezeichneten Veränderungen und damit auch das Zutreffen der Gesetzmäßigkeiten, die aus den erwähnten neuassyrischen Texten K 219 + 2095 (= CT 20 28) und K 4069/2146 + 6270 (= CT 20 26,28) hervorgehen, verdeutlichen die folgenden Beispiele; zugleich ergibt sich die Möglichkeit, übereinstimmend beschriebene Krankheitsbilder, die aber in unterschiedlichen Leberteilen festgestellt wurden, miteinander zu vergleichen:

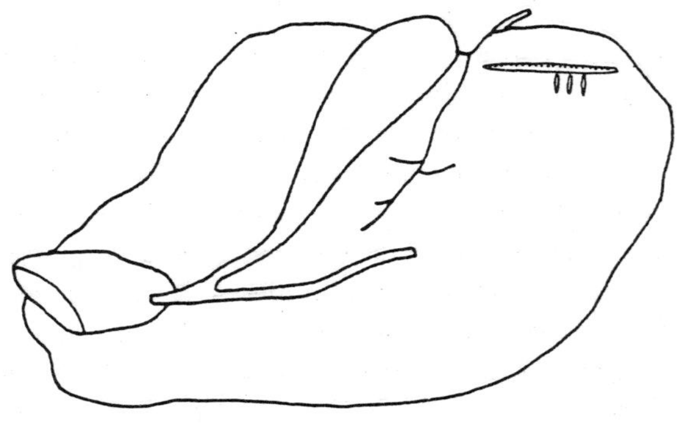

BE ZAG GÍR *a-di* 3-[*š*]*u*[!?] LAL
LÚ.KÚR-*aš ku-it-k*[*i*
NU.⌈GAR[!]⌉[
"Wenn die rechte Seite des Pfades dreimal zusammengepreßt ist: der Feind wird etwas ...; ... wird nicht vorhanden[?] sein" (KUB 4,72 = Bo 17; vgl. RIEMSCHNEIDER 1972)

$$Z = f(A^+ + B^+) \Rightarrow +$$

Die Verbform der Protasis ist stark zerstört; nach dem Wortlaut der Inschrift und der Darstellung ist *pašāṭu* (bzw. *paṭāru*) oder das Logogramm dafür (LAL bzw. DUḪ) zu erwarten. Die noch erhaltenen Zeichenreste sprechen für die Lesung LAL (= *puššuṭ*, vgl. KUB 4,73 = Bo 18, s.S. 127).

Mit der Bezeichnung "rechte Seite des Pfades" (ZAG GÍR) wird eine Veränderung an einer positiven Zone angedeutet. Das drei- oder mehrmalige Auftreten einer Negativmarke wie *pašāṭu* (oder *paṭāru*) in einem günstigen Teilgebiet ergibt nach der zugrundeliegenden Gesetzmäßigkeit ein günstiges Ergebnis für den Fragesteller (vgl. KUB 4,73 für den Bereich des "Standortes"). Die Darstellung (Taf. 7,2) zeigt als Kennzeichnung des "Pfades" eine waagerechte Einritzung sowie drei senkrecht dazu angebrachte kleinere Ritzlinien im Bereich "oberhalb" (AN.TA) der rechten Seite. Damit entspricht das vorliegende Krankheitsbild der Kennzeichnung, die auch für eine durch *paṭāru* (DUḪ) bedingte Veränderung belegt ist (vgl. CT 20 28,9 s.S. 128) und in diesem Zusammenhang ebenfalls positiv bewertet wurde.

Weitere, sprachlich und graphisch mit Veränderungen im Bereich des "Standortes" vergleichbare Erscheinungsbilder, finden sich auf anderen Tonleberfragmenten aus Boğazköy:

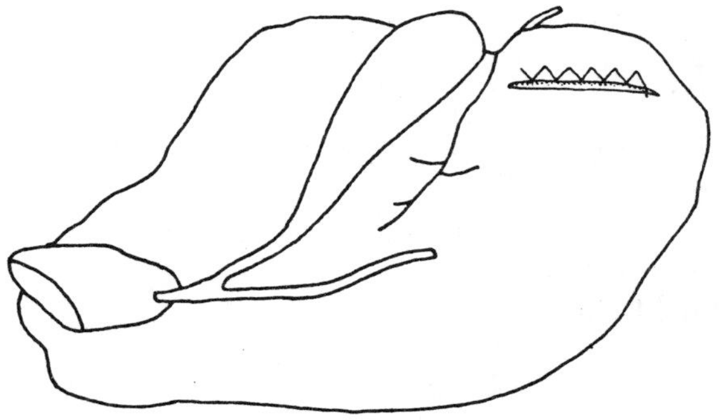

BE *ki-bi-ir* GÍR UGU-*iš*
ki-ma GAM-*iš ki-ma* ZÚ ŠUM[!].GAM.ME EBUR[?] KUR-*ia* NAM.ḪI.A
i-kal[!] BE *ti-bu-ut*
ERÍN-*ni ma-at-ti*
BE *la mi-it-gu-ur-tum*
"Wenn der Rand des Pfades oben wie unten wie der Zahn(rand) einer Säge ist: Die Ernte meines Landes wird ein Heuschreckenschwarm fressen; oder Angriff eines großen Heeres; oder Uneinigkeit" (KBo 9,61 = Bo 30; vgl. RIEMSCHNEIDER 1972)

$$Z = f(A^+ \Rightarrow A^-) \Rightarrow -$$

Die Ergänzung der Protasis erfolgt in Analogie zu einem in KUB 4,72 = Bo 17 beschriebenen Befund (für den Bereich des "Standortes"), der auch graphisch in gleicher Weise dargestellt ist (vgl. dazu GOETZE 1960:115). In beiden Beispielen resultiert eine ungünstige Omenaussage aus dem so beschriebenen Befund (die Inschrift befindet sich auf der Rückseite des Modells, in dem Bereich, der dort dem des "Pfades" entspricht).

Darstellung (Taf. 11,2) und Textbeschreibung stimmen in diesem Fall nicht vollständig überein; während nach der Inschrift der obere und untere Rand von der Veränderung betroffen sind, findet diese sich in der Darstellung nur am unteren Rand. Vermutlich ist aber das verwendete Bild — die Zickzacklinie — als

Kennzeichen für die beschriebene Anomalie aufzufassen und daher als bekanntes Zeichen anzunehmen. Die erwartete Omenaussage mit unentschiedenem Ausgang (*nanmurtu/pitruštu*) bestätigt sich nicht, weil die erwähnte Veränderung sich nicht auf die Seiten (entsprechend CT 20 26) bezieht, sondern auf das Gebiet des "Pfades" selbst, d.h. auf das "eigene" Gebiet. Wichtig ist die Feststellung, daß für verbal übereinstimmend beschriebene Krankheitsbilder die gleiche Darstellungsweise verwendet wird.

Möglicherweise behandeln Text und Darstellung eines weiteren Fragmentes eine Veränderung des "Pfades" (KBo 8,8 = Bo 24). In dem Abschnitt, der als Bereich des "Pfades" anzusehen ist, findet sich der Rest einer linearen Einritzung sowie — "oberhalb" davon — eine wellenförmige Ritzung. Als zugehöriger Text muß die Inschrift angesehen werden, die wiederum im entsprechenden Bereich auf der Rückseite des Modells angebracht ist:

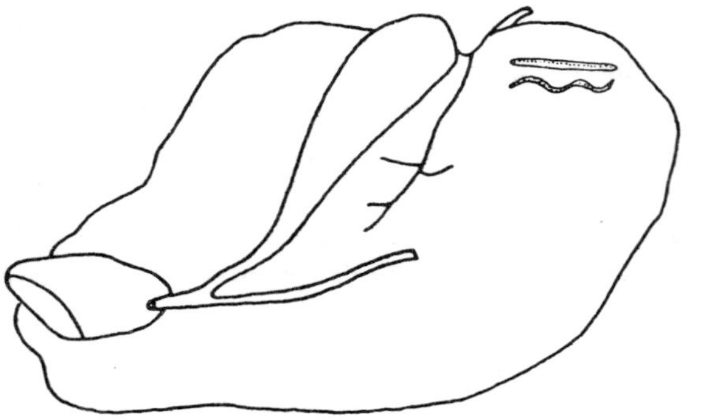

[BE GÍR *ka-a+a-nu*$^{?}$ G]AR-*ma i-na* UGU-*šu*
[*ša-nu-ú ki-ma*$^{?}$] x *i-ra-at* MUŠ
[GAR-*ma* KUR-*ia*$^{?}$] ⌈d⌉IŠKUR *i-ra-ḫi-iṣ*
[*a-na* KASKAL$^{?}$] *i-ḫi-iṭ* PIRIG
[*še-mu-ú p*]*í-ri-iš-ti* LUGAL
[ ] *it-ta-na-ṣí*
[ ] x NU.SIG$_5$.GA
[*qa-ti a-na* LUGA]L$^{?}$ *i-ṭe*$_4$*-ḫi-a*

"[Wenn der Pfad vorhanden ist und] auf ihm ein anderer wie eine Schlange [sich krümmt: Mein Land] wird der Wettergott niederschlagen; [den Feldzug betreffend: Üb]erfall eines Löwen; ... das Geheimnis des Königs wird [aus dem Lande/Palast ?] immer wieder hinausgehen; ... ist ungünstig;[werden sich der Hand des Kö]nigs nähern" (KBo 8,8 = Bo 24; Lesung Z. 2 n. G.Wilhelm, Z. 5 n. von Soden, AHW 866a, weitere Erg. n. Duplikaten)

$$Z = f(A^{+} + B^{-}) \Rightarrow -$$

Die in der Inschrift erwähnte topographische Relation zwischen der beobachteten Veränderung und dem davon betroffenen Leberteil sowie die Form der Veränderung werden durch die Markierung auf dem Modell exakt wiedergegeben (Taf. 10,1-2). Die wellenförmige Einritzung ist demnach als Kennzeichnung eines zweiten "Pfades" anzusehen. Die abweichende Wiedergabe des zusätzlich beobachteten "Pfades" ist darauf zurückzuführen, daß eine derartige Veränderung eine ungünstige Omenaussage ergibt (vgl. BM 12875,1-3 = ARO/NOUGAYROL 1973:50 im Gegensatz zum zweifachen Auftreten des "Standortes", s.S. 100, ein Befund, der positiv zu bewerten ist und daher durch zwei parallele "normale" Einritzungen dargestellt werden kann).

Abschließend bleibt festzustellen, daß die Inschriften, die sich auf den Bereich *padānu* beziehen, immer am Rand der Modelle, "unterhalb" der Kennzeichnung des Leberteiles angebracht sind oder, falls es sich um einen längeren Text handelt, auch auf dem Rand selbst sowie auf der entsprechenden Rückseite. Daher ist bereits vielfach aus dem topographischen Ort der Inschrift auf das jeweils beschriebene Leberteil zu schließen.

Nicht alle der beschrifteten Tonlebermodelle, bei denen der Bereich des "Pfades" erhalten ist, weisen auch eine inschriftliche und/oder graphische Kennzeichnung eines dort beobachteten Befundes auf; so fehlt mit Sicherheit bei einem der beiden Exemplare aus Emar (MSK 1) sowie bei sechs Modellen aus Boğazköy (Bo 1, 2, 11, 21, 22, 33) eine entsprechende Notiz. Aus den Leberschauberichten geht aber hervor, daß eine regelmäßige Untersuchung und Auswertung dieses Leberteiles stattfindet. Daher kann das Fehlen einer inschriftlichen und graphischen Kennzeichnung des "Pfades" als Argument gegen die Annahme, in dieser Gruppe der beschrifteten Tonlebern modellhafte Nachbildungen der Opferschauberichte zu sehen, verwendet werden.

KA.DÙG.GA "der gute Mund"

Das Leberteil KA.DÙG.GA wurde als Teil des "Pfades" angesehen (s.S. 59 vgl. dazu JEYES 1978:226–227); die wenigen Erwähnungen, die diesen Bereich betreffen, sind bereits im Zusammenhang mit den Veränderungen des "Pfades" behandelt worden (s.S. 128–129).

danānu "Verstärkung"

Die topographische Lage des als *danānu* bezeichneten Leberteiles am inneren Rand des rechten Leberlappens gilt allgemein als gesichert (vgl. NOUGAYROL 1944/45:66; JEYES 1978:224–225; s.S. 60–61) und wird durch eine entsprechende Beschriftung auf den Tonlebermodellen bestätigt.

Zur inneren Gliederung dieses Teilbereichs in Zonen bieten die Angaben der Schulleber BM 50494 nur wenige Anhaltspunkte; es wird lediglich zwischen einer rechten, günstigen ("eigenen") Seite und einer linken, ungünstigen ("feindlichen") Seite unterschieden (BM 50494,25; die Ergänzungen von J. Nougayrol (1950:38) zu Z. 25 sind entsprechend zu korrigieren). Auch den Omentexten (Kompendien; z.B. YOS X 21; AO 7028,9–36 = NOUGAYROL 1944/45:56–81) ist keine detaillierte Unterteilung dieses Bereiches zu entnehmen; sie unterscheiden nur zwischen "Kopf" (*rēš danāni*; z.B. AO 7028,11) und "Mitte" (*muḫḫi, libbi danāni*; z.B. YOS X 21, 1.9) der "Verstärkung" sowie einem Bereich, der als "vor der Verstärkung" (*ana pāni danāni*; z.B. YOS X 21,4-5.7) bezeichnet wird. Möglicherweise entsprechen die in der neuassyrischen Schulleber als "rechts" und "links" bezeichneten Gebiete den Bereichen "Kopf" und "Mitte", da aus weiteren Textbelegen hervorgeht (z.B. AO 7028, 15.21.22.32-34= J.NOUGAYROL 1944/45:55-58), daß diese beiden Bereiche als "günstige" Gebiete angesehen werden können. Demnach besteht das Leberteil *danānu* nur aus zwei Zonen, einer günstigen, in der Nähe der Vorderseite gelegen, und einer ungünstigen, in der Nähe der Rückseite:

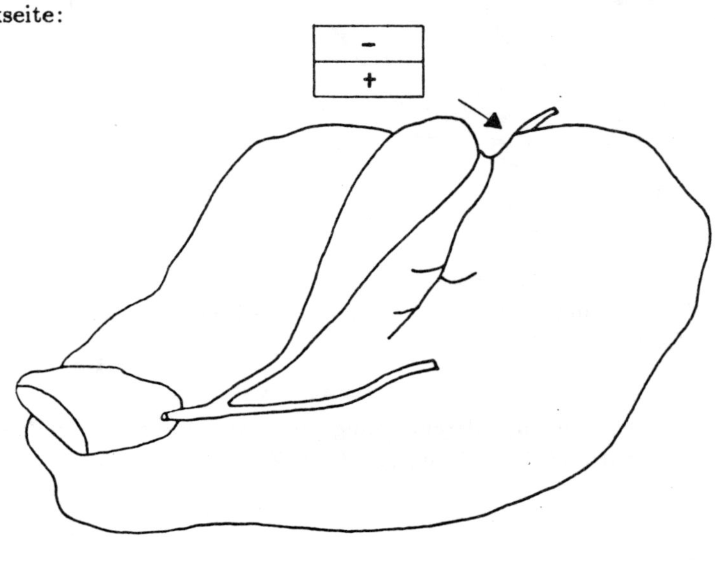

Tendenzen im Bereich des *danānu*

Die graphische Kennzeichnung des Leberteiles *danānu* gehört ebenfalls zur Gruppe der "Zeichnungen" (*uṣurātu*; Markenklasse AII). Wie auch schon für die bisher besprochenen Teilbereiche festgestellt, ist die "normale" Beschaffenheit (X *īšu*) auf keinem der Modelle vermerkt, doch kann eine einfache vertikale Einritzung am inneren Rand des "rechten" Leberlappens als Abbild dieser Zustandsform angenommen werden:

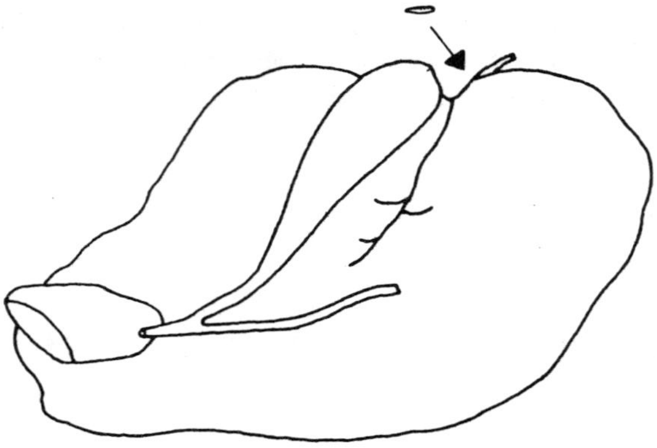

DIŠ *da-na-nam i-šu ṣi-li i-li e-li a-wi-lim i*[*-ba-aš-ši*]
"Wenn die Verstärkung vorhanden ist: Schutz des Gottes für den Menschen ist vorhanden" (AO 7028,9 = NOUGAYROL 1944/45:56)

$$Z = f(A^+ + B^+) \Rightarrow +$$

Auch das zweifache Auftreten des Leberteiles *danānu* wird in diesem Text beschrieben, und die graphische Kennzeichnung dieses Befundes kann wie folgt rekonstruiert werden:

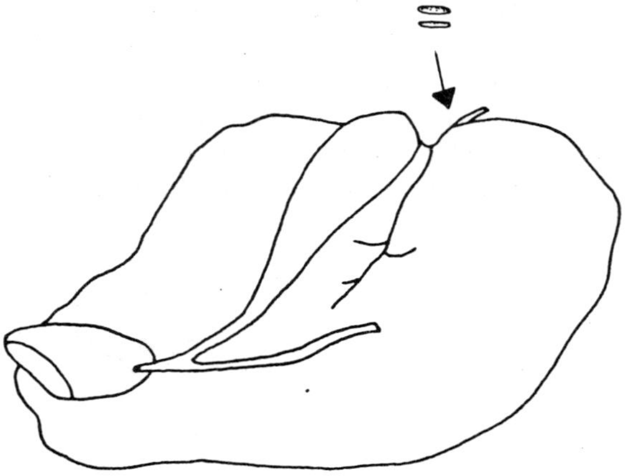

DIŠ 2 *da-na-nu u₄-mu ar-ku-ú*?-tum?
"Wenn zwei Verstärkungen (vorhanden sind): Die Tage sind lang" (AO 7028,27 = NOUGAYROL 1944/45:58.78)

$$Z = f(A^+ \Rightarrow A^+) \Rightarrow +$$

Grundlage dieser Rekonstruktion sind Beschreibung und Darstellung des dreifachen Vorkommens der "Verstärkung" auf einem Lebermodell aus Boğazköy (Taf. 9,5-6):

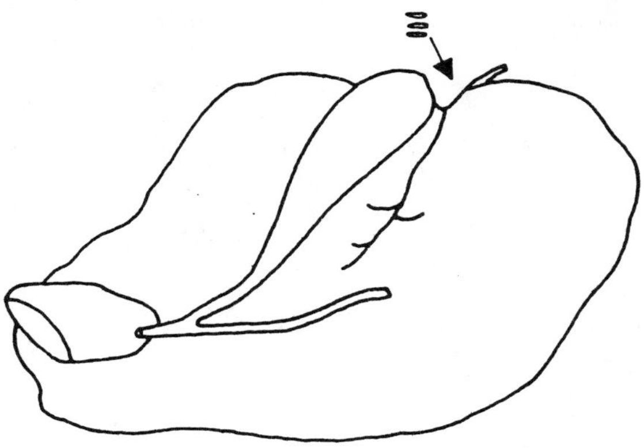

BE KAL 3 *ni-ip-ḫu ta-às-ri-ru*
"Wenn die Verstärkung dreimal (vorhanden ist): Streit, Lüge" (KBo 7,7 = Bo 23; vgl. RIEMSCHNEIDER 1972)

$$Z = f(A^{+} \Rightarrow A\pm) \Rightarrow \pm$$

Für die mit *niphḫu* bezeichneten Omenresultate sind zwei Bedeutungsebenen zu unterscheiden; im 1. Jts. v.Chr. wird dieser Begriff als ein Ergebnis verstanden, das, wie die *pitruštu*-Ergebnisse, die Gesamtaussage der Opferschau beeinflußt. Sie basieren aber nicht — wie die *pitruštu*-Ergebnisse — auf der Dualität von rechts und links, sondern auf dem dreifachen Vorkommen eines Leberteiles (vgl. dazu JEYES 1980: 26–27). Die Auswirkung der *nipḫu*-Ergebnisse auf die Omenaussage ist ebenfalls die eines "Jokers", jedoch mit einer anderen Implikation als die der *pitruštu*-Formen: Während diese einen günstigen Einfluß auf das Gesamtergebnis ausüben, besitzen jene eine ungünstige Wirkung (dazu STARR 1975: 245–247 m. weiteren Belegen).

Diese negative Bedeutung des Begriffes *nipḫu* in Apodosen ist auch schon für das 2. Jts. v.Chr. — seit der altbabylonischen Zeit — belegt, bezieht sich aber zunächst nur auf das Einzelergebnis; in diesem Zusammenhang lautet die Übersetzung "Streit", "Zank" (vgl. von SODEN 1958: 256, geglichen mit *ṣaltu* "Zwietracht", "Streit"). Die Verwendung von *nipḫu* als ungünstiges Ergebnis eines Einzelbefundes geht auch daraus hervor, daß für die Krankheitsbilder, die mit *nipḫu* bewertet werden, auch eindeutig ungünstige Omenaussagen vorkommen können (vgl. z.B. YOS X 16,13 und KAR 150,3). Darüber hinaus deutet in dem vorliegenden Text auch die zweite Apodosis *tasīru* "Lüge" (D-Stamm von *sarāru*; AHW 1337) ebenfalls auf eine ungünstige Wahrsagung hin (vgl. KLAUBER 1913: 106,7). Eine weitere Bestätigung dieser Bedeutungsebene des Begriffes *nipḫu* geht wiederum aus dem Text AO 7028 hervor, der für das dreifache Vorkommen der "Verstärkung" eine eindeutig negative Apodosis anführt: DIŠ 3 *da-na-nu u₄-mu i-ṣú-tum* "Wenn die Verstärkung dreimal (vorhanden ist): Wenige Tage" (AO 7028,28 = NOUGAYROL 1944/45: 58).

Offenbar liegt für die Auswertung des Leberteiles *danānu* eine Gesetzmäßigkeit vor, die auch schon für *mazzāzu* sowie für die Negativmarken *šīlu* und *paṭāru/pašāṭu* festgestellt wurde (nicht aber für den Bereich des *padānu*): Die Tendenz, die für das ein- oder zweifache Auftreten dieser Leberteile bzw. Krankheitsbilder belegt ist, ändert sich infolge eines häufigeren Vorkommens.

Alle im Bereich der "Verstärkung" beobachteten Anomalien können entweder durch entsprechende Veränderung der "normalen" Kennzeichnung dieses Leberteiles — der vertikalen Ritzlinie — dargestellt werden oder durch Hinzufügung der Markierung, durch die das betreffende Krankheitsbild repräsentiert wird:

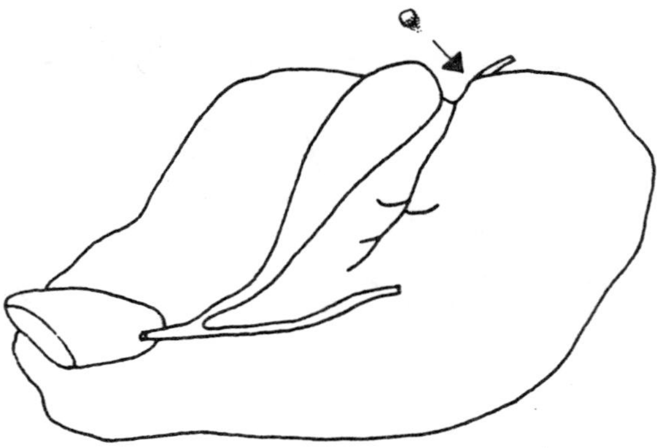

BE KAL NU GAR-*ma i-na maš-kán-ni-šu* NIN-*tum* ŠUB-*at*
ERÍN.MEŠ >*IT-TI*< DINGIR *ḫi-in-ga-ni ú-e-ek-zi*
"Wenn die Verstärkung nicht vorhanden ist und an ihrer Stelle eine *erištu*-Marke liegt: Die Heere wird ein Gott für das Verderben fordern" (KUB 4,72 = Bo 17; Übersetzung folgt RIEMSCHNEIDER 1972)

$$Z = f(A^- + B^+) \Rightarrow -$$

Der Text beschreibt das Vorkommen einer als *erištu* "Wunsch" (zu NIN-*tum* = *erištu* vgl. NOUGAYROL 1944/45-74.77-78) bezeichneten Erscheinung anstelle der "Verstärkung" (vgl. AO 7028, 25). Wie auch schon im Zusammenhang mit den Krankheitsbildern im Bereich des "Standortes" beobachtet werden konnte (s.S 107), tritt zusätzlich zu dem bereits als ungünstig anzusehenden Befund — dem Fehlen der "Verstärkung" — eine weitere Veränderung auf; obwohl es sich in diesem Fall um eine Positivmarke handelt (vgl. das negative Omenergebnis im Falle des Vorkommens von *erištu* in einer ungünstigen Zone, dazu YOS X 21,2), erfolgt dennoch eine ungünstige Omenaussage: Selbst durch das Vorkommen eines günstigen Vorzeichens (Marke) wird die durch das Fehlen eines Leberteiles bedingte negative Aussage nicht "aufgehoben".

Auch auf dem Modell (Taf. 7,2) fehlt die vertikale Einritzung; stattdessen findet sich eine rundliche Applikation, in der die Kennzeichnung der erwähnten Anomalie — *erištu* "Wunsch" — zu sehen ist (vgl. S. 76–77 zur mögl. med. Interpretation). Diese Gleichsetzung wird u.a. durch die Erklärungen eines neuassyrischen Textes zum Aussehen der *erištu*-Marke bestätigt, in dem ihr Erscheinungsbild mit einem Senfkorn bzw. einer Erbse verglichen wird (TCL 6 4, 22–24). Die hier verwendete Darstellungsweise für *erištu* ähnelt auffallend der in KUB 37,223 festgestellten Wiedergabe von GIŠ.TUKUL (s.S. 115). Der einzige Unterschied besteht in der Einritzung, die um die Darstellung der "Waffen" herumführt; außerdem scheint die Applikation über einer ursprünglichen Vertiefung angebracht zu sein, so daß zwischen beiden Marken durchaus erkennbare graphische Unterschiede bestehen.

Auch die Beobachtung eines an sich günstigen Befundes kann durch das zusätzliche Auftreten einer Negativmarke eine ungünstige Aussage ergeben:

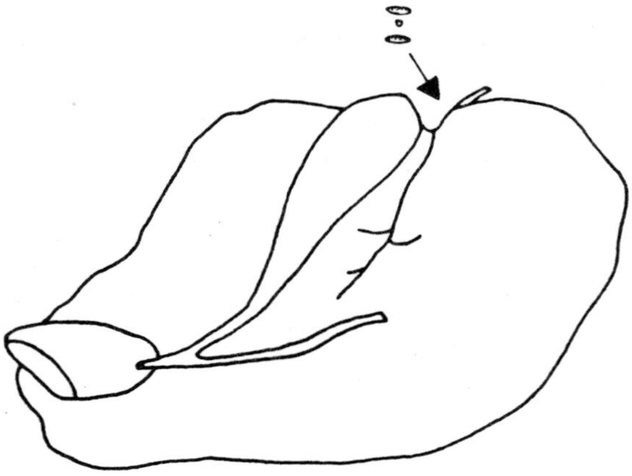

BE KAL 2-*it-ta i-n*[*a bi-ri-šu-nu*]
U ŠUB *i+na* GIŠ.TUKUL *gi*[*-er*?*-ru*?]
"Wenn zwei Verstärkungen (vorhanden sind und) [dazwischen] sich ein Loch befindet: mit der Waffe ..." (KBo 8,8 = Bo 24; vgl. RIEMSCHNEIDER 1972; JEYES 1978:224)

$$Z = f(A^+ + B^-) \Rightarrow -$$

Die Ergänzung des Textes erfolgt in Analogie zur Darstellung auf dem Modell (Taf. 10,1-2); dort sind im Bereich des *danānu* zwei vertikale Einritzungen angebracht, zwischen denen sich ein Loch befindet.

Ein sehr komplizierter und weitgehend noch ungeklärter Sachverhalt für eine weitere Veränderung der "Verstärkung" wird auf dem folgenden Modell beschrieben:

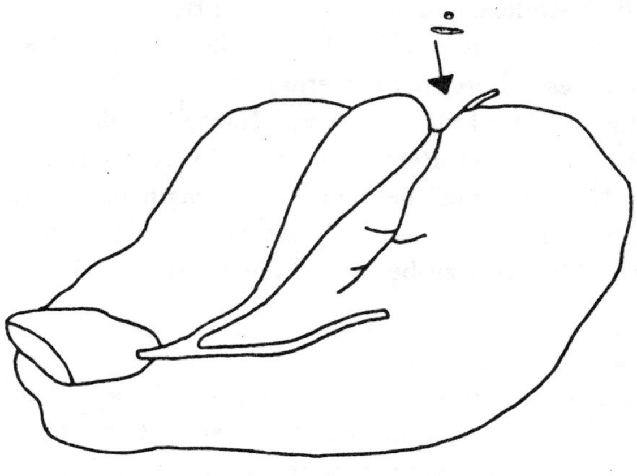

BE KAL *ši-it-ti-in*! *TUR-ir*[
ša-lu-uš-ta-šu BAL? [*ù i-na* UGU-*šu* U]
na-di i-na DÙG-*ba-ti* [URU.ZAG-*ka* APIN.MEŠ-*ka-ma là*]
ta-na-ad-di-in
"Wenn die Verstärkung um zwei Drittel zu klein ist, ihr [(...)], ihr (letztes) Drittel sich umkehrt [und darüber ein Loch] liegt: Gütlich [wirst du deine Grenzstadt, die man von dir fordert, nicht geben]" (KUB 4,74 = Bo 19; vgl. RIEMSCHNEIDER 1972; zur Ergänzung s. K 7000,4 = NOUGAYROL 1944/45:66–67; anders aber von Soden, AHW 1252a)

$$Z = f(A^+ + B^-) \Rightarrow \pm - ?$$

Von dem sehr kompliziert beschriebenen Befund sind vermutlich die wichtigsten Einzelheiten auch in der Darstellung auf dem Modell wiedergegeben (Taf. 8,2-3): Die üblicherweise vertikale Einritzung verläuft hier horizontal (= BAL; *nabalkutu* "wenden", "sich umwenden"), und über dieser Kennzeichnung befindet sich ein Loch (*ina* UGU-*šu* U); zur Größenangabe läßt sich keine Aussage treffen. Das Auftreten eines Loches wurde schon vielfach als ungünstiges Vorzeichen erkannt (z.B. YOS X 21,9), und auch eine mit *nabalkutu* beschriebene Veränderung ergibt eine negative Vorhersage (z.B. YOS X 21,1,vgl. auch AO 7028,10: [DIŠ] *da-na-nu-um* ⌈*ib*⌉*-ba-al-ki-it-ma* KÁ.É.GAL *i-ṭù-ul a-wi-lum ḫa-li-iq-*⌈*ta*⌉-[*šu u-t*]*a-ra-šum* "Wenn die Verstärkung sich umwendet und zum Tor des Palastes blickt: Der Mensch, (jemand) wird ihm sein verlorengegegangenes Gut zurückgeben" (Erg. n. G. Wilhelm; die Erg. setzt eine etwas größere Lücke voraus, als in der Kopie vorhanden).

Abschließend soll ein Modell erwähnt werden, das zwar eine vollständige Beschreibung eines Befundes im Bereich der "Verstärkung" aufweist, dessen zugehörige Darstellung aber auf den publizierten Umzeichnungen nicht zu erkennen ist:
BE KAL 2-*ma bu-da-šu-nu né-en-mu-da*
LUGAL *re-ṣú-šu* BAL-*šu*

"Wenn zwei Verstärkungen vorhanden sind und ihre Seiten sich aneinander lehnen: Gegen den König werden sich seine Bundesgenossen auflehnen" (KUB 37, 228 = Bo 13; vgl. RIEMSCHNEIDER 1972)

$$Z = f(A^+ \Rightarrow A^-) \Rightarrow -$$

Ein vergleichbarer Befund ist auch für den Bereich *padānu* belegt und ergibt ebenfalls eine ungünstige Omenaussage (CT 20 7,12–13, dazu JEYES 1978:225 m. Anm. 106). Über die Form der Kennzeichnung können keine Angaben gemacht werden; denkbar ist aber eine Darstellungsweise, die derjenigen entspricht, durch die der Befund im Bereich des "Standortes" auf dem Modell KBo 7,7 = Bo 23 wiedergegeben ist (s.S. 117).

Während die Leberschauberichte fast immer eine Auswertung der Beschaffenheit des Leberteiles *danānu* enthalten, läßt sich nur auf fünf Modellen aus Boğazköy eine Beschreibung und graphische Kennzeichnung dieses Bereichs nachweisen. Bei fünf weiteren Exemplaren dieses Fundortes (Bo 1, 8, 16, 30, 33) sowie den beiden Stücken aus Emar ist dieser Bereich zwar erhalten, wird aber nicht explizit behandelt (Inschrift e und zugehörige Darstellung auf dem Fragment A aus Hazor beziehen sich nicht, wie B. Landsberger / H. Tadmor 1964:212 annehmen, auf den Bereich *danānu*, sondern auf das Leberteil *šulmu*, dazu S. 140; der Bereich, in dem sich die "Verstärkung" befunden hat (Fragment B), ist nicht erhalten). Diese relativ seltene Auswertung des Leberteiles *danānu* auf den beschrifteten Tonlebern wird bei der Frage nach der Bedeutung dieser Gruppe von Modellen zu berücksichtigen sein (s.S. 181–189).

bāb ekalli "Tor des Palastes"

Eine ausführliche Behandlung von Lage und Abgrenzung des Leberteiles *bāb ekalli* "Tor des Palastes" ist hier nicht erforderlich, da dieser Bereich in dem illustrierten Omenmaterial (Kompendien und Tonlebern) nicht ausgewertet wird (zur Gliederung in Zonen sowie deren Nomenklatur und Bedeutung für die Omenauswertung vgl. JEYES 1978:213–220.230–231).

šulmu "Wohlbefinden"

Die topographische Lage des Leberteiles *šulmu* zwischen dem "Tor des Palastes" und der Gallenblase — d.h. auf dem lobus quadratus (s.S. 62) — wird durch die Abfolge der Inspektion sowie durch eine Anzahl von Texten, die gerade auf die Position dieses Bereiches eingehen, bestätigt (z.B. HSM 7494,49 = STARR 1974:37).

Mit Hilfe der Informationen, die sich aus dem Text auf der Schulleber BM 50494, 26–33 ergeben, kann die innere Gliederung dieses Teilbereiches in Gebiete und Zonen rekonstruiert werden (vgl. JEYES 1978: 229). Es zeigt sich, daß auch für den Bereich von *šulmu* eine horizontale und vertikale Dreiteilung vorliegt: Die vertikale Dreiteilung besteht aus dem Gebiet des eigentlichen Leberteiles (SILIM MAŠ.GÁN-*tim*, dazu s.u.) und den jeweils rechts und links davon gelegenen Gebieten. Alle drei Gebiete (evt. mit Ausnahme des Leberteiles selbst, s.u.) gliedern sich in die Zonen "Kopf", "Mitte" und "Fundament". Zur Mitte der Leber (*nār amūti*) erfolgt die Abgrenzung wiederum durch ein als *birītu* "Zwischenraum" bezeichnetes Gebiet, das ebenfalls in drei Zonen unterteilt ist, die den drei Teilgebieten — rechte Seite, Leberteil, linke Seite — entsprechen (vgl. die Gliederung des Leberteiles *mazzāzu*, s.S. 94).

Im Gegensatz zu der von J. Nougayrol (1969:44) und U. Jeyes (1978:229) vertretenen Auffassung wird hier für den Begriff MAŠ.GÁN-*tim* nicht die Bedeutung "Depot", sondern die von *maškanu* "Ort", "Stelle" angenommen und — in Anlehnung an die Formulierung *ina maškanišu* "an seiner Stelle" — darin eine Bezeichnung für das Gebiet des Leberteiles gesehen. Der Text BM 50494 erwähnt für diesen Bereich nur die Zonen "Kopf" (Z. 28a: SAG SILIM) und "Fundament" (Z. 30a: SUḪUŠ SILIM), nicht aber die "Mitte" (MÚRU SILIM); die rechts und links gelegenen Gebiete weisen dagegen auch eine als "Mitte" bezeichnete Zone auf (BM 50494,29.33). Eine Erklärung für diese eingeschränkte Unterteilung geht aus den Texten, die Veränderungen im Bereich *šulmu* behandeln (z.B. u.a. YOS X 61; TCL 6 3; KAR 423 II, 48–69; vgl. dazu JEYES 1978:220), nicht hervor (vermutlich ohne Relevanz für die Auswertung); eine vergleichbare Zweiteilung findet sich ebenfalls für das Leberteil *danānu* (s.S. 131).

Die Interpretation des Leberteiles *šulmu* erfolgt "aus moderner Sicht", d.h. von der Seite, an der sich die Einziehung (*bāb ekalli*) befindet. Demzufolge liegt die linke Seite des Leberteiles in der Nähe des *bāb ekalli*, die rechte Seite neben der Gallenblase. Die Tendenzen der einzelnen Zonen auf der linken und rechten Seite entsprechen dem bekannten Schema — rechts = günstig, links = ungünstig — nur die beiden mittleren Zonen weisen eine Vertauschung der Wertigkeit auf (CT 20 44, 52; vgl. *mazzāzu*, s.S. 94–96). Möglicherweise wird diese Vertauschung wiederum durch eine als *tarbāṣu* "Hof" bezeichnete Zone (BM 50494,26) angezeigt (s.S. 97–98).

Ein anderer Name für *šulmu* lautet *padān imitti marti* "Pfad rechts der Gallenblase" (z.B. TCL 6 3, 8; KAR 423 II 70–71); diese Bezeichnung erklärt sich dadurch, daß der Bereich der Gallenblase von der entgegengesetzten Seite aus — vom dorsalen Rand — untersucht wurde (s.S. 61). Aufgrund dieser Änderung der Betrachtungsrichtung wird unter dem "Gebiet rechts von *šulmu*" und dem "Gebiet rechts der Gallenblase" jeweils der gleiche Abschnitt auf der Leber verstanden. Dort auftretende Krankheitsbilder können auf beide Leberteile bezogen werden, ohne daß sich die Grundlage für die Deutung ändert, da beide Gebiete zur günstigen Seite gehören; dadurch ist eine eindeutige Kennzeichnung auch für benachbarte Gebiete gewährleistet, auch wenn die Inspektion aus unterschiedlichen Richtungen erfolgt. So resultiert aus dem Befund eines Loches im Bereich des lobus quadratus eine ungünstige Omenaussage, unabhängig von einer Zuordnung dieser Veränderung zu den Leberteilen Gallenblase (so KUB 37,220 = Bo 5, s.S. 159) oder *šulmu* (so KAR 423 II, 65). Aus diesen Untersuchungen ergibt sich für den Bereich von *šulmu* folgende Gliederung in günstige und ungünstige Zonen:

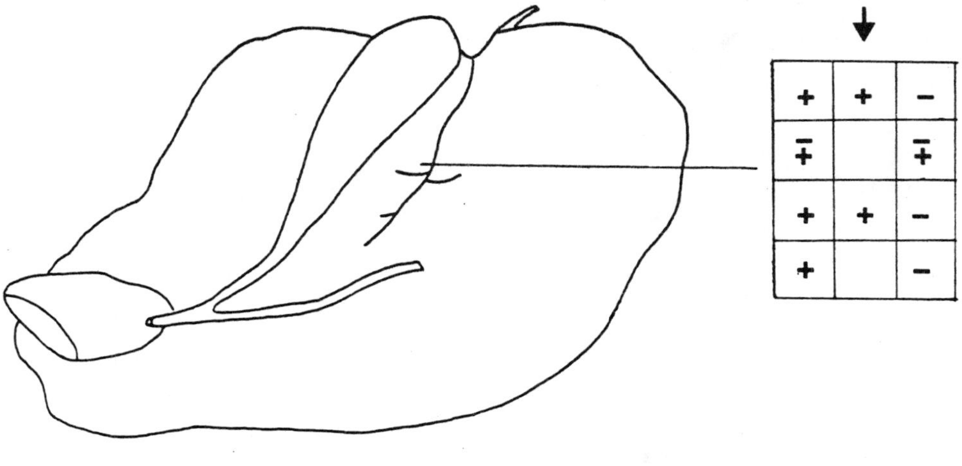

Tendenzen der Zonen im Bereich von *šulmu*

Die Zugehörigkeit der graphischen Kennzeichnung von *šulmu* zur Markenklasse AII, den Zeichnungen (*uṣurātu*), ergibt sich aus den Darstellungen auf den Tonlebermodellen; aber auch auf der Schulleber BM 50494 findet sich im Bereich dieses Leberteiles eine deutlich erkennbare senkrechte Einritzung (ähnlich auch auf der altbabylonisch zu datierenden Schulleber CT VI 1–3), die etwa parallel zur Gallenblase verläuft. In dieser Kennzeichnung ist die Darstellung der "normalen" Form des Leberteiles zu sehen. Auch in dem Opferritual HSM 7494,49 wird in dem Gebiet für die rechte Seite — für die eine günstige Beschaffenheit der Leberteile erbeten wird — der "normale" Verlauf von *šulmu* beschrieben: *šu-lum te-eš-mi-im iš-tu maṣ-ra-aḫ mar-tim a-na* KÁ É.GAL-*lim lu ma-qí-*[*it*] "Möge *šulum tešmim* vom Fundament der Gallenblase zum Tor des Palastes herabfallen" (n. STARR 1974:37). Mit dieser Beschreibung wird aufgrund der geschwungenen Form der Gallenblase eine fast senkrechte Ausrichtung der Kennzeichnung für *šulmu* angegeben (zur Gleichsetzung von *šulmu* und *šulum tešmî* vgl. JEYES 1978:221 m. Anm. 83; s.a. NOUGAYROL 1950:3 m. Anm. 3; diese Annahme stützt sich auf die Verwendung von synonymen Begriffen für einzelne Leberteile im Text HSM 7494, z.B. *mazzāzu* — *naplastu*, Z. 41; *padānu* — *ḫarranu*, Z. 43; *abullu* — *bāb ekalli*, Z. 47).

Die Kennzeichnung des Leberteiles *šulmu* auf den Tonmodellen kann daher als einfache senkrechte Ritzung angenommen werden, so daß für einen Befund wie: BE SILIM GAR-*in* ERÍN-*ka* SAG A.ŠÀ-*ša* KUR-*ád* "Wenn *šulmu* vorhanden ist: Deine Armee wird ihr Ziel erreichen" (KAR 423 VS II 48) folgende graphische Darstellung angenommen werden darf:

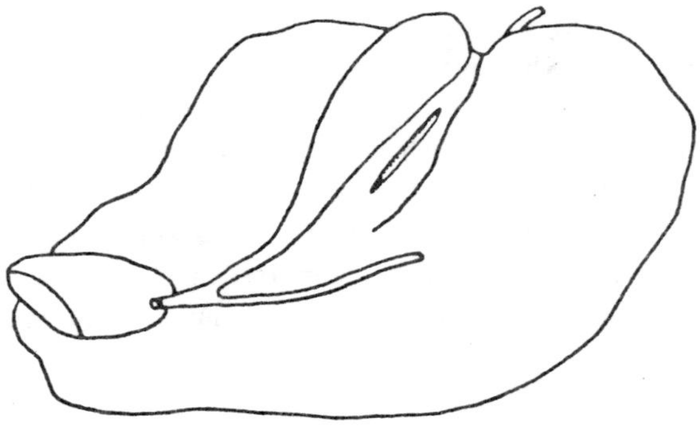

Auf den beschrifteten Modellen ist die Darstellung dieser "Normalform" aber nicht belegt; die dort beschriebenen Krankheitsbilder behandeln ausschließlich Veränderungen, die Lage und Form der Leberteile betreffen, d.h. die als Variation der Grundform aufzufassen sind:

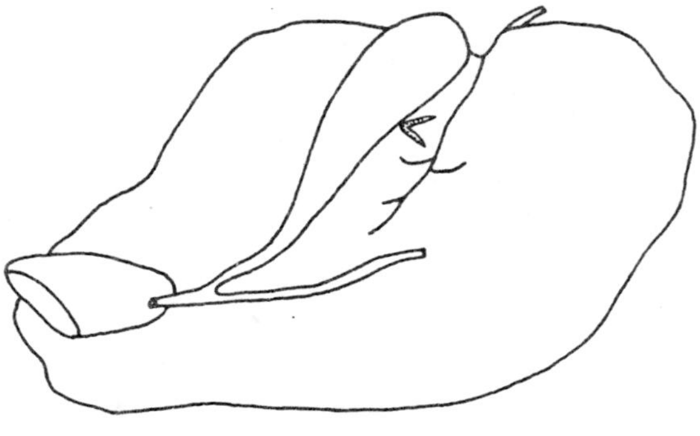

SILIM! (KI).MA *ki-ma* U *mì-ḫi-iṣ* UR.MAḪ *kaš-du*
"(Wenn) *šulmu* wie ein U ist: erfolgreicher Überfall eines Löwen" (KUB 4,74 = Bo 19; vgl. RIEMSCHNEIDER 1972; JEYES 1978:222)

$$Z = f(A^{+} \Rightarrow A^{-}) \Rightarrow -$$

Die Beschreibung des Befundes stellt eine Besonderheit dar, die zugleich einen Hinweis über die Auffassung der Wahrsager von den einzelnen Krankheitsbildern vermittelt: Die Veränderung wird in diesem Fall nicht durch ein sprachliches Bild beschrieben, sondern durch ein "graphisches", das der Form, die das Leberteil angenommen hat, entspricht (Taf. 8,2-3). Das heißt aber, daß bereits der *bārû* in der Lage war, vom natürlichen Aussehen zu abstrahieren und stattdessen ein Keilschriftzeichen als "Zeichen" (Marke) zu verwenden (ebenso, vgl. KAR 423 II, 56; TCL 6 3 38, übersetzt bei JEYES 1978: 222). Das beobachtete

Krankheitsbild entspricht dem Keilschriftzeichen U (*giguru* das Zeichen U), d.h. die Normalform *šulmu*, die senkrecht verlaufende Ritzlinie, hat sich derart verändert, daß ein solcher Vergleich möglich wird.

Auf das Verhältnis der beiden benachbarten Leberteile *šulmu* und *bāb eklli* geht der Text eines weiteren Modells aus Boğazköy ein:

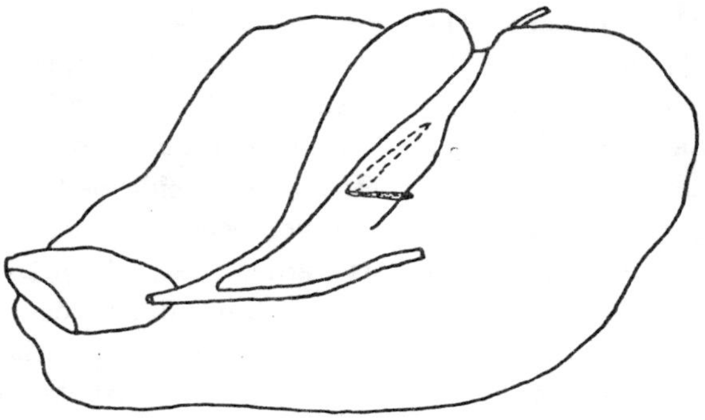

BE SILIM!.MA! *a-na* ME!.NI *né-h̬e-el-sú*
pí-ri-iš-ti LUGAL IR-*sú uš-te-né-ṣí*
"Wenn *šulmu* in den Bereich Tor des Palastes geglitten ist: Das Geheimnis des Königs wird sein Diener immer wieder verraten" (KUB 37,228 = Bo 13; vgl. RIEMSCHNEIDER 1972; JEYES 1978:222)

$$Z = f(A^+ \Rightarrow A^-) \Rightarrow —$$

Die Darstellung zeigt eine Einritzung, die anstelle einer senkrechten Ausrichtung waagerecht verläuft und bis in den Bereich der Einziehung zwischen den beiden Leberlappen (= *bāb ekalli*) hineinreicht. Eine vergleichbare Wiedergabe dieser Einritzung findet sich auf dem Modell KUB 37,219 = Bo 4, doch sind von der zugehörigen Inschrift nur wenige Zeichenreste (zwei Zeilen) erhalten.

Das Verhältnis zwischen *šulmu* und der Gallenblase (*martu*) wird in einer anderen Tonleber aus Boğazköy beschrieben:

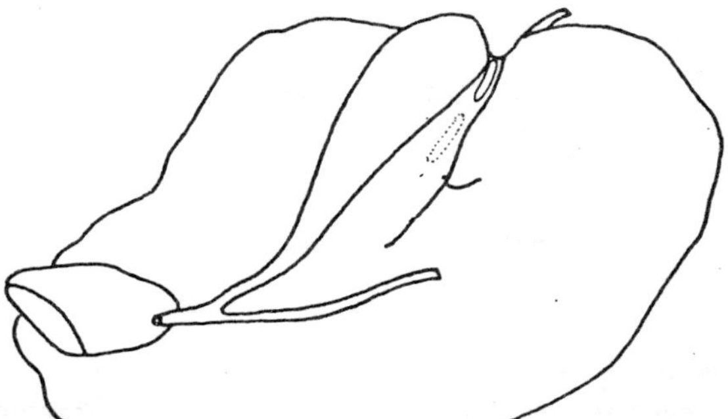

BE SILIM.MA *a-na* SAG ZÉ *im-qut-ma* LAL
LÚ.KÚR NAM.RI *il*$_5$*-qú-ú*
ú-ša-ad-da-šu
"Wenn *šulmu* auf den Kopf der Gallenblase fällt und zurückkehrt: Der Feind wird die Beute, die er genommen hat, aufgeben" (KBo 7,7 = Bo 23; RIEMSCHNEIDER 1972)

$$Z = f(A^{+} \Rightarrow A\pm) \Rightarrow \pm$$

Ein in gleicher Weise beschriebener Befund für den Bereich von *padānu* (MSK 2 s.S. 126) ergab die gleiche — unentschiedene — Omenaussage. Diese Ergebnisform ist abhängig von den beiden Eigenschaften, die die Lage des Leberteiles bestimmen. Im Text wird diese "Interdependenz" der beiden beobachteten Merkmale durch die Gegenüberstellung von *maqātu* "herabfallen" (ungünstig) und LAL (*naḫāsu*) "zurückkehren" (günstig) ausgedrückt. Auf dem Tonmodell aus Meskene wird dieser Befund auch graphisch eindeutig durch die Rückführung der Ritzlinie auf beide Seiten des "Pfades" dargestellt (Taf. 12,4); dagegen kann die graphische Wiedergabe im vorliegenden Beispiel nur durch eine Interpretation des "Gesamtbildes" im Sinne der Apodosis erklärt werden (Taf. 9,5-6). Die Kennzeichnung des Leberteiles *šulmu*, die senkrechte Einritzung, befindet sich am Rand des Modells, d.h. die Lage des Leberteiles weicht von seiner "normalen" Position ab; dieser Zustand (= *maqātu*) ist für den ungünstigen Teil der Apodosis verantwortlich (NAM.RI *ilqû*) zu machen. Der positive Aspekt wird nur im Zusammenhang mit Text und Darstellung zur Beschaffenheit der Gallenblase verständlich (dazu s.S. 150). Für diese wird eine Verlagerung nach "links" in das "feindliche" Gebiet angegeben, ein Befund, aus dem eine positive Aussage resultiert. Auf dem Modell ist die Darstellung der Gallenblase entsprechend nach links verschoben, und die Kennzeichnung von *šulmu* befindet sich in dem Bereich, in dem der "Kopf der Gallenblase" normalerweise liegen würde. Es ist anzunehmen, daß durch die Verlagerung der Gallenblase der ungünstige Befund (*ana* SAG ZÉ *imqut*) nicht in vollem Umfang zum Tragen kommt und sich eine unentschiedene Aussage ergibt. Text und Darstellung unterscheiden sich in diesem Fall, weisen aber beide auf das gleiche Ergebnis hin.

Eine der Darstellungen auf den Fragmenten aus Hazor ist ebenfalls als Kennzeichnung im Bereich von *šulmu* aufzufassen:

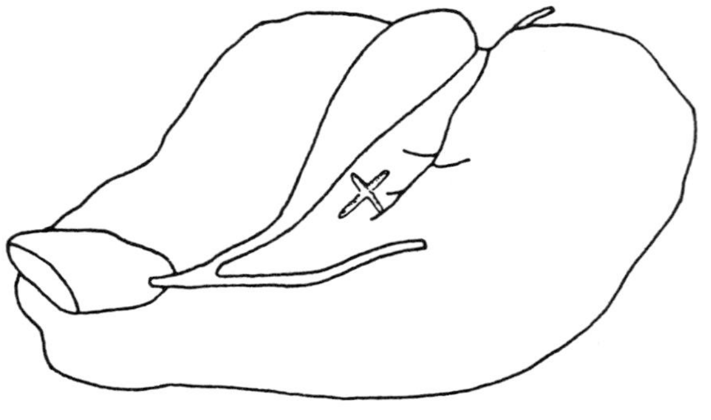

LÚ.ÌR *be-el-šu i-ba-ar*
"Ein Diener wird gegen seinen Herrn rebellieren" (Hazor, Fragment A, Inschrift e; n. LANDSBERGER/TADMOR 1964:212)

$$Z = f(A^{+} \Rightarrow A^{-}) \Rightarrow -$$

Die in der Inschrift fehlende Protasis wird, wie bei allen Beispielen aus Hazor, durch die Darstellung ersetzt (Taf. 13,3-4). In diesem Fall handelt es sich dabei um zwei sich kreuzende Einritzungen. Eine mögliche Bedeutung im Sinne von *šulmu parku šakin* "ein querliegendes *šulmu* ist vorhanden" (CT 4 34b, 5–6; 34c, 4) kann nicht angenommen werden, da dieser Befund ein günstiges Ergebnis aufweist (vgl. STARR 1974:5). Die äußere Form dieser Kennzeichnung entspricht aber einer Wiedergabe der Negativmarke *pillurtu* "Kreuz" (dazu s.S. 88). Alle mit diesem Bild beschriebenen Krankheiten ergeben eine ungünstige Deutung (z.B. die bereits erwähnten Texte zum Auftreten eines "Kreuzes" in den verschiedenen Zonen der Gallenblase, s.S. 87–89; ferner YOS X 33 IV,34: ein "Kreuz" an der Spitze des Leberfingers). Als Beschreibung des Befundes (Protasis) kommt entweder die Form eines Vergleichs in Betracht (*kīma pillurti* "wie ein Kreuz") oder die Substitution der "Normalform" (*ina maškanišu pillurtu nadiat* "anstelle (des *šulmu*) ist sich ein Kreuz vorhanden").

Nur ein weiteres Tonlebermodell weist eine Inschrift auf, die sich möglicherweise auf eine Veränderung im Bereich von *šulmu* bezieht (KUB 37,226 = Bo 11), doch sind die erhaltenen Zeichenreste nicht aussagekräftig. Darüber hinaus ist auch die zugehörige Darstellung nicht erhalten.

Insgesamt wird nur auf fünf Modellen eine Veränderung des Leberbereiches *šulmu* behandelt, obwohl bei einer wesentlich größeren Anzahl dieser Bereich erhalten ist (MSK 1–2, Bo 1, 3 (5), 6, 8, 16, 17, 18, 21, 27, 33).

martu "Gallenblase"

Die topographische Lage des Leberteiles *martu* "Gallenblase" zwischen dem "rechten" und "linken" Lappen ist eindeutig. Auch die Gliederung in "Kopf", "Mitte" und "Fundament" geht aus zahlreichen Texten hervor. Weiterhin gehören die jeweils rechts und links gelegenen Abschnitte ebenfalls zum Gebiet (*mātu*) der Gallenblase; auch sie werden in je drei Zonen unterteilt. Da die "rechte Seite der Gallenblase" dem Gebiet "rechts" von *šulmu* entspricht (s.S. 137), muß die Inspektion dieses Organs von der dorsalen Seite aus durchgeführt worden sein. Aus der horizontalen und vertikalen Dreiteilung geht wiederum eine Einteilung des Gesamtbereiches in neun Zonen hervor. Die positive oder negative Tendenz dieser Zonen ist dem Text der Schulleber BM 50494 (nur für den Bereich *išdu* "Fundament" = *maṣraḫ marti*) sowie der umfangreichen Omenliteratur, die diesen Bereich behandelt, zu entnehmen (vor allem dem bereits erwähnten Text AO 6454, 47–54 = NOUGAYROL 1944/45:71–80, s.S. 87–89). Alle Zonen auf der rechten Seite und auf der Gallenblase selbst gehören zur pars familiaris, die auf der linken Seite zur pars hostilis. Eine Vertauschung der Wertigkeit für die mittleren Zonen ist nicht belegt (es fehlt auch, soweit erkennbar, ein als *tarbāṣu* "Hof" bezeichnetes Feld):

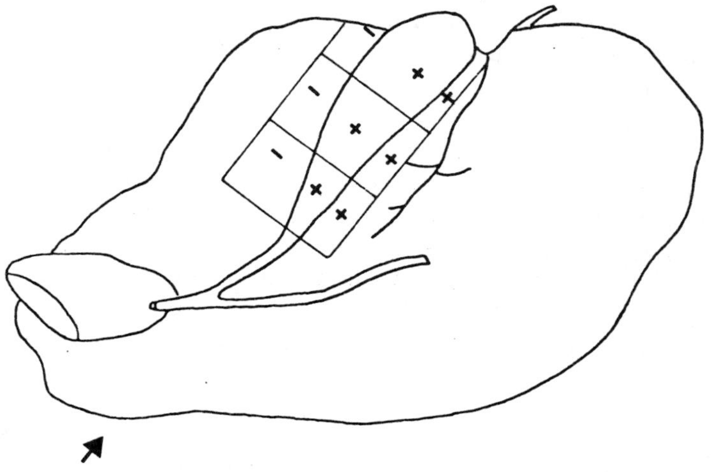

Tendenzen der Zonen im Bereich der Gallenblase

Auf den Modellen wird die Gallenblase in der Regel durch eine längliche Applikation dargestellt, die dem natürlichen Aussehen dieses Organs entspricht. Demnach gehört die Wiedergabe der Gallenblase zur Markenklasse AI (*šīru* "Fleisch"). Das relativ breite Vorderteil (SAG "Kopf") ragt häufig über den Rand hinaus, während der hintere Abschnitt sich leicht verjüngt (*maṣraḫ marti* "Lebergallengang") und bei einigen Modellen (Boğazköy, Emar) in eine Ritzline übergeht (*nār amūti* "Pfortader"). Nur vereinzelt findet sich eine Einritzung als Wiedergabe der Gallenblase selbst, für die dann eine Veränderung vorliegt, die durch diese Darstellungsweise illustriert wird.

Die Beobachtung einer "normalen" Beschaffenheit der Gallenblase (*martu īšu/šakin*) wird in den Kompendien nicht behandelt und ist auch in den Berichten nur selten belegt (z.B. BM 78655,4 = NOUGAYROL 1967:223). Der einzige Hinweis für die Auswertung und Darstellung der Gallenblase in ihrer "normalen" Form kann dem Modell aus Hazor entnommen werden:

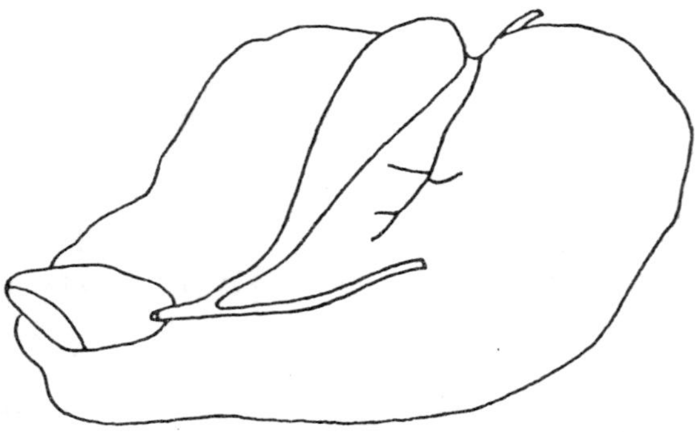

ta-ia-ra-at DINGIR *a-na* LÚ
"Verzeihung des Gottes für den Menschen" (Hazor, Fragment A, Inschrift d; n. LANDSBERGER/TADMOR 1964:211)

$$Z = f(A^{+} \Rightarrow A^{+}) \Rightarrow +$$

Auf dem Modell ist die Gallenblase ohne erkennbare Krankheitsbilder wiedergegeben, ein Befund, der durch die günstige Omenaussage bestätigt wird (zur Apodosis vgl. z.B. YOS X 31 IV, 28: *ta-a-a-*⌈*ra*⌉*-at a-li-šu* "Verzeihung seiner Stadt(?)";anders von SODEN, AHW 1303b). Zur Schilderung des vorliegenden, jedoch nicht beschriebenen Befundes kann ein neuassyrischer Omentext herangezogen werden: [BE ZÉ I]GI.MEŠ-*sú ana* 15 GAR *ta-a-a-rat* DINGIR "Wenn du die Gallenblase vor dir siehst und sie rechts (im günstigen Gebiet) vorhanden ist: Verzeihung der Gottheit" (CT 30 33a, 7; ähnlich CT 20 39 II 15). Die wenigen Belege für *tajjartu* "Rückkehr", "Verzeihung" in Omentexten kommen nur im Zusammenhang mit Wahrsagungen vor, die den Bereich der Gallenblase betreffen; dabei kann dieser Begriff sowohl zur Beschreibung einer Veränderung (z.B. *šum-ma mar-tum ta-a-a-ra-tim* ⌈*i*⌉*-šu-ú a-na šar-ri-im da-mi-iq* "Wenn die Gallenblase eine Umwendung (Plur.) hat: Es ist gut für den König", YOS X 31 IV, 8) als auch zur Schilderung der Omenaussage (Apodosis in YOS X 31 IV, 28: *ta-a-a-ra-at a-li-šu* "Rückkehr seiner Städte") dienen; sowohl aus einer Verwendung von *tajjartu* in der Protasis als auch in der Apodosis resultiert eine günstige Deutung

Alle im Bereich der Gallenblase auftretenden Krankheitsbilder lassen sich in folgende Gruppen unterteilen:

- Veränderungen der Gallenblase selbst
- Veränderungen der Lage der Gallenblase
- mehrfaches Vorkommen der Gallenblase
- Anomalien auf der rechten oder linken Seite der Gallenblase

Innerhalb dieser Gruppen ist wiederum zu unterscheiden zwischen farblichen Veränderungen des Organs oder der einzelnen Teile und Anomalien, die auf das Vorkommen bestimmter Erscheinungen (*šīlu*, GIŠ.TUKUL usw.) zurückzuführen sind.

- Veränderungen der Gallenblase selbst

Vom biologischen Standpunkt aus ist die Gallenblase als Behälter für Flüssigkeiten anzusehen. Sie unterscheidet sich von der Pfortader (*nār amūti*) dadurch, daß sie — als eigenes Organ — auf der Leberoberfläche liegt und von einer starken Gewebehaut umgeben ist, die von der der Leber deutlich getrennt ist. Daher wird dieses Organ auf den Modellen durch eine längliche Applikation wiedergegeben, während die Pfortader (*nār amūti*) auf einem Teil der beschrifteten Modelle (Boğazköy, Emar) durch eine Ritzung angedeutet (nicht ausgewertet) wird. Diese Einritzung ist als Kennzeichen für den Transport von Flüssigkeiten (Blut), als eine Art Kanal, aufzufassen. Auch unter der Applikation, die den Körper der Gallenblase darstellt, befindet sich häufig eine derartige Einritzung, und in den Texten wird sehr oft im Zusammenhang mit der Gallenblase das Auftreten von Flüssigkeiten erwähnt (z.B. YOS X 31 II, 38–39: Wasser; III, 20–22: Blut). Daraus läßt sich auf eine zumindest partielle Kenntnis der biologischen Funktion dieses Organs schließen (die Leber als "Sitz des Lebens", dazu u.a. JASTROW 1912:143–168; ausf. OPPENHEIM 1964:207–208; vgl. zu den antiken Schriftstellern PFIFFIG 1975:115–117).

Die Darstellung der "normalen", unveränderten Form der Gallenblase erfolgt durch eine längliche Applikation ohne weitere Kennzeichnungen; ein derartiger Befund ergibt ein günstiges Omenresultat, so daß alle in den Texten beschriebenen Krankheitsbilder, die ebenfalls zu einem günstigen Resultat führen würden, mit dieser Darstellungsweise wiedergegeben werden können:

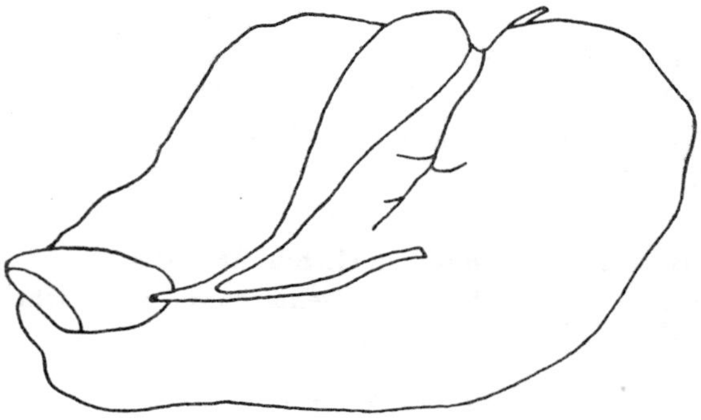

BE ZAG ZÉ *ti-tu-ra-am ša* UZU GAR-*ma*
me-ša uš-ta-ha-aq LÚ-*aš ú-i-it-ti mi-e-ia-ni*
ar-ma-ni-ia-at-ta na-aš SIG₅-*at-ta*
na-aš-šu-ma-aš-ta LÚ-*aš ḫa-at-ga-u-wa-az*
pé-e-ta-az iš-pa-ar-zi-zi
"Wenn der Kopf der Gallenblase eine Brücke von Fleisch hat und sie ihr Wasser miteinander vermischen: Der Mensch wird für die Dauer eines Jahres erkranken, und er wird gesund werden; oder aber der Mensch wird aus einer schwierigen Lage entkommen" (KUB 4,72 = Bo 17; vgl. RIEMSCHNEIDER 1972)

$$Z = f(A^+ + B^+) \Rightarrow +$$

In diesem Beispiel wird die "normale" Kondition des Organs durch die Formulierung *titūra ša* UZU "(wie) eine Brücke aus Fleisch" (dazu UNGNAD 1929:195 m. Anm. 2) hervorgehoben. Auch vergleichbare Beschreibungen ergeben immer eine günstige Omenaussage (z.B. YOS X 59,9: DIŠ *mar-tum ki-i-ma ti-gi-ri-li a-*BI?*-im ti-tu-ra-tim i-ta-da-a-*[*at*]*a-mu-ut šar-ru-ki-in ša ki-ša-tam i-be-lu* "Wenn die Gallenblase wie das *tigirillu* mit Brücken belegt ist: Wahrsagung für Sargon, der die Gesamtheit unterwarf"). Dies gilt auch für Befunde anderer Leberteile, die durch *titūru* beschrieben werden (z.B. CT 20 S1520, Vs.8:

⌈BE⌉GÍR *ti-tur-re-e-ti* GAR UZU [... "Wenn der Pfad eine Brücke hat: Fleisch [..." (günstiges Omen, dazu s.S.69–70) Darüber hinaus weist auch die zweite geschilderte Eigenschaft des Befundes *me-ša uš-ta-ḫa-aq* "die Wasser vermischen sich" eine positive Bedeutung auf (vgl. BIGGS 1969: 161 m. Anm. 3; Parallelen s. CAD sub *ḫâqu* A).

Die Darstellung auf dem Modell (Taf. 7,2) zeigt eine unveränderte Form der Applikation, eine Darstellungsweise, die eine günstige Omenaussage impliziert (es fehlt die Kennzeichnung der Pfortader (*nār amūti*), doch trifft dieser Befund für alle Modelle der älteren Gruppe zu).

Auf einem weiteren Tonlebermodell aus Boğazköy wird eine vergleichbare Beschaffenheit der Gallenblase mit anderen Worten beschrieben:

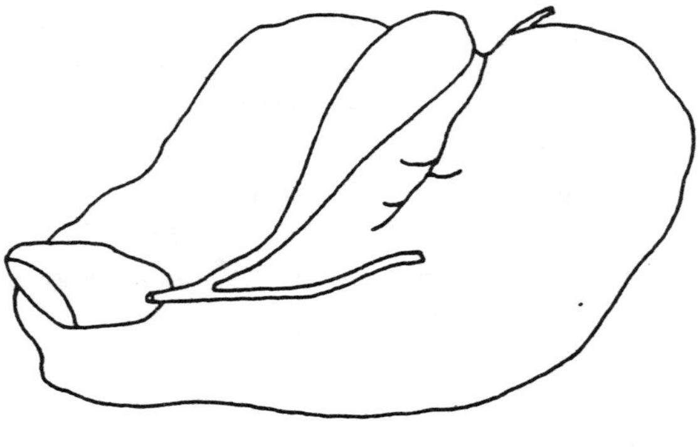

ZÉ *ši-ši-tam ar-pá-at-ma*
ù me-ša lá ú-ma-aš-šar
ša ŠÀ URU.KI *ši* (*šal* n. Riemschneider) *aš ba*
URU.KI *i-kal*^{al}*-la*
ú-ul ú-uṣ-ṣí
"Die Gallenblase ist durch ein Häutchen eingehüllt und gibt ihre Flüssigkeit nicht frei: Den Stadtbewohner ... wird die Stadt ferngehalten, er wird nicht hinausgehen" (KUB 37,216 = Bo 1; vgl. RIEMSCHNEIDER 1972)

$$Z = f(A^+ + B^+) \Rightarrow +$$

In diesem Fall wird die Vollständigkeit des Organs dadurch beschrieben, daß es durch ein "Häutchen" (anders GOETZE 1957: 104) eingehüllt ist. Auch diese Beschreibung entspricht der natürlichen Beschaffenheit der Gallenblase, die, als selbständiges Organ, eigenes Bindegewebe besitzt. Die zusätzliche Bemerkung, daß sie "ihre Flüssigkeit nicht freigibt" (vgl. das Wortspiel mit der Formulierung der Apodosis: "Die Stadt gibt ihre Bewohner nicht frei"), bestätigt den unversehrten Zustand des Organs, die Grundlage der günstigen Wahrsagung (vgl. YOS X 31 IV, 29–34: *šum-ma mar-tum me-e im-t*[*a-na*]*-al-la-ma úḫ-ta-*[*l*]*a-*⌈*a*⌉*l šu-lu-um ru-*[*bi*]*-*⌈*im*⌉ "Wenn die Gallenblase sich immer wieder mit Wasser füllt und sie aufgehängt wird (?): Wohlbefinden eines Fürsten"; im Gegensatz zu YOS X 31 X, 34–39: *šum-ma mar-tum mu-*⌈*ša*⌉ *a-na ki-di-im ḫa-*⌈*a*⌉*l-ṣù ra-bí-*⌈*a*⌉*-na i-na a-li-šu ú-še*$_{20}$*-ṣú-ú-šu* "Wenn das Wasser der Gallenblase an der Außenseite herausgepreßt ist: Man wird einen Bürgermeister aus seiner Stadt hinauswerfen").

Der Begriff *šišītu* "Häutchen", "Bindegewebe" (?) (dazu KÖCHER 1953:89) kommt auch im Zusammenhang mit anderen Leberteilen vor (z.B. TCL 6 3,10: *šulmu*; CT 30 20, 3–4: *šulmu*; GOETZE 1957: 104: *ṣibtu*) und ergibt immer ein positives Omenergebnis.

Die Darstellung auf dem Modell (Taf. 5,1) besteht in dem vorliegenden Beispiel wiederum aus einer "normal" gebildeten Applikation ohne weitere Kennzeichnungen.

Dagegen ist für Veränderungen der Gallenblase, die zu einer ungünstigen Omenaussage führen, eine vom "Normalzustand" abweichende Darstellungsweise belegt:

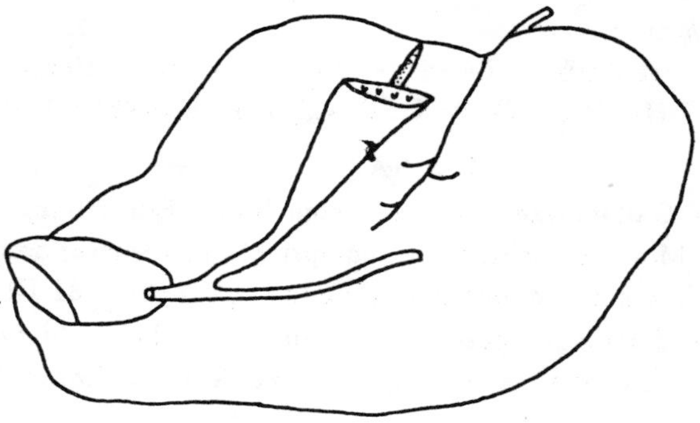

ga-MUR ZÉ *ta-ri-ik*
RI.RI.GA ILLAT LUGAL
BE *i-na a-ḫi-it* LÚ
GIG-*ma* BA.ÚŠ
"Die gesamte (?) Gallenblase ist dunkel: Niederlage der Truppe des Königs; oder im Umkreis des Mannes wird (jemand) krank oder stirbt" (KBo 7,5 = Bo 21; vgl. RIEMSCHNEIDER 1972)

$$Z = f(A^{+} + B^{-}) \Rightarrow -$$

Die ungünstige Omenaussage basiert auf den Gesetzmäßigkeiten, die aus der Opposition von *nawāru* und *tarāku* resultieren (dazu s.S. 104). So ergibt sich aus der völligen Schwarzfärbung der Gallenblase ebenso eine ungünstige Omenaussage wie aus derjenigen, die nur in Zonen beobachtet wird, die zur pars familiaris gehören (z.B. YOS X 31 V, 3–6 für die rechte Seite; YOS X 31 XII, 36–40 für *maṣraḫ marti*).

Das Problem der Darstellung derartiger Krankheitsbilder ist dadurch gelöst, daß die plastische Ausarbeitung der Gallenblase im Bereich des "Kopfes" abbricht (es handelt sich nicht um eine rezente Beschädigung); nur die Einritzung, die sich unter dem Körper der Gallenblase befindet, reicht bis an den Rand des Modells. Daher kann als graphische Kennzeichnung des ungünstigen Befundes (*tarik*) die unvollständige Wiedergabe des Organteiles angenommen werden (Taf. 9,1).

Für ein zweites Beispiel dieser Veränderung findet sich eine ähnliche Darstellungsweise:

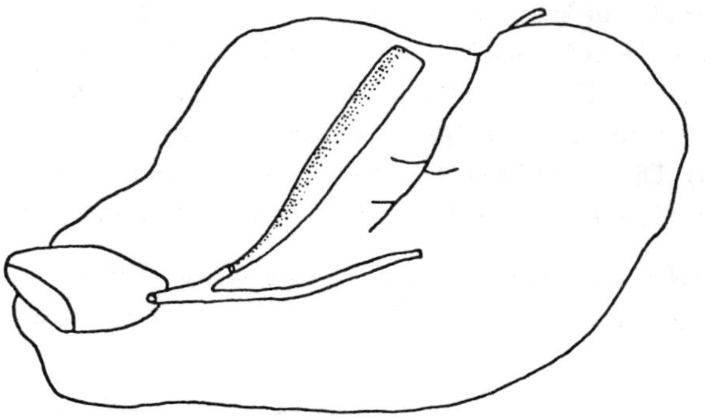

ZÉ *tar-ka-at*
za-na-an ša-me-e
q[d]IŠKUR *i-ra-aḫ-ḫi-iṣ*
"Die Gallenblase ist dunkel: Regen des Himmels, der Wettergott wird (die Saaten) überschwemmen" (KUB 37, 221 = Bo 6; vgl. RIEMSCHNEIDER 1972)

$$Z = f(A^+ + B^-) \Rightarrow -$$

In diesem Fall wird die Gallenblase nur durch eine breite Einkerbung wiedergegeben (Taf. 5,6), die nicht bis an den Rand des Modells reicht; damit entspricht die vorliegende Darstellung dem vollständigen Fehlen der Gallenblase, d.h. einem ungünstigen Befund (vgl. YOS X 31 III, 41-44).

Ein weiteres im Bereich der Gallenblase auftretendes Krankheitsbild behandelt das Vorkommen von weißen Flecken (*pūṣu*), einer Negativmarke (vgl. S. 104 zu deren Auftreten im Bereich des "Standortes"):

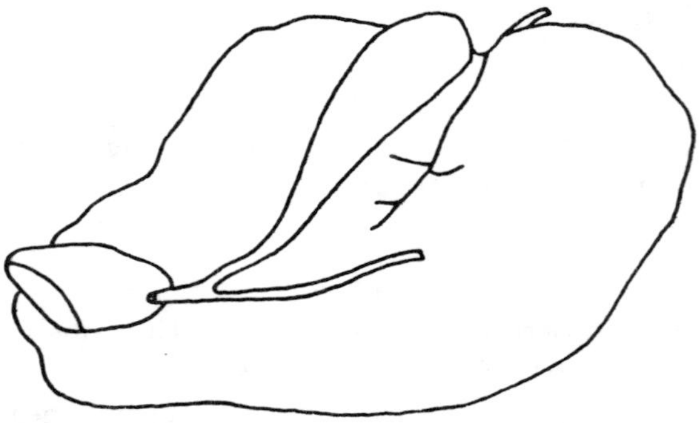

[BE? Z]É *pu-ṣú 3 ru-sú* GAR [*nu*?]
[LUGAL *a-n*]*a* KUR LÚ.KÚR *i-il-la-ak*
"[Wenn die] Gallenblase weiße Flecken und drei Aufweichungen (?) hat: [Der König] wird zum Lande des Feindes ziehen" (KUB 37, 229 = Bo 14; vgl. RIEMSCHNEIDER 1972)

$$Z = f(A^+ + B^+) \Rightarrow +$$

Trotz des Auftretens der als ungünstig angesehenen Erscheinung *pūṣu* "weißer Flecken" (möglicherweise noch verstärkt durch *ruššu* "feucht machen", vgl. AHW 996) ergibt sich ein günstiges Omen für den Fragesteller. Die Erklärung für diese Deutung ist in dem mehrfachen Auftreten der Negativmarke zu sehen, ein Befund, der die grundsätzliche Tendenz umkehrt (vgl. für das Vorkommen von Löchern TCL 6 5, Rs. 21–22,s.S. 102–103). Die zugehörige Darstellung ist auf dem Modellfragment nicht erhalten, doch ist möglicherweise auch in diesem Fall die Wiedergabe einer vollständigen Gallenblase zu erwarten.

Dagegen führt das Vorkommen einer als negativ angesehenen Erscheinung dann zu einem ungünstigen Befund, wenn die Anzahl der jeweiligen Veränderungen nicht näher bestimmt wird:

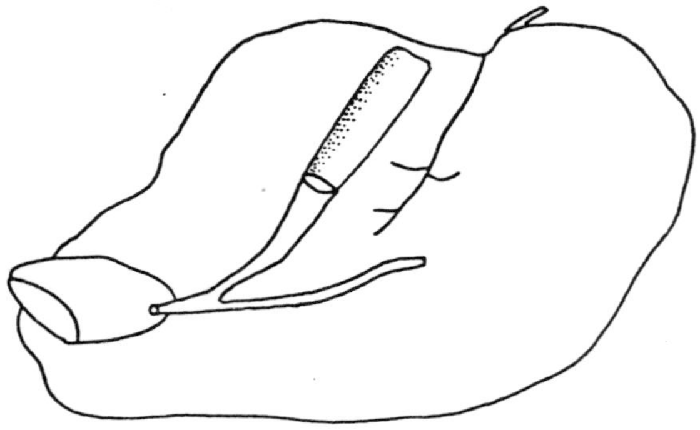

ZÉ *qé-e pé-ṣú-ti i-ta-ad-du-ú*
LÚ.KÚR *i-da?-¿sa>-ak<-ka-an-ni*
"Die Gallenblase ist mit weißen Flecken besetzt: Der Feind wird mich schlagen (?)"
(Bo 68/16 = Bo 53; Transliteration und Übersetung n. RIEMSCHNEIDER 1972)

$$Z = f(A^+ + B^-) \Rightarrow -$$

In diesem Fall ergibt sich allerdings nicht, wie in Analogie zu dem gleichen Befund im Bereich des "Standortes" (Bo 21, s.S. 105) zu erwarten wäre, ein unbestimmtes Omenergebnis, sondern eine negative Deutung. Der Grund für die abweichende Auslegung ist in dem Erscheinungsbild der Veränderung auf der Leberoberfläche zu sehen: Während eine unbestimmte Ergebnisform nur dann erfolgt, wenn sich die betreffenden Negativmarken paarweise gegenüberliegen (so Bo 21), resultiert aus einem nicht näher beschriebenen Vorkommen derartiger Krankheitsbilder eine ungünstige Aussage (so Bo 15 zum Auftreten von weißen Flecken auf dem "Standort", s.S. 106).

Die Wiedergabe auf dem Modell (unpubliziert) bestätigt diese Interpretation; die beschriebene Anomalie wird nicht (wie im Beispiel Bo 21) durch Einstiche im Bereich des Organs gekennzeichnet, sondern in diesem Fall durch die fehlende plastische Ausarbeitung des vorderen Teils der Gallenblase, d.h. durch eine Darstellungsweise, für die bereits im Zusammenhang mit anderen Krankheitsbildern ungünstige Deutungen aufgezeigt werden konnten (vgl. Bo 6.21; s.S. 146–147).

Auch das Vorkommen von gelben Flecken hat eine ungünstige Aussage zur Folge:

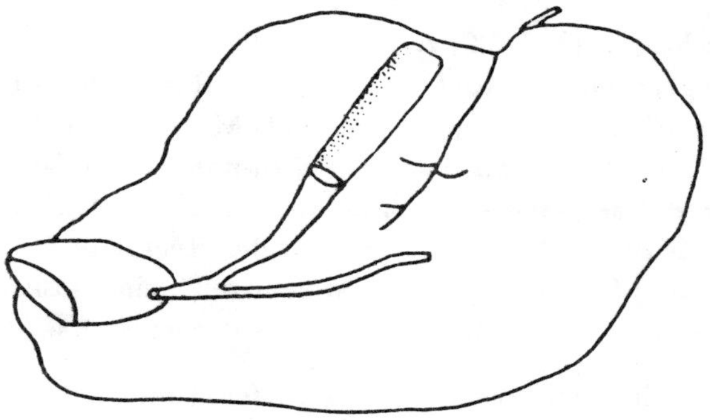

i-na SAG ZÉ 2 *ur-qú na-da-ú*
x x x *i-kal*
"Auf dem Kopf der Gallenblase liegen zwei gelbgrüne Flecken: (Göttername?) wird fressen" (KBo 9,64 = Bo 33; vgl. RIEMSCHNEIDER 1972)

$$Z = f(A^+ + B^-) \Rightarrow -$$

Diese nur selten in Omentexten belegte farbliche Veränderung (Belege s. AHW 1497 sub *wurqu*) führt immer zu einer ungünstigen Omenaussage (auch in KBo 9,63 = Bo 32 findet sich diese Veränderung; es ist aber nicht zu entnehmen, auf welches Leberteil sie sich bezieht; vgl. GOETZE 1960: 115; s.S. 172 zu *ṣibtu*). Trotz starker Beschädigung geht aus der Darstellung (Taf. 11,5) hervor, daß wiederum der Bereich des "Kopfes der Gallenblase" nicht plastisch ausgearbeitet ist und die darunter gelegene Einritzung freiliegt.

Eine andere Darstellungsmöglichkeit eines vergleichbar beschriebenen Befundes ist einem weiteren Modell aus Boğazköy zu entnehmen:

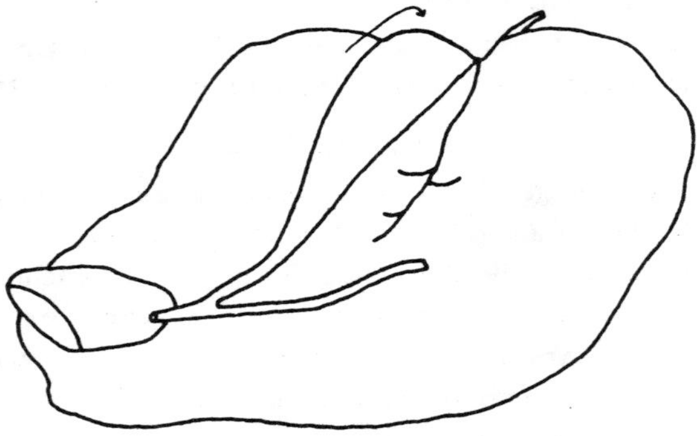

ZÉ *bur-bu-uḫ-tam ma-li* ERÍN-*ni ṣú-mu i-ṣa[-bat]*
BE LÚ *bé-en-nu i-ṣa-bat-sú*
"Die Gallenblase ist voll mit Pusteln: Durst wird mein Heer ergreifen; oder den Menschen wird Epilepsie ergreifen" (KUB 37,218 = Bo 3; vgl. RIEMSCHNEIDER 1972)

$$Z = f(A^{+} + B^{-}) \Rightarrow -$$

Auch in diesem Fall ist der gesamte Bereich des Organs mit einer unbestimmten Anzahl von krankheitsbedingten Veränderungen befallen, ein Befund, der immer zu einer ungünstigen Aussage führt (zum ersten Teil der Apodosis vgl. YOS X 31 III, 9–12).

Die Darstellung auf dem Modell (Taf. 5,2) zeigt eine vollständig erhaltene Wiedergabe der Gallenblase ohne weitere Kennzeichnungen; nur der Kopf ragt über den Rand hinaus auf die Rückseite des Modells. Diese Ausrichtung auf die Rückseite ist möglicherweise als Merkmal für den negativen Befund anzusehen (vgl. aber YOS X 31 V 43–VI 3: *šum-ma mar-tum ú-ba-nam il-ta-wi*[!]*-ma wa-ar-ka-at a-mu-tim* ⌈*ša*⌉*-ak-na-at* ⌈*šar*⌉*-ru-um* [*še*$_{20}$*-e*]*r*[?] *še*$_{20}$*-er-ri-šu a-di ḫa-am-ši-*⌈*šu*⌉*i-na* GIŠ.GU.ZA-*im* [*u*]*-ša-ab* "Wenn die Gallenblase sich um den Leberfinger herumlegt und auf der Rückseite der Leber liegt: Der König, seine Nachkommenschaft wird (noch) fünfmal auf dem Thron sitzen"; eine positive Bedeutung; sollte die Richtung, aus der sich die Gallenblase auf die Rückseite legt, entscheidend sein?).

Zu den Veränderungen, die die Gallenblase selbst betreffen, kommen noch Text und Darstellung einiger nur fragmentarisch erhaltener Tonlebern hinzu.

Auf dem Modell KBo 9,57 = Bo 26 (Taf. 10,4) ist zwar die Darstellung des Organs erhalten, aber nicht die zugehörige Inschrift, so daß eine verbindliche Verbalisierung des Befundes nicht möglich ist. Einige Merkmale können dennoch als Beleg für die Wiedergabe einer Gallenblase angesehen werden, deren Beschaffenheit einen ungünstigen Befund widerspiegelt:

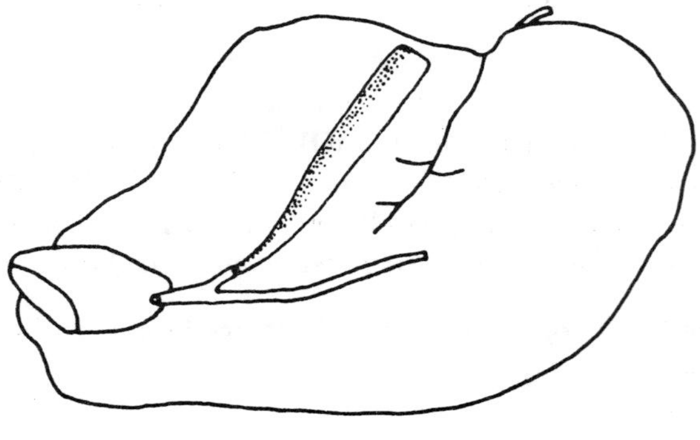

Der größte Teil dieser Kennzeichnung ist als Einritzung ausgearbeitet, die sich zum Rand hin leicht verbreitert und nur im "unteren" Teil (*maṣraḫ marti*) durch eine Applikation abgedeckt wird. Auch der wie abgeschnitten wirkende vordere Abschluß stimmt mit Darstellungsweisen überein, die für ungünstige Befunde belegt sind (z.B. Bo 6.21).

Die Tonleber KUB 37,219 = Bo 4 zeigt dagegen eine vollständig applizierte Wiedergabe der Gallenblase, die sich zum Kopf hin stärker verbreitert. Der zugehörige Text auf der Rückseite des Modells ist wiederum nur fragmentarisch erhalten und zudem teilweise schwer verständlich:

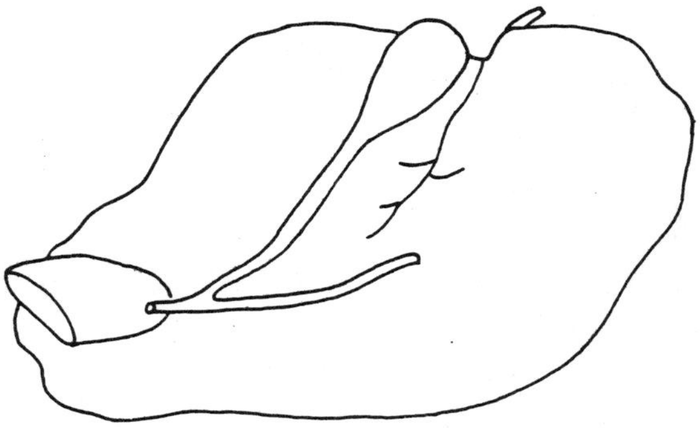

] MÚRU ZÉ ⌈*šu*⌉-*uš*?-BAT LUGAL x x [
] *a-na* KUR LÚ.KÚR *i-te-eb-bi-ma* [LÚ.KÚR?]
]i-[GAZ?]
"[....] die Mitte der Gallenblase ...: der König ... wird sich gegen das Land des Feindes erheben und er wird [den Feind? töten?]" (KUB 37,219 = Bo 4; vgl. RIEMSCHNEIDER 1972)

$$Z = f(A^{+} \Rightarrow A^{+?}) \Rightarrow +^{?}$$

Eine Interpretation dieses Befundes ist nicht möglich. Der Widerspruch zwischen der Beschreibung des Befundes im Text — Veränderung des mittleren Teiles der Gallenblase — und dessen Wiedergabe auf dem Modell — Verdickung des "Kopfes der Gallenblase" — ist vermutlich ohne Bedeutung für das Omenergebnis, da beide Bereiche zur pars familiaris gehören. Ausgehend von der Darstellung wäre eine Veränderung im Sinne von *rapāšu* "breit sein, werden" denkbar (vgl. z.B. RIEMSCHNEIDER 1965:130,14), doch erlauben die erhaltenen Zeichenreste keine entsprechende Ergänzung.

Schließlich ist noch ein weiteres Fragment anzuführen, dessen Text und Darstellung sich auf einen Befund im Bereich der Gallenblase beziehen können (aber es ist auch an eine Veränderung des "Standortes" zu denken):

] *im* BAL ZI *nu ut ḫal*
[*i-na* GIŠ.TUKU]L? LÚ.KÚR *i-sa-ak-ki-pa-an-ni*
] x *i-zi-ba-šu*
"....: Aufruhr wird sich erheben, die Waffe betreffend: der Feind wird mich zurückschlagen; .... wird ihn verlassen" (KUB 37,222 = Bo 7; vgl. RIEMSCHNEIDER 1972)

$$Z = f(A^{+} + B^{-}) \Rightarrow -$$

Da weder die Protasis noch deren graphische Kennzeichnung erhalten sind, kann keine weitere Aussage zu diesem Stück getroffen werden.

- Veränderungen der Lage der Gallenblase

Weitere Veränderungen der Gallenblase können durch eine vom "Normalzustand" abweichende Lage des Organs beschrieben werden. Gerade für dieses Leberteil, das nur durch Bindegewebe an der Leber befestigt ist, sind zahlreiche Beispiele für abnorme Positionen belegt (z.B. YOS X 31 I, 12–15; 25–27; 32–35; II, 24–26). Auch auf den Tonlebermodellen werden derartige Befunde notiert und graphisch dargestellt:

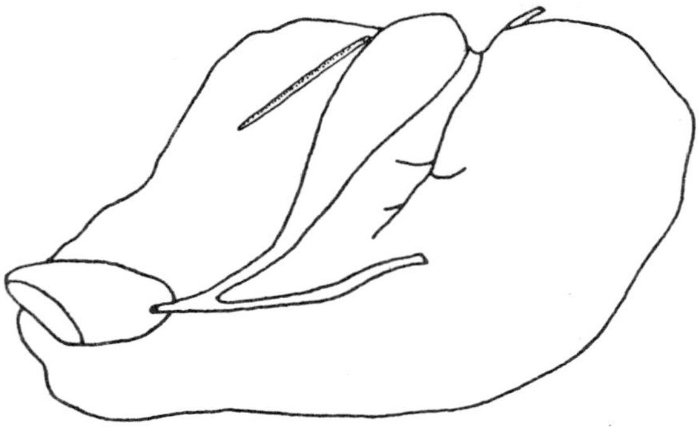

[B]E? ZÉ *i-na maš-kán me-ḫi-iṣ* IGI LÚ.KÚR GAR-*at*
LUGAL KUR LÚ.KÚR-*šu i-be-el*
"Wenn die Gallenblase an der Stelle der Schramme (?) des Feindes liegt: Der König wird das Land seines Feindes beherrschen" (KBo 7,7 = Bo 23; vgl. RIEMSCNNEIDER 1972)

$$Z = f(A+ \Rightarrow B+) \Rightarrow +$$

Der Text beschreibt eine Beziehung der Gallenblase zum rechten Leberlappen, d.h. aus der Sicht der Wahrsager zum links gelegenen ("feindlichen") Gebiet (*meḫiṣ pān ummān nakri*; Synonym für *padān šumēl marti*); dieser Bereich ist als Äquivalent für *šulmu (padān imitti marti*, dazu DENNER 1934:190 m. Anm. 1, s.S. 67) aufzufassen, einem ungünstigen Gebiet.

Auch die Darstellungsweise dieses Leberteiles (Taf. 9,5-6) ist mit derjenigen von *šulmu* zu vergleichen; es handelt sich dabei ebenfalls um eine senkrechte Einritzung (Markenklasse AII, vgl. z.B. KUB 37,228 = Bo 13, s.u.), die sich am "linken" Rand der Leber befindet. Der beschriebene Befund wird dadurch kenntlich gemacht, daß diese Einritzung bis an den Kopf der Gallenblase reicht; zugleich ist eine Verlagerung der Gallenblase selbst zur "linken" Seite hin festzustellen (dazu s.S. 140). Dadurch wird das "Gebiet des Feindes" verringert, ein Befund, der ein günstiges Omenresultat für den Fragesteller zur Folge hat (ähnlich CT 20 1,10). Gerade diese Beziehung ziwschen dem "feindlichen" und dem "eigenen" Gebiet dient bei einem vergleichbaren Befund zur verbalen Darstellung des Omenresultats:

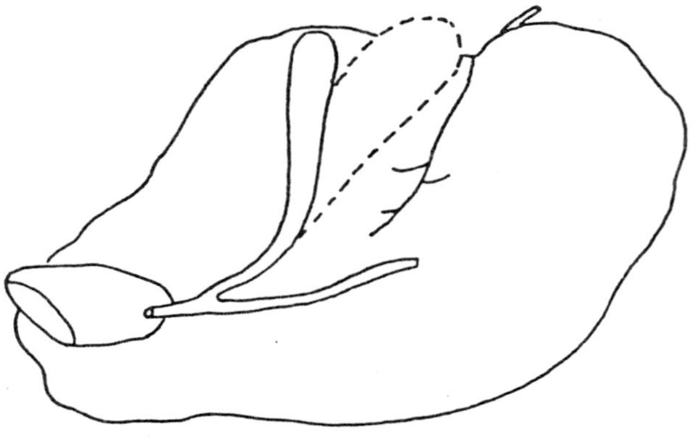

BE ZÉ *a+na* GÙB *ka-sa-at* ZAG LÚ.KÚR
i?-wi?-a-aṣ-ma ZAG LUGAL *i-ra-ap-pí-iš*
"Wenn die Gallenblase links angebunden ist: Das Gebiet des Feindes wird weniger werden, und das Gebiet des Königs wird sich ausdehnen" (KUB 37,228 = Bo 13; vgl. RIEMSCHNEIDER 1972)

$$Z = f(A+ \Rightarrow A+) \Rightarrow +$$

In der Darstellung ist die Lage der durch eine Applikation wiedergegebenen Gallenblase deutlich zur "linken" Seite hin verschoben. Sie reicht allerdings nicht bis an die Kennzeichnung von *meḫiṣ pān nakri* (= *padān šumēl marti*, eine senkrechte Einritzung am "linken" Rand). Die günstige Omenaussage beruht auf den gleichen Voraussetzungen wie im vorhergehenden Beispiel beschrieben (Verlagerung der Gallenblase nach links) und ist durch die veränderte Position der Applikation auf dem Modell zu erkennen. Ein vergleichbarer Befund wird auch in dem Text YOS X 31 II, 42-47 beschrieben (s.u.).

Eine weitere Inschrift auf dem gleichen Modell unmittelbar neben der Kennzeichnung von *meḫiṣ pān nakri* steht vermutlich ebenfalls mit diesem Krankheitsbild im Zusammenhang:

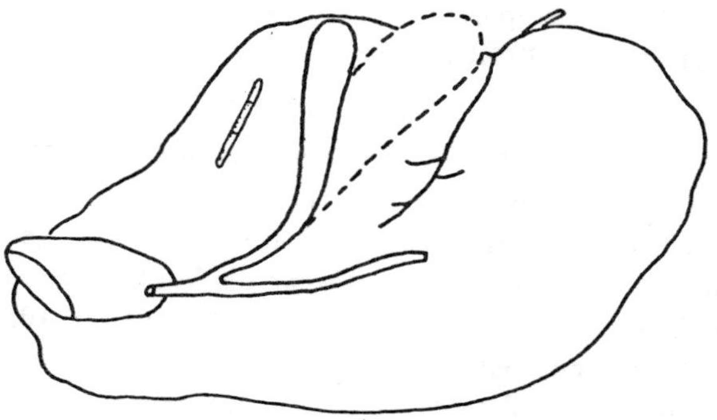

pí-ri-it-ti LÚ.KÚR
ta-di-ir-ti LÚ.KÚR
na-ap-ṭà-ar-ti LÚ.KÚR
"Schrecken des Feindes, Depression des Feindes, Desertion beim Feind" (KUB 37,228 = Bo 13; vgl. RIEMSCHNEIDER 1972)

Da in diesem Fall nur eine Apodosis notiert ist, kann entweder die Darstellung selbst als Protasis angesehen werden (vgl. Hazor-Lebern), oder im Text ist eine zusätzliche Erklärung der bereits im Zusammenhang mit der Veränderung der Gallenblase angeführten Omenaussage zu sehen. Dann wären die Darstellung der Gallenblase und die Einritzung jeweils als "Zeichen" zu verstehen. Sollte es sich aber um ein eigenständiges Krankheitsbild handeln, dann resultiert die günstige Omenaussage aus der zweifachen Einkerbung der Einritzung (*adi* 2–*šu puššūt*; $Z = f(A^- + B^-) \Rightarrow +$).

Auch in dem folgenden Beispiel wird auf eine veränderte Position der Gallenblase Bezug genommen:

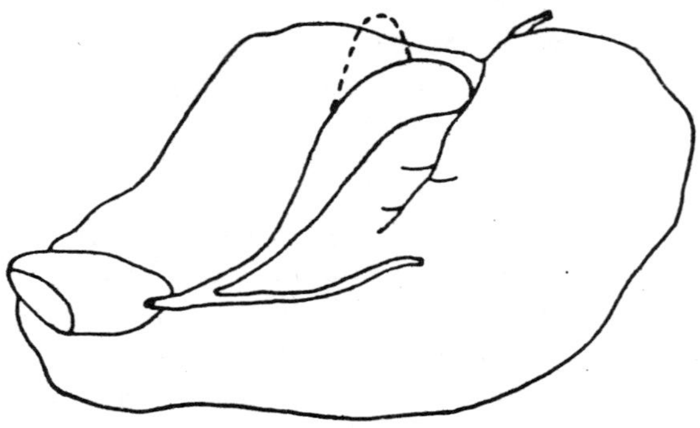

ZÉ *a-na* ZAG *ik-pu-um-ma* SAG-*sà i-na* [
LUGAL KUR-*sú ib-ba-la-ka-as-sú*
BE LÚ.KÚR NAM.RI *ú-še-eṣ-ṣ*[*i*]
"Die Gallenblase biegt sich nach rechts um, und ihr Kopf (liegt) auf ...: Gegen den König wird sein Land sich empören; oder der Feind wird Beute davonschleppen" (KBo 9,58 = Bo 27; vgl. RIEMSCHNEIDER 1972)

$$Z = f(A^+ \Rightarrow A^-(B^-) \Rightarrow -$$

Der vorliegende Text beschreibt nicht eine Verlagerung der gesamten Gallenblase, sondern nur die Wendung des "Kopfes" zur rechten Seite (Verringerung des "eigenen Gebietes"); ein derartiger Befund führt zu einem ungünstigen Ergebnis (vgl. YOS X 31 II 42–47: *šum-ma mar-tum pa-nu-ú-ša a-na šu-me-li-im ša-ak-nu-ú* DINGIR-*šu e-li a-wi-li-im ša-bu-us* "Wenn die Vorderseite der Gallenblase links liegt: Gegen den Menschen zürnt sein Gott"). In der zugehörigen Darstellung (Taf. 10,5-6) ist der negative Befund in zweifacher Weise wiedergegeben; zum einen weist der Körper der Gallenblase eine ungewöhnlich starke Krümmung auf, so daß sein Vorderteil tatsächlich in die angegebene Richtung "schaut", zum anderen fehlt die plastische Ausarbeitung des "Kopfes", eine Darstellungsweise, die bereits als Kennzeichnung ungünstiger Befunde bekannt ist (vgl. Bo 6.21, s.S. 145–146).

Auf das Verhältnis der Gallenblase zu dem benachbarten Bereich von *šulmu* geht der Text eines noch unpublizierten Modells aus Boğazköy ein:

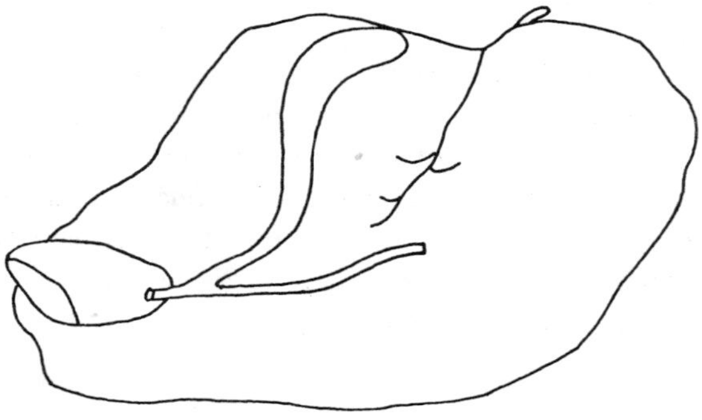

ZE SILIM? *ra-ak-bat* LUGAL *ša-nu-um-ma* [
BE DUMU.LUGAL GIŠ.GU.ZA *i-ṣa-ba[t]*
"Die Gallenblase reitet auf dem *šulmu*: ein anderer König [.....]: oder ein Königssohn wird sich des Thrones bemächtigen" (Bo 69/862; vgl. RIEMSCHNEIDER 1972)

$$Z = f(A^{+} \Rightarrow A^{-}) \Rightarrow -$$

Auch aus diesem Befund resultiert eine "Verringerung des eigenen Gebietes", und damit eine ungünstige Omenaussage; in der graphischen Wiedergabe reicht der "Kopf der Gallenblase" weiter als üblich nach rechts.

Auf einem weiteren Modell (KUB 4,74 = Bo 19) sind Reste der plastischen Ausarbeitung einer Gallenblase zu erkennen (Taf. 8,2-3), an deren Seiten, parallel zum Körper, jeweils eine Rille verläuft. Von der "linken" Seite reicht zusätzlich eine weitere Einritzung bis an den Kopf der Gallenblase (*meḫiṣ pān nakri?*). Die Spuren einer aller Wahrscheinlichkeit nach zu dieser Darstellung gehörenden Inschrift ergeben keinen Hinweis auf den intendierten Befund (...] x *ḫu-ta-aš-ri*). Vermutlich handelt es sich dabei um die Wiedergabe einer Veränderung, die die rechte und linke Seite gleichermaßen betrifft (*kasû* "anbinden"?, vgl. Bo 23).

- Mehrfaches Vorkommen der Gallenblase

In einer Reihe von Texten ist das mehrfache Auftreten von Gallenblasen belegt (z.B. YOS X 31 I, 47–50: zwei; 51–55: drei; II, 13–15: fünf; XIII, 19–21: sieben). Grundsätzlich resultiert aus dem ein- oder zweifachen Vorkommen des ansonsten unveränderten Organs eine günstige Omenaussage; erst mit dem dreifachen Auftreten ändert sich die Tendenz der Wahrsagung.

Auch auf den hier zu untersuchenden Modellen ist das mehrfache Vorkommen der Gallenblase belegt; dabei ist für die Bewertung des Befundes vor allem die Lage der Organe zueinander von größter Bedeutung. Entweder wird zwischen einer rechts (günstig) oder einer links (ungünstig) liegenden Gallenblase unterschieden oder zwischen einer "normalen" (*kajjamāntu*; günstig) und einer "zweiten":

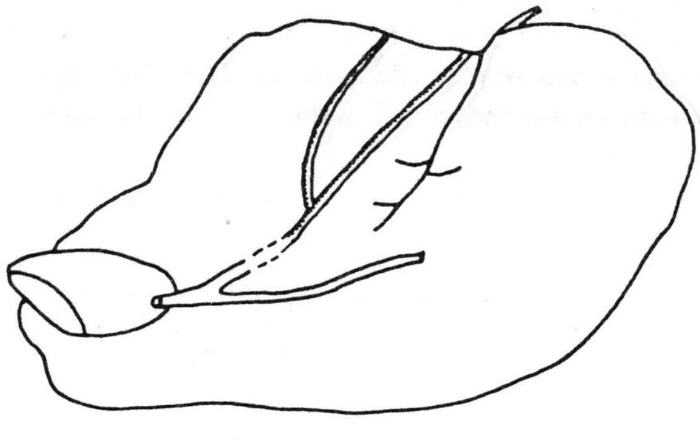

BE 2 ZÉ SUR-*ši-na* 1–*ma i-n[a?* GÙB?
UGU-*iš iz-zi-za* GIŠ.TUKUL *ma-t[im?*
i-te-eb-bu-ú BE *a-na* GIŠ.TUKUL [
ša-la-am-tum MÚRU MU GIŠ UZ x [
"Wenn zwei Gallenblasen (vorhanden sind) und ihr Ausgang nur einer ist und [an der linken Seite?] nach oben steht: die Waffe des Landes? ... wird sich erheben oder die Waffe ... die Leiche ..." (KUB 4,73 = Bo 18; vgl. RIEMSCHNEIDER 1972)

$$Z = f(A^{+} \Rightarrow A^{-}) \Rightarrow -$$

Die nur fragmentarisch erhaltene Apodosis erlaubt zunächst keine gesicherte Feststellung der durch diesen Befund bedingten Tendenz der Wahrsagung. Für den ersten Teil der Protasis können aber Parallelstellen angeführt werden, die eine eindeutig positive Aussage beinhalten (vgl. z.B. YOS X 11 V 10–11:

šum-ma 2 ma-ra-tum ma-[*aṣ*]*-ra-aḫ-ši-na iš-te-en-ma a-mu-ut sa-*[*li*]*-mi-im* "Wenn zwei Gallenblasen vorhanden sind und ihr Ausgang nur einer ist: Wahrsagung des Friedens"; ähnlich KAR 434,Rs.10). Diese Bedeutung scheint aber für das vorliegende Omen nicht zuzutreffen; vielmehr weisen beide Aussagen auf eine ungünstige Bewertung des Befundes hin.

Für diese ungünstige Auslegung kann dann aber nur die zusätzliche Beobachtung "nach oben steht" UGU-*iš izziza* verantwortlich sein. Auch auf die Gefahr einer Überinterpretation des vorliegenden Textes hin, sollen für eine mögliche Erklärung des Befundes zwei Omentexte herangezogen werden, die zwar nicht vergleichbare Krankheitsbilder beschreiben, jedoch möglicherweise ein ähnliches Verhältnis der beiden Gallenblasen zueinander: [*šum-ma* 2] *ma-ra-tum ki-ma pi-ti-il-tim pa-at-la-m*[*a*] *ša*! [*e-li*]*-ša šu-me-lim ra-ak-ba-at it-ti na-a*[*k-r*]*i-ka ta-sa-b*[*a*?*-at-ma*] [ ] LÚ.KÚR *tu-ṣá-am-qá-a*[*t*] "Wenn zwei Gallenblasen wie ein Strick verdreht sind und die rechte (Gallenblase) auf der linken reitet: Du wirst einen Kampf unternehmen gegen deinen Feind, und du wirst den Feind besiegen" (BM 13915,18–20 = ARO/NOUGAYROL 1973:53) Tendenz: positiv. Die folgenden Zeilen des Textes beziehen sich auf einen entgegengesetzten Befund mit entsprechend negativer Tendenz: [*šum-ma* 2] *ma-ra-tum-ma ki-ma pa-ti-il-tim pa-at-la-m*[*a*]*ša šu-me-lim* [ ] *ma-aṣ-ra-aḫ-ša e-li ša i-mi-tim ra-ak-ba-at at-ta ù* L[Ú.KÚR *ta-sa-ba*?]*-ta-ma e-li-*[*k*]*a it-ta-za-a*[*z*] "Wenn zwei Gallenblasen wie ein Strick verdreht sind und die linke — ihr dünner Teil — reitet auf dem des rechten: Du und dein Feind werdet einen Kampf unternehmen, und er wird über dich triumphieren" (BM 13915,21–23 = ARO/NOUGAYROL 1973:53).

Für das vorliegende Beispiel ist die Tatsache von Bedeutung, daß bei der Vereinigung von zwei Gallenblasen die Richtung wichtig ist, aus der die eine in die andere eintritt; geschieht dies von der linken Seite, ergibt sich eine negative Aussage, geschieht es von der rechten Seite, erfolgt dagegen eine günstige Deutung.

Die Darstellung auf dem Tonmodell (Taf. 8,1) zeigt eine geradlinig, d.h. "normal" verlaufende Gallenblase und eine zweite, die von links in die erste einmündet. Damit entspricht diese Wiedergabe der Konstellation, die im zweiten der beiden oben zitierten Omentexte geschildert wird, und sie kann somit als Kennzeichnung eines ungünstigen Befundes angesehen werden (ohne daß damit diese Darstellung als Wiedergabe der mit *rakābu* "reiten" bezeichneten Veränderung verstanden werden soll).

Die Annahme eines ungünstigen Befundes wird darüber hinaus auch durch die Art der Darstellung bestätigt. Anstatt durch eine plastische Modellierung wird in diesem Fall das beschriebene Erscheinungsbild der Gallenblase durch eine Einritzung wiedergegeben. Diese Art der Darstellung konnte bereits als Kennzeichen einer ungünstig zu bewertenden Beschaffenheit des Organs nachgewiesen werden (z.B. Bo 6.21).

Ein ähnlicher Befund, jedoch mit entgegengesetzter Omenaussage wird in einem Modell aus Emar (Meskene) geschildert:

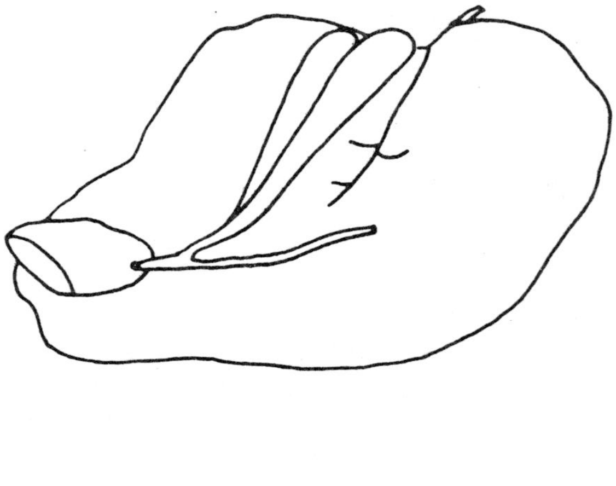

BE 2 ZÉ SIG-x [
LUGAL.E.NE *im-ta-a*[*l-li-ku*]
KUR-*šu-nu ú-ra-ap-*[*pi-šu*]
"Wenn zwei Gallenblasen (vorhanden sind) und ihr Ausgang (dünne Stelle) ...: Die Könige werden sich beraten, und sie werden ihre Länder vergrößern"
(MSK 2; n. schriftlicher Mitteilung von Prof. D. Arnaud)

$$Z = f(A+ \Rightarrow A+) \Rightarrow +$$

Weder aus dem Text noch aus der Darstellung läßt sich die Art des Befundes entnehmen; die daraus resultierende Deutung ist aber mit Sicherheit günstig für den Fragesteller. Zwei Möglichkeiten zur Ergänzung der Protasis bieten sich an:

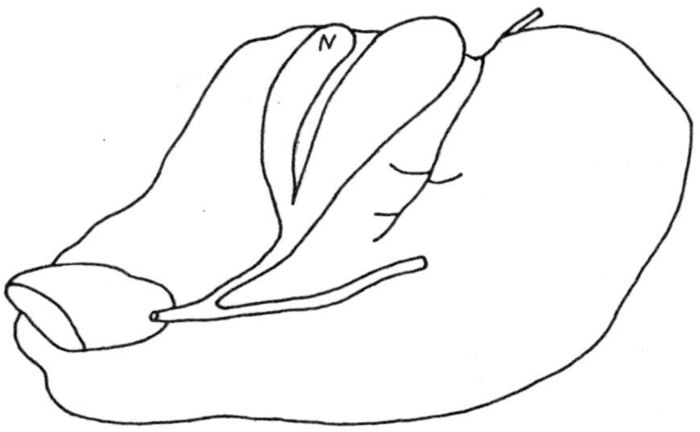

BE 2 ZÉ SIG-[*ši-na* 1-*ma i-na* ZAG (UGU-*iš*) *iz-zi-za*
"Wenn zwei Gallenblasen vorhanden sind und ihr Ausgang ist nur einer und (sie) tritt von der rechten Seite her (in den oberen Teil) ein" (ergänzt n. KUB 4,73 = Bo 18; s.o.)

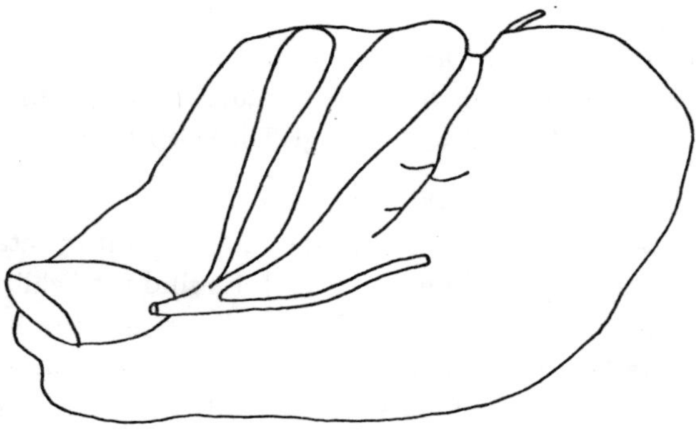

BE 2 ZÉ SIG-[*ši-na a-ḫi-e* A.MEŠ-*ši-na* SUM.SUM.MEŠ]
"Wenn zwei Gallenblasen vorhanden sind, ihre Ausgänge getrennt sind und sich ihre Flüssigkeiten vermischen (?)" (ergänzt n. KAR 423 Vs. III 23; n. BIGGS 1969:161)

Für beide Befunde ist ein günstiger Omenausgang nachgewiesen. Die ebenfalls nur fragmentarisch erhaltene Darstellung auf dem Modell (Taf. 12,4) zeigt die Reste von zwei parallel nebeneinander angebrachten Gallenblasen. In diesem Fall sind beide durch Applikationen wiedergegeben, nicht durch Einritzungen. Auch darin ist ein Zeichen für den günstigen Befund zu sehen.

Eine andere Position von zwei Gallenblasen wird auf einem weiteren Modell aus Boğazköy beschrieben und ausgewertet (Inschrift A; die Inschrift B bezieht sich ebenfalls auf eine Veränderung der Gallenblase, und auch dieser Befund ist auf dem Modell dargestellt, s.S. 159):

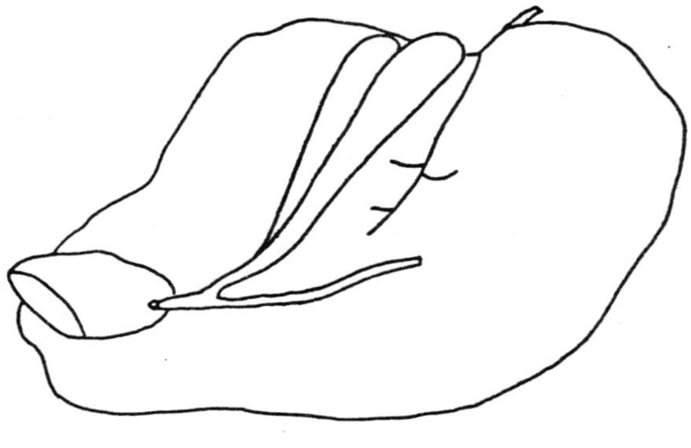

šá-šu-ur-⌈*ra-a*⌉1 ZÉ *i-n*[*a*
1–*at i-na* GU$_4$.MAḪ *zu-*[
ka-ia-ma-tum i-na ma-aš-ka-ni!-[*ša*
LUGAL URU.DIDLI-*šu ib-ba-la-*⌈*ka-tu-šu*⌉-*ma*
KUR-*sú i-na-ak*!-*kir-šu*
"Zwei Sägen, eine Gallenblase in ...., eine auf dem Stier ...., eine normale an ihrer Stelle: Gegen den König werden sich seine Städte empören, und sein Land wird ihm feindlich werden" (KUB 37,220 = Bo 5; vgl. RIEMSCHNEIDER 1972)

$$Z = f(A^+ \Rightarrow A^-) \Rightarrow -$$

Die Protasis bleibt teilweise unverständlich; für eine mögliche Interpretation ist daher von der Darstellung des Befundes auf dem Modell auszugehen (Taf. 5,5). Es sind tatsächlich zwei Gallenblasen abgebildet, eine, die "normale" (*kajjamāntu*) durch eine Applikation, die andere durch eine Einritzung. Weiterhin geht aus dem Text hervor, daß die "normale" sich "an ihrem Platz" (*kajjamāntum ina maškanīšu*) befindet. Da nach dieser Verteilung die zusätzliche Gallenblase nur als Einritzung, d.h. in einer als ungünstig angesehenen Darstellungsweise auf der rechten ("eigenen") Seite wiedergegeben ist, wird das im Text negativ formulierte Omenergebnis veständlich; die Bedeutung der weiteren Erklärungen ist dagegen nicht so eindeutig; u.U. ist der "Stier" (GU$_4$.MAḪ = "Prachtrind") als eine andere Bezeichnung für die "normale" Gallenblase aufzufassen. Die Annahme beruht auf der Gleichsetzung von *gumāḫu* (GU$_4$.MAḪ) mit *šarru* "König" (LTB A 2 2,32), der wiederum durch die Gallenblase auf der Leber repräsentiert wird (s. zur symbolischen Bedeutung S. 83–84; vgl. auch die mit applizierten Stierköpfen versehenen Rhyta aus Boğazköy, die im königlich-sakralen Bereich verwendet wurden; Textbeleg KUB 3 70, 12). Ein weiterer Anhaltspunkt für die Beschreibung eines ungünstigen Befundes ist in der einleitenden Formulierung *šaššāru* "Säge" zu sehen; das durch diesen Vergleich ausgedrückte Bild hat auch bei anderen Leberteilen eine negative Omenaussage zur Folge (z.B. Bo 17: *mazzāzu*; Bo 23: *padānu*; YOS X 11 IV 4–6: *šum-ma ú-ba-n*[*u-um*] *ki-i-ma ša-a*[*š*]-*š*[*a-ri*] *ti-bu-ut* [ ] "Wenn der Leberfinger wie eine Säge ist: Angriff [....]").

Es bleibt festzustellen, daß eine als ungünstig angesehene Wiedergabe eines Leberteiles rechts neben der "normalen" Form des gleichen Leberteiles zu einer ungünstigen Deutung führt (in diesem Fall wird noch eine zweite Veränderung der Gallenblase beschrieben und dargestellt, die ebenfalls ein negatives Ergebnis zur Folge hat, s.S. 159).

Eine andere, ebenfalls nicht eindeutig zu interpretierende Schilderung eines Befundes im Bereich der Gallenblase findet sich auf einem weiteren Modell aus Boğazköy:

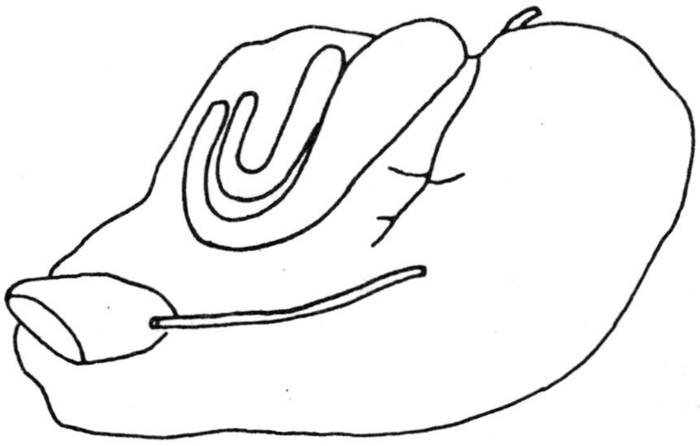

[BE? Z]É *ka-ia-ma-an-*⌈*tum* GAR⌉-*ma* ZÉ *ka-ia-ma-an-tum* [x x x x]-*ma*
[*ka*]-*ia-ma-an-tum-ma* EG[IR?]
-*l*]*u-ša* SAG-*sà iš-ši*
L]Ú.KÚR-*aš* URU-*an ḫu-la-a-li-ez-zi*
na!-*aš kat-ta pé-e-da-at-ti*
na-an ḫu-ul-la-ši
"[Wenn eine Gallen]blase, eine normale vorhanden ist, und die normale Gallenblase [eingerollt? ist] und .... eine (zweite?) normale hin[ten ....] ihren Kopf hebt: Der Feind wird die Stadt einschließen, und du wirst ihn (!) hervorlocken (?) und ihn bekämpfen" (KUB 37,223 = Bo 8; vgl. RIEMSCHNEIDER 1972)

$$Z = f(A^{+} \Rightarrow A^{+?}) \Rightarrow +(?)$$

Die Interpretation des Befundes soll auch in diesem Fall von der Kennzeichnung auf dem Modell ausgehen. Es sind zwei Gallenblasen dargestellt, die beide durch Applikationen wiedergegeben sind (daher werden beide im Text als *kajjamāntu* "normal" bezeichnet). Der hintere Teil ist jeweils nach links (anstatt nach rechts) gebogen (*patālu* "drehen", "wickeln"; vgl. z.B. ARO/NOUGAYROL 1973:53, 18–26), während ihre "Köpfe" am Rand liegen.

Zwei Eigenschaften der graphischen Darstellungsweise sprechen für die Annahme der vorgeschlagenen günstigen Auslegung des Befundes: die Wiedergabe beider Gallenblasen durch eine Applikation sowie ihre Verlagerung zur linken ("feindlichen") Seite (allerdings kommt in der Apodosis ein derartiges Ergebnis nicht eindeutig zum Ausdruck).

Bei einem weiteren Modell tritt eine Abweichung von der geforderten Übereinstimmung zwischen Text und Darstellung auf:

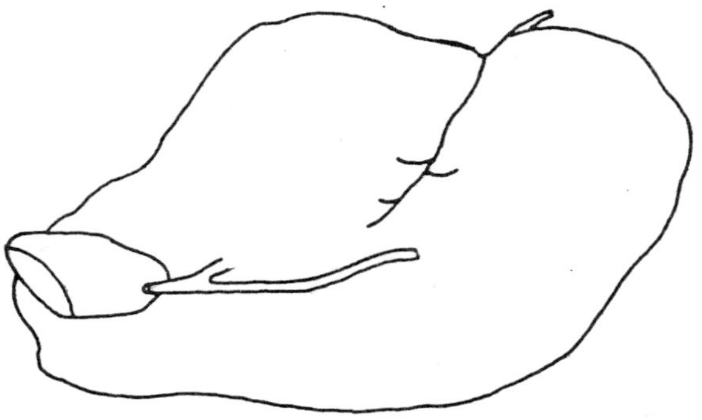

BE >*ku*<ZÉ *ka-ia-ma-an-tum* GAR-*ma*
⌈*ša*!⌉-*ni*!-*tum ki-ma* ⌈GIŠ.⌉TUKUL *ù ka-ia-ma-*>*an-*<*tum*
UGU-*iš ra-ak-ba-at*
LUGAL UGU EN *à-ma-ti-šu*
iz-za-az
"Wenn eine normale Gallenblase vorhanden ist und eine zweite wie eine Waffe ist und die normale oben reitet: Der König wird über seinen Gegner triumphieren" (KUB 4,71 = Bo 16; vgl. RIEMSCHNEIDER 1972)

$$Z = f(A+ \Rightarrow A+) \Rightarrow +$$

Die positive Bewertung des Befundes ist darin begründet, daß die "normale" Gallenblase auf der zusätzlich beobachteten "reitet" bzw. daß sie als die "oben liegende" angesehen wird. Diese Opposition von "oben" und "unten" entspricht der von "rechts" und "links" und stellt eine weitere Gesetzmäßigkeit dar, die bei der Beurteilung von Befunden zu beachten ist (vgl. z.B. ARO/NOUGAYROL 1973: 52–55 m. vielen Beispielen; RIEMSCHNEIDER 1965: 128–129).

Bei diesem Modell besteht das Problem in dem vollständigen Fehlen einer Darstellung der Gallenblase (Taf. 7,1). Aus der Oberflächenbeschaffenheit geht zudem hervor, daß ursprünglich weder eine Applikation noch eine Ritzung vorhanden waren. Eine derartige Darstellungsweise läßt aber — besonders da dieser Bereich ausgewertet wurde — zunächst auf einen ungünstigen Befund (ZÉ NU GAR-*ma*) schließen. Als mögliche Erklärung für die Diskrepanz zwischen Wort und Bild kann nur die Annahme dienen, daß die vollständige graphische Kennzeichnung nicht angebracht war. Sollte diese Annahme zutreffen, dann erfolgte die Beschriftung vor der Anbringung der Kennzeichen bzw. die Kennzeichnung erfolgte anhand der bereits vorhandenen Beschriftung.

Schließlich kann noch eine weitere Inschrift für die Beschreibung eines vergleichbaren Befundes im Bereich der Gallenblase in Anspruch genommen werden:

2 x x x x *i-na maš-kán* ZI.GA GAR-*n*[*u*]
là ka-ia-ma-nu qù-um ṣa-bi-it
[LU]GAL URU.DIDLI LÚ.KÚR-*šu i-ṣa-bat-ma*
NÍG.GA-*šu ù ḫi-ṣi-ib-šu* NU
i-kal
"2 .... liegen an der Stelle der Erhebung ..., das nicht normale, ein Fädchen hält (es?): Der König wird die Stadt seiner Feinde nehmen, doch seine Habe und seinen Ertrag wird er nicht verzehren" (KUB 37,227 = Bo 12; vgl. RIEMSCHNEIDER 1972)

$$Z = f(A+ \Rightarrow A\pm(?)) \Rightarrow \pm(?)$$

Da die zugehörige Darstellung nicht erhalten ist (Taf. 6,5), erübrigt sich eine Diskussion des Befundes.

- Anomalien auf der rechten oder linken Seite der Gallenblase

Alle Krankheitsbilder, die sich auf der rechten oder linken Seite der Gallenblase befinden, werden nach dem Prinzip pars familiaris versus pars hostilis ausgewertet:

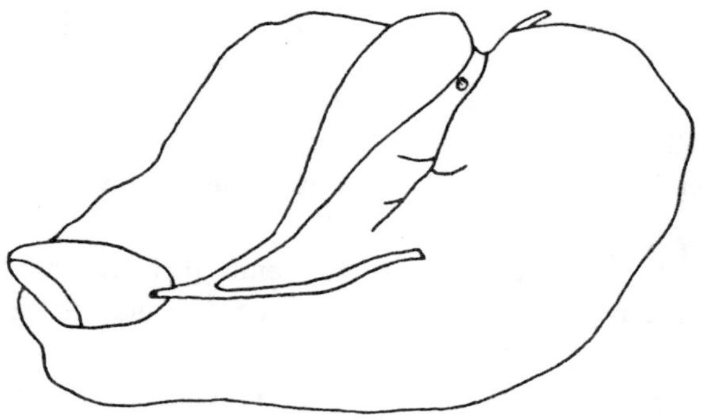

ZÉ SAG-*sà* UGU-*iš iš-ši-ma*
i-na ZAG-*ša*
ši-lim na-⌈*di*⌉
"Die Gallenblase richtete ihren Kopf nach oben, und auf ihrer rechten Seite befindet sich ein Loch: ..." (KUB 37,220 = Bo 5; vgl. RIEMSCHNEIDER 1972)

$$Z = f(A^{+} + B^{-}) \Rightarrow -$$

Das Vorkommen eines Loches auf der rechten (günstigen) Seite eines Leberteiles ergibt immer eine ungünstige Omenaussage (vgl. allgem. KAR 150,7). Da ein Befund auf der rechten Seite der Gallenblase auch auf das Leberteil *šulmu* bezogen werden kann (s.S. 136–137), ist nur dann die geforderte Eindeutigkeit der Markierung gewahrt, wenn die vorliegende Darstellung auch eine Veränderung im Bereich des *šulmu* wiedergeben kann, ohne daß sich die Tendenz der Aussage dadurch ändert. Diese Voraussetzung ist in dem vorliegenden Beispiel mit Sicherheit gegeben; aufgrund des Fehlens der Kennzeichnung des Leberteiles *šulmu* - eine senkrechte Einritzung — kann der Befund eines Loches in diesem Bereich verbal nur wie folgt beschrieben werden: *šumma šulmu lā īšu-ma ina maškani-šu šīlu nadi* "Wenn *šulmu* nicht vorhanden ist und an seiner Stelle sich ein Loch befindet". Aus einer derartigen Kondition resultiert ebenfalls eine ungünstige Wahrsagung (vgl. HSM 7494,108 im Gebiet für die linke Seite). Andererseits kann das Fehlen einer Kennzeichnung für *šulmu* auch dahingehend gedeutet werden, daß die vorliegende Kennzeichnung nicht auf *šulmu* zu beziehen ist, sondern auf *martu*; auch dann ergibt sich eine negative Deutung, da das Vorkommen einer Negativmarke auf der rechten Seite der Gallenblase ein ungünstiger Befund ist.

Auf zwei weiteren Modellen wird eine Veränderung im Bereich des "Kopfes" der Gallenblase behandelt:

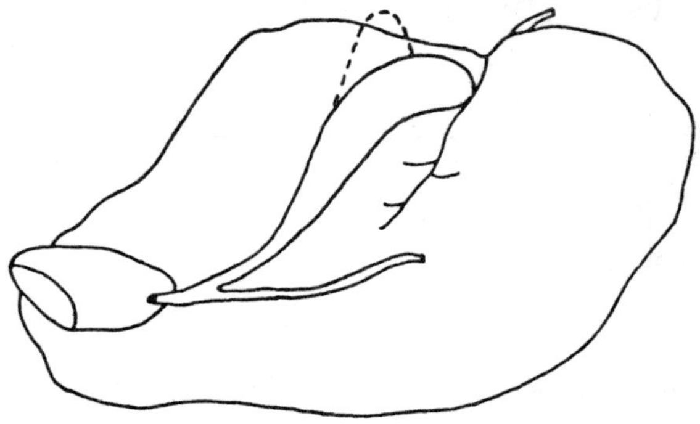

ZÉ *pu-ṣa-am ma-li ti-[bu-ut?*
"Die Gallenblase ist voll von weißen Flecken: Ang[riff" (KBo 9,66 = Bo 35; vgl. RIEMSCHNEIDER 1972)

$$Z = f(A^{+} + B^{-}) \Rightarrow -$$

Das Omenergebnis (Apodosis) ist zwar nicht erhalten, doch kann aufgrund des Befundes eine ungünstige Deutung angenommen werden. Das Auftreten einer unbestimmten Anzahl weißer Flecken wurde auch schon für den Bereich des "Standortes" (vgl. Bo 15, im Gegensatz zu Bo 21) als Negativmarke erkannt. Daher kann die Apodosis wie folgt ergänzt werden: *tibūt* ERÍN LÚ.KÚR "Angriff des feindlichen Heeres" oder *tibūt* NAM.ḪI.A (*erbî*) "Angriff eines Heuschreckenschwarms". Als Beleg für die zweite Ergänzung kann der Text YOS X 11 III 25–26 dienen: *šum-ma šu-me-el ú-ba-nim pu-ṣa-am i-ta-a[d!-du-ú] ti-bu-ut er-bi-im* "Wenn die linke Seite des Leberfingers mit weißen Flecken besetzt ist: Angriff eines Heuschreckenschwarms".

Die Darstellung (Taf. 11,6) weist allerdings keine Kennzeichnung von Fädchen auf (kleine Löcher); der ungünstige Befund wird aber durch den zur rechten Seite ausgerichteten Kopf der Gallenblase (= Verringerung des "eigenen" Gebietes) sichtbar gemacht.

Für eine weitere Anomalie im Bereich des "Kopfes der Gallenblase" muß ebenfalls eine ungünstige Omenaussage angenommen werden:

SAG ZÉ [
DUMU.MEŠ LUGAL [
ú-še-eṣ-ṣú-[ú]
"Der Kopf der Gallenblase [...]: die Söhne des Königs werden [den König?] vertreiben" (KBo 7,6 = Bo 22; vgl. RIEMSCHNEIDER 1972)

$$Z = f(A^{+} + B^{-}) \Rightarrow -$$

Die Darstellung (Taf. 9,3-4) zeigt die applizierte Form der Wiedergabe des Organs; allerdings ist der Bereich des "Kopfes", in dem sich die Veränderung befinden soll, nicht erhalten. Es ist wiederum eine Verlagerung des "Kopfes" aus der "normalen" Position nach rechts zu erwarten oder aber das Auftreten der Negativmarke in einer positiven Zone (Kopf oder rechte Seite).

Eine Anomalie auf der linken (ungünstigen) Seite der Gallenblase wird in einem Modell aus Meskene geschildert:

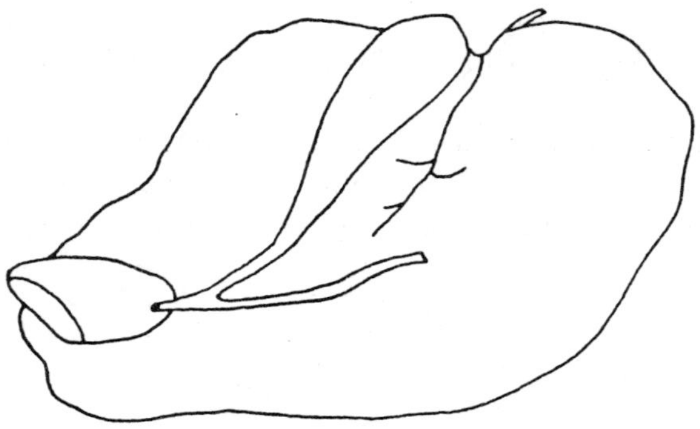

BE GÙB ZÉ UZU *ki-ma* KUN.GÍR.TAB
iz-za-az LÚ.KÚR
NAM.RI *ú-še-eṣ-ṣi*
"Wenn auf der linken Seite der Gallenblase das Fleisch wie der Schwanz eines Skorpions geteilt ist: Der Feind wird die Beute zurückgeben" (MSK 1; n. schriftlicher Mitteilung von Prof. D. Arnaud)

$$Z = f(A^- \Rightarrow A^-) \Rightarrow +$$

Dieser bildhafte Vergleich tritt in Omentexten nur selten auf (Belege: AHW 1538 sub *zuqiqīpu*; vorwiegend neuassyrisch), doch wird dadurch ein Zustand ausgedrückt, der auf einer Teilung des "hinteren" Teiles der Gallenblase (*mašraḫ marti*) beruht (vgl. z.B. YOS X 31 X 26–29). Da es sich in diesem Fall um eine Veränderung handelt, die auf der linken Seite beobachtet wurde, erfolgt eine günstige Wahrsagung für den Fragesteller. Diese Deutung wiederum erlaubt die Darstellung (Taf. 12,3) einer "normalen" unveränderten Gallenblase: Die Darstellung weicht zwar in diesem Fall von der Textbeschreibung ab, die intendierte Omenaussage (günstig) kommt aber zum Ausdruck.

Eine in ihrer Bedeutung unsichere Kennzeichnung liegt in der folgenden Markierung vor:

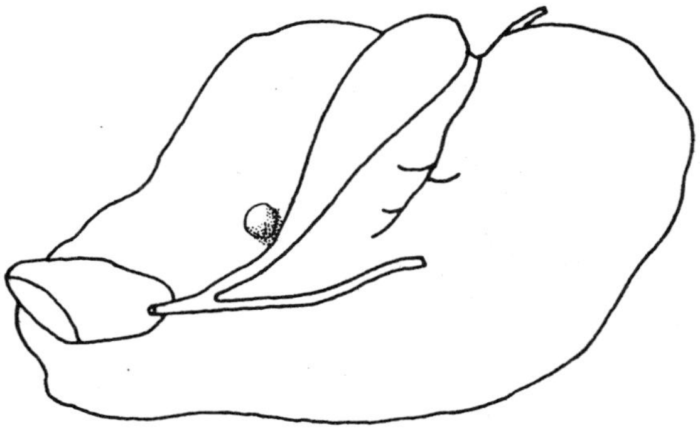

BE *i-na* SIG [ZÉ]
kak-su GAR
i-na KUR LÚ.KÚR [*a-di*?]
ul-la LÚ [
TUG-*ši*
"Wenn an der dünnen Stelle [der Gallenblase] sich eine Pfeilspitze befindet: im Lande des Feindes für alle Zeit(?) wird der Mensch ... bekommen" (KUB 37,224 = Bo 9; vgl. RIEMSCHNEIDER 1972)

$$Z = f(A^+ + B^{+?}) \Rightarrow +^?$$

Die Bezeichnung *kaksu* "Pfeilspitze" ist zur Beschreibung von Anomalien nur selten belegt (vgl. AHW 423 m. Belegen). Aus der Apodosis ist nicht mit Sicherheit zu entnehmen, ob es sich um einen günstigen oder ungünstigen Befund handelt. Die Art der Darstellung (Taf. 6,1) dieser Anomalie — eine rundliche Applikation — weist aber auf eine Erscheinung hin, die günstig bewertet wurde (Positivmarke, vgl. die Darstellung von *erištu* auf dem Modell Bo 19). Trifft diese Annahme zu, dann ist für den vorliegenden Befund eine günstige Deutung zu erwarten.

Auf allen beschrifteten Lebermodellen, bei denen der Bereich der Gallenblase erhalten ist, findet sich auch eine Auswertung der jeweiligen Beschaffenheit. Die Möglichkeiten zur graphischen Kennzeichnung der Gallenblase und deren Veränderungen sind offensichtlich vielfältiger als die der anderen Leberteile. Zusammenfassend lassen sich folgende Darstellungsweisen erkennen:

- Der unveränderte ("normale") Zustand des Organs bzw. eine günstig zu bewertende Anomalie kann durch eine vollständig applizierte Wiedergabe der Gallenblase dargestellt werden ; aber auch das Fehlen jeglicher Angaben — weder Applikation noch Einritzung — ist als Wiedergabe einer unveränderten Gallenblase anzusehen (positive Aussage).
- Eine Anomalie, die auf der Gallenblase selbst bzw. im Bereich des Organs beobachtet wird, kann durch eine vollständig oder partiell eingeritzte Darstellung des Organs angegeben werden (negative Aussage); aber auch die zeichnerische Wiedergabe der betreffenden Anomalie ist möglich.

- Für das mehrfache Vorkommen von Gallenblasen sind beide Darstellungsweisen — die Applikation und die Einritzung — möglich; dabei bezeichnet die applizierte Wiedergabe immer die "normale" (günstige) Gallenblase, die eingeritzte die zusätzlich beobachtete (ungünstige). Aus der Position der beiden Organe zueinander, d.h. welche "rechts" oder "links" bzw. "oben" oder "unten" liegen, resultiert dann die Omenaussage.

padān šumēl marti "Pfad links der Gallenblase"

Der als *padān šumēl marti* (bzw. *meḫiṣ pān ummān nakri*, dazu vgl. DENNER 1934:190 Anm. 1) bezeichnete Leberbereich befindet sich (in moderner Sicht) auf dem rechten Leberlappen; schon aus der Nomenklatur geht eine Ähnlichkeit mit den Bereichen *padānu* und *padān imitti marti* (= *šulmu*) hervor, die in der graphischen Darstellung auf den Modellen deutlich zum Ausdruck kommt. Die wenigen Beispiele, die diesen Teilbereich behandeln, weisen als dessen Darstellung eine senkrecht verlaufende Einritzung zwischen der Gallenblase und dem Rand der Leber auf.

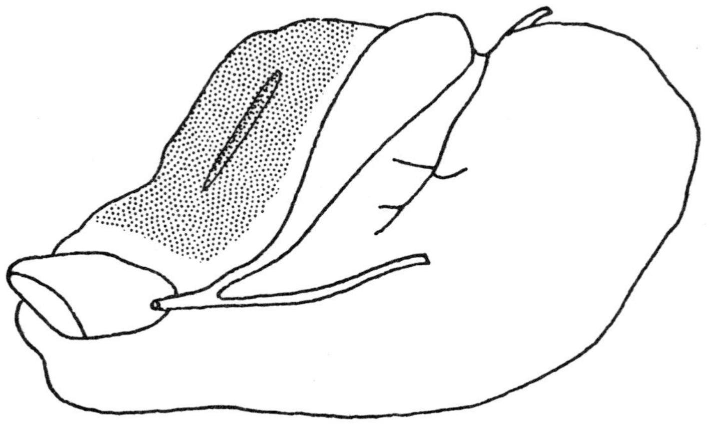

Bereich des Leberteiles *padān šumēl marti*

Auf den vollständig beschrifteten Modellen (Gruppe I) stehen alle Erwähnungen bzw. Darstellungen dieses Teilbereiches (Bo 13, 19, 23) in Verbindung mit Krankheitsbildern der Gallenblase und wurden daher bereits im Zusammenhang mit den Veränderungen dieses Organs aufgeführt. Nur auf dem Fragment A aus Hazor kann möglicherweise die Inschrift b mit einer Kennzeichnung von *padān šumēl marti* verbunden werden (entgegen LANDSBERGER/TADMOR 1964:212; sie schlagen eine Verbindung mit dem Leberteil *nīdi kussî* vor; zu dessen Darstellungsweise s.u.):

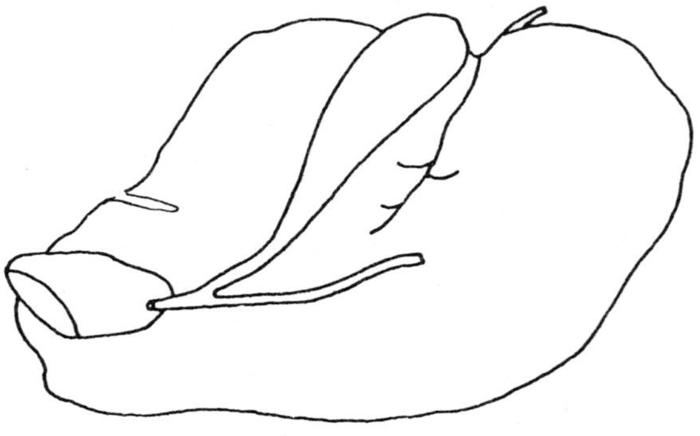

LÚ.KÚR *a-na ma-ti-ia i-t[e-bi]*
"Der Feind wird sich gegen mein Land erheben" (Hazor Fragment A, Inschrift b; vgl. LANDSBERGER/TADMOR 1964:212)

$$Z = f(A^- \Rightarrow A^-) \Rightarrow -$$

Da in diesem Fall nur die Apodosis (ungünstig) formuliert ist, muß die zugehörige Darstellung (Taf. 13,3-4) als Protasis angesehen werden. Dabei handelt es sich um eine waagerechte — anstatt einer senkrechten — Einritzung, die bis an den Rand des Modells reicht. Entweder wird der negative Befund allein durch die veränderte Lage des Leberteiles angezeigt, oder es liegt eine Verbindung mit dem "Fundament der Gallenblase" vor. Für die zuletzt genannte Annahme sprechen vergleichbare Omenaussagen, die auf Veränderungen im Bereich des "Fundamentes der Gallenblase" zurückzuführen sind (z.B. YOS X 31 III,27–31; VI,10–14).

Eine regelmäßige Auswertung von *padān šumēl marti* geht aber weder aus den Leberschauberichten (z.B. NOUGAYROL 1967:231; Text N 14.Rs.16.26) noch aus den Lebermodellen hervor (vgl. aber die relativ häufige Auswertung dieses Bereiches auf den unbeschrifteten Modellen).

nīd(i) kussî "Stand des Thrones"

Das Leberteil *nīd(i) kussî* (auch *maddi kussî*) wird auf den beschrifteten Modellen ebenfalls nur selten ausgewertet. Eine innere Gliederung in Zonen kann den zur Verfügung stehenden Texten nicht entnommen werden.

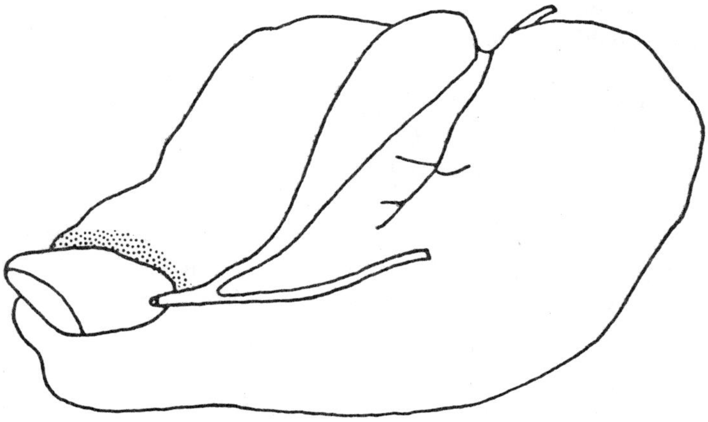

Bereich des Leberteiles *nīd(i) kussî*

Die Lokalisation dieses Leberteiles auf dem rechten Leberlappen unterhalb des Leberfingers ist durch zahlreiche Texte gesichert (z.B. YOS X 11 II,36; 38 I,20) und wird durch die Darstellung auf einem Modell aus Boğazköy (Bo 13) bestätigt. Aus der Darstellungsweise — eine längliche Applikation — geht die Zuordnung dieser Kennzeichnung zur Markenklasse AI (*šīru* "Fleisch") hervor. Neben der Beziehung zwischen dem "Standort des Thrones" und dem Leberfinger kann auch die Beschaffenheit des Leberteiles selbst Grundlage der Auswertung sein (z.B. NOUGAYROL 1967:231, Text N 26: *šakin*; 231, Text N 14 *kapiṣ*; GOETZE 1957a:105, Text 23,6: *šakin*; 96, Text 3,6: *paṭer*).

Auch die einzige Erwähnung dieses Bereiches auf den Modellen behandelt eine Abweichung vom "Normal"zustand:

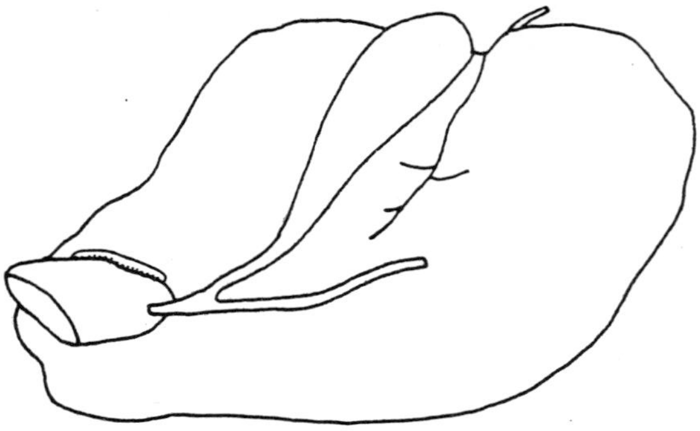

BE *ma-an-di* GIŠ.GU.ZA GÍD?.[DA!?]
EBUR KUR-*ia*
NAM.ḪI.A
i-kal
"Wenn der Sturz des Thrones lang ist (?): Die Ernte meines Landes wird ein Heuschreckenschwarm fressen" (KUB 37,228 = Bo 13; vgl. RIEMSCHNEIDER 1972)

$$Z = f(A^+ \Rightarrow A^-) \Rightarrow -$$

Der auf diesem Modell beschriebene Befund (Protasis) ist nicht eindeutig zu identifizieren, da die Lesung der Verbalform problematisch ist; K. Riemschneider gibt keine Deutung (er liest *bu*? *bi*?), während I. Starr *pu-šu-ut* "ist zusammengepreßt" vorschlägt. Das Zeichen *bu* in Zeile 1 ist auf der Rückseite deutlich zu erkennen; für die Lesung GÍD mit der Bedeutung *arāku* "lang sein" spricht folgender Omentext, der eine Veränderung der Gallenblase beschreibt: *šum-ma ṣe-ḫe-er-tum i-ta-ri-ik ap-lu-*⌈*um*⌉ *ṣe-eḫ-ru-um* GIŠ.GU.ZA-*am i-ṣa-ba-at* "Wenn die kleine (Gallenblase) lang wird: Der jüngste Sohn wird den Thron ergreifen" (YOS X 31 II 8–12, vgl. YOS X 31 II 1–8; vgl. auch den Befund für den Leberfinger auf diesem Modell, s.S. 169).

Auch die Darstellung auf dem Modell läßt sich mit dieser Bedeutung in Übereinstimmung bringen: Am "Fundament des Leberfingers" (vgl. dazu *išid kussîša ubāni*, SCHEIL 1930: 144) befindet sich eine längliche Applikation, in der die Kennzeichnung des Befundes gesehen werden muß.

ubānu "Leberfinger"

Die Gleichsetzung des als *ubānu* bezeichneten Leberteiles mit dem Leberfinger (processus caudatus bzw. processus pyramidalis) der modernen Nomenklatur ist eindeutig (s.S. 64), auch wenn er, im Gegensatz zu seiner natürlichen Beschaffenheit — ein flach auf der Leberoberfläche liegender Gewebewulst — auf den Modellen als pyramidale Erhebung am dorsalen Rand wiedergegeben wird. Diese Art der Ausarbeitung des Leberfingers beruht auf der "vorstelligen Darstellungsweise", die es erlaubt, optisch nicht genau zu trennende Organteile als Einzelbereiche abzubilden. Nur dadurch sind Markierungsmöglichkeiten auftretender Krankheitsbilder in vollem Umfang, d.h. auf allen Gebieten, gewährleistet.

Bereits aus dieser äußeren Form geht eine Einteilung des Leberfingers in drei Gebiete hervor, die als "rechte Seite" (*imitti ubāni*), "linke Seite" (*šumēl ubāni*) und "hintere Seite" (*ṣēr ubāni*) bezeichnet werden. Diese drei Gebiete werden wiederum jeweils in die Zonen "Kopf", "Mitte" und "Fundament" unterteilt, deren Begrenzungen auf dem Schulmodell CT VI, 1–3 durch Ritzlinien hervorgehoben werden. Darüber hinaus können diesen drei Seiten noch Gebiete im Bereich des Leberfingers (*māt ubāni*), d.h. auf der Leberoberfläche zugeordnet werden (*māt imitti ubāni*, *māt šumēl ubāni*, *māt ṣēr ubāni* bzw. *māt ṣēr birīti ša ubāni*). Da die Auswertung dieses Leberteiles vom dorsalen Rand her erfolgt, befindet sich der als "links" bezeichnete Bereich am "linken Rand", der "hintere" Bereich unmittelbar am dorsalen Rand.

Die Zonen der "rechten" Seite gehören, wie zu erwarten, zu den günstigen ("eigenen"; pars familiaris) Gebieten (vgl. z.B. YOS X 33 IV,42–43), die der "linken" Seite zu den ungünstigen ("feindlichen"; pars hostilis; vgl. z.B. YOS X 30 IV,44–45; diese Bewertung gilt jeweils für alle drei Zonen, vgl. YOX X 33

IV,46–51); auch die "hintere" Seite kann vollständig als ungünstiger Teilbereich angesehen werden (vgl. z.B. YOS X 33 V, 18–42). Möglicherweise wird die Spitze des Leberfingers, die auf den Modellen häufig als flacher Grat ausgebildet ist, mit dem Begriff *libbu ubāni* "Mitte des (Leber) Fingers" bezeichnet (z.B. YOS X 33 V,43).

Eine schematische Einteilung des Leberbereiches *ubānu* in günstig und ungünstig zu bewertende Zonen ergibt demnach folgendes Bild:

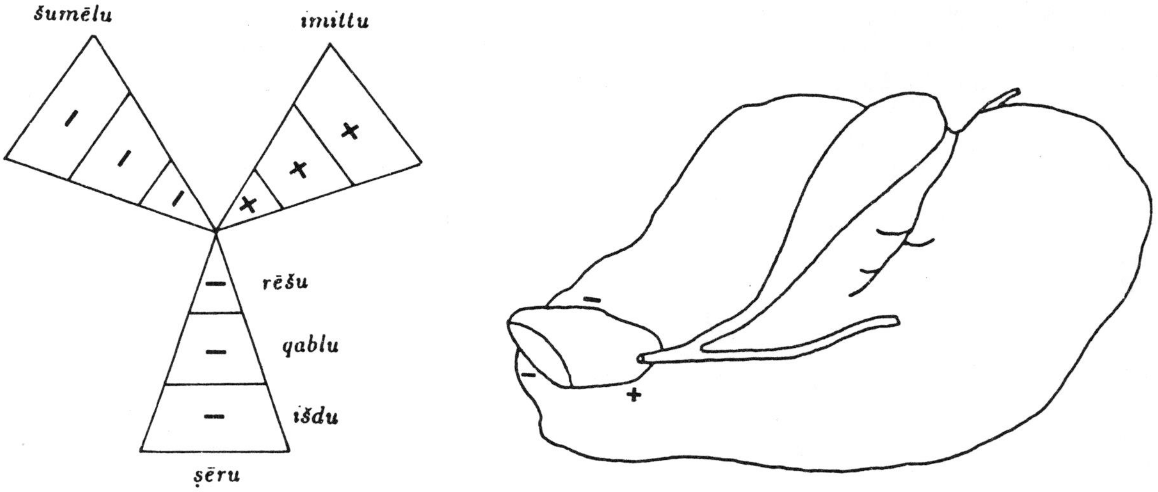

Einteilung und Tendenzen der Zonen im Bereich des Leberfingers

Aufgrund der Darstellungsweise durch eine Applikation ist die Kennzeichnung des Leberfingers der Markenklasse AI (*šīru* "Fleisch") zuzuordnen. Als Wiedergabe des normalen, unveränderten Zustandes dieses Bereiches kann die einfache pyramidale Erhebung ohne zusätzliche Kennzeichnungen angesehen werden. Ein entsprechender Befund liegt möglicherweise in der Darstellung auf dem Modell KUB 4,73 vor (Taf. 8,1); die zugehörige Inschrift ist aber so fragmentarisch, daß diese Annahme nicht überprüft werden kann:

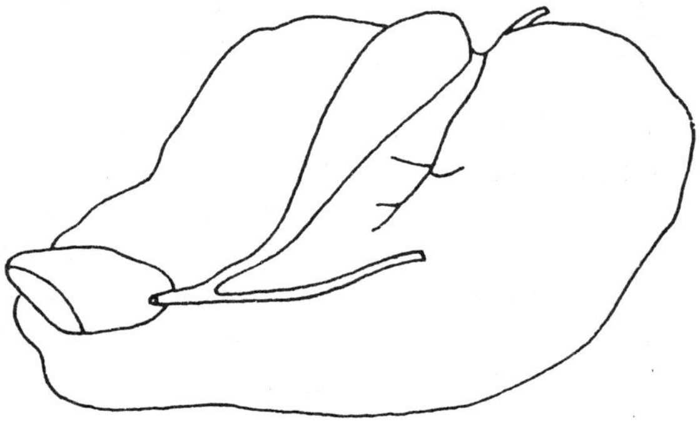

x x x [...] x-*a-ti a-na* LÚ.KÚR-*ia* [*i-t*]*e*?-*eb-bi*
"... wird sich gegen meinen Feind erheben" (KUB 4,73 = Bo 18; vgl. RIEMSCHNEIDER 1972)

$$Z = f(A^{+?} \Rightarrow A^{+?}) \Rightarrow +$$

Die Apodosis beschreibt mit Sicherheit ein ungünstiges Ereignis für den "Feind", d.h. ein günstiges Ergebnis für den Fragesteller. Eine derartige Omenaussage wird in der Darstellung dadurch angezeigt, daß im Bereich des Leberfingers keine Krankheitsbilder auftreten (vgl. die Darstellung des Leberfingers auf den beiden Exemplaren aus Emar/Meskene sowie auf dem unpublizierten Modell Bo 54; jeweils ohne inschriftliche Auswertung).

Das Auftreten von Negativmarken auf der "rechten" Seite bzw. in den als positiv angesehenen Zonen bedeutet ein ungünstiges Ergebnis für den Fragesteller:

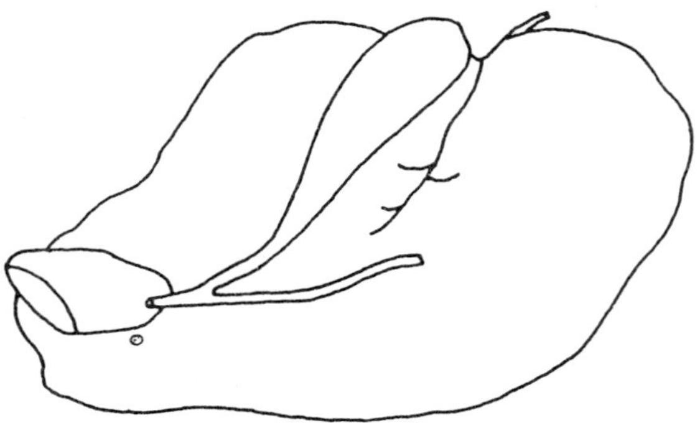

BE *i-na* ZAG ŠU.SI GIŠ.TUKUL SAG ŠU.SI IGI
a-na IGI-*šu* LAL *A-NA QA-TI-IA*
ku-it-ki ú-wa-az-zi
"Wenn auf der rechten Seite des Fingers eine Waffe die Spitze des Leberfingers anblickt (und) vor ihm zurückweicht: An meine Hand wird etwas kommen" (KUB 4,72 = Bo 17; vgl. RIEMSCHNEIDER 1972)

$$Z = f(A^{+} + B^{-}) \Rightarrow -$$

Ein als "Waffe" bezeichnetes Krankheitsbild wurde bereits mehrfach als Negativmarke erkannt (s.S. 108); das Vorkommen dieser Anomalie in einem günstigen Teilbereich ergibt immer eine negative Omenaussage für den Fragesteller.

Auf dem Modell wird diese Anomalie durch ein Loch wiedergegeben (Taf. 7,2); für die Darstellungsweise von Krankheitsbildern ist eine derartige graphische Realisierung von größter Bedeutung und bestätigt die bereits geäußerte Annahme (s.S. 108–109), daß unterschiedlich beschriebene Negativmarken (z.B. *šīlu*, *pūṣu*) in gleicher Weise — durch ein Loch — dargestellt werden können. Daraus resultiert eine Verkleinerung des Markenrepertoires und zugleich eine mnemotechnische Hilfe zur eindeutigen Identifizierung bzw. Darstellung bestimmter Befunde (Gegensatz: Loch = ungünstig, Applikation = günstig, z.B. *erištu*).

Mit Hilfe dieser Systematik können auch die nur fragmentarisch erhaltenen Darstellungen rekonstruiert werden:

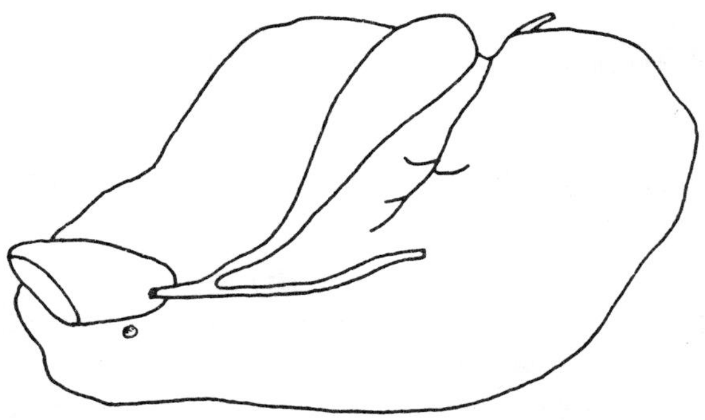

B]E$^{!}$ ZAG$^{!??}$ (Text: GAL) ŠU.SI GIŠ.TUKUL ZAG IGI [
[GIŠ.TUK]UL *ba-ar-ti*
"[Wenn die rechte Seite (?)] des Leberfingers eine Waffe (von) rechts anschaut: Waffe des Aufstandes" (KBo 9,57 = Bo 26; vgl. RIEMSCHNEIDER 1972)

$$Z = f(A^{+} + B^{-}) \Rightarrow -$$

Vergleichbare Omentexte, die in der Protasis das Vorkommen einer "Waffe" auf einem Leberteil beschreiben und in der Apodosis diesen Begriff zur Schilderung der Aussage wieder aufnehmen, lassen sich relativ häufig belegen (z.B. YOS X 33 II 27: *kakki nakri*; II 53: *kak bārtim*). Die auf diesem Modell fehlende Darstellung (Taf. 10,9) kann in Analogie zur Darstellung auf der vorher besprochenen Tonleber Bo 17 ergänzt werden.

Alle Veränderungen (Negativmarken), die auf der linken Seite des *ubānu* auftreten, führen entsprechend der oben festgestellten Systematik zu einer positiven Omenaussage für den Fragesteller:

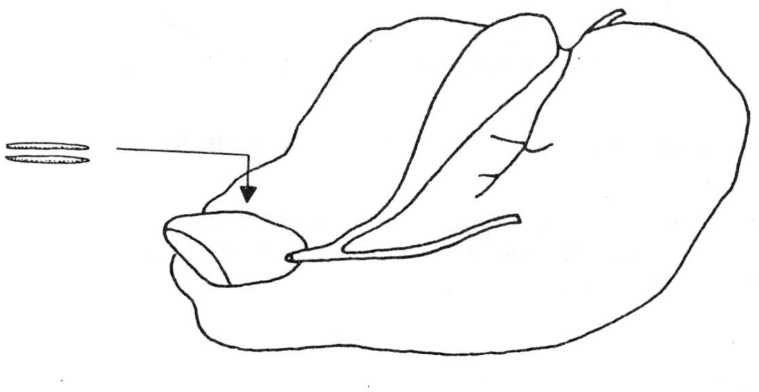

GUB ŠU.SI 2 DUḪ *ma-às-la-a' (aḫ)-ti* ERÍN LÚ.KÚR
"Die linke Seite des Leberfingers ist zweimal gespalten: Seuche beim Heer des Feindes" (KUB 37,221 = Bo 6; vgl. RIEMSCHNEIDER 1972)

$$Z = f(A^{-} + B^{-}) \Rightarrow +$$

Die mit *paṭāru* (DUḪ) "spalten" bezeichnete Anomalie konnte bereits als Negativmarke identifiziert werden (s.S. 120). Eine vergleichbare Apodosis (*masla' ti ummāni*) findet sich auch für die zweifache Spaltung der rechten Seite des "Pfades" (z.B. CT 20 26,5; in diesem Fall ergibt sich allerdings eine ungünstige Aussage für den Fragesteller, da die rechte, "eigene" Seite von der Anomalie betroffen ist).

Die zugehörige Darstellung auf dem Modell (Taf. 5,6) zeigt, entsprechend der Beschreibung im Text, eine zweifache Einritzung auf der linken Seite des Leberfingers.

Ein weiteres, ebenfalls als negativ angesehenes Vorzeichen, ist die Schwarzfärbung des Organs bzw. einzelner Organteile:

] x ŠU.SI? MÚRU? GE$_6$-*ma*
] *i-ḫa-ḫu*
] ⌈*a*⌉-*na* LUGAL
"[Wenn ...] des Leberfingers, (in der Mitte(?)) schwarz wird und ... ausspeit: .... gegen den König" (KBo 8,9 = Bo 25)

$$Z = f(A^+ + B^-) \Rightarrow -$$

Die Verwendung von GE$_6$ (*ṣalāmu*) anstelle von *tarāku* (MI) ist für die Beschreibung von Befunden nur selten belegt (z.B. YOS X 31 V 40–42: *šum-ma mar-tum ṣa-al-ma-at um-šum ib-ba-aš-ši* "Wenn die Gallenblase dunkel ist: Hitze entsteht"), ergibt aber ebenfalls immer eine negative Deutung.

Zur Darstellungsweise kann in diesem Fall aufgrund des fragmentarischen Erhaltungszustandes der Tonleber keine Aussage getroffen werden; es ist aber eine Kennzeichnung des ungünstigen Befundes zu erwarten (entweder durch eine Negativmarke, z.B. ein Loch, eine Einritzung u.ä. auf der rechten Seite oder durch vollständiges Fehlen der Applikation).

Auch eine Veränderung der äußeren Beschaffenheit des Leberfingers, z.B. ein Abweichen von der pyramidalen Form, kann als Wiedergabe eines Krankheitsbildes auftreten:

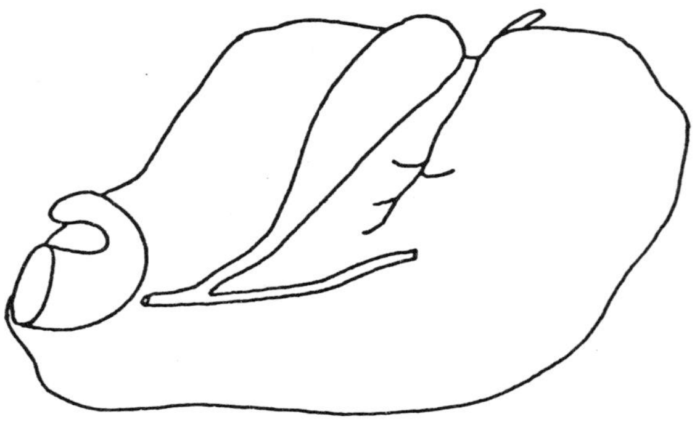

[B]E!? SUR!? ŠU.SI MÚRU *e-mi-id-ma* ZAG ŠU.SI GÙB ŠU.SI IGI
zu-un-nu kab-tum a-na KUR-*ia*
"[We]nn die Wurzel des Fingers in der Mitte angelehnt ist und die rechte Seite des Fingers die linke Seite des Fingers anschaut: ein schwerer Regen für mein Land" (KBo 7,7 = Bo 23; vgl. RIEMSCHNEIDER 1972)

$$Z = f(A^+ \Rightarrow A^-) \Rightarrow -$$

Die negative Omenaussage beruht darauf, daß die rechte, günstige Seite zur linken, ungünstigen Seite "schaut", d.h. auf einer Hervorhebung des ungünstigen Gebietes (ähnlich YOX X 46 II,25 zum Aneinanderlehnen der Seiten der Gallenblase).

Die Darstellung auf dem Modell (Taf. 9,5-6) zeigt einen stark verformten Leberfinger, dessen rechte Seite in einem geschwungenen Bogen nach links reicht. Diese Deformation entspricht durchaus der Beschreibung des Zustandes (Protasis).

Auf einem weiteren Modell aus Boğazköy wird ebenfalls eine Veränderung des Leberfingers beschrieben; die dazugehörige Darstellung ist aber nur im Zusammenhang mit der bereits erwähnten Veränderung des Leberteiles *nīdi kussî* (s.S. 164) zu verstehen (vgl. die Behandlung des Leberteiles *padān šumēl marti*, die ebenfalls nur im Zusammenhang mit einem anderen Leberteil — der Gallenblase — erfolgt (s.S. 163); für beide Bereiche kann aber jeweils eine eigene Auswertung vorgenommen werden, deren Ergebnisse jedoch übereinstimmen müssen, d.h. sie müssen beide eine positive oder negative Omenaussage für den Fragesteller ergeben):

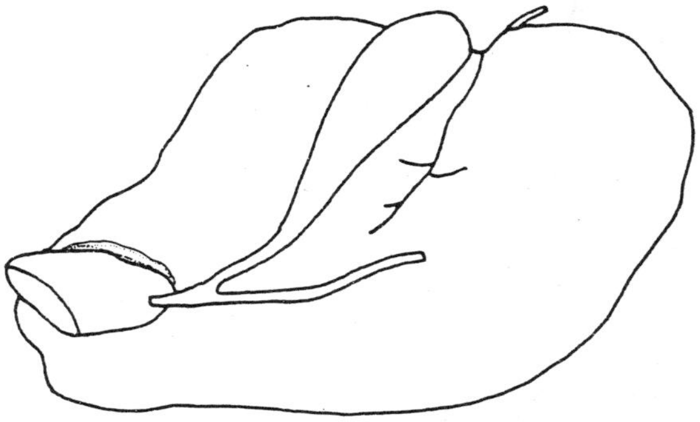

[BE...] GAR? *ša* ŠU.SI *i-ri-ik* GIŠ!.TUKUL! *ba!-ar-tum*

"[Wenn] die Gestalt des Leberfingers lang wird: (was anbetrifft die) Waffe: Aufstand" (KUB 37,228 = Bo 13; ähnlich RIEMSCHNEIDER 1972)

$$Z = f(A^+ \Rightarrow A^-) \Rightarrow -$$

In dem Text wird für den Leberfinger die gleiche Veränderung genannt, die auch für das korrespondierende Leberteil *nīdi kussî* vorgeschlagen wurde (s.S. 164). Außerdem bezieht sich das beschriebene Krankheitsbild auf das Aussehen des gesamten Leberfingers (zu GAR mit der Lesung *šiknu* s. BORGER 1957: 191–192 m. Belegen), nicht nur auf einen Teilbereich; das heißt aber, da auch auf dem Modell in diesem Abschnitt keine weitere Abweichung von der "Normalform" festzustellen ist, daß *nīdi kussî* unmittelbar zum Bereich des Leberfingers gehören muß (vgl. *nīdi kussîša ubāni*; SCHEIL 1930: 144).

Ebenfalls eine Veränderung der äußeren Gestalt des Leberfingers liegt einer Omenaussage auf dem Modell aus Hazor zugrunde:

LUGAL-*um* LUGAL *ú-ka-na-aš*

"Ein König wird einen (anderen) König unterwerfen" (Hazor, Fragment A, Inschrift a; vgl. LANDSBERGER/TADMOR 1964: 209)

$$Z = f(A^+ \Rightarrow A\pm^?) \Rightarrow \pm^?$$

Die unbestimmt formulierte Apodosis (*pitruštu*-Ergebnis) läßt auf eine Veränderung schließen, die sowohl im günstigen als auch im ungünstigen Teilbereich des Leberfingers, d.h. auf dessen rechter und linker Seite, auftritt (vgl. z.B. YOS X 28, 9–11: eine vergleichbare Apodosis zu einem Befund, der die rechte und linke Seite des unteren Teiles der Gallenblase in gleicher Weise betrifft). Allerdings ist auf dem Modell keine entsprechende Darstellung eindeutig zu erkennen (Taf. 13,3-4); es ist aber möglich, eine leichte Verdickung der beiden Seiten (= *rapāšu* "sich erweitern"; zur Verbindung von *rapāšu* und *ubānu* vgl. YOX X 33 IV,3) des Leberfingers als Grundlage dieser Omenaussage anzusehen.

Das zweifache Vorkommen eines Leberfingers wird — wie im Falle eines derartigen Befundes für die Gallenblase (s.S. 153) — anhand der Position beider Organe zueinander bewertet; falls zusätzliche Veränderungen auftreten, ist ausschlaggebend, welcher der beiden Leberfinger davon betroffen ist, der "rechte", d.h. der "normale" oder der "linke".

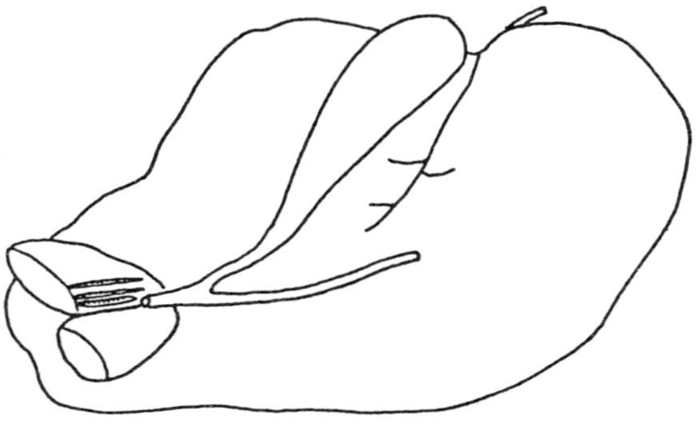

2 ŠU.SI GAR-*ma* ZAG *ka-ia-an-ti*
3-*šu* DUḪ LÚ-*aš a-na* KUR ^{LÚ}.KÚR *p´-te-an-ti-li pa-iz-zi*
"Zwei Leberfinger sind vorhanden, und die rechte Seite des normalen (Leberfingers) ist dreimal gespalten: Ein Mann wird als Flüchtling in das Land des Feindes gehen" (KUB 37,223 = Bo 8; vgl. RIEMSCHNEIDER 1972)

$$Z = f(A^+ + A^-) \Rightarrow —$$

In dem vorliegenden Omentext wird eine komplexe Befundsituation beschrieben: Aus der dreifachen Spaltung der rechten Seite resultiert — nach der zugrundeliegenden Systematik (s.S. 101–102) — eine positive Omenaussage; daher ist die eindeutig negativ formulierte Apodosis ausschließlich auf das Auftreten des zweiten Leberfingers zurückzuführen, der sich dann in einem ungünstigen Teilbereich, d.h. auf der linken Seite (der "normalen") befinden muß. Genau diese Konstellation wird auf dem Tonmodell dargestellt: Links neben dem "normalen" Leberfinger ist eine zweite, etwas kleinere pyramidale Applikation angebracht.

Bei einer Anzahl weiterer Modelle sind der Text oder die Darstellung nicht erhalten, oder aber dieser Leberbereich ist nicht ausgewertet, und es findet sich eine normale, unveränderte Applikation (MSK 1,2). Auch auf den Fragmenten KUB 37,216.218.220 = Bo 1, 3, 5 ist dieser Bereich zwar vorhanden, doch kann aufgrund des Erhaltungszustandes keine Entscheidung getroffen werden, ob er auch ausgewertet worden ist. Das Modell KUB 4,71 = Bo 16 scheint weder eine Darstellung noch eine Beschriftung zur Beschaffenheit des Leberfingers zu besitzen; doch konnte bereits im Zusammenhang mit der Behandlung der Gallenblase festgestellt werden, daß dieses Exemplar offensichtlich nicht vollständig ausgearbeitet ist (s.S. 158). Das Modell KBo 7,5 = Bo 21 weist nur eine Apodosis für diesen Bereich auf (*ri-gi-im li-li-a-ti* "Wehklagen am Abend"), die auf einen ungünstigen Befund schließen läßt (vgl. zu *rigmu*, NOUGAYROL 1950:26); weder das Photo noch die Umzeichnung erlauben Aufschlüsse über die Art der Veränderung. Eventuell ist auch der Text (A) auf dem Modell KBo 9,63 auf ein Krankheitsbild im Bereich des *ubānu* zu beziehen (möglicherweise handelt es sich aber auch um eine Veränderung des Leberteiles *ṣibtu*, s.S. 173): [....] *a-na* IGI$^?$.LAL *šu-a-tu* [....] [....] *ur-qú na-di* [....] LÚ *i-na ṭú-ba-ti-šu in-na-*[*ad-di-in*]-"[....] ... liegt ein gelber Fleck" (so GOETZE 1960:115): "[...] des Menschen wird gütlich gegeben werden". Da es sich um eine positiv formulierte Apodosis handelt (vgl. KUB 4,74 = Bo 19 zu *danānu*), ist die Negativmarke *urqu* auf einem ungünstigen Teilbereich des Leberfingers ($Z = f(A^- + B^-) \Rightarrow —$) zu erwarten.

Insgesamt läßt sich auf den beschrifteten Tonlebern eine nahezu regelmäßige Auswertung der Beschaffenheit des Leberfingers nachweisen — soweit dies aufgrund des teilweise fragmentarischen Erhaltungszustandes überprüfbar ist. Eine Ausnahme bilden lediglich die beiden Exemplare aus Meskene (regional bedingter Unterschied?).

nīru "Joch"

Das als *nīru* "Joch" bezeichnete Leberteil befindet sich am dorsalen Rand des Organs (s.S. 64–65). Auch für diesen Bereich ist eine Gliederung in Gebiete und Zonen nachgewiesen: eine horizontale Dreiteilung in das eigentliche Gebiet des "Joches" (*nīru* BAR-*ma* KI(.AŠ)), den Abdruck des Blättermagens (impressio omasica) sowie in das der rechten und linken Seite und eine vertikale Dreiteilung in "Kopf", "Mitte" und "Fundament"; außerdem wird noch das Gebiet zwischen dem Leberfinger (*māt imitti ubāni*) und dem "Joch" (*birīt nīri u ubāni*) zum Bereich von *nīru* gerechnet.

Im Gegensatz zu den bisher untersuchten Leberteilen stellt dieser Bereich keine in sich geschlossene Einheit dar, sondern die einzelnen Gebiete sind durch eingeschobene Gebiete anderer Leberteile voneinander getrennt; so befindet sich zwischen *birīt*/SAG *nīri* (*nīru* I) und MÚRU *nīri* (*nīru* II) der Bereich von *ṣibtu*, zwischen MÚRU *nīri* (*nīru* II) und SIG *nīri* (*nīru* III) der Bereich des *kiṣirtu*.

Mit Hilfe des Textes der Schulleber BM 50494,50–55.60–62.64–66 kann die Zugehörigkeit der einzelnen Zonen dieser Gebiete zur pars familiaris bzw. pars hostilis bestimmt werden. Von dem als *nīru* I definierten Gebiet werden die Zonen auf der rechten Seite (*birīt* SAG 15 *nīri u ubāni*, SAG 15 *nīri*) sowie die des "Joches" selbst (*birīt kibri nīri u ubāni*, SAG *nīri* BAR-*ma* KI(.AŠ)) als günstig ("eigene") angesehen, die entsprechenden Zonen auf der linken Seite (*birīt* SAG 150 *nīru u ubāni*, SAG 150 *nīru*) dagegen als ungünstig ("feindlich"). Alle drei Zonen der "Mitte des Joches" (MÚRU *nīri* = *nīru* II) gehören ebenfalls zu den ungünstigen Abschnitten, während das "Fundament des Joches" (SIG *nīri* = *nīru* III; dazu BIGGS 1969: 166) insgesamt als positives Gebiet interpretiert wird (vgl. dazu YOS X 42 IV 28–29: MAŠ *qú-tu-un ni-ri a-na ka-ki i-tu-ur na-ak-rum ta-ar-pa-ša-am i-la-kam* "Wenn die dünne Stelle (= Fundament) des Jochs zu einer Waffe sich umwendet: Der Feind kommt über das Freigelände").

Das Schema dieser Einteilung entspricht dem der anderen Leberteile (z.B. *mazzāzu, martu*); dagegen weicht die Bewertung der einzelnen Zonen von dem bisher bekannten System ab. Die durchgehend negative Tendenz der drei mittleren Zonen hängt möglicherweise mit der ebenfalls negativen Tendenz der unmittelbar benachbarten Zonen des Leberteiles *ṣibtu* zusammen (dazu s.u.); dadurch entsteht in diesem Bereich ein Abschnitt übereinstimmend bewerteter Zonen, der es erlaubt, strittige Krankheitsbilder eindeutig zu interpretieren.

Auch die ausschließlich positive Bewertung der Zonen im Gebiet "Fundament des Joches" weicht von dem bisher bekannten Schema ab; ob diese Divergenz wiederum durch das Auftreten eines als *tarbāṣu* "Hof" bezeichneten Feldes angedeutet wird (BM 50494,67), ist nicht mit Sicherheit nachzuweisen (*tarbāṣ būlim meḫret qutun nīri 15* Rinderhürde (Hof) gegenüber der "dünnen Stelle des Joches": günstig).

Für die Einteilung des Bereiches von *nīru* in Gebiete und Zonen ergibt sich folgendes Bild:

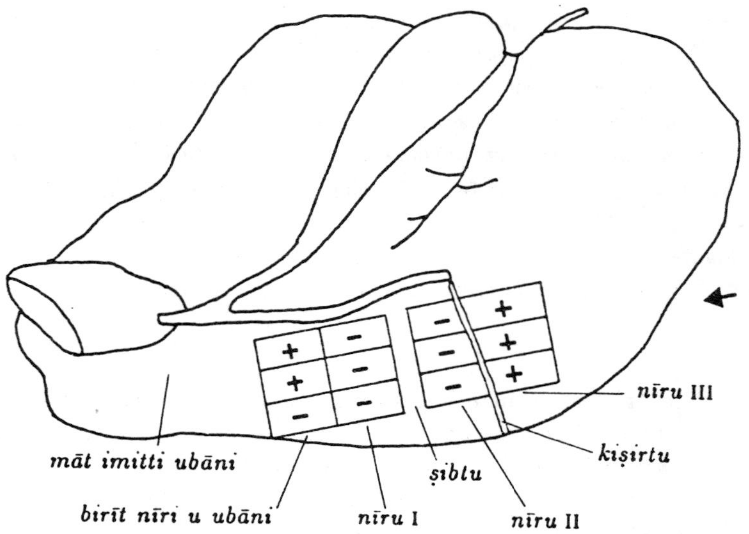

Tendenzen der einzelnen Teilbereiche des Leberteiles *nīru* "Joch"

Mit *nīru* wird, nach der modernen Nomenklatur, der Abdruck bezeichnet, den der Netzmagen auf der Leberoberfläche hinterläßt (impressio omasica); in Analogie zur Darstellungsweise anderer Abdrucke (*mazzāzu, padānu, šulmu*) ist daher als Kennzeichnung dieses Leberteiles eine Einritzung (Markenklasse AII, *uṣurātu* "Zeichnungen") zu erwarten, die parallel zum dorsalen Rand des Organs verläuft. Die einzige Auswertung eines Krankheitsbildes im Bereich des "Joches", die auf den beschrifteten Modellen zu belegen ist, bestätigt diese Annahme:

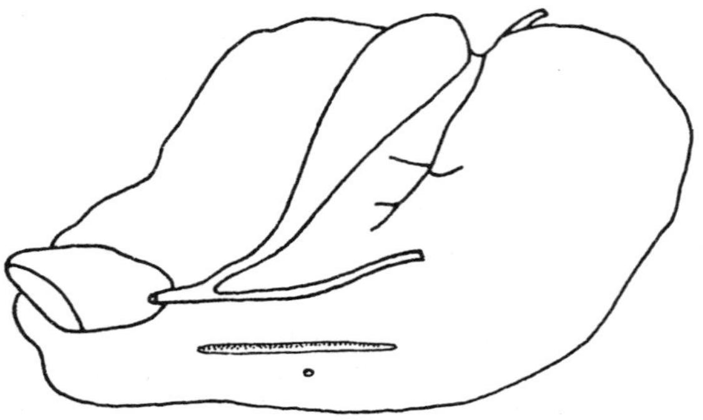

BE *i-na* SIG! DUN$_4$ *ši-*[*lum na-di*]
"Wenn auf der dünnen Stelle des Joches sich ein Lo[ch befindet:]" (KBo 9,63 = Bo 32; vgl. RIEMSCHNEIDER 1972)

$$Z = f(A^+ + B^-) \Rightarrow —$$

Die Protasis beschreibt einen für den Fragesteller negativ zu bewertenden Befund, da sich das beobachtete Loch in einem Teilbereich befindet, der zur pars familiaris gehört (zu SIG *nīru* vgl. BIGGS 1969: 163 Anm. 5 m. Belegen für eine Verwendung von SIG im Zusammenhang mit anderen Leberteilen; diese Verbindung bestätigt die Gleichsetzung der als SIG und *išid* bezeichneten Gebiete). Eine entsprechende Apodosis ist auf der Rückseite des Modells erhalten: x-x-*šu* [...] x LUGAL *ga-me*!*-ru* BA.ÚŠ [ ] x *i-ḫal-liq* "[ ]...ein tüchtiger König wird sterben [oder] wird ... zugrunde gehen" (vgl.RIEMSCHNEIDER 1972). Die Möglichkeit, daß beide Texte zusammengehören, wird auch dadurch gestützt, daß aus dem Befund eines Loches häufig eine Omenaussage resultiert, die den Tod eines Menschen zum Inhalt hat (s.S. 84).

Auf dem Modell sind im Bereich des "Joches" zwei kleine Löcher neben einer unterbrochenen Ritzlinie (= *nīru?*) zu sehen; allerdings ist die topographisch genaue Position dieser Markierungen nicht zu erkennen.

Insgesamt ist der Bereich von *nīru* auf fünf Modellen aus Boğazköy (Bo 8, 16, 17, 21, 54) sowie auf einem Exemplar aus Meskene (MSK 1) erhalten, jedoch nicht gekennzeichnet. Darüber hinaus weisen zwei weitere Stücke aus Boğazköy (Bo 13, 23) in diesem Bereich Markierungen auf, die sich aber nach Aussage der Inschrift auf eine Veränderung im Bereich von *ṣibtu* beziehen (dazu s.u.).

ṣibtu "Greifen"

Das als *ṣibtu* (MÁŠ) "Greifen" bezeichnete Leberteil befindet sich zwischen Pfortader (*nār amūti*) und dorsalem Rand des Organs; sein Bereich trennt die beiden Teilbereiche SAG *nīri* und MÚRU *nīri* voneinander. Dem Text der Schulleber BM 50494,56–59 ist zu entnehmen, daß insgesamt nur vier Zonen unterschieden werden: das "Kerngebiet", *ṣibtu* selbst (SAG MÁŠ BAR-*ma* KI.AŠ), die Gebiete rechts (SAG 15 MÁŠ) und links (SAG 150 MÁŠ) davon sowie ein sich zum Leberrand hin erstreckendes Gebiet (*būdi* MÁŠ KI). Mit Ausnahme der linken Zonen gehören alle Teilbereiche zu den günstigen ("eigenen") Abschnitten (zur Gleichsetzung von *būdu* und *imittu* vgl. AHW 136a, nach lexikal. Eintrag):

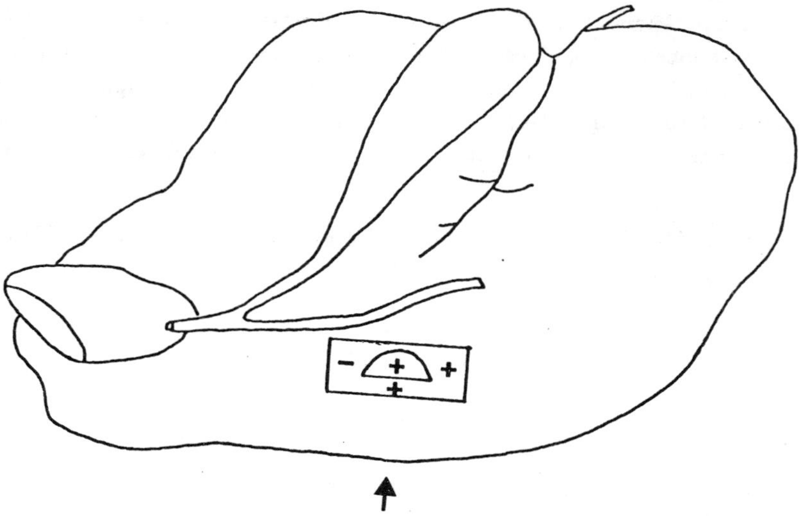

Tendenzen der Teilbereiche des Leberteiles *ṣibtu*

Die graphische Kennzeichnung des Leberteiles *ṣibtu* erfolgt auf den beschrifteten Tonlebern (Gruppe I) durch eine ovale Applikation am "oberen" Rand der Modelle. Vom anatomischen Standpunkt aus ist *ṣibtu* als Teil des Lappens anzusehen, zu dem auch der Leberfinger gehört (lobus caudatus); daher ist die Darstellungsweise durchaus gerechtfertigt (Markenklasse AI; *šīru* "Fleisch").

Auf den hier untersuchten Modellen finden sich keine Veränderungen des Leberteiles selbst (d.h. der Applikation), sondern nur Krankheitsbilder, die sich auf diesen Bereich beziehen:

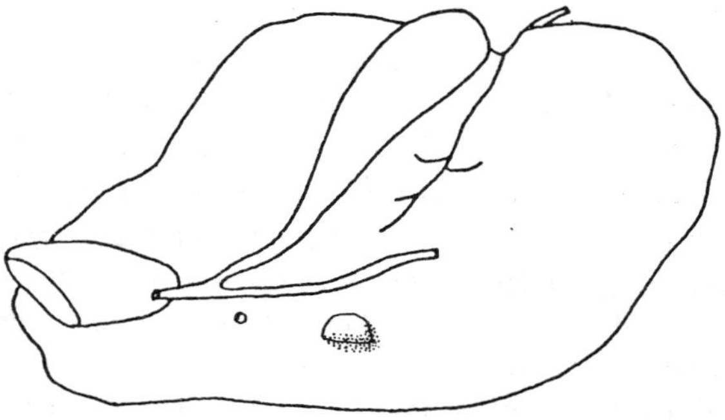

BE *i-na bi-ri-it* MÁŠ *ù* ŠU.SI GIŠ.TUKUL KI.GUB IGI
ki-ši-it-ti qá-ti
"Wenn zwischen *ṣibtu* und Leberfinger eine Waffe den Standort anschaut: Eroberung"
(KUB 37,228 = Bo 13; ähnlich RIEMSCHNEIDER 1972)

$$Z = f(A^+ + B^+) \Rightarrow +$$

Die Interpretation dieses Befundes beinhaltet einige Probleme; das Omenergebnis (vgl. z.B. YOS X 53,10) beruht auf dem Vorkommen einer "Waffe" (Negativmarke) zwischen den beiden Leberteilen *ṣibtu* und *ubānu*. Dieser Bereich gehört zur pars familiaris, und die Beobachtung einer Negativmarke müßte zu einer ungünstigen Deutung führen. Auch die zusätzliche Information, daß die "Waffe" zum "Standort" "blickt", kann als Hinweis auf diese Ergebnisform angesehen werden, da sich, für den Betrachter, der

"Standort" im unteren Teil der Leber befindet, so daß die "Waffe" nach "unten schaut"; die Opposition "oben" — "unten" entspricht aber dem Gegensatz "günstig" — "ungünstig" (dazu ausf. S. 218–221). Darüber hinaus dient auch die zugehörige Darstellung — ein Loch im Bereich zwischen den Leberteilen *ubānu* und *ṣibtu* — als Kennzeichnung eines ungünstigen Befundes. Das Problem besteht in der Auslegung der im Text genannten Apodosis "Eroberung", die, dem Befund zufolge, ungünstig interpretiert werden muß. Für eine derartige Deutung des Begriffs *kišit* kann nur dessen negative Implikation in *kišitti ili* "Erreichen des Gottes, eine schwere Krankheit" (dazu von SODEN, AHW 491 m. Belegen) herangezogen werden.

Auch auf einem weiteren Modell wird eine Anomalie im Bereich des *ṣibtu* erwähnt, die ebenfalls auf ein anderes Leberteil Bezug nimmt:

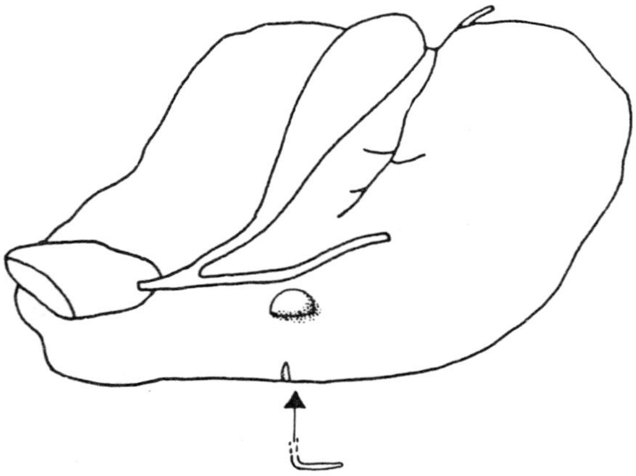

i-na GÙB MÁŠ GÌR *i-šir*?*-ma bi-ri-it* MÁŠ *ù* ŠU.SI IGI
PA? GÌR ZAG *ú-uṣ-ṣí*
"Auf der linken Seite des *ṣibtu* ist ein Fuß eingezeichnet(?), und er schaut den Zwischenraum zwischen *ṣibtu* und Leberfinger an: ... der Fuß der rechten Seite, er wird hinausgehen" (KBo 7,7 = Bo 23; vgl. RIEMSCHNEIDER 1972)

$$Z = f(A^- + B^+) \Rightarrow -$$

Es gibt eine Anzahl von Anzeichen dafür, daß die als *šēpu* (GÌR) "Fuß" bezeichnete Anomalie als eine Positivmarke aufzufassen ist (vgl. z.B. YOS X 44; dazu auch STARR 1974: 165–166). Da im vorliegenden Beispiel die linke Seite des Leberteiles *ṣibtu*, die zu den ungünstigen Teilbereichen gehört, von der Veränderung betroffen ist, ist ein ungünstiges Omenergebnis für den Fragesteller zu erwarten.

Auch die graphische Darstellung des Befundes (Taf. 9,5-6) kann im Sinne der intendierten Omenaussage interpretiert werden; die auftretende Anomalie — *šēpu* — - wird durch eine längliche Einritzung (= Negativmarke) wiedergegeben, die sich auf dem Rand des Modells befindet und deren leicht umgebogene "Vorderseite" bis auf die "Schauseite" reicht (entsprechend der geschilderten "Blickrichtung" der Anomalie). Die Anbringung der Markierung erfolgte demnach in einer zur pars familiaris gehörenden Zone (*būdu ša ṣibti*), so daß sich als Markenkombination der Darstellung $Z = f(A^+ + B^-) \Rightarrow -$ ergibt. Damit entsprechen sich zwar Beschreibung und Kennzeichnung des Befundes nicht, doch ergibt sich aus beiden Darstellungsweisen, der im Text beschriebenen und der graphisch realisierten, ein übereinstimmendes Ergebnis.

Schließlich ist noch eine fragmentarisch erhaltene Inschrift zu erwähnen, die eine Veränderung im Bereich des *ṣibtu* beschreibt:

ZAG MÁŠ *a-na i-di*? *a*-x-x [
bi-ri-it MÁŠ *ù* ŠU.S[I
u-x [
"Die rechte Seite des *ṣibtu* ist zur Seite (?) [...] und den Zwischenraum zwischen *ṣibtu* und Leberfinger..." (KUB 37,225 = Bo 10; vgl. RIEMSCHNEIDER 1972)

Auch in diesem Fall scheint eine Beziehung zwischen der auftretenden Veränderung und dem Zwischenraum zwischen *ṣibtu* und Leberfinger zu bestehen. Über die Art der Veränderung kann ebensowenig eine Aussage getroffen werden, wie über die daraus resultierende Omenaussage. Auf dem Modell befindet sich zwischen der Kennzeichnung des Leberteiles *ṣibtu* und der des *nār amūti* eine flache Einkerbung, die tatsächlich bis in das Gebiet zwischen den beiden erwähnten Leberteilen reicht (Taf. 6,3). Möglicherweise wird durch die Markierung ein Krankheitsbild wiedergegeben, das im Sinne von *paṭāru* "spalten" zu interpretieren ist.

Auf allen Modellen der Gruppe I, bei denen der Bereich, in dem sich das Leberteil *ṣibtu* befindet, erhalten ist (Bo 1, 2. 6, 8, 16–18, 21, 22, 33, 36, 54; MSK 1, 2), findet sich als dessen Kennzeichnung eine plastische Erhebung. Eine Auswertung — graphisch bzw. zeichnerisch — läßt sich aber nur auf drei Exemplaren nachweisen, und immer steht die auftretende Anomalie mit dem Bereich zwischen *ṣibtu* und dem Leberfinger in Beziehung; Befunde, die das Leberteil selbst betreffen (z.B. VAT 4102 = NOUGAYROL 1950:12–14; YOS X 35), treten nicht auf.

tību (*tīb šari*) "Erhebung (des Windes)"

Das mit *tību* (ZI.IM) bezeichnete Leberteil befindet sich am "rechten" Rand des Organs und erstreckt sich bis auf dessen "Rückseite". Angaben zur inneren Gliederung dieses Bereiches können wiederum dem Text der Schulleber BM 50494,1–2 entnommen werden: so ist zu unterscheiden zwischen dem "zentralen" Gebiet (SAG ZI.IM), einer positiven Zone, einer darüberliegenden Zone (UGU-*nu* ZI.IM), mit negativer Implikation sowie einer darunterliegenden Zone (*pān* EDIN <ZI.IM>), deren Tendenz allerdings ebensowenig angegeben ist wie die des Abschnittes, der sich auf der Rückseite der Leber befindet (EGIR <ZI.IM>):

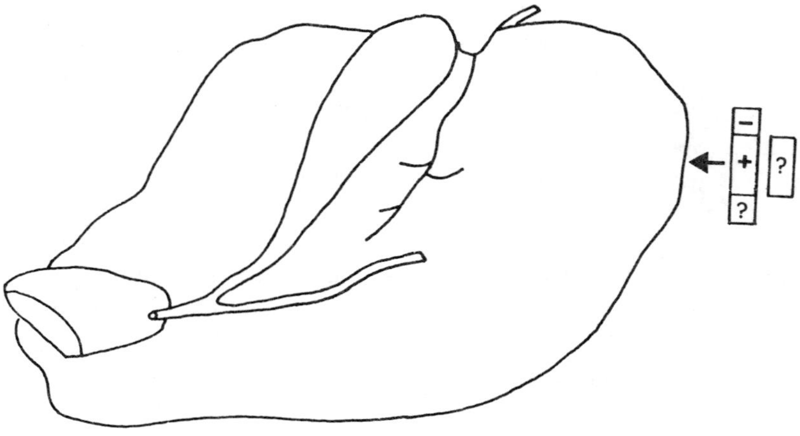

Tendenzen der Teilbereiche von *tību* (*tīb šari*)

Das Leberteil *tību* gehört wie *martu, ubānu* und *ṣibtu* zu den morphologischen Bestandteilen des Organs. Die Kennzeichnung des Bereiches auf den Modellen — der rechte Rand — ist daher der Markenklasse AI (*šīru* "Fleisch") zuzuordnen. Alle in dem so bezeichneten Abschnitt auftretenden Krankheitsbilder stellen Veränderungen des Randes selbst dar:

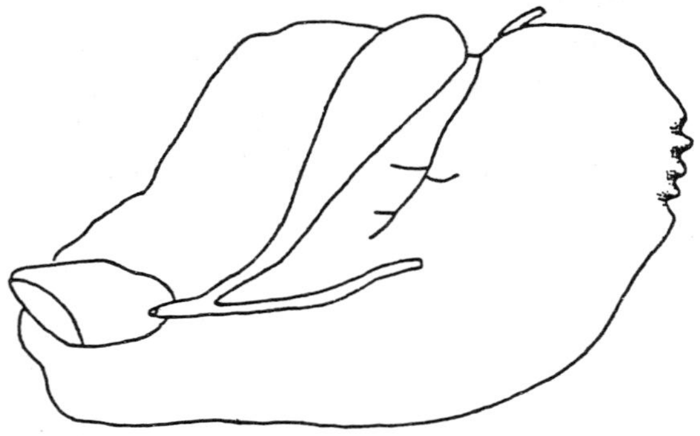

ti-bi-IM GAR-*ma ù um-ta-ar-*⌈*ri*?-*ir*?⌉
ù GIŠ.TUKUL *mu-ki-il re-ši-šá*
GÌR SIG_5-*qá-ti a+na* LUGAL *i-te*$_4$-*ḫ*[*i*]
"*tīb šari* ist vorhanden und .... ist und eine Waffe als ihr Unterstützer (vorhanden ist): Ein Fuß mit guten (Nachrichten) wird sich dem König nähern" (KUB 37,217 = Bo 2; vgl. RIEMSCHNEIDER 1972)

$$Z = f(A^{-?} + B^{-?}) \Rightarrow +$$

Die Beschreibung des Befundes ist unklar; möglicherweise handelt es sich bei der Verbalform um den Dt-Stamm von *marāru* "bitter machen (?)" (dazu RIEMSCHNEIDER 1972: vielleicht ist *umtarrir* denominal zu *marru* "Schaufel" gebraucht; letzteres kann offenbar auch "Forke" bedeuten, denn MSL 6,11091 wird gišal-zú-limmu-ba "Hacke mit vier Zähnen" als MIN (= *mar-ru*) *za-ri-ir* "Schaufel des Worflers" definiert, s. WILCKE RLA IV 33b; zu *umtarrir* bei Leberteilen vgl. AHW 609, mit unklarer Bedeutung). In der Darstellung finden sich ebenfalls vier Einkerbungen am Rand, die u.U. den "vier Zähnen der Hacke" entsprechen können. Nach YOS X 10,5 ist *mukil rēši* als Bezeichnung eines Leberteiles zu verstehen (vgl. AHW 670), eventuell ein weiterer Name für einen Teilbereich von *tību*. Da das Auftreten einer "Waffe" dennoch zu einem günstigen Omenergebnis für den Fragesteller führt, muß sich diese Veränderung in einem als ungünstig zu bewertenden Gebiet befunden haben.

Eine verbindliche Erklärung für den vorliegenden Sachverhalt ist auch anderen Omentexten nicht zu entnehmen; daher bleibt nur festzustellen, daß ein derartiges Zeichen (Markenkombination) — die vierfache Einkerbung des Randes — eine positive Aussage beinhaltet (nach der bereits vielfach erwähnten Systematik, die den Zeichnungen zugrunde liegt, ist es allerdings denkbar, daß die ein- und zweifache Einkerbung eine ungünstige Deutung ergibt und sich erst ab der dreifachen Einkerbung die Tendenz der Aussage ändert).

Dagegen sind Text und zugehörige Markierung eines weiteren Krankheitsbildes im Bereich von *tību* verständlich und, trotz fehlender Apodosis, im Sinne der Omina interpretierbar:

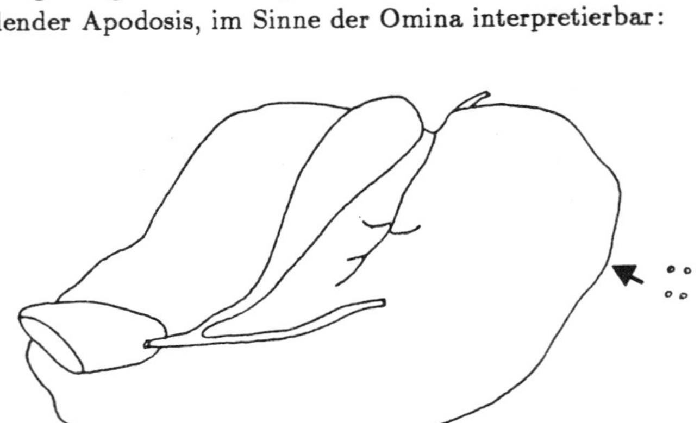

ti-bi-IM *qé-e ṣú-ub-bu-ut* ERÍN M[EŠ]
"*tīb šari* wird durch Fädchen gehalten: die Heere ...." (KBo 7,6 = Bo 22; vgl. RIEMSCHNEIDER 1972)

$$Z = f(A^{+} + B^{\pm}) \Rightarrow \pm$$

Ein vergleichbar beschriebener Befund liegt für den Bereich des "Standortes" vor (s. Bo 21) und ergibt ein unbestimmtes (*nanmurtu*) Ergebnis. Da auch die Darstellungsweise auf den Modellen — in diesem Fall vier sich paarweise gegenüberliegende Einstiche — einander ähnelt, kann für das vorliegende Krankheitsbild ebenfalls eine unbestimmte Deutung angenommen werden. Eine gewisse Bestätigung erhält diese Annahme durch den noch erhaltenen Beginn der Apodosis; in altbabylonischer Zeit werden *nanmurtu*-Ergebnisse fast immer durch die Schilderung militärischer Ereignisse ausgedrückt, die für beide Parteien einen unentschiedenen Ausgang festlegen (vgl. dazu STARR 1975:242). In diesem Sinne läßt sich auch die hier verwendete Apodosis ergänzen.

Mit Sicherheit kann die Wiedergabe der mit *qû* "Fädchen" bezeichneten Veränderung durch Einstiche angenommen werden (Taf. 9,3-4); aus der Anordnung dieser Marken in Relation zueinander bzw. zu dem betreffenden Leberteil resultiert dann die Omenaussage.

Bei zahlreichen weiteren Modellen ist zwar der mit *tību* bezeichnete Bereich erhalten, jedoch nicht ausgewertet bzw. graphisch verändert. Nur auf einem weiteren Modell aus Boğazköy finden sich die Reste einer Inschrift, die sich auf die Beschaffenheit dieses Leberteiles beziehen (*ti-bi*-IM! 4? *pa-ni an? sa? ta ak* x x [ ); der Text bleibt unverständlich, und auch die zugehörige Darstellung ist nicht erhalten.

Schließlich sind auf nahezu allen hier untersuchten Modellen der Gruppe I zwei weitere Einritzungen angebracht; die eine reicht von der Gallenblase bis zum "rechten" Leberrand, die andere verläuft zwischen der Gallenblase und dem Leberfinger. In der ersten ist die Kennzeichnung der Pfortader (*nār amūti*) zu sehen, in der zweiten eventuell die des ductus choledochus (*nērebūt šumēli*?). Beide Bereiche sind aber niemals ausgewertet worden, und ihre Darstellung erfolgt auch immer in gleicher Weise. Vermutlich dienen sie den Wahrsagern nur als Hilfsmittel zur Orientierung, um die topographisch genaue Position einzelner Leberteile auf den Modellen erkennen zu können.

Auswertung der Darstellungen auf den beschrifteten Tonlebermodellen

Aus der Analyse der beschrifteten Tonlebermodelle geht hervor, daß eine systematisierte Kennzeichnung der einzelnen Teilbereiche (Leberteile; Markenklasse A) sowie aller auftretenden Krankheitsbilder (Anomalien; Markenklasse B) bestanden hat.

Die Kennzeichnung der Leberteile (Markenklasse A)

Die bisher untersuchten Modelle weisen weder eine inschriftliche Auswertung noch eine graphische Kennzeichnung aller Teilbereiche auf, die in den Berichten erwähnt werden, bzw. für die ausführliche Kompendien vorliegen; so fehlt z.B. eine Untersuchung der Abschnitte *bāb ekalli, naṣraptu* (jedoch *padānu*), *abullu* vollständig, und die Beschaffenheit anderer (z.B. *ṣibtu, nīru, ubānu*) — in den Berichten ebenfalls regelmäßig untersuchter Bereiche — wird nur auf wenigen Modellen beschrieben (zur stat. Auswertung der Berücksichtigung einzelner Bereiche s.S. 184).

Dagegen läßt sich mit Sicherheit eine einheitlich Darstellungsweise für die Kennzeichnung der unveränderten Form (Normalform) einzelner Leberteile nachweisen; dabei ist zwischen zwei Arten der Wiedergabe zu unterscheiden: der Applikation (Markenklasse AI; *šīru* "Fleisch") und der Einritzung (Markenklasse AII; *uṣurātu* "Zeichnungen"):

Leberteil	graph. Form d. Kennzeichnung	Art d. Kennzeichnung (Markenklasse)
mazzāzu	senkrechte Ritzung	A II
padānu (KA.DUG.GA)	waagrechte Ritzung	A II
danānu	senkrechte Ritzung	A II
šulmu	senkrechte Ritzung	A II
martu	längliche Applikation	A I
padān šumēl marti	senkrechte Ritzung	A II
maddi kussî	längliche Applikation	A I
ubānu	pyramidale Applikation	A I
ṣibtu	rundliche Applikation	A I
nīru	waagrechte Ritzung	A II
tību	"rechter" Leberrand	A I

Mögliche Verwechselungen zwischen graphisch gleichartigen Kennzeichnungen (z.B. *mazzāzu* - *šulmu*; *padānu* - *nīru*) sind durch den jeweiligen topographischen Ort ihrer Anbringung bzw. ihres Auftretens auf der Leberoberfläche ausgeschlossen.

Von den Elementen der beiden Markenklassen AI und AII werden die durch Applikationen wiedergegebenen Leberteile (*martu, ubānu, ṣibtu, tību (?)*) zwar auf allen Modellen dargestellt, jedoch nicht immer ausgewertet. Ihr Fehlen weist auf eine morphologische Veränderung hin, die im Sinne der Omina zu interpretieren ist (negative Aussage; z.B. YOX X 31 III 41–44 für das Fehlen der Gallenblase). Die durch Ritzungen wiedergegebenen Leberteile (*mazzāzu, padānu, danānu, šulmu, nīru*) werden dagegen nur dann graphisch dargestellt, wenn Veränderungen in dem betreffenden Bereich beobachtet werden. Daneben gibt es noch eine Gruppe von Leberteilen, die nur im Zusammenhang mit anderen Bereichen ausgewertet wird (*padān šumēl marti — martu, maddi kussî — ubānu*); ihre Darstellung findet sich ebenfalls nur im Falle einer dort beobachteten Anomalie.

Die Kennzeichnung der Krankheitsbilder (Markenklasse B)

Das zweite Element, aus dem die Omenauswertung resultiert, ist der beobachtete Befund; als Mittel der Kennzeichnung der Beschaffenheit einzelner Leberteile dienen die Marken der Klasse B. Ihre Anbringung kann entweder unmittelbar an der Markierung des jeweiligen Bereiches (Markenklasse A) erfolgen, in dem sie beobachtet werden oder in den rechts und links gelegenen Gebieten.

Die nachfolgende Auflistung der Darstellungsmöglichkeiten von Krankheitsbildern basiert auf den Markierungen, die auf den Modellen der Gruppe I nachgewiesen werden konnten. Alle angeführten Tendenzen der einzelnen Marken beziehen sich auf deren Grundbedeutung, die nur im Falle ihres Vorkommens in einer zur pars familiaris gehörigen Zone eintritt, d.h. es wird eine Unterscheidung zwischen Positiv- und Negativmarke getroffen.

Nr.	Krankheitsbild	Darstellungsweise	Tendenz	Referenz
1	*X išu, šakin, šalamu*	Normalform	+	
	X 2-ma išu ...	Normalform (zweifach)	+	Bo 13,24
	X 3(-n)-šu išu ...	Normalform (dreifach)	−	Bo 23
2	*X lā išu ...*	fehlt	−	
3	*X lā išu ina maškanišu Y*	fehlt	−	Bo 5,13,19,24
4	*X imittam išu šumēlam lā išu*	bildhaft	+	Bo 13
5	*X kīma U*	bildhaft (Ritzung)	−	Bo 19
6	*X kīma* ZÚ GA.ZUM	bildhaft (Ritzung)	−	Bo 17,30
7	*X kīma* GAM-*iš kīma* ZÚ	bildhaft (Ritzung)	−	Bo 30
8	*X kīma* ŠU.GUR	bildhaft (Ritzung)	−	Bo 8
9	*X kīma* KUN GÍR.TAB	Normalform	±	MSK 1
10	*titūra ša* UZU	Normalform	+	Bo 17
11	*šišītu arpat*	Normalform	+	Bo 1
12	*šīlu*	Loch	−	Bo 2,5,11,24,32
	šīlu 2-ma	zwei Löcher	−	Bo 22
	šīlu 3(-n)-šu	drei (oder mehr) Löcher	+	
13	*piṭru*	Einstich	−	Bo 19
14	*qû*	Einstich	−	Bo 21,22
	qû peṣû	Einstiche	+	Bo 36,53
15	*pūṣu*	Einstich	−	Bo 33
	pūṣu 2-ma	zwei Einstiche	−	
	pūṣu 3(-n)-šu	drei (oder mehr) Einstiche	+	Bo 15
	pušu russû	Einstich(e)	+ (−)	Bo 15
16	*kakku*	Loch	−	Bo 1,8,13,17,24,26
17	*urqu*	Einstich (?)	−	Bo 33
18	*kaksu*	Applikation	+	Bo 9
19	*erištu*	Applikation	+	Bo 17
20	*šēpu*	Loch	−	Bo 23
21	*burbu'ātu*	?	−	Bo 3
22	*pillurtu*	bildhaft	−	Hazor
23	*paṭāru*	Ritzung	−	Bo 17,30
	paṭāru 2-ma	zwei Ritzungen	−	Bo 6
	paṭāru 3(-n)-šu	drei (oder mehr) Ritzungen	+	Bo 8
24	*pašāṭu*	Ritzung	−	Bo 16,23
	pašāṭu 2-ma	zwei Ritzungen	−	
	pašāṭu 3(-n)-šu	drei (oder mehr) Ritzungen	+	Bo 18
25	*maqātu*	bildhaft	−	Bo 8
	maqātu LAL	bildhaft	+	Bo 16,17,23
	maqātu 3-šu	bildhaft	+	Bo 17, MSK 2
26	*rapāšu*	bildhaft	+	MSK 1
27	*arāku*	bildhaft	+	Bo 13
28	*rakābu*	bildhaft	+	Bo 13
29	*X kašādu ana Y*	bildhaft	+ (−)	Bo 13,18
30	*neḫelsû*	bildhaft	+ (−)	Bo 13
31	*kepû*	bildhaft	+ (−)	Bo 27
32	*nabalkutu*	bildhaft	+ (−)	Bo 19, MSK 2
33	*tarāku*	Negativmarke	−	Bo 6,21,25
34	*emēdu*	Negativmarke	−	Bo 13,23
35	*parāku*	Positivmarke (?)	+(?)	Bo 23

Tabelle 8: Die graphische Kennzeichnung einzelner Krankheitsbilder und deren ominöse Bedeutung (1. Notationsschema)

Bemerkungen zu Tabelle 16

- In der Omenliteratur finden sich zahlreiche Beispiele für die Beobachtung und Auswertung der "normalen" unveränderten Form einzelner Leberteile (Nr. 1, dazu STARR 1974:3–10). Für die beschrifteten Lebermodelle der Gruppe I ist eine entsprechende graphische Kennzeichnung nicht nachgewiesen; sie kann aber für alle Teilbereiche aus der Darstellungsweise der jeweils beschriebenen Krankheitsbilder erschlossen werden.
- Das vollständige Fehlen eines Leberteiles (Nr. 2) ist auf den bisher untersuchten Modellen — im Gegensatz zu entsprechenden Textzeugnissen — nur im Zusammenhang mit dem Auftreten einer zusätzlich beobachteten Anomalie belegt (Nr. 3); dabei handelt es sich immer um eine der substantivisch formulierten Negativmarken (Nr. 12–17; 20–22)

- Eine Praeferenz der als positiv angesehenen Teilbereiche (pars familiaris) geht daraus hervor, daß sich auch dann eine günstige Omenaussage ergibt, wenn nur das "rechte" — günstige — Gebiet eines Leberteiles vorhanden ist und das "linke" — ungünstige — fehlt (Nr. 4).
- Die "Normalform" eines Leberteiles kann auch dann zur Darstellung eines ungünstig zu interpretierenden Befundes verwendet werden, wenn dieser sich in einem ungünstigen Teilbereich befindet, d.h. wenn sich für den Fragesteller ein günstiges Omenergebnis ergibt; für diese Darstellungsweise gibt es aber keine verbindliche Regel, und derartige Befunde können daher auch bildhaft — entsprechend der verbalen Beschreibung — wiedergegeben werden (z.B. Bo 13 zu einer Veränderung des *padānu*).
- Bei den Marken 5–9 (ähnlich 10–11) handelt es sich um Krankheitsbilder, deren Erscheinungsform durch einen mit *kīma* eingeleiteten Vergleich beschrieben wird; ungünstig zu bewertende Befunde werden — entsprechend dem Wortlaut des Textes — in bildhafter Weise wiedergegeben, günstige können dagegen entweder ebenfalls bildhaft oder durch Verwendung der "Normalform" des betreffenden Leberteiles dargestellt werden (Nr. 9–11). Als Mittel der Kennzeichnung ungünstiger Befunde dient in diesem Fall die Ritzung bzw. die unvollständige Wiedergabe des betreffenden Leberteiles.
- Weiterhin ist zwischen substantivisch und verbal formulierten Veränderungen zu unterscheiden. Bei den ersteren handelt es sich vorwiegend um Negativmarken (Nr. 12–17, 20–22), die auf den Modellen immer durch Löcher oder kleine Einstiche wiedergegeben werden (Markenklasse B II), während die Marken mit positiver Grundbedeutung (Nr. 18, 19) durch Applikationen (Markenklasse B I) dargestellt werden.
- Unterschiedlich bezeichnete Marken (z.B. *šīlu-kakku; piṭru-qû-pūṣu; erištu-kaksu*) werden in gleicher Weise graphisch realisiert; andererseits sind wiederum für verbal ähnlich beschriebene Befunde unterschiedliche Darstellungsweisen belegt (z.B. Nr. 5 und 6). Entscheidend ist offensichtlich nur die jeweils implizierte Omenaussage; so erfordert die Darstellung eines ungünstig zu bewertenden Befundes die Verwendung einer Negativmarke, ein günstig zu bewertender Befund kann dagegen durch eine Positivmarke oder die "Normalform" des betreffenden Leberteiles illustriert werden.
- Das zweimalige Vorkommen einer dieser Veränderungen führt zur gleichen Omenaussage wie das einfache Auftreten der betreffenden Anomalie; erst durch drei- oder mehrmaliges Auftreten ändert sich die Tendenz der Deutung (vgl. ebenso *paṭāru*, Nr. 23, *pašāṭu*, Nr. 24).
- Substantivisch formulierte Veränderungen (Nr. 12–22) betreffen vorwiegend Krankheitsbilder, die auf der rechten oder linken Seite eines Leberteiles auftreten; durch die verbal ausgedrückten Veränderungen werden dagegen häufig Eigenschaften der Leberbereiche selbst beschrieben.
- Auch die verbal formulierten Veränderungen (Nr. 23–35) werden auf den Modellen bildhaft dargestellt; als Wiedergabetechnik ist dabei wiederum zwischen der Applikation (Nr. 27; Markenklasse BI), der Einritzung (Nr. 23, 24; Markenklasse BII) bzw. der zeichnerischen Veränderung des Leberteiles selbst zu unterscheiden.
- Die mit *maqātu* bezeichnete Anomalie (Nr. 25) beschreibt eine Beschaffenheit, die zu einer ungünstigen Omenaussage führt; nur im Falle einer "normalen" Gestaltung des günstigen (rechten) Teilbereiches, d.h. wenn die Veränderung nur die ungünstige (linke) Seite betrifft oder wenn das betreffende Organteil "herabfällt" und wieder auf die rechte Seite "zurückkehrt", ändert sich die Tendenz der Deutung.
- Die Bewertung einer mit *rakābu* bezeichneten Veränderung ist abhängig von der Position der in dieser Form beschriebenen Leberteile zueinander (vgl. STARR 1974:178).
- Auch für die intendierte Omenaussage einer Anzahl weiterer Veränderungen (Nr. 29–32) ist die jeweilige Ausrichtung der Anomalie ausschlaggebend; eine Verlagerung zur linken Seite — Verringerung des "feindlichen" Gebietes — führt dabei zu einer positiven Deutung, eine Verlagerung zur rechten Seite — Verringerung des "eigenen" Gebietes — ergibt eine negative Deutung.
- Farbliche Veränderungen einzelner Leberteile (Nr. 15–17; 33) sind auf den Modellen nicht direkt darstellbar; daher erfolgt die Kennzeichnung derartiger Befunde entweder durch Negativmarken — falls es sich um ungünstige Befunde handelt — oder durch Positivmarken bzw. duch die Verwendung der "Normalform".
- Einen komplizierten Sachverhalt stellt das mehrfache Auftreten eines Leberteiles dar (auf den Modellen nachgewiesen für die Bereiche *mazzāzu, danānu, martu, ubānu*). In diesen Fällen kommt der jeweiligen Position der Organteile zueinander "omenbildende" Bedeutung zu. Die Aufstellung eines verbindlichen Schemas für die Auswertung derartiger Befunde ist deshalb problematisch, weil offensichtlich keine objektiven Kriterien dafür vorliegen bzw. für alle Konstellationen zu erkennen sind. Mit Sicherheit führt die einfache Verdoppelung eines Leberteils zu einer günstigen Aussage (z.B. Hazor), die Verdreifachung (auf den Modellen nicht belegt, vgl. aber YOS X 31 I, 51–55) dagegen zu einem ungünstigen Ergebnis. Tritt aber zusätzlich eine Negativmarke wie z.B. *šīlu* (Bo 24 für den Bereich von *danānu*) hinzu, dann ändert sich die Qualität der Bedeutung.
- Auch das Übereinanderliegen von zwei gleichartigen Leberteilen (z.B. Bo 16 für *martu*) wird als günstiges Omen angesehen, doch schon bei diesem Beispiel entziehen sich die Kriterien, nach denen das "oben liegende" Leberteil als das "normale" bezeichnet werden kann, einer objektiven Beurteilung. Die Interpretation derartiger Befunde scheint dem empirischen Wissen und der Erfahrung der Wahrsager überlassen gewesen zu sein (s.S. 251–252).

Mit Hilfe des hier erstellten Notationsschemas erfolgt zunächst eine Untersuchung der Bedeutung der Tonlebermodelle von Gruppe I. Im Anschluß daran sollen auch die Darstellungen auf den Modellen der anderen Gruppen entsprechend ausgewertet werden. Zu diesem Zweck wird es erforderlich sein, dieses Notationsschema um die Kennzeichnungen bisher nicht erwähnter Krankheitsbilder zu erweitern und nach dem erschlossenen System der Darstellungsweise zu interpretieren.

V

AUSWERTUNG DER TONLEBERMODELLE NACH IHRER BEDEUTUNG UND VERWENDUNG

Als Kriterium für die vorläufige Einteilung der Tonlebermodelle in Gruppen (Tab. 4) diente das unterschiedliche Verhältnis von Wort (Inschrift) und Bild (graphische Darstellung). Mit Hilfe des im vorhergehenden Kapitel erstellten Notationsschemas für die Marken beider Klassen (Leberteile und Krankheitsbilder) soll im folgenden überprüft werden, ob diese Unterschiede innerhalb der Gruppen auf eine abweichende Bedeutung der betreffenden Modelle zurückzuführen sind. Durch einen Vergleich des strukturellen Aufbaus dieser Modelle mit dem der Berichte soll zugleich die in Kapitel I erwogene Möglichkeit, in den Tonlebern der Gruppen I-IV modellhafte Nachbildungen der sogenannten "Berichte" sehen zu können, überprüft werden. Auf die wenigen zur Gruppe V gehörenden Modelle ist dagegen nicht weiter einzugehen, da ihre Übereinstimmung mit der Textgruppe der "Kompendien" evident ist und sie insofern für die folgenden Untersuchungen keine Bedeutung haben.

Die Bedeutung der Modelle der einzelnen Gruppen

Die Modelle der Gruppe I (Boğazköy, Emar, YOS X 3, AO 8894)

Signifikantes Merkmal der Modelle dieser Gruppe ist die Komplexität der vermittelten Informationen; neben einem vollständigen Omentext (Protasis und Apodosis) findet sich zusätzlich die graphische Kennzeichnung der Befunde. Die Möglichkeit, diese Objekte als modellhafte Nachbildungen der "Berichte" aufzufassen, soll mit Hilfe eines Vergleichs überprüft werden, bei dem die charakteristischen Eigenschaften beider Gattungen einander gegenübergestellt werden. Dabei besitzt sowohl die Anzahl der jeweils untersuchten Leberbereiche als auch die Tendenz der einzelnen Befunde, d.h. ihre positive oder negative Deutung, größte Relevanz. Eine diesbezügliche Aufschlüsselung der betreffenden Modelle ergibt folgendes Bild (die Zahlen beziehen sich auf die Zählung im Notationsschema S. 253–262; sie stellen entweder Veränderungen eines Leberteiles dar oder Krankheitsbilder, die im Gebiet eines Leberteiles auftreten):

Legende für die nachfolgenden Tabellen:

+	pos. Deutung
–	neg. Deutung
±	unentschiedene Deutung
x	Leberteil vorhanden, aber weder ausgewertet noch gekennzeichnet
(-)(+)	kein Text, nach der Kennzeichnung ausgewertet
(x)	Kennzeichnung vorhanden, aber kein Text, nicht auswertbar
(?)	fraglich

		mazzāzu	*padānu*	*danānu*	*šulmu*	*martu*	*padān š.marti*	*maddi kussî*	*ubānu*	*ṣibtu*	*nīru*	*tību*	Inschr.n. zuzuordnen	Anzahl d. Untersuch.
Bo	1	1−	x	x	x	39+	x	x	x	x	x	x		2
	2	1±	x	x						x	x	+		2
	3				x	60−	x	x	x					1
	4					(34−)	44+	x						2
	5				33−	39−	x	x	x					2
	6				x	41−	x	x	65+	x				1
	7					(-?)							-	2
	8	11−	20−	x	x	54+			67−	x	x	x		4
	9					39−	x							1
	10									(x)				1
	11	1−	x	x		(?)						?	3	
	12					±(?)		1−	65−	72+	x	x		1
	13	4	12+	26−	34−	45+	61+−							9
	14					+								1
	15	1−								x		x		1
	16	6−	20−	x	x	40+	x	x	(-)	x	x	x		4
	17	1−	12+	28−	x	39+	x	x	65−	x	x	x		5
	18	1−	12(?)	x	x	49−	x	x	65+	(-)	x	x		5
	19	4−	15−	25−1	38−	(-)						x		6
	20		(?)										x	2
	21	1±	x		x	42−	x	x	(?)	x	x	x		3
	22	1−	x			− (?)				x	x	±		3
	23	7+	12+	27−	36±	45+	61+	x	68−	72−	x			8
	24	4−	19−	26−										3
	25								65−					1
	26					41−			65−					2
	27				x	47−								1
	28	x	x	x									−	2
	29												−	1
	30	1−	12−	x								x		2
	31												???	3
	32									+	71−			2
	33	1−	x	x	x	41−				x		x		2
	34												(?)	1
	35				x	47−	x							1
	37	61−								x		x		1
	53				x	41−	x	x	x				+	2
	54	x	x	x	x	47−	x	x	x	x	x	x		2
MSK	1	9+	x	x	x	39+	x	x	x	x	x	x		2
	2	10−	21±	x		51+	x			x		x		3
M	32	11+	x	x	x	x	x	x	x	x	x	x		1
YOS	X,3	−	x	x	x	x	x	x	x	x	x	x		1

Tabelle 9: Auswertung der einzelnen Teilbereiche auf den Modellen der Gruppe I

Aus Tabelle 9 gehen die Tendenzen aller auf den beschrifteten Tonlebermodellen ausgewerteten Krankheitsbilder einzelner Leberteile hervor; auch die Bedeutung derjenigen Kennzeichnungen, zu denen kein Text erhalten ist, wurde berücksichtigt ((±)). Darüber hinaus sind auch die Bereiche, die auf den Modellen vorhanden, aber weder inschriftlich ausgewertet noch graphisch gekennzeichnet sind, ebenso aufgeführt (x) wie die Bereiche, für die Veränderungen vorliegen, deren Interpretation aber aufgrund des Erhaltungszustandes der betreffenden Modelle nicht möglich ist ((x)); in der letzten Spalte sind schließlich die Inschriften notiert, denen keine Kennzeichnung eindeutig zuzuordnen ist.

Dieses Verfahren vermittelt einen Überblick über die jeweils untersuchten Bereiche sowie über die Omenaussagen, die aus den betreffenden Krankheitsbildern resultieren. Für eine vergleichende Auswertung mit den "Berichten" werden, exemplarisch, die von A. Goetze (1957a:89–105) und J. Nougayrol (1967:219–255) veröffentlichten Texte — entsprechend der Analyse der Modelle — jeweils nach Einzeluntersuchungen aufgeschlüsselt. Da bei dieser Textgruppe die Tendenzen der Einzelbefunde (Apodosis) aber nicht explizit erwähnt werden (es findet sich nur eine Beschreibung der Beschaffenheit einzelner Leberteile; Protasis), ist eine Beurteilung der auftretenden Krankheitsbilder nur mit Hilfe vergleichbarer Aussagen vollständig formulierter Omentexte möglich. Zur Ermittlung der jeweils intendierten ominösen Bedeutung einzelner Befunde werden einerseits die bereits nachgewiesenen günstigen oder ungünstigen Bewertungen bestimmter Veränderungen herangezogen (dazu im einzelnen s. Kap. IV dieser Arbeit; weitere Hinweise auf das Bewertungssystem bei I. Starr 1974:177–184); andererseits können aber auch durch weitere Omentexte ("Kompendien") gesicherte Deutungen einzelner Krankheitsbilder selbst dann übernommen werden, wenn sie die Beschaffenheit anderer Leberteile (als in den Berichten) beschreiben. Eine derartige Übernahme führt deshalb zu korrekten Ergebnissen im Sinne der Omina, weil die Auswertung (ebenso wie die graphische Kennzeichnung) nach einem festgelegten System erfolgt, das zwischen Wortfeldern unterscheidet, die eine positive oder negative Bedeutung besitzen; die Omenaussage ist überdies jeweils von dem topographischen Ort abhängig, auf dem die betreffende Veränderung vorkommt, d.h. von ihrem Auftreten in einem zur pars familiaris bzw. zur pars hostilis gehörenden Gebiet.

Nougayrol 1967	*mazzāzu*	*padānu*	*danānu*	*šulmu*	*martu*	*padān š.marti*	*maddi kussî*	*ubānu*	*ṣibtu*	*nīru*	*naṣraptu*	*bāb ekalli*	*tākaltu*	weit. Eingeweide
A	+	+			+	−		++	+		−	−	++	++
B	+	+	+	+	+					+				+−
C	+	+	+	+	++		+			+				++
D	+	+	+	+	+									+±±
F	++	+	+	+	+			+						+−
G	+	++	+	+	+			+						−
H	+	+	+	+	+			++						−+
I	+	+	+	+	+	−		+						−+±
J	(x)	(x)	+	+	++			+	(x)		+			+++
K	+	+	+	+	+			+						+−+
L	+	+	−		+−	+	(x)			+	+++			
M	+	+		+	+			+	+			+		+
	+	+		+	+			+	+			+		+++
N	+	++	+	−	++−		+	(x)	(x)			+		+++
	o	o	o	o	+		(x)		(x)		+			+++
	+	+	+	+	+	−		+	(x)			+		+++
	o	+	+		++	+	+	+	+	−(?)		+		+++
Goetze 1957a														
3	+	+	+	+	+		+	+	(x)					−++
4	+	+	+	+	+			+	(x)					++(x)
6	+	+	+	+	++	−(?)								−+
7	(x)	+	−	+	+	−(?)		++−						−+
8	−	+−	+	−	++			+	+(?)	+				−++−+
9	+	+−	+	+	++			+						−
11	+	+	+		+			+	+					++−±+
	+	+	+	+	+			+	+				−(?)	−+++
12	+	+	+		+			+	+					++
	+	+			+			+	+			+		++
	−	(−)	+		+			+	+					++
18	+	+	+	+	+	(x)								−
	+	++	(+)	+	+			o						++l−
21	++	−	+	+	++				−					−
	+	+	+	+	++			+						−+
22	+	++	+	+	+	+		−	−			−		+−−
	+	++	+		+			+	(+)					−
23	+	+±	+		++		+	+	++			+		++++

Tabelle 10: Auswertung der einzelnen Teilbereiche in den Berichten

Aus einem Vergleich der Informationen, die sich aus den Tabellen 9 und 10 ergeben, resultieren Übereinstimmungen und Abweichungen zwischen den beiden untersuchten Fundgattungen — den Lebermodellen und den Omenberichten — die in bezug auf die jeweils intendierte Bedeutung und Verwendung diskutiert werden sollen.

Auf den Tonlebern ist eine regelmäßige Auswertung nur für die Bereiche *mazzāzu* und *padānu* nachzuweisen (mit Ausnahme der Exemplare AO 8894 (M 32) und YOS X 3, bei denen jeweils nur einer der beiden Bereiche untersucht wurde); in den Berichten finden sich dagegen Beobachtungen zu allen wesentlichen Teilbereichen des "rechten" Leberlappens (*mazzāzu, padānu, danānu, šulmu*), zur Gallenblase (*martu*) und, bis auf wenige Ausnahmen, auch zum Leberfinger (*ubānu*) sowie zu den untersuchungstechnisch eventuell als Einheit aufzufassenden Teilbereichen *ṣibtu* und *nīru*. Eine Gegenüberstellung des prozentualen Anteils einzelner Teilbereiche innerhalb der Auswertung verdeutlicht die Unterschiede zwischen den Berichten und den Modellen dieser Gruppe. In diese Untersuchung werden alle Tonlebern einbezogen (mit Ausnahme der Exemplare AO 8894 und YOX X 3; dazu s.u.), auch die nur fragmentarisch erhaltenen Stücke; die weder graphisch gekennzeichneten noch schriftlich ausgewerteten Bereiche werden als nicht untersucht angenommen; die gleichen Bedingungen gelten auch für die in den Berichten nicht erwähnten Teilbereiche:

	Lebermodelle (40)			Berichte (35)		
	insges.	ausgew.	%	insges.	ausgew.	%
mazzāzu	21	19	90,5	33	33	100,0
padānu	20	11	55,0	34	34	100,0
danānu	17	5	29,4	34	31	91,2
šulmu	20	6	30,0	34	27	79,4
martu	26	26	100,0	35	35	100,0
padān š. marti	17	2	11,7	35	8	22,8
maddi kussî	13	1	7,6	35	6	17,1
ubānu	16	9	56,2	35	25	71,4
ṣibtu	19	4	21,0	35	20	57,1
nīru	12	1	8,3	35	3	8,5
tību	18	3	16,6			
bāb ekalli				35	10	28,5

Tabelle 11: Prozentuale Häufigkeit der Untersuchung einzelner Leberbereiche

Insgesamt läßt sich feststellen, daß auf den Tonlebermodellen eine sehr viel geringere Anzahl von Einzeluntersuchungen (ausgenommen die beiden bereits erwähnten Leberteile *mazzāzu* und *martu*) vermerkt sind als in den Berichten; das vollständige Fehlen von Aussagen, die den Bereich von *bāb ekalli* betreffen, deutet sich allerdings bereits durch eine Abnahme entsprechender Untersuchungen innerhalb der Texte aus altbabylonischer (NOUGAYROL 1967:219–255) und kassitischer Zeit (GOETZE 1957a:89–105) an. (In diesem Zusammenhang ist darauf hinzuweisen, daß der Bereich von *bāb ekalli* in den Berichten immer dann ausgewertet wurde, wenn für *danānu* keine Angaben vorliegen; in einem Teil der Texte finden sich allerdings auch zu beiden Bereichen Informationen. Eine Zusammenfassung der Aussagen für beide Bereiche ergibt eine ebenfalls 100%ige Auswertung dieses Leberabschnittes.) Außerdem zeichnen sich die Berichte — als Protokolle tatsächlich durchgeführter Opferschaurituale — durch eine ausführliche Inspektion aller Teilbereiche, die sich auf dem rechten Leberlappen einschließlich der Gallenblase befinden, d.h. im "eigenen Gebiet" aus; dort auftretende Veränderungen vermitteln in besonderem Maße "Vorzeichen" für den Fragesteller (vgl. HSM 7494, Gebiet für die rechte Seite). Dagegen wird die seltener ausgewertete "linke" Seite als "Gebiet des Feindes" angesehen, und für diesen Bereich erstellte Omenergebnisse besitzen nur eine "reziproke" Bedeutung für den Anfragenden.

Diese inhaltliche Diskrepanz legt eine unterschiedliche Verwendung und Bedeutung der beiden miteinander verglichenen Fundkategorien nahe, und es entsteht der Eindruck einer gezielten Auswahl der auf den Modellen geschilderten bzw. dargestellten Befunde. Während in den Berichten vorwiegend Zustände der Leberteile beschrieben werden, die ein günstiges Omen ergeben, überwiegen auf den Tonmodellen die eindeutig ungünstigen Aussagen. Diese Verschiedenartigkeit kommt auch in der zur Beschreibung der jeweils vorliegenden Befunde verwendeten Wortwahl deutlich zum Ausdruck; so finden sich in den Berichten häufig Angaben zur normalen Beschaffenheit einzelner Leberteile (X *īšu, šakānu, šalāmu*), Befunde, die auf den Modellen nicht aufgeführt werden. Weiterhin kommen in den Texten vor allem solche Veränderungen vor, aus denen entweder unmittelbar günstige Aussagen resultieren (A^{+} *kapāṣu, ṣamātu, arāku*) oder, falls (verbale) Negativmarken auftreten (A^{-} *šīlu, kakku, šēpu, paṭāru*), befinden sie sich in ungünstigen Zonen, so daß sich ebenfalls ein günstiges Omen ergibt. Die Modelle enthalten dagegen ausschließlich Abweichungen einzelner Bereiche von der Normalform; nur für die Krankheitsbilder, die mit einem zur pars hostilis gehörenden Bereich verbunden sind, erfolgt eine günstige Omenaussage.

Ein weiteres Kriterium zur Beurteilung der Frage, ob die Tonlebern als modellhafte Nachbildungen der Berichte aufzufassen sind, ist in der Anzahl der jeweils ausgewerteten Teilbereiche zu sehen. Daher sollen die Berichte nach der Anzahl der jeweils festgestellten Einzelbefunde aufgeschlüsselt und deren Tendenz — positiv, negativ, fraglich — ermittelt werden:

	Untersuchungen insgesamt						davon Leberteile					andere Eingeweide					Bemerkungen
Nougayrol 1967	Anzahl	pos.	neg.	fragl.	±	*tirānu*	Anzahl	pos.	neg.	fragl.	±	Anzahl	pos.	neg.	fragl.	±	(Ergebnis)
A	11(2)	8(2)	2				9(2)	6(2)	3			2	2				
B	8	7	1			12	6	6				2	1	1			
C	9(1)	8(1)		1			7(1)	6(1)		1(+)		2	2				
D	8	6			2	12	5	5				3	1			2	
F	8(1)	7(1)	1			10	6(1)	6(1)				2	1	1			
G	9(1)	6(1)	3			14	6(1)	6(1)				3		3			pos. W.
H	8(1)	7(1)	1			14	6(1)	6(1)				2	1	1			pos. W.
I	10	6	2	1	1	10	7	5	1	1(+)		3	1	1		1	
J	11(2)	8(1)		3(1)		14	8(2)	5(1)		3(1)		3	3				
K	9	8	1				6	6				3	2	1			
L	11(2)	9	1(1)	1(1)			8(2)	6	1(1)			3	3				
M	8	8					7	7				1	1				W.
	10	10					7	7				3	3				pos.
N	12(6)	8(3)	1(1)	1(2)			9(6)	5(3)	1(1)	1(2)		3	3				
	13(1)	10	1(1)	1			10(1)	7	1(1)	1		3	3				pos.
	11(1)	9(1)		2			8(1)	6(1)		2		3	3				
Goetze 1957a																	
3	11	9	1	1		10	8	7		1		3	2	1			pos.W.
4	10	8		2		14	7	6		1		3	2		1		W.
6	10(1)	6(1)	4			14	6(1)	5	1			4	1	3			pos.W.
7	9	4	4	1		14	6	3	2	1		3	1	2			
8	14(4)	8(2)	6(1)	(1)		12	8(4)	6(2)	2(1)	(1)		6	3	3			pos.w.
9	10(2)	6(1)	4(1)			14	6(2)	6(1)	(1)			4		4			W.
11	11(2)	8(1)	2(1)		1	12	6(2)	5(1)	1(1)			5	3	1		1	
	12	10	1		1	14	8	7		1		4	3	1			
12	8	8					6	6				2	2				
	8	8					6	6				2	2				
	7	6	1				5	4	1			2	2				
18	6(1)	4(1)	1	1		12	5(1)	4(1)		1		1		1			neg
	9(1)	7(1)	1	1		12	6(1)	5		1		3	2	1			
21	7(3)	4(2)	3(1)			12	6(3)	4(2)	2(1)			1		1			
	9(1)	7(1)	2			12	6(1)	6(1)				3	1	2			
22	12(1)	7(1)	5			12	9(1)	6(1)	3			3	1	2			
	7(1)	5(1)	1	1		12	6(1)	5(1)		1		1		1			
23	12(4)	12(2)		(1)	(1)	12	8(4)	8(1)		(1)	(1)	4	4				pos.

Tabelle 12: Anzahl und Tendenzen der Untersuchungen in den einzelnen Leberschauberichten

Die hier ausgewerteten Berichte enthalten Untersuchungen von je 5–10 Teilbereichen der Leber — 6–14 einschließlich der anderen Eingeweide (die Anzahl entspricht etwa der in den neuassyrischen Protokollen untersuchten Bereiche, vgl. KLAUBER 1913). Für einen Vergleich können nur die vollständig erhaltenen Modelle herangezogen werden, da allein diese Exemplare eine verbindliche Aussage über die Anzahl der jeweils behandelten Veränderungen erlauben:

		mazzāzu	*padānu*	*danānu*	*šulmu*	*martu*	*padān š. marti*	*maddi kussî*	*ubānu*	*šibtu*	*nīru*	*tību*	insges.	pos.	neg.	±
Bo	1	–	x	x	x	+	x	x	x	x	x	x	2	1	1	
	8	–	–	x	x	+	o	o	–	x	x	x	4	1	3	
	13	–	+	–	–	+	+	–	–	+	x	x	9	4	5	
	16	–	–	x	x	+	x	x	(–)	x	x	x	4	1	3	
	17	–	+	–	x	+	x	x	–	x	x	x	5	2	3	
	18	+	(?)	x	x	–	x	x	+	–	x	x	5	2(1)	2	
	21	±	x	o	x	–	x	x	–	x	x	x	3	0	2	1
	23	+	+	–	±	+	(+)	x	–	–	x	o	8	4	3	1
	54	x	x	x	x	–	x	x	x	x	x	x	1	0	1	
MSK	1	+	x	x	x	+	x	x	x	x	x	x	2	2	0	
	2	–	±	x	o	+	x	o	o	x	o	x	(3)	(1)	(1)	(1)
M	32	+	x	x	x	x	x	x	x	x	x	x	1	1		
YOS	X,3	–	x	x	x	x	x	x	x	x	x	x	1		1	

Tabelle 13: Anzahl und Tendenzen der Untersuchungen auf den vollständig erhaltenen Lebermodellen (Gruppe I)

Diese Gegenüberstellung verdeutlicht, daß auf den Modellen insgesamt weniger Krankheitsbilder beschrieben bzw. dargestellt worden sind — zwischen einer und neun Veränderungen — als in den Berichten aufgeführt wurden. Es stellt sich daher die Frage nach der Anzahl von Einzeluntersuchungen, die zur Erstellung einer Gesamtaussage erforderlich sind sowie nach der Anzahl der Negativaussagen, die noch eine positive Wahrsagung ermöglichen. Eine ausführliche Untersuchung dieser Problematik liegt bisher noch nicht vor und kann auch im Rahmen dieser Arbeit nicht geleistet werden; es sollen jedoch einige grundsätzliche Überlegungen zur Beantwortung dieser Frage durchgeführt werden.

Die absolute Anzahl der durchgeführten Einzeluntersuchungen kann offensichtlich variieren; sie ist abhängig von dem Umfang der auf der "linken" Seite (*padān šumēl marti*) beobachteten Abweichungen, da, bis auf wenige Ausnahmen, die Beschaffenheit der "rechten" Seite (*mazzāzu, padānu, danānu, šulmu*), der Gallenblase (*martu*), des Leberfingers (*ubānu*) und des proc. papillaris (*ṣibtu*) immer aufgeführt wird. Diese Bereiche werden zwar auf den Modellen ebenfalls häufiger behandelt, jedoch nicht so regelmäßig wie in den Berichten. Theoretisch besteht die Möglichkeit, alle auf den Modellen nicht gekennzeichneten bzw. schriftlich ausgewerteten Leberteile als unverändert (*īšu, šakānu, šalāmu*) anzusehen (analog zu dem Verfahren, Krankheitsbilder mit positiver Implikation durch die Darstellung der unveränderten Form des betreffenden Leberteiles wiederzugeben). Unter dieser Voraussetzung sind alle nicht gekennzeichneten Bereiche jeweils als günstig zu bewertende Befunde aufzufassen, und das Gesamtresultat ergibt sich aus einer Summierung und Gegenüberstellung der Einzelergebnisse, d.h. aus einer Art Bilanz.

Doch bleibt auch dann noch die Frage nach den Bedingungen für einen "Bilanzausgleich" offen: Reicht ein numerisches Übergewicht (positiv oder negativ) aus? Besteht eine Prävalenz bestimmter Teilbereiche? Eine verbindliche Lösung dieses Problems kann auch durch die Interpretation der Berichte nicht erfolgen. Einerseits beruhen die dort aufgeführten Resultate nicht allein auf der Auswertung der Leberteile, sondern auch auf Beobachtungen zur Beschaffenheit der Lunge und anderer Organe (dazu STARR 1974:148–149); andererseits fehlen ausreichende Informationen über ein eindeutiges System, das der Beurteilung von Befunden zugrunde liegt. Es zeichnet sich aber die Tendenz ab, daß nur die günstige Bewertung aller Teilbereiche zu einer günstigen Gesamtaussage (*šalmat*) führt (z.B. GOETZE 1957a:Nr. 23). In allen anderen Fällen, d.h. beim Auftreten eines (z.B. GOETZE 1957a:Nr. 18) oder mehrerer ungünstig zu interpretierender Krankheitsbilder ist die Leberschau zu wiederholen (*aḫīta piqitta īšu*; dazu GOETZE 1957a:95–96; STARR 1974:192–194). Eine einheitlich günstige Bewertung aller aufgeführten Veränderungen ist indessen auf den Tonlebermodellen nicht gegeben (mit Ausnahme des Stückes AO 8894, das aber nur den Zustand eines Leberteiles beschreibt); im Gegenteil, fast immer überwiegen die ungünstigen Befunde, und selbst unter der Voraussetzung, daß alle nicht gekennzeichneten Leberteile ein günstiges Ergebnis vermitteln, ist der Anteil an ungünstigen Einzelbefunden in Relation zu den Berichten wesentlich größer (dies betrifft vor allem die Bereiche der rechten Leberseite).

Auch die Überlegung, daß die Symbolbedeutung einzelner Bereiche (dazu s.S. 83–84) einen entscheidenden Einfluß auf den Ausgang der Wahrsagung besitzt, trifft offensichtlich nicht zu; so resultiert aus einer Differenzierung der Einzelaussagen nach der symbolischen Bedeutung, die den einzelnen Teilbereichen zugeschrieben wird — unterschieden nach religiöser (R), königlicher (K), öffentlicher (O) und privater (P) Sphäre — weder für die betreffenden Leberbereiche (z.B. *mazzāzu* – "göttlich", *martu* – "königlich", *šulmu* – "privat", *ṣibtu* – "öffentlich", *padānu* – "öffentlich", "privat") noch innerhalb der Modelle eine erkennbare Einheitlichkeit der Aussagen (vgl. Tabelle 22). Vielmehr werden in einigen Beispielen für die Auswertung eines Befundes unterschiedliche Aspekte, die nicht der symbolischen Bedeutung des betreffenden Leberteiles entsprechen, herangezogen.

		mazzāzu	*padānu*	*danānu*	*šulmu*	*martu*	*padān š. marti*	*maddi kussî*	*ubānu*	*ṣibtu*	*nīru*	*tību*
Bo	1	O–				O+						
	2	P–										K+
	3					O/P–						
	4				(–)	K+(?)						
	5				(–)	K–						
	6					O–			O+			
	7					K/O–						O
	8	P/O–	P/O–(?)			K/O+(?)			P–			
	9					O/P–(?)						
	10								(–)			
	11	P/K–										
	12					K±(?)						
	13	K(O)–	K+	K–	K–	K/O+	K/O(+)	O–	–	+		
	14					K+						
	15	O/P–										
	16	P/O–	P/O–			K+			(–)			
	17	O–	O+	–		P+			P–			
	18	O+	(?)			O–			+	–(?)		
	19	K–	O+	P/O–		O+						
	20		(?)									(?)
	21	O±				K/P–			O–			
	22	P/K–				K–						O±
	23	+(?)	K+	–	O(±)	K+	(K+)		O–			
	24	K–	O/K–	O–								
	25											K
	26					(–)			O–			
	27					K/O–						
	28											O
	29											K
	30	O–	O–									K
	31											
	32									P(+)	K–	
	33	O–				O–						
	34											
	35					O–						(?)
	36	P–										
	53					O–						
	54					K–						
MSK	1	P+				O+						
	2	K/O–	O(±)			K+						
M	1	O+										
YOS X	3	O–										
AO 8894		–										

Tabelle 14: Aspekte der Auswertung einzelner Leberbereiche (thematischer Bezug der Apodosis)

Bei dem Vergleich der Leberschauberichte mit den beschrifteten Lebermodellen (Gruppe I) zeigt sich ein unterschiedlicher Aufbau und Inhalt; wesentliches Kriterium der Unterscheidung ist die Qualität der jeweils aufgeführten Beschaffenheit einzelner Leberteile:

- während in den Berichten eindeutig günstige Aussagen überwiegen, kommen auf den Modellen vorwiegend ungünstige Omenergebnisse vor;
- der "normale" Zustand eines Leberteiles wird — mit Ausnahme der Gallenblase und des Leberfingers (Markenklasse AI) — auf den Modellen weder graphisch dargestellt noch im Text beschrieben, sondern nur Krankheitsbilder, d.h. Veränderungen einzelner Teilbereiche sind dargestellt;
- dagegen finden sich in den Berichten häufig Angaben über die normale Beschaffenheit der untersuchten Leberteile;
- die Anzahl der untersuchten Bereiche ist auf den Modellen geringer als in den Berichten.

Daher sind die Tonmodelle dieser Gruppe nicht als Nachbildungen tatsächlich untersuchter Opferlebern zu verstehen, sondern als Unterrichtsstücke (so auch NOUGAYROL 1968:33; s.S. 9). Sie dienen zur Markierung bestimmter Krankheitsbilder und haben, aufgrund ihrer "Bildhaftigkeit" als Hilfsmittel zur Auswertung bzw. als Anschauungs- oder Lehrmaterial für die angehenden Wahrsager, d.h. als "graphische Kompendien" Verwendung gefunden (s.S. 10). Alle graphischen Darstellungen korrespondieren mit erklärenden Beischriften, die jeweils aus vollständigen (Protasis *und* Apodosis) Omina bestehen.

Eine Bestätigung dieser Verwendungsweise ist in der Zweisprachigkeit der Inschriften auf den älteren Modellen aus Boğazköy (Bo 8, 17, 36) zu sehen. Bei diesen Exemplaren wird nur der medizinische Befund (Protasis) in der Sprache formuliert, aus der das zugrundeliegende Ritual stammt — dem Babylonischen — während die Auswertung (Apodosis), das für den Ausführenden relevante Ergebnis, in der lokalen Sprache — dem Hethitischen — verfaßt ist. In späterer Zeit findet nur noch die babylonische Sprache bei der Beschriftung der Modelle Verwendung, obwohl zwischenzeitlich auch eine hethitische Nomenklatur für die Bezeichnung zahlreicher Fachausdrücke entwickelt wurde (dazu LAROCHE 1970:127–139; zur Rolle der Hurriter bei der Übertragung dieser Nomenklatur vgl. ARCHI 1982:279–283.288; s.S. 266).

Ein Teil dieser Omentexte ist zweisprachig verfaßt (z.B. KBo 13,26; KUB 8,34 + 43,13 für den Bereich *mazzāzu*); daneben finden sich aber auch in akkadischer (z.B. KUB 37,165 (+) 166; 169 (beide für den Bereich *mazzāzu*; KUB 37,177 (*padānu*); 37,178; 180 + KBo 7,4 (*martu*), KUB 4,66 (*nīru*)) und hethitischer Sprache (z.B. KBo 10,7 + HSM 3465; KUB 10,50) geschriebene Leberomina (zusammengestellt bei RIEMSCHNEIDER 1972; vgl. LAROCHE 1956:98–99). Dabei handelt es sich ausschließlich um Kompendien; die Gattung der Berichte scheint aufgrund der bei den Hethitern abweichenden Orakelpraxis (dazu HAAS 1977:148–149; s.S. 50) vollständig zu fehlen. Somit liegt auch keine Notwendigkeit vor, die Ergebnisse von Opferschauritualen in Modellen nachzubilden.

Für eine Verwendung der Tonlebern aus Boğazköy als Unterrichtsobjekte spricht weiterhin ihr Fundkontext; fast alle Stücke stammen aus Gebäuden (bzw. konnten dem Inventar von Gebäuden zugeordnet werden, s.S. 49), die als Bibliotheken zu bezeichnen sind: Bau A und E (mit zahlreichen Wahrsagetexten) auf Büyükkale sowie den Magazinen des Tempel I. Da nur die "amtlichen" Aufzeichnungen tatsächlich durchgeführter Leberschaurituale, wie die Anfragen an den Sonnengott (nAss) und die Omenberichte, als Archivgut aufgefaßt werden (vgl. WEIDNER 1952/53:197; s.S. 23), entsprechen die vorliegenden Modelle der Masse der Omentexte (Kompendien), die in Bibliotheken gelagert werden. Es ist anzunehmen, daß diese Bibliotheken der Ort sind, an dem (in Boġazköy) die Unterrichtung der Wahrsager sowie auch die Herstellung der Modelle erfolgte; über den Ort der Durchführung des Rituals läßt sich dagegen keine verbindliche Aussage treffen (den König und seine Familie sowie die Staatsgeschäfte betreffende Omina sind vermutlich im Bereich der Burg erstellt worden, solche für Personen aus der Bevölkerung im Bereich des Großen Tempels).

Die beiden Tonlebermodelle aus Meskene/Emar stammen aus der Bibliothek eines Tempels, der offensichtlich ausschließlich zur Durchführung unterschiedlicher mantischer Praktiken gedient hat (s.S. 35–36); dieser Fundzusammenhang legt eine bauliche Verbindung zwischen den Orten, an denen die Leberschau ausgeübt (terrassé cultuelle) wurde und an dem die Modelle hergestellt wurden (vermutlich Nebenräume des temple du devin) nahe. Da die bisher publizierten Omentexte aus Emar (vgl. ARNAUD 1975:87–92; 1980:377–38; 1982:47–51) keine Berichte enthalten, können die dort gefundenen Modelle ebenfalls als "bildhafte Kompendien" zur Ausbildung der Wahrsager und als Interpretation von Leberschaubefunden aufgefaßt werden.

Für die beiden weiteren Modelle dieser Gruppe (AO 8894, YOS X 3) liegen keine Fundangaben vor; sie stammen vermutlich aus Mari bzw. Babylonien und können als Beleg für die Verwendung derartiger Objekte auch in diesen Gebieten gelten. Dem Duktus nach zu urteilen sind beide Stücke älter zu datieren als diejenigen aus Emar und Boğazköy; demnach ist die Tradition derartiger Modelle auf babylonische Ursprünge zurückzuführen. Dort hat es offensichtlich neben den zahlreichen Berichten (z.B. Bab.: YOS X, zahlreiche Belege; Mari: NOUGAYROL 1967: Nr. L-N) auch "illustrierte Kompendien" gegeben; aus der Struktur der Beschriftung und Darstellung geht hervor, daß beide Modelle als solche aufzufassen sind. Während auf den restlichen (jüngeren) Exemplaren jeweils mehrere Krankheitsbilder graphisch gekennzeichnet sind (vgl Tab. 9), haben diese nur zur Illustration eines einzigen Befundes gedient (YOS X 3: *šīlu*; AO 8894: KI.GUB *kīma išqarrurtu*, dazu ausf. MEYER 1984a: 119–130). In dieser differierenden Darstellungsweise ist dennoch kein substantieller, sondern nur ein regionaler Unterschied zu sehen (dazu s.S. 264–269).

Die Modelle der Gruppe II (Hazor)

Die Modelle der Gruppe II (Hazor) weisen eine schriftlich verfaßte Apodosis auf, während die Protasis, die die der Wahrsagung zugrundeliegende Beschaffenheit einzelner Leberteile beschreibt, nur der graphischen Kennzeichnung zu entnehmen ist. Zu dieser Gruppe gehören bisher nur die zwei Fragmente (A und B) aus Hazor, die nicht als Teile eines Exemplars angesehen wurden (s.S. 24–25; Taf. 13,3-5).

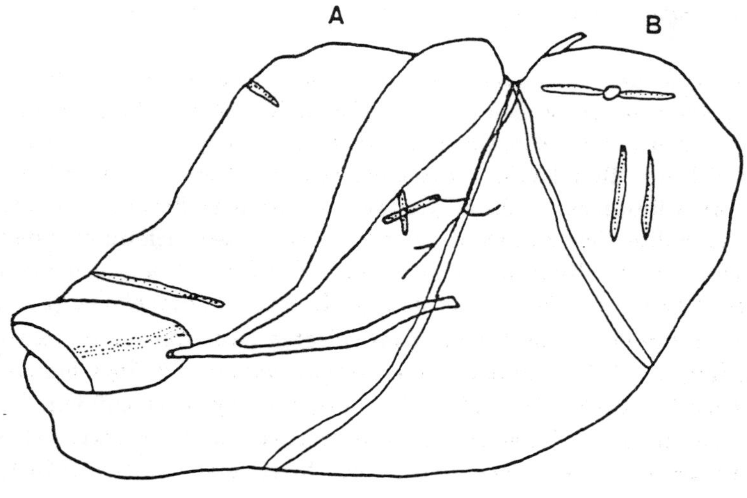

Die Fragmente A und B aus Hazor

Aus der dargestellten Beschaffenheit resultieren für die einzelnen Teilbereiche folgende Tendenzen der Deutungen:

	mazzāzu	*padānu*	*danānu*	*šulmu*	*martu*	*padān š. marti*	*ubānu*
A				33−	39+	63−	65−
B	2+	12−					

Tabelle 15: Auswertung der einzelnen Teilbereiche auf den Modellen aus Hazor (Gruppe II)

Da nur zwei Modelle dieser Gruppe vorhanden sind, ist eine verbindliche Beantwortung der Frage nach ihrer Verwendung schwierig. Die auf beiden Fragmenten erhaltenen Teilbereiche sind graphisch gekennzeichnet und schriftlich ausgewertet. Der Anteil an ungünstigen Omenergebnissen — drei ungünstige im Gegensatz zu zwei günstigen und einem unentschiedenen — ist wiederum relativ groß; außerdem weisen, mit Ausnahme der Gallenblase, alle untersuchten Leberteile Abweichungen von der Normalform auf (vgl. Tabelle 16: *mazzāzu*-Nr. 1a; *padānu*-Nr. 12; *šulmu*-Nr. 22; *maddi kussî*-Nr. 23(?); *ubānu*-Nr. 30(?)). Wegen dieser formalen Ähnlichkeiten erscheint es denkbar, daß den Fragmenten aus Hazor die gleiche Bedeutung — Unterrichtslebern — zuzuschreiben ist, wie den Modellen der Gruppe I. Diese Annahme wird auch durch das Fehlen einer schriftlich formulierten Protasis nicht eingeschränkt; die ausschließlich bildhafte Wiedergabe der Befunde sowie deren verbale Deutung im Sinne der Omina läßt vermutlich nur auf eine Abstraktionsfähigkeit schließen, die es erlaubt, auf Teile der erklärenden Beischrift zu verzichten. Eine derartige Darstellungsweise ist entweder auf zeitliche oder regionale Eigenentwicklungen zurückzuführen.

Weitere Möglichkeiten zur Interpretation dieser Modelle könnten sich aus einem Vergleich mit den unbeschrifteten Tonlebern, die aus dem gleichen Fundkontext stammen; ergeben, doch sind diese Stücke bisher nicht publiziert (vgl. dazu YADIN 1959/60:241). Daher muß die Frage noch offen bleiben, ob es sich bei diesen Exemplaren um "unbearbeitete Rohmodelle" von Unterrichtslebern handelt, oder ob sie einem anderen Verwendungszweck gedient haben (zur modellhaften Nachbildung von Berichten, s.S. 263–264). Beide Verwendungsmöglichkeiten lassen sich mit der Fundstelle — dem Hof des Tempels der Unterstadt — vereinbaren, der, wegen der zahlreichen Installationen, durchaus als der Ort angesehen werden kann, an dem die Leberschaurituale durchgeführt und derartige Modelle hergestellt (zur Fixierung tatsächlicher Ergebnisse) bzw. verwendet worden sind (zur Unterrichtung).

Die Modelle der Gruppe III (Mari, Tell al-Seib, YOS X 1)

Charakteristisches Merkmal der in dieser Gruppe zusammengefaßten Tonlebern ist die weniger ausführliche schriftliche Information zu den einzelnen Befunden; nicht alle graphisch gekennzeichneten Krankheitsbilder sind zusätzlich zur Kennzeichnung beschrieben (Protasis) und/oder ausgewertet (Apodosis). Zudem scheint sich der Text häufig nicht unmittelbar auf eine der Darstellungen zu beziehen, sondern gibt — in Art eines Resumées — die Gesamtaussage der betreffenden Leberschau bzw. des abgebildeten Befundes wieder. Sollte diese Annahme zutreffen, dann lassen sich durch eine Gegenüberstellung der verbalen Mitteilungen und der Kennzeichnungen (bzw. der dadurch angegebenen Beschaffenheit des Organs) möglicherweise Hinweise für die Auswertung der Leberschau entnehmen (s.u.).

Zunächst sollen aber, mit Hilfe der in Tabelle 8 festgelegten Bedeutungen einzelner Markenkombinationen, die Kennzeichnungen auf den Modellen interpretiert werden. Darüber hinaus wird der Versuch unternommen, bisher nicht belegte Marken auf der Grundlage des Systems, auf dem die Kennzeichnungen von Krankheitsbildern beruht, zu erklären und, falls vertretbar, mit Omentexten (Kompendien) gleichzusetzen (zu den Inschriften eines Teiles der Modelle aus Mari zuletzt SNELL 1974:117-123; sonst nach RUTTEN 1938:36-70).

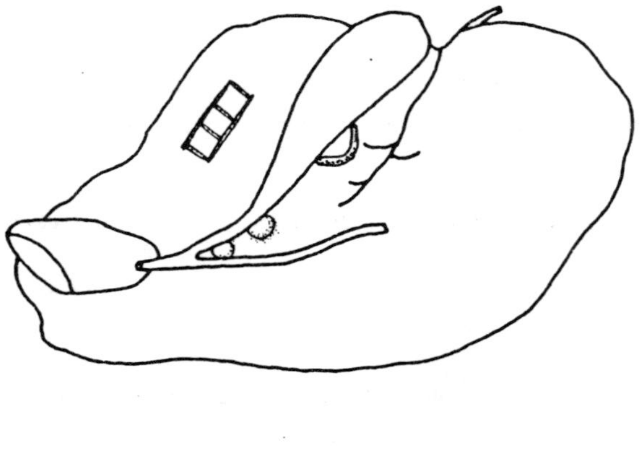

a-mu-ut
KIŠ.KI
šá! *šar-ru-ki-in*
"Weissagung über KIŠ, Sargon betreffend" (M 1)

Auf dem Modell (Taf. 14,4-5) sind drei Markierungen zu erkennen:

- Im Bereich des Leberteiles *šulmu* befindet sich eine halbrunde Einritzung, deren Enden jeweils bis an die Gallenblase heranreichen. Diese Darstellung ist als Wiedergabe einer Veränderung des Leberteiles *šulmu* von der Normalform — eine lineare Einritzung — aufzufassen. Eine vergleichbare Kennzeichnung ist von dem Modell Bo 19 bekannt (*šulmu kīma* U), und die daraus resultierende ungünstige Deutung des Befundes ist auf die vorliegende Marke zu übertragen ($Z = f(A^+ \Rightarrow A^-) \Rightarrow -$).
- Am hinteren Teil der Gallenblase (*maṣraḫ marti*) sind zwei rundliche Applikationen angebracht, die als Wiedergabe der Positivmarke *erištu* angesehen werden können (zu *erištu* s.S. 134; vgl. NOUGAYROL 1944/45:75). Ihre Position auf der rechten Seite des Organs (pars familiaris) läßt eine günstige Omenaussage erwarten ($Z = f(A^+ + B^+) \Rightarrow +$).
- Für die dritte Marke im Bereich des linken Leberlappens (*padān šumēl marti*?) — eine Ritzzeichnung in Form einer "Leiter" — gibt es weder aus den anderen Modellen noch aus den Texten eine erklärende Parallele.

a-mu-ut
*a-ga-dè*ki
šá ri-mu-uš
ú ma-na-áš-tu-šu
"Wahrsagung über Akkad, Rimuš und Maništušu betreffend" (M 2) (vgl. GOETZE 1947b:257)

- Die äußere Form des Lebermodells M 2 weist nicht die gewohnte Lappenbildung auf, sondern ist, bis auf verschiedene Einkerbungen des Randes, vollkommen rund gestaltet; der etwas tiefere Einschnitt zwischen den beiden Gallenblasen (dazu s.u.) deutet den Bereich des *bāb ekalli* an. Schon eine derartige Gestaltung ist als negatives Kriterium aufzufassen, da der erwünschte Gegensatz zwischen der rechten (pars familiaris) und linken Seite (pars hostilis) nicht deutlich ausgeprägt ist (vgl. HSM 7494, 20.26).
- Da alle Abweichungen von der Normalform zu ungünstigen Aussagen führen, sind die zahlreichen Einkerbungen des Randes (vor allem, auf der rechten, positiven Seite), ebenfalls als negatives Vorzeichen aufzufassen.
- Das zweifache Auftreten einer Gallenblase muß nicht zwangsläufig zu einer ungünstigen Deutung führen, doch spricht in diesem Falle die Position der beiden Organe zueinander für eine derartige Aussage; zum einen reicht deren Fundament jeweils bis auf die Spitze des Leberfingers (vgl. YOS X 31 VIII 30–37 für eine Gallenblase), zum anderen befinden sich die beiden Gallenblasen rechts und links (Normallage) vom

bāb ekalli (vergleichbar mit YOS X 31 I 12–17 für eine Gallenblase); die Lage der zusätzlich vorhandenen Gallenblase ist als abnorm anzusehen.

- Auf der rechten Seite des Leberfingers (*imitti ubāni* bzw. *birīt ubāni u nīri*, beide zur pars familiaris gehörig) befinden sich drei miteinander verbundene Applikationen, die als Darstellung von Positivmarken (*erištu*) anzusehen sind; da sie aber dreifach auftreten, ändert sich die positive Tendenz dieser Marke ($Z = f(A^{+} + B^{+}) \Rightarrow +$).

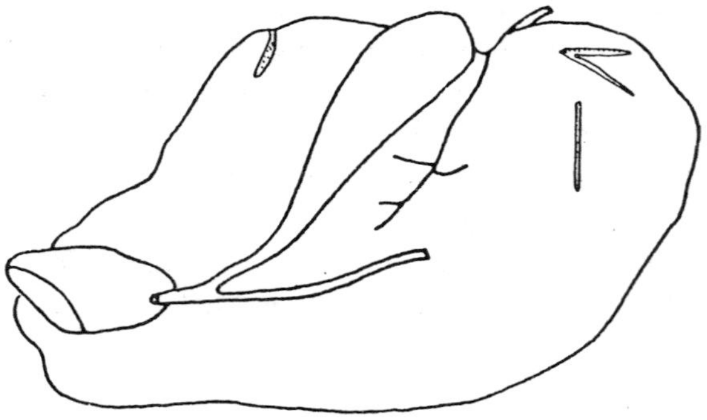

a-mu-ut na-ra-am- dSUEN
šá a-pí-šá-al
il-qá-é
"Weissagung über Naramsin, der (die Stadt) Apisal eingenommen hat" (M 3)

Das Modell M 3 ist zwar relativ stark beschädigt, doch sind alle dargestellten Kennzeichnungen erhalten.

- Die einfache senkrechte Einritzung auf dem rechten Leberlappen dient zur Kennzeichnung des Leberteiles *mazzāzu*; da für diesen Bereich keine weiteren Angaben vorliegen, kann es sich nur um die Wiedergabe der normalen, unveränderten Form des "Standortes" handeln (*mazzāzu īšu* - Nr. 1; positiv).
- Im Bereich des *padānu* befindet sich eine waagerecht verlaufende Ritzlinie als Kennzeichnung des "Pfades", von deren linkem Ende ("Fundament") eine weitere Ritzung schräg nach rechts führt; zwar kann eine mit Sicherheit zutreffende Parallele für diese Markenkombination nicht angeführt werden, doch dürfte es sich dabei um das zweifache Auftreten dieses Leberteiles handeln. In diesen Fällen besitzt das Verhältnis der beiden Erscheinungen zueinander omenbildende Bedeutung. Es ist denkbar, in dieser Darstellung ein Bild der mit *rakābu* "reiten" (Nr. 28) beschriebenen Veränderung zu sehen (*padānu 2–ma ritkubu*; vgl. NOUGAYROL 1944/45: 58 für *danānu*); da sich der zusätzlich beobachtete Pfad in das rechts gelegene Gebiet (pars familiaris) erstreckt, ist mit einer ungünstigen Bedeutung des Befundes zu rechnen (vgl. Diskussion zu Bo 24, s.S. 130; $Z = f(A^{+} \Rightarrow A^{-}) \Rightarrow -$).
- Die tiefe Einkerbung am linken Rand ist dagegen als günstige Erscheinung zu interpretieren, da sie sich auf der "feindlichen" Seite (pars hostilis) befindet.

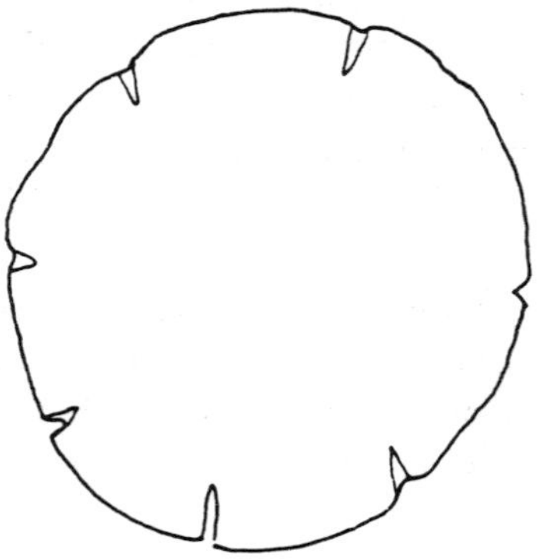

a₁₂-mu-ut
ša-aḫ-lu-uq-tí
a-ga-dè[ki]
"Wahrsagung über die Vernichtung von Akkad" (M 4)

- Die äußere Gestalt des Modells (Taf. 14,6-7) ist wiederum nicht in Lappen gegliedert (vgl. M 2); die zahlreichen Einkerbungen des Randes sowie das vollständige Fehlen wesentlicher Organteile (Gallenblase, Leberfinger) betonen zusätzlich die Darstellung eines abnormen Zustandes, eine Beschaffenheit, die zweifellos zu einer ungünstigen Omenaussage führt (zum Text vgl. YOS X 13,1; 26 I, 22).

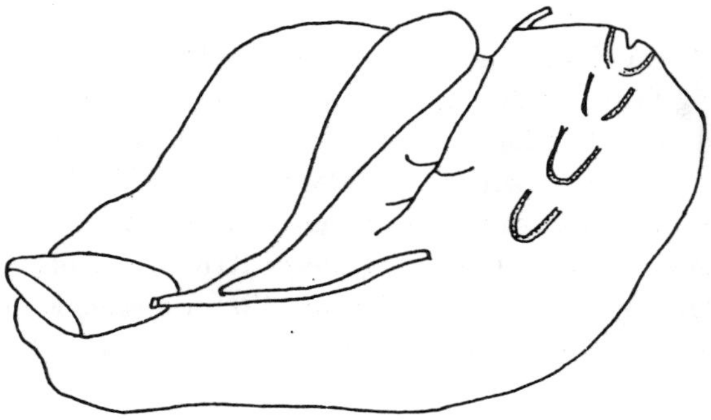

a-mu-ut
šul-gi
šá a-ga-a-šu
in-di-i
"Weissagung Šulgi betreffend, der seine Krone abgeworfen hat" (M 5)

- Das Modell (Taf. 14,8-9) weist nur im Bereich des *mazzāzu* eine Kennzeichnung auf; anstelle (*ina maškani-šu*) der senkrechten Ritzlinie sind vier u-förmig gebogene Einritzungen angebracht. Vermutlich wird dadurch ein vierfaches Vorkommen des "Standortes" sowie die ungewöhnliche Lage der einzelnen Abdrucke angedeutet (die sich am Rand befindende Kennzeichnung kann auch als Markierung des "Pfades" angesehen werden); eine vergleichbare Kennzeichnung findet sich auch auf dem Modell Bo 9 (*kīma* ŠU.GUR) und ist als ungünstiger Befund anzusehen (Z = f(A+ ⇒A−) ⇒ —). Darüber hinaus weist auch die Art der Kennzeichnung des Befundes — durch Einritzungen — auf ein derartiges Omenergebnis hin.

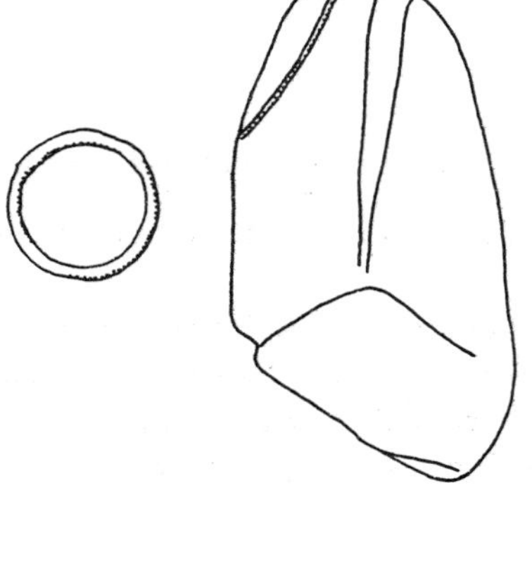

a-mu-ut
sú-ḫu-ra-im
ší i-bí dSUEN
ba-táq? ma-ti-šu i-ba-al-ki-ti-šu
"Wahrsagung über die politische Wendung des Ibbisuen, gegen den ein Teil(?) seines Landes sich empörte" (M 6)(zu *suḫurr'ūm, suḫurrû*, vgl. AHW 1055a)

- Auch in diesem Fall (Taf. 15,1) fehlt wieder eine eindeutige Lappenbildung (der Einschnitt zwischen den beiden Lappen ist nicht angegeben).
- Links von der Gallenblase ist eine Einritzung angebracht, die schräg vom linken Rand bis zur Gallenblase reicht; vergleichbare Markierungen finden sich auf den Modellen Bo 13, 19, 23 und sind als Kennzeichnung von *padān šumēl marti* aufzufassen; in Analogie zu diesen Beispielen ist auch hier eine günstige Omenaussage zu erwarten.
- Eine weitere Markierung in Form eines eingeritzten Kreises befindet sich auf der Rückseite des Modells. Eine ähnliche Kennzeichnung liegt auf dem Modell AO 8894 (dazu ausf. MEYER 1984a:119–130) vor und wird als Krankheitsbild des "Standortes" (auf dem rückwärtigen Teil der Leber) interpretiert; als mögliche Bezeichnung dieser Anomalie kommt der Begriff *kīma* ŠU.GUR "wie ein Finger" (Nr. 8) in Betracht, eine Veränderung, die ein ungünstiges Omenergebnis impliziert (Z = f(A+ ⇒A-)⇒ — ; vgl. auch Bo 8). Auch eine weitere denkbare Erklärung dieser Kennzeichnung — *šuršurru* "Ring" — führt zu einer ungünstigen Deutung (vgl. YOS X 41,19 für die Milz). Entscheidend für die Annahme, in dieser Darstellung eine Negativmarke zu sehen, ist ihre Wiedergabe durch eine Einritzung.

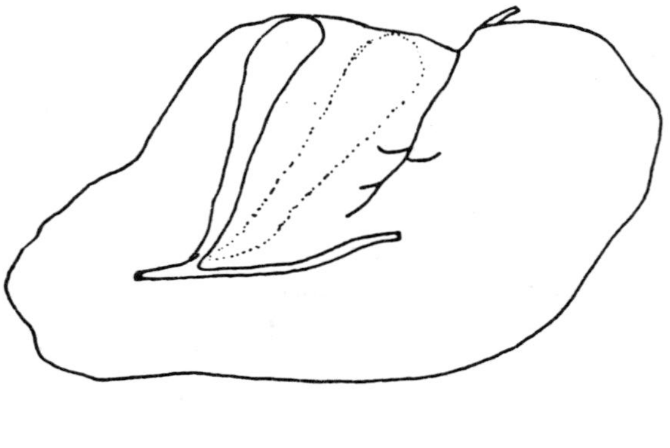

i-nu-mi
i-bí dSUEN
ma-sú
i-ba-al-ki-tù-šu
a-ni-u-um
ki-am i-šá-kín
"als (sich) das Land des Ibbisuen gegen ihn empörte, wurde dies so festgelegt" (M 7)

- Auf dem Modell (Taf. 15,2-3) fehlt die Angabe des Leberfingers, zweifellos eine ungünstig zu interpretierende Erscheinung.
- Auch die Gallenblase befindet sich nicht in der gewohnten Position; sie ist nach links — in das "feindliche" Gebiet — verlagert, und an ihrer "normalen" Stelle zeigt sich nur eine flache Mulde (*martu nasḫat* "die Gallenblase ist herausgerissen" vgl. z.B. YOS X 31 III, 41–44). Aufgrund der Verlagerung auf die linke Seite ist ein positives Omen anzunehmen (vgl. Bo 23).

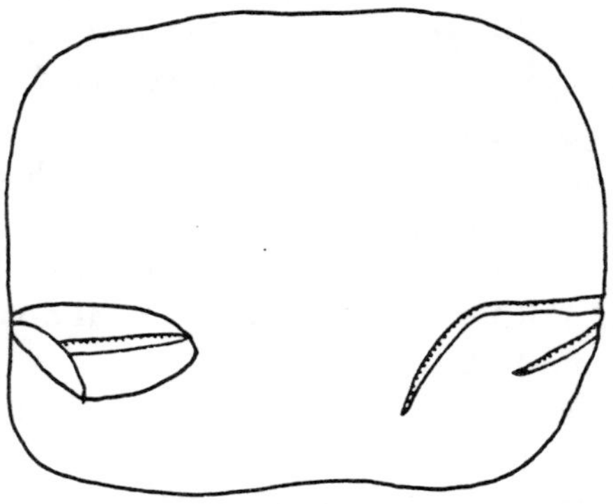

a-mu-ut
i-bí dSUEN
šá ú-ra-am
ELAM.KI *a-na ti-li*
ú kàr-me$_5$
iš-ku-un
"Weissagung Ibbisuen betreffend, zu dessen (Zeit) (?) Elam Ur in Schutthügel und Ruinen verwandelte" (M 8)

- Das ebenfalls beschädigte Modell weist keine oder nur eine kaum ausgeprägte Gliederung der äußeren Form auf; weiterhin fehlt eine Angabe der Gallenblase. Auch der Leberfinger ist ungewöhnlich gestaltet: Eine Vertiefung in der Mitte läßt auf eine Deformation schließen, die in den Texten vermutlich mit *kapāṣu* "sich zusammenziehen", "einknicken" (dazu GOETZE 1957a:102–103) beschrieben wird (vgl. z.B. YOS X 11 III,21; vgl. NOUGAYROL 1944/45:95–96; im Gegensatz zu *naparqudu* "auf den Rücken fallen", "sich erheben"). Darüber hinaus ist auch der rechte Leberlappen von tiefen Einkerbungen eingeschnitten. Alle Kennzeichnungen lassen auf ungünstige Omenaussagen schließen.

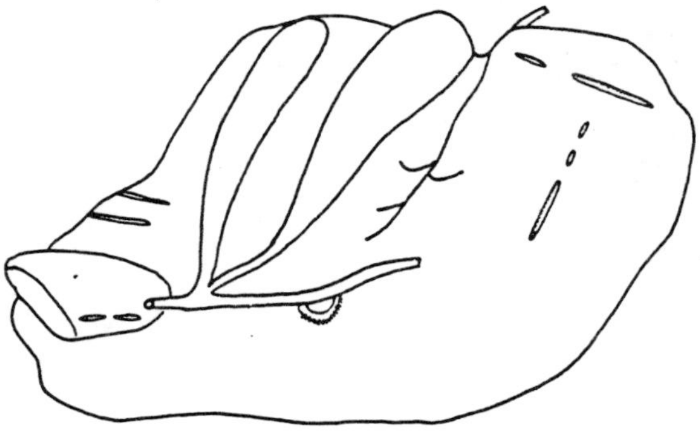

a-mu-ut
iš-bi-ìr-ra
šá ELAM.KI
tá-sé-il-šu
ú ELAM.KI *il-qá-a*
"Weissagung Išbierra betreffend, den Elam bekämpft hat, und der sich Elam genommen hat" (M 9)

- Die Kennzeichnung des "Standortes" — eine senkrechte Einritzung — ist zweimal unterbrochen; als mögliche Protasis kommt *mazzāzu 2–ta ipṭur (pašṭa)* in Betracht, ein Befund, dessen Tendenz aufgrund der Bedeutung von *paṭāru (pašāṭu)* negativ zu beurteilen ist (vgl. CT 31 13; s.S. 101).
- Ein ähnliches Krankheitsbild liegt auch für den Bereich *padānu* vor; dort ist die betreffende Kennzeichnung — eine waagerechte Ritzlinie — jedoch nur einmal unterbrochen (*paṭāru, pašāṭu*). Dieser Befund führt ebenfalls zu einem ungünstigen Ergebnis.
- Auch das zweifache Auftreten der Gallenblase ist in diesem Fall negativ zu bewerten, da ihre Ausgänge (*maṣraḫ marti*) getrennt sind (vgl. KAR 423 III, 23: 2–*ta* ZÉ.MEŠ-*ma* SUR-*ši-na a-ḫi-e*; ähnlich YOS X 31 X 26–29; im Gegensatz zu Bo 18, KAR 434, Rs. 10).
- Die beiden parallelen Einritzungen am linken Leberrand sind als Kennzeichnung von *padān šumēl marti* zu verstehen (zweifaches Vorkommen) und stellen ein negatives Vorzeichen für den Fragesteller dar (vgl. Hazor, Inschrift 6 für eine Einritzung; LANDSBERGER/TADMOR 1964:212 sehen darin allerdings eine Kennzeichnung von *maddi kussî*, dazu s. aber S. 162–163).
- Die rechte Seite des Leberfingers (pars familiaris) weist zwei übereinanderliegende Einritzungen (*piṭru*) auf, die mit Sicherheit als Negativmarken anzusehen sind. Aus dieser Markenkombination resultiert ein ungünstiges Omenergebnis ((Z = f(A⁺ + B⁻) ⇒ — ; vgl. HSM 7494,58 für den entgegengesetzten Befund, dem Auftreten einer entsprechenden Veränderung auf der linken Seite des Leberfingers, mit entgegengesetztem Ergebnis).
- Unmittelbar an der länglichen Applikation, die den rechten Leberlappen vom lobus caudatus trennt und die als Wiedergabe der *nār amūti* "Pfortader" aufzufassen ist, befindet sich eine weitere, halbrunde Applikation; aufgrund der Form und der topographischen Lage ist darin eine Darstellung von *ṣibtu* zu sehen. Dieses Leberteil wird, im Gegensatz zu den Modellen der Gruppe I, auf den Tonlebern aus Mari nur selten angegeben (M 10, 18, 25). In diesem Fall ist die normale, unveränderte Form anzunehmen, da als Kennzeichnung eine Applikation dient (s.u.) und *ṣibtu* zur Kategorie *šīru* "Fleisch" gehört.

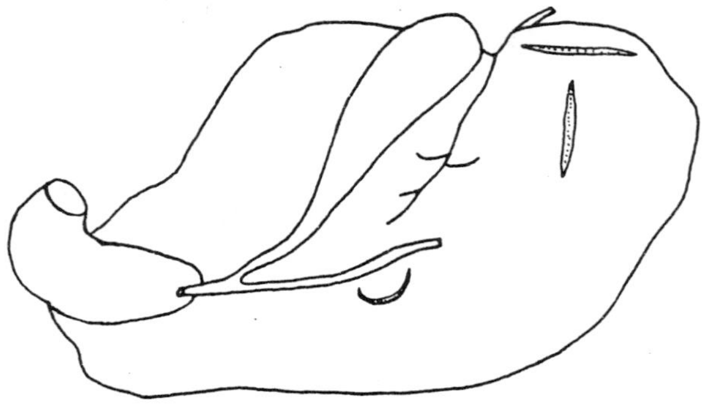

i-nu-mi
šu-ba-ri-ú
a-na iš-bi-ir-ra
iš-ta-pá-ru-ma
a-ša-ar
ša-ni-im
šu-ba-ri-ú
i-sà-aḫ-ru-na
a-ni-u-um
ki-am i-ša-ki-in
"Als die Subaräer zu Išbierra immer wieder schickten und daraufhin die Subaräer sich zu einer anderen Seite wendeten, wurde dies so festgesetzt" (M 10)

- Die Leberteile *mazzāzu* und *padānu* sind in ihrem normalen Zustand — durch eine senkrechte bzw. waagerechte Ritzlinie — wiedergegeben.
- Auch die Gallenblase ist in ihrer normalen Form dargestellt.
- Die Spitze des Leberfingers ist offensichtlich nach vorne, in Richtung des rechten Leberlappens (*ana mazzāzu iṭṭul*(?)), gebogen (Z = f(A+ ⇒A+) ⇒+; vgl. Bo 23).
- Die als Kennzeichnung von *ṣibtu* angesehene Markierung (s.o.) besteht in diesem Falle nicht aus einer Applikation, sondern wird durch eine Ritzung wiedergegeben. Eine derartige Darstellungsweise deutet bei den Marken der Kategorie AI (*ṣīru* "Fleisch") auf einen ungünstigen Befund hin; möglicherweise handelt es sich um ein mit *nasāḫu* "herausreißen" beschriebenes Krankheitsbild (vgl. YOS X 31 I, 12–17; ähnliche Darstellungsweise Bo 6.21; alle Beispiele behandeln aber die Gallenblase). Die Darstellungsweise des Leberteiles *ṣibtu* auf den beiden zuletzt besprochenen Modellen (M 9, 10) ist anhand der Umzeichnungen nicht genau zu verifizieren. Es besteht die Möglichkeit, daß auch auf dem Modell M 9 dieser Bereich durch eine einfache Ritzung angegeben ist und diese Kennzeichnung als Wiedergabe der "Normalform" aufzufassen ist (vgl. M 25).

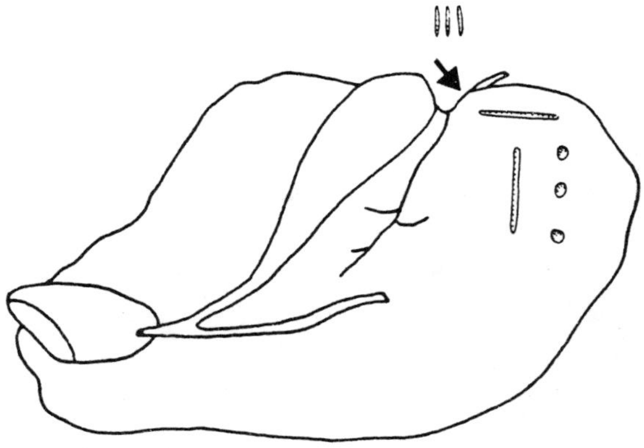

šum-ma [...]
ma-tim
i-šá-ni
"Wenn [...] des Landes sich ändert" (M 11)

a-mu-ut ku-si-im šá in KIŠ.KI
a-na pá-ni ú-ma-ni-im
pí-il-šu i-pá-al-šu
ú ú-ma-an ᵈ*iš-má* ᵈ*da-gan*
i-lá-qí-i
"Wahrsagung ...,demzufolge in Kiš im Angesicht des Heeres Löcher (Durchbruchstellen) gebohrt werden und das Heer des Išmedagan nimmt (die Stadt) ein" (M11; Rs)

- Im Bereich des "Standortes" (Taf. 15,4-5) sind anstelle der senkrechten Einritzung drei Durchbohrungen (*šīlu*) angebracht (vgl. die Erwähnung von *pilšu* im Text auf der Rückseite; allerdings bezieht sich diese Inschrift nicht allein auf die Beschaffenheit des "Standortes", sondern auf die gesamte Darstellung, dazu s.S. 213). Diese Markierung ist eindeutig negativ zu bewerten (vgl. NOUGAYROL 1950:29; Z = f(A+ + B−) ⇒ —).
- Die eigentliche Kennzeichnung des "Standortes" ist nach links, zum Bereich des *bāb ekalli*, verschoben; auch darin ist ein ungünstiger Befund zu sehen (vgl. YOS X 13, 6–7; 24).
- Das Leberteil *padānu* wird durch eine einfache waagerechte Ritzung als unverändert angegeben; auch die Gallenblase und der Leberfinger weisen keine Abweichungen vom Normalzustand auf.
- Die dreifache Kennzeichnung des *danānu* - durch drei senkrechte Ritzlinien — ist dagegen als ungünstiger Befund zu werten (vgl. Bo 23; vgl. NOUGAYROL 1944/45:58).

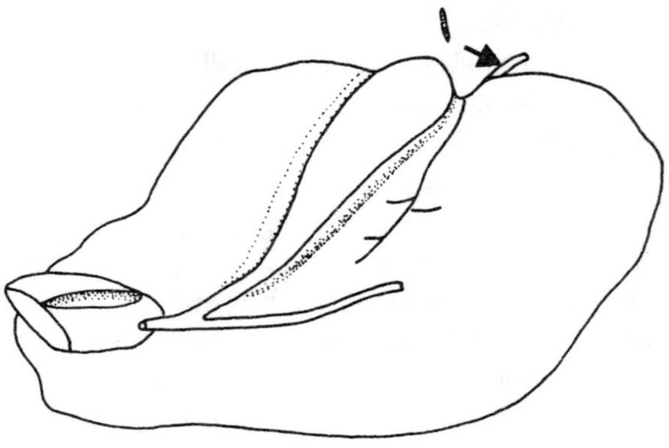

ša-ru-um
in KÁ
"Wind im Tor" (M 12)

šum-ma
a-mu-ru-um
i-ṣa-hé-er
⌈*ki*⌉*-am i-ša-kà-an*
"Wenn Amurrum klein sind, wird (es) so festgelegt" (M 12; Rs)

ni-ik-pu
a-nu-túm
qú-ú-ša!? *ša-mì(?)-iṭ*
"Stoßstellen sind diese(?), ihr (der Leber)Fädchen ist/ragt spitz heraus " (M 12 Rs; zur Verwendung von *nikip* in Omentexten, vgl. EDZARD 1982:285)

- Der gesamte rechte Leberlappen weist keine Kennzeichnung auf; die dort befindliche Inschrift könnte sich eventuell auf *bāb ekalli* beziehen, doch ist auch für diesen Bereich keine Abweichung von der Normalform festzustellen.
- Im Bereich von *danānu* befindet sich eine senkrechte Einritzung; dabei handelt es sich um die Kennzeichnung der unveränderten Form des Leberteiles (*danānu īšu* vgl. NOUGAYROL 1944/45:56, s.S. 132).
- Die normal gebildete Gallenblase wird durch einen schmalen Steg von der Leberoberfläche abgehoben; da dieser Steg auf beiden Seiten des Organs sichtbar ist, kann dadurch ein Zustand bezeichnet werden, der beide Seiten gleichermaßen betrifft (etwa GOETZE 1957a:Nr. 9; ein positiver Befund; mit einem solchen ist schon deshalb zu rechnen, weil die zusätzliche Kennzeichnung appliziert ist).
- Die linke Seite des Leberfingers ist durch eine Einkerbung deformiert, ein Befund, der mit Sicherheit eine günstige Wahrsagung für den Fragesteller ergibt ($Z = f(A^- + B^-) \Rightarrow +$). Für die verbale Beschreibung kommt wiederum der Begriff *kapāṣu* in Betracht (vgl. M 8).

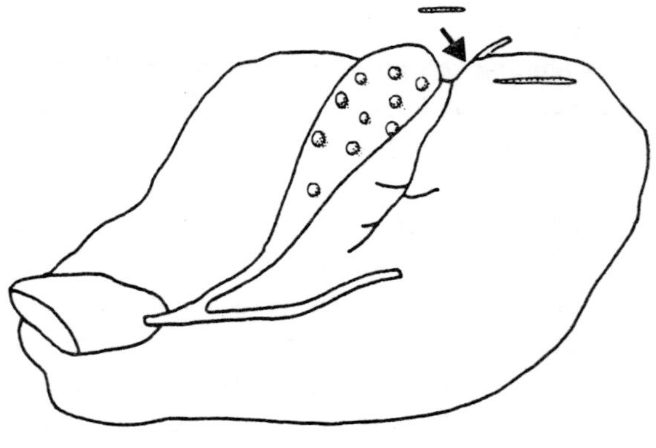

a-mu-ut na-ḫa-ni
šu-ut i-na ba(?)-aḫ-ri-[...]
"Wahrsagung die Naḫani(?) betreffend, welche in .... sind" (M 13)

da-na-nu-um
šu a-bu-li-im
"*danānu* des *abullu*" (M 13; Rs)

- Die Kennzeichnung des "Pfades" erfolgt durch eine einfache waagerechte Einritzung (*padānu īšu*).
- Im Bereich von *danānu* befindet sich eine waagerechte Einritzung (anstatt der "normalen" senkrechten), die bis an das Gebiet von *bāb ekalli* reicht (auf diesen Befund könnte sich die Inschrift auf der Rückseite beziehen; zur Gleichsetzung von *abullu* und *bāb ekalli* vgl. JEYES 1978:212–213). Der dargestellte Befund kann mit dem Text YOS X 21,9 gleichgesetzt werden (vgl. die Ausführungen zu Bo 19 mit ähnlicher Darstellung) und ergibt mit Sicherheit eine ungünstige Deutung ($Z = f(A^{+} \Rightarrow A^{-}) \Rightarrow -$).
- Auf der Gallenblase sind zahlreiche rundliche Erhebungen angebracht; betroffen von dieser Veränderung ist vor allem der Bereich des "Kopfes". Falls die Annahme zutrifft, in Applikationen die Wiedergabe von Positivmarken sehen zu können (*erištu, itaddu*), dann handelt es sich bei diesem Befund um eine günstige Erscheinung ($Z = f(A^{+} + B^{+}) \Rightarrow +$).

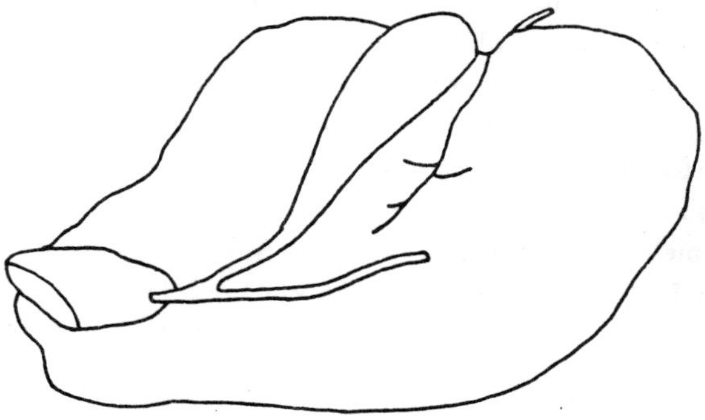

šu-ma i-kà-am pá-al-ga-am
ḫa-ra-iš ú ⌈*sa*⌉*-ak-ru-ma*
ú ma-lá-kú-šu
ú-ša-ti-ú-šu
(n. CAD M/1 158,6: "if they ... to dig a dike and change its course"; anders AHW 326a) (M 14)

- Auf dem Modell finden sich keine Kennzeichnungen und auch die Gallenblase und der Leberfinger scheinen "normal" gebildet. Die auf der Vorderseite angebrachte Inschrift könnte sich zwar vom Inhalt her (Kanal) auf die Gallenblase beziehen, eine entsprechende Darstellung ist aber nicht zu erkennen. Die unveränderte Wiedergabe der Gallenblase läßt daher auf einen günstigen Befund schließen.

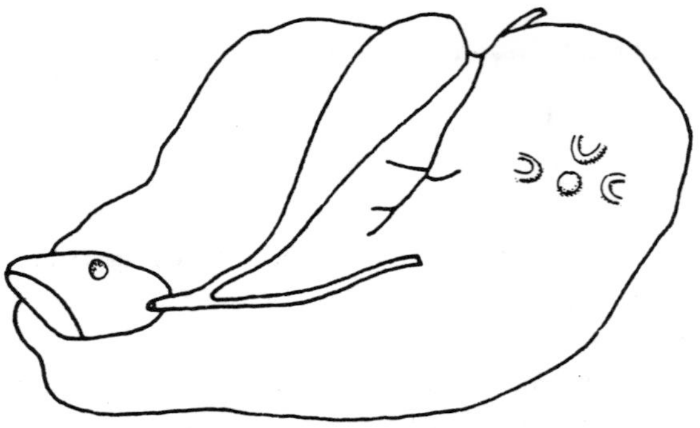

šum-ma BÀD.KI
na-ak-ru-um
ṣa-i-il-šu
"Wenn der Feind die Mauer bekämpft" (M 15)

pu-uš-qú-um
"Enge" (Not) (M 15; Rs)

- Anstelle der normalen Kennzeichnung des "Standortes" (*ina maškani-šu*) — einer senkrechten Ritzlinie — ist bei diesem Modell eine rundliche Applikation angebracht, die von drei weiteren halbrunden Applikationen umgeben ist. Das Auftreten einer Positivmarke (Applikation — *erištu*) anstelle eines Leberteiles hat eine ungünstige Deutung zur Folge (vgl. Bo 17, für den Bereich von *danānu*; weitere Beispiele NOUGAYROL 1944/45:73). Diese ungünstige Aussage wird auch durch das Vorkommen weiterer Positivmarken — als solche müssen die drei halbrunden Applikationen angesehen werden (evt. *šēpu*, vgl. Bo 23 zu *ṣibtu*) — nicht beeinflußt ($Z = f(A^+ \Rightarrow A^-) \Rightarrow -$).
- Auf der linken Seite des Leberfingers befindet sich ein Loch (*šīlu*), mit Sicherheit ein günstig zu interpretierendes Krankheitsbild ($Z = f(A^- + B^-) \Rightarrow +$; die Inschrift b bewertet zwar die Anomalie (*šīlu* = ungünstig), gibt aber keine Deutung).

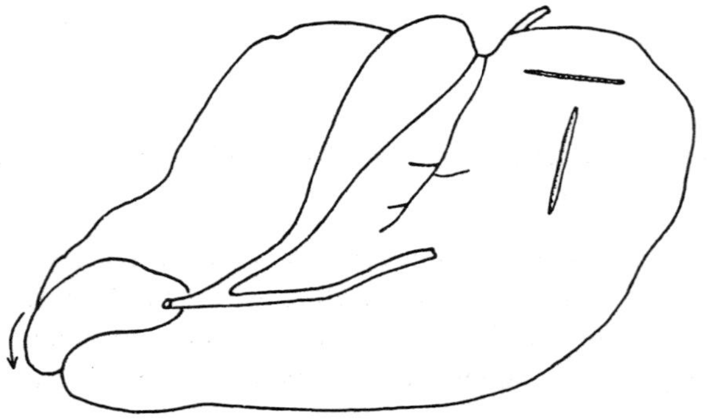

a-mu-ut
šá-ḫu-ru-ri-im
šá ú-ma-nu-um
i-is-ḫu-ur
"Weissagung des totenstill Werdens, welche (bedeutet:) die Armee wandte sich um" (M 16)

- Die Bereiche *mazzāzu* und *padānu* sind durch die entsprechenden Einritzungen als "normal" gekennzeichnet; das gleiche gilt für die Gallenblase.
- Dagegen liegt für den Leberfinger eine deutlich sichtbare Veränderung vor; seine Spitze (*rēš ubāni*) reicht bis auf die Rückseite des Modells. Zwar kann den Texten kein entsprechender Vergleich entnommen werden, doch läßt sich der Befund im Sinne der Textaussage [*ubānu ana warkat amūti iṭṭul*] interpretieren. Eine vergleichbare Position der Gallenblase ergibt eine günstige Omenaussage (z.B. YOS X 31 V, 48–49: *šar-ru-um* [*se*]*-er še*$_{20}$*-er-ri-šu a-di ḫa-am-ši-*[*šu*] *i-na* GIŠ.GU.ZA*-im* ⌈ú⌉*-ša-ab*), die auch für die vorliegende Anomalie zutreffen sollte (Z = f(A+ ⇒A+)⇒+).

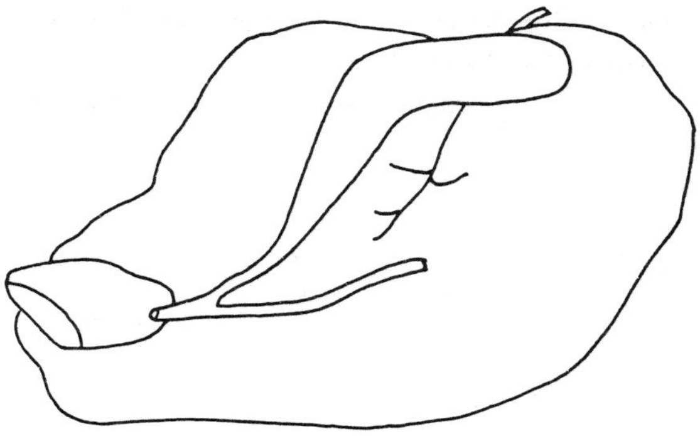

a$_{12}$*-mu-ut*
ú-da-te$_4$
šá da-ri-a$_4$*-tí*
sá na-ak-ru-um
ma-tám i-ku-lu-ma
ú ú-ta-nu-um
a(?)*-ás-lá-am*
"Weissagung ewiger ..., welche (bedeutet:) die Feinde fraßen das Land und .... (?)"
(M 17; Rs)

- Die einzige auf diesem Modell erkennbare Markierung bezieht sich auf eine Veränderung der Gallenblase. Sie endet nicht am Rand des linken Leberlappens, sondern biegt nach rechts um und reicht über die Einziehung zwischen den beiden Lappen (*bāb ekalli*) hinweg bis auf den rechten Lappen. Vergleichbare Veränderungen werden in den Kompendien mehrfach beschrieben und ergeben immer eine ungünstige Omenaussage (z.B. YOS X 31 I, 12–17: *šum-ma mar-tum na-as-ḫa-at-ma* [*i-n*]*a* KÁ.É.GAL*-im* [*la-w*]*i-a-at* [*né*]*-ku-úr-tu-um iš-*⌈*ša*⌉*-ak-ka-an* "Wenn die Gallenblase herausgerissen ist und um das Tor des Palastes gelegt ist: Feindschaft wird gesetzt werden"; vgl. ferner YOS X 31 V, 7–12).

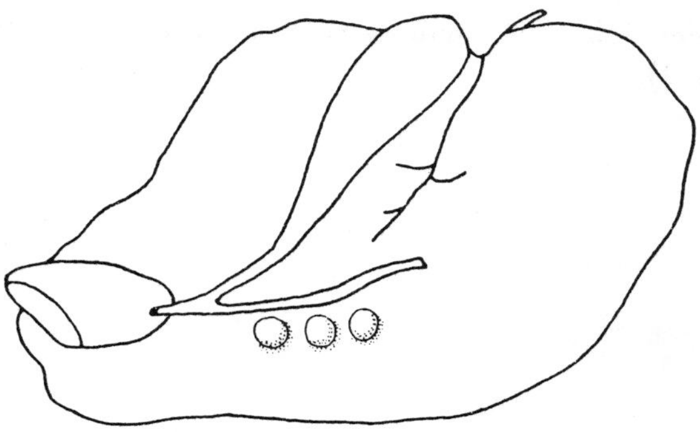

a-mu-tum
sá na-qá-ar
a-li ṣa-ḫa-ru-tí
"Weissagung über die Zerstörung kleiner Dörfer"(M 18)

šum-ma ma-al-ku
a-ša-ad a-ṣé-er wa-ṣí-i
"Wenn ein König gegen das Gebirge, gegen die Steppe ausgezogen ist" (M 18; Rs)

- Auch auf diesem Modell (Taf. 15,6) ist nur ein Krankheitsbild dargestellt; dabei handelt es sich um eine dreifache längliche Applikation auf dem lobus caudatus, d.h. um die dreifache Kennzeichnung des Leberteiles *ṣibtu*. Das drei- oder mehrfache Vorkommen eines Leberteiles ist als ungünstiges Vorzeichen anzusehen (s.S. 101–102); ein mit der vorliegenden Darstellung vergleichbarer Omentext bestätigt diese Annahme (AO 7033,9 = NOUGAYROL 1944/45:85).
- Die senkrechte Einritzung auf der Rückseite des Modells ist vermutlich nicht als Markierung eines Befundes zu verstehen.

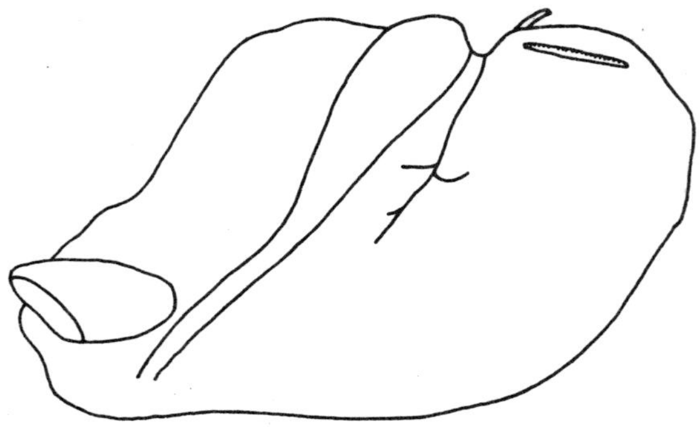

šu-ma na-ak-ru-um
a-na a-li-im a-i-ma
te-bi-am i-ta-ú-ma
a-wa-sú ú-ṣí-i-a-am
a-ni-um ki-a-am
i-ša-kà-an
"Wenn der Feind gegen irgendeine Stadt einen Angriff plant und (wenn) dann sein Wort herausgeht, ist dies so gesetzt" (M 19; Rs)

- Das Leberteil *padānu* ist durch eine waagerechte Ritzlinie als "normal" gekennzeichnet.
- Das hintere Ende der Gallenblase (*maṣraḫ marti*) reicht bis an die rechte Seite des Leberfingers; eine derartige Verlängerung der Gallenblase muß als günstiges Vorzeichen aufgefaßt werden (vgl. YOS X 31 II, 1–7; 24–30; V, 43–VI, 3).

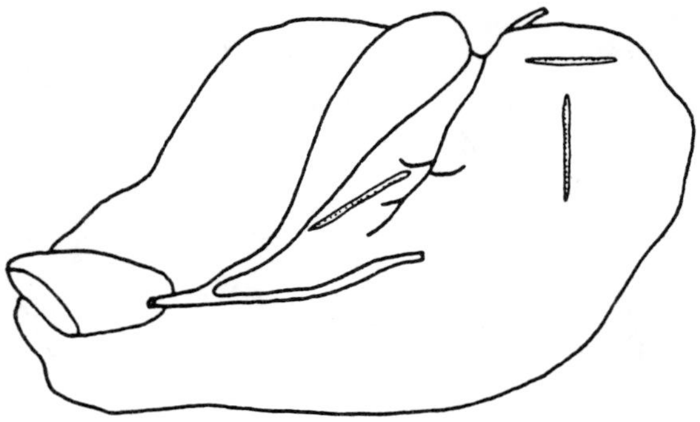

lik:ma
KALAM
"König der Länder" (M 20)

- "Standort" und "Pfad" sind durch die entsprechenden Ritzungen als normal gekennzeichnet (Taf. 15,7).
- Eine weitere Ritzlinie rechts neben der Gallenblase ist als Marke für die "normale" Beschaffenheit des Leberteiles *šulmu* aufzufassen.

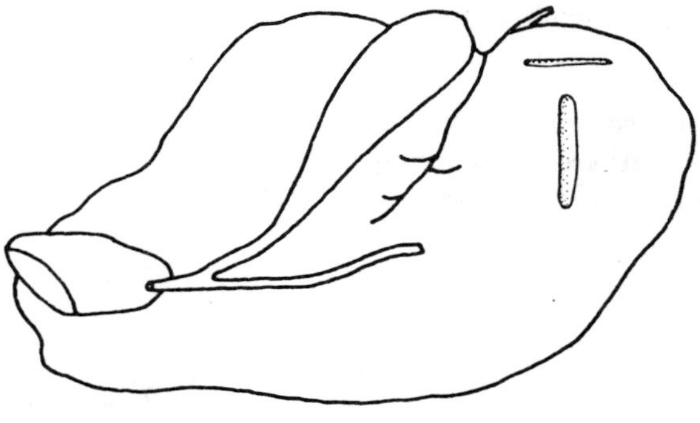

šum-ma šar-ru-um
ma-tám i-sà-ni-iq
"Wenn der König das Land überprüft" (M 21)

- Auf dem Modell (Taf. 15,8-9) ist der "Standort" durch eine etwas breitere Einkerbung gekennzeichnet als üblicherweise; wenn dadurch ein Befund im Sinne von *rapāšu* "verbreitern" ausgedrückt wird, ist eine ungünstige Tendenz anzunehmen (vgl. Bo 16; MSK 1; AO 9066,5–6 = NOUGAYROL 1950:24). Andererseits kann diese Kennzeichnung auch als Wiedergabe von *kapāṣu* angesehen werden (vgl. M 12); für diese Annahme spricht die Verwendung einer breiten und tiefen Einkerbung im Gegensatz zu der normalen Ritzlinie; außerdem deutet die Inschrift auf einen ungünstigen Befund hin, der bei dieser Interpretation gegeben wäre.
- Der Bereich von *padānu* weist eine einfache waagerechte Ritzlinie als Kennzeichnung der "normalen" Beschaffenheit auf.

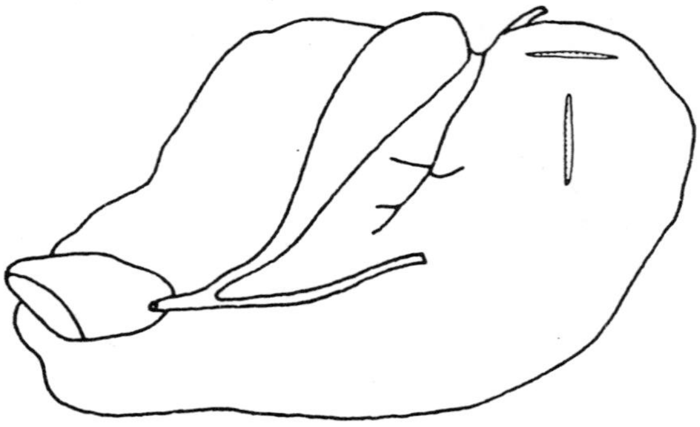

i-nu-mi
šar-ru-um
ma-tám
na-kà-ar-tám
a-na ṣe-ri-šu
ú-ti-ru-na
a-ni-u-um
ki-am i-sá-kín
na-š[*u* D]A-*ab-tum*
[...] x -*šu*
"Als der König ein feindliches Land sich aneignete, war dies so gesetzt worden ...." (M 22)

- Die Bereiche *mazzāzu* und *padānu* sind mit den normalen Marken versehen; auch die Gallenblase ist — soweit erhalten — ohne sichtbare Veränderungen dargestellt. Weitere Aussagen sind nicht zu treffen, da der Bereich des Leberfingers nicht erhalten ist.

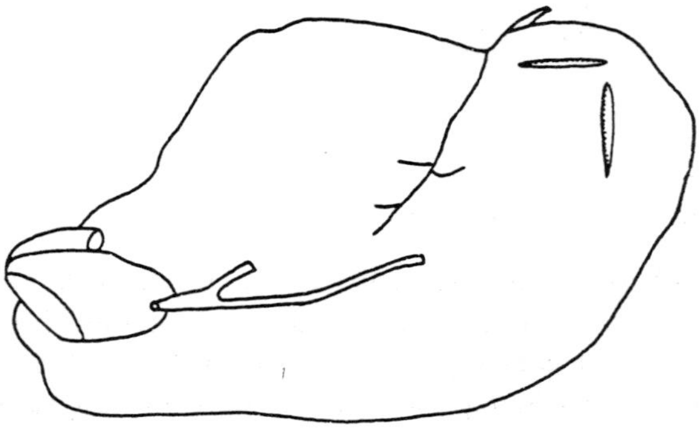

šum-ma ru-ba-am
ru-ba-um i-ṣa-lí
a-nu-um ki-a-am
i-šá-kà-an
a-na ma-al-ku-i-in
i-ki-in
"Wenn ein Fürst einen Fürsten bekämpft, wird dies so gesetzt; für beide Fürsten..." (M 23)(vgl. CAD M/1, 166b)

- Die Bereiche *mazzāzu* und *padānu* sind wiederum mit der "normalen" Kennzeichnung versehen.
- Dagegen liegt für den Verlauf der Gallenblase eine Veränderung vor; sie befindet sich über dem Leberfinger und reicht bis auf die Rückseite des Modells. Ein vergleichbarer Befund wird in den Texten YOS X 31 II, 31–37; V, 43–VI, 3 geschildert und günstig bewertet (*šum-ma mar-tum is-ḫu-ur-ma mu-úḫ-ḫa-am ša ú-ba-ni-*⌈*im*⌉ *il-ta-we šar-ru-um* SUKAL.MAḪ-*šu i-na-as-sa-aḫ*).

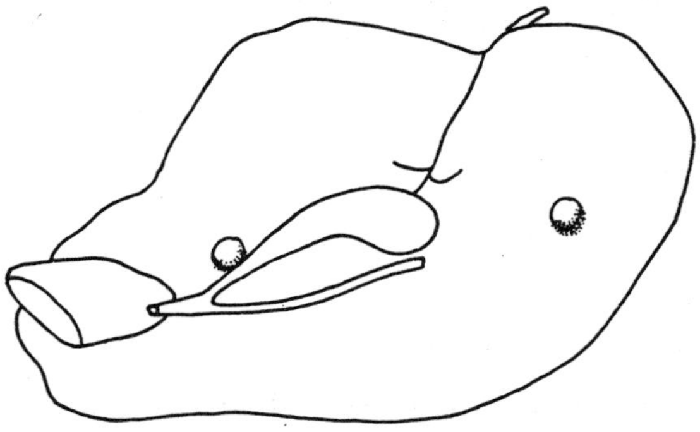

šum-ma be-al
šu-me-im ṣa-ba-am
in za-ri-šu ú-ta-ma
ú-wa-sí-i
"Wenn der Herr eines Namens Personal bei seinen Feinden entdeckt und identifiziert hat" (M 24)

šum-ma ru-bu-um
ú-ṭá-ra-ad
a-na a-li-šu
"Wenn ein Fürst vertrieben wird (und) zu seiner Stadt <...>" (M24; Rs)

- Auf dem rechten Leberlappen ist anstelle (*ina maškanī-šu*) der Ritzlinie des "Standortes" eine rundliche Applikation (*erištu*) dargestellt (Taf. 16,1-2). Aus zahlreichen Belegen geht hervor, daß die Substitution der normalen Kennzeichnung des "Standortes" durch eine andere Marke — auch durch eine Positivmarke — zu einer ungünstigen Omenaussage führt (vgl. M 15).
- Auch aus der abnormen Lage der Gallenblase resultiert eine ungünstige Deutung; eine ähnliche Position wird vermutlich durch den Text YOS X 31 I, 9–11 beschrieben und entsprechend ausgewertet (*šum-ma mar-tum na-aḫ-ša-at na-aʾ-da-at* "Wenn die Gallenblase zurückweicht: es ist kritisch" (mit dem Feldzug)).
- An der linken unteren Seite befindet sich eine weitere rundliche Applikation (*erištu*), die ebenfalls ein ungünstiges Omen bewirkt, da sie auf der linken Seite (pars hostilis) des Leberfingers auftritt ($Z = f(A^- + B^+) \Rightarrow -$).

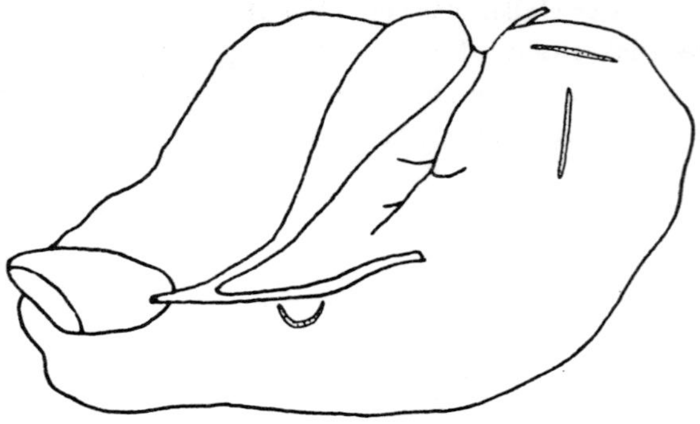

ru-ba-u-um
ma-sú
i-be-il
"Der Fürst beherrscht sein Land" (M 25)

- "Standort" und "Pfad" sind durch die entsprechenden Markierungen als "normal" gekennzeichnet (Taf. 16,3); auch die Gallenblase und der Leberfinger weisen keine Abweichungen auf.
- Die Wiedergabe von *ṣibtu* — eine halbrunde Einritzung — kann dagegen als Darstellung eines ungünstigen Befundes angesehen werden (vgl. aber M 9, 10).

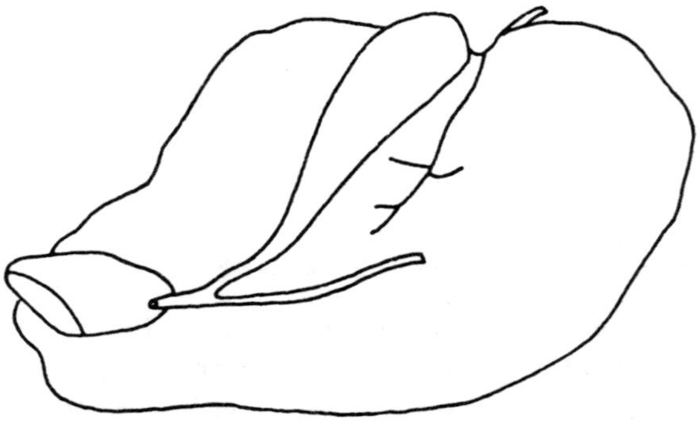

in su-un-ti-šu
GÍR.NÍTA *a-ḫur*
"In seinem Traum ist der Provinzgouverneur im Verzug (?)" (M 26)

- Der schlechte Erhaltungszustand des Modells (Taf. 16,4-5) erlaubt keine Interpretation einzelner Marken.

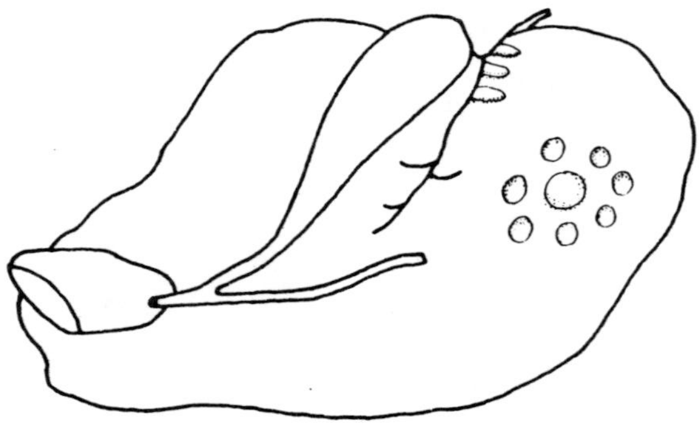

šum-ma na-ak-ru-um
ḫi-ri-tám i-ṣa-ba-at
"Wenn der Feind des (Stadt)Grabens bemächtigt" (M 27)

šum-ma a-al šu-mi-im
i-na wa-ši-bi-im
ú sà-mu-kà-te$_4$
ú-ra-ad
"Wenn eine namhafte Stadt ..." (M 27; Rs, vgl. dazu GELB 1956:5)

- Anstelle (*ina maškanī-šu*) der senkrechten Einritzung findet sich im Bereich des "Standortes" (Taf. 16,6-7) wiederum eine rundliche Applikation (*erištu*), die in diesem Falle von sechs eingedrückten Kreisen (Ringen) umgeben ist (zur Darstellung von Ringen vgl. M 6 mit Belegen). Die ungünstige Deutung dieses Befundes ist evident.
- Im Bereich von *padānu* sind drei kurze parallele Einritzungen als Kennzeichnung angebracht; das dreifache Vorkommen des Leberteiles kann mit Sicherheit als ungünstiges Vorzeichen gewertet werden (vgl. M 18; Bo 23 für *danānu*).

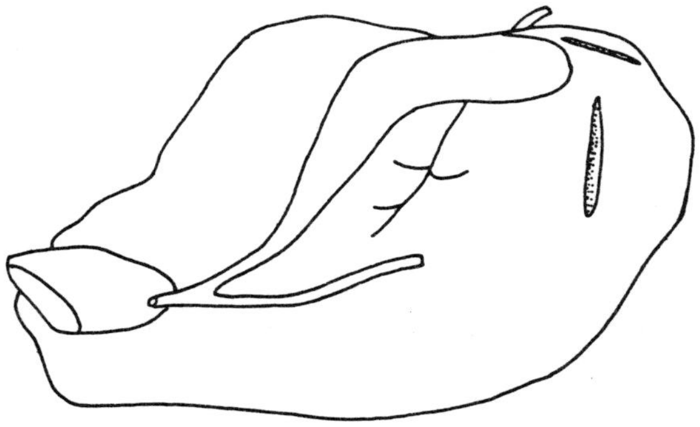

ša-aḫ-lu-uq-tí
a-li ṣa-aḫ-ru-tí
"Zerstörung kleiner Städte" (M 28)

- Die Kennzeichnung des "Standortes" (Taf. 17,1-2) besteht, ähnlich wie bei dem Modell M 21, aus einer breiter gestalteten Einritzung (negativer Befund).
- Die Markierung von *padānu* besteht aus einer einfachen waagerechten Ritzung (positiver Befund).
- Die Gallenblase reicht, wie auf dem Modell M 17, über die Einziehung zwischen den beiden Lappen (negativer Befund) hinaus.

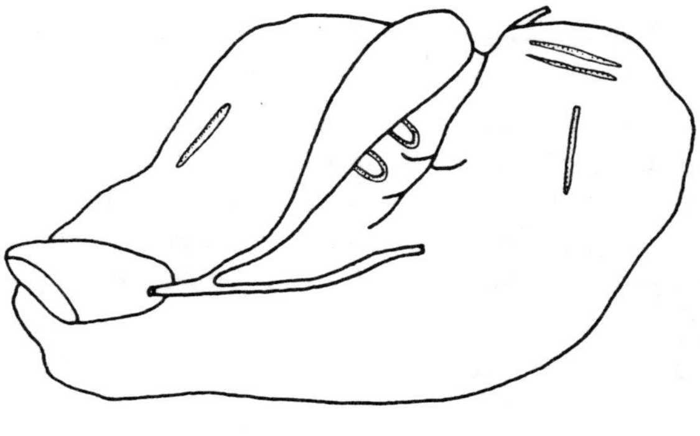

šum-ma ša-la-tám
a-kà-al-ma
a-na a-lim
šá-al-ma-ku
a-ni-um ki-am i-šá-kà-an
"Wenn ich die Beute verzehre und ich für die Stadt gesund bin, wird dies so gesetzt werden" (M 29)

- Der "Standort" ist durch eine senkrechte Ritzlinie gekennzeichnet (positiver Befund).
- Im Bereich des "Pfades" befinden sich zwei waagerechte Ritzlinien, die das zweifache Auftreten dieses Leberteiles wiedergeben (positiver Befund).
- Auch das Leberteil *šulmu* ist zweifach vorhanden; da aber die beiden Abdrucke eine ungünstig zu interpretierende Form besitzen — sie sind so gebildet, daß jeweils beide Enden die Gallenblase berühren (*kīma* V, vgl. Bo 19, M 1) — ist eine ungünstige Deutung zu erwarten.
- In dem als *padān šumēl marti* bezeichneten Bereich ist eine senkrechte Ritzlinie angebracht; da es sich bei dieser Marke um eine Kennzeichnung des "feindlichen" Gebietes handelt und keine weitere Veränderung zu erkennen ist, muß ein günstiger Befund für den Fragesteller angenommen werden (im Gegensatz z.B. zu Bo 13, 23; vgl. RS 17, S. 218–221).

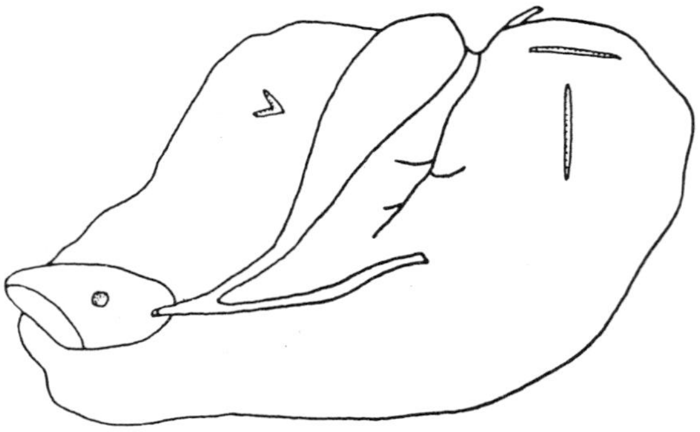

šum-ma a-na ru-i-im
a+a-bu-tám i-tá-ú
ú-'a-wa-tum ú-sí-ì
"Wenn er gegen einen Verbündeten Feindschaft plant und (wenn) ein Wort hinausgeht" (M 30)

mi-lik ma-tim
i-sa-ne
"Die Einstellung des Landes wird sich ändern" (M 30; Rs)

- Die Bereiche *mazzāzu* und *padānu* weisen die charakteristischen Kennzeichnungen (Taf. 17,3-4) für eine "normale" Beschaffenheit auf; das gilt auch für die Darstellung der Gallenblase.
- Links neben der Gallenblase findet sich eine Einritzung in Form eines Winkels (*kīma* U; vgl. Bo 19, M 1, beide für den Bereich von *šulmu*); in dieser Kennzeichnung ist eine Veränderung des Leberteiles *padān šumēl marti* zu sehen. Da es sich dabei um eine Anomalie im "feindlichen Gebiet" handelt, ergibt sich ein günstiges Omen für den Fragesteller (vgl. die gegensätzlichen Ergebnisse für die gleiche Veränderung in den Bereichen *šulmu (= padān imitti marti)* und *padān šumēl marti*; ferner S. 218–220 zu "Waffen").
- Dagegen ist die Vorderseite des Leberfingers (die Stoßkante von der rechten und linken Seite) so durchbohrt (*palāšu*), daß das Loch auf der Rückseite des Organs (*ṣēr ubāni*) sichtbar ist (*šīlu šutēbrû*). Die

von dieser Veränderung betroffenen Teilbereiche gehören zu den positiven Zonen des Leberfingers; daher ist für diese Zeichenkombination eine ungünstige Omenaussage zu erwarten ($Z = f(A^+ + B^-) \Rightarrow —$).

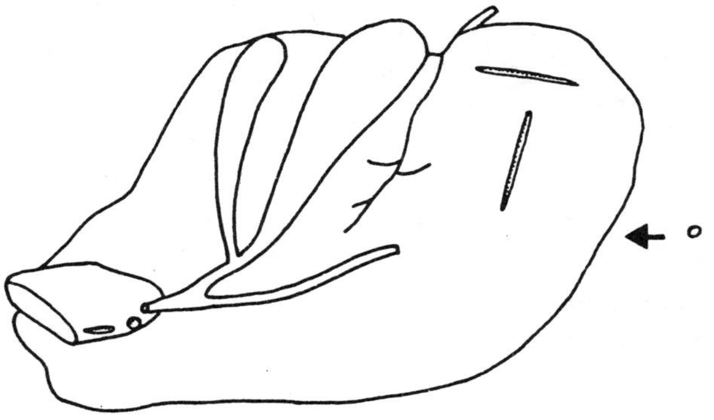

[...]-*ú ma-lá ru-ba-i-im ú-lá ma-ṣí-i*
"Der [...] entspricht nicht dem Wert des Fürsten" (M 31)

šum-ma na-ak-ru-um
iš a+a-bu-tí
i-tá-ú?-ma
"Wenn der Feind über Feindschaft spricht (?)" (M 31)

šum-ma i-lum a-ki-il
"Wenn der Gott verzehrt" (M 31; Rs)

šum-ma 'à-wa-at
na-ak-ri-im
iš qé-ra-ab
ma-tim
wa-ṣa-at
"Wenn ein Wort des Feindes ins Innere des Landes herausgegangen ist" (M 31; Rs)

- Die Bereiche *mazzāzu* und *padānu* sind jeweils mit der Kennzeichnung des "normalen Zustandes" versehen (Taf. 17,5-6).
- Auf dem Modell sind zwei Gallenblasen dargestellt; die zusätzliche befindet sich auf der linken Seite (d.h. im Gebiet des Feindes) und tritt — entsprechend der Beschreibung auf dem Modell Bo 18 — "von oben" in die "normale" Gallenblase ein, so daß beide nur einen Ausgang (*maṣraḫ marti*) besitzen. Ein derartiger Befund ist negativ zu bewerten (vgl. Diskussion zu Bo 18 mit Belegen).
- Eine weitere Kennzeichnung ist auf der hinteren Seite des Leberfingers (*ṣēr ubāni*) angebracht; dabei handelt es sich um eine senkrecht verlaufende Einritzung (*paṭāru*), unter der sich ein Loch (*šīlu*) befindet. Beide Marken besitzen eine ungünstige Bedeutung und ergeben, da sie in einem positiven Teilbereich auftreten, ebenfalls eine ungünstige Omenaussage ($Z = f(A^+ + B^-) \Rightarrow —$).
- Auf der Rückseite des Modells (unmittelbar neben der Inschrift d) befindet sich ein weiteres Loch. Diese Kennzeichnung ist als Markierung einer Anomalie auf der Rückseite des rechten Leberlappens zu verstehen (vgl. M 6). Aufgrund des Auftretens einer Negativmarke (*šīlu*) ist ein ungünstiges Omen für diesen Befund anzunehmen (möglicherweise bezieht sich die Inschrift d unmittelbar auf diese Kennzeichnung, dazu s.S. 194).

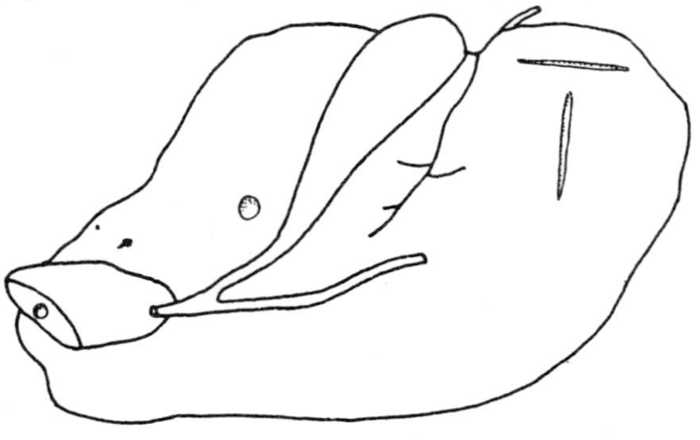

šum-ma 'à-wa-túm iš na-ak-ri-im ú-sí-i
"Wenn ein Wort zum Feind hinausgeht" (M 32)

[šu]m-ma 'à-wa-at
[É].GAL *wa-ṣa-at*
"Wenn ein Wort des Palastes hinausgegangen ist" (M 32)

- Die Bereiche *mazzāzu* und *padānu* sind wiederum mit der Kennzeichnung des "normalen" Zustandes versehen; auch die Gallenblase ist unverändert abgebildet.
- Auf dem linken Leberlappen, im "Gebiet des Feindes" (*padān šumēl marti*) befindet sich ein Loch (*šīlu*), das durch das Modell hindurchgeht (*šutebrû*). Eine Negativmarke in einem ungünstigen Teilbereich (pars hostilis) ergibt ein günstiges Omen für den Fragesteller (Z = f(A^- + B^-) ⇒+; vgl. Inschrift a).
- Ein weiteres Loch ist auf der Rückseite des Leberfingers (*ṣēr ubāni*) zu sehen; in diesem Fall ist ebenfalls eine günstige Aussage zu erwarten, da die Negativmarke in einem ungünstigen Teilbereich auftritt (Z = f(A^- + B^-) ⇒+).

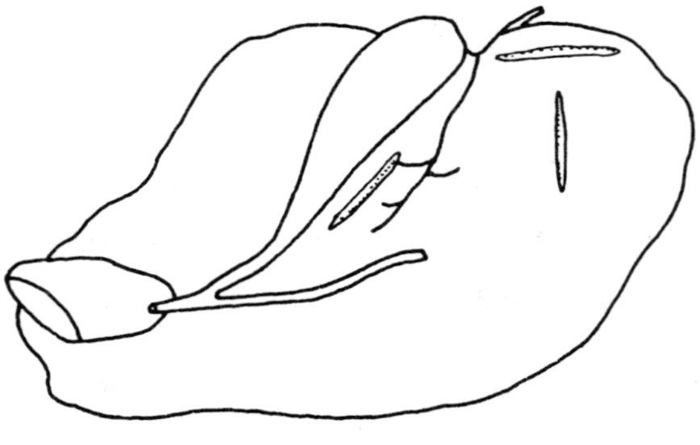

an-ni-tum a-mu-tum
ša šar-ri-im ᵈSUEN-*i-di-nam*
ša i-na É ᵈŠAMAŠ *i-na e-lu-ni-im*
simmiltum im-qú-ta-šum
be-el im-me-ri-im na-ak-ra-am i-da-ri-is-ma
e-li la ša-tim
i-ta-za-az
"Dies ist die Weissagung den König Siniddinam betreffend, auf den im Tempel des Samas im Monat Elunum die Treppe fiel. Der Eigentümer des Schafes wird den Feind

überwinden, und über das, was ihm nicht gehört, wird er die Oberhand gewinnen" (YOS X 1; n. GOETZE 1947b: 265)

- Die Bereiche *mazzāzu* und *padānu* besitzen die charakteristischen Kennzeichnungen für die "normale" Beschaffenheit (Taf. 12,5-6); das gilt auch für das Leberteil *šulmu* (Ritzlinie).
- Weitere Markierungen sind aufgrund des schlechten Erhaltungszustandes des Modells nicht zu erkennen (es sind aber keine Veränderungen zu erwarten, da die Inschrift eine günstige Omenaussage für den Fragesteller aufweist; dazu s.S. 212).

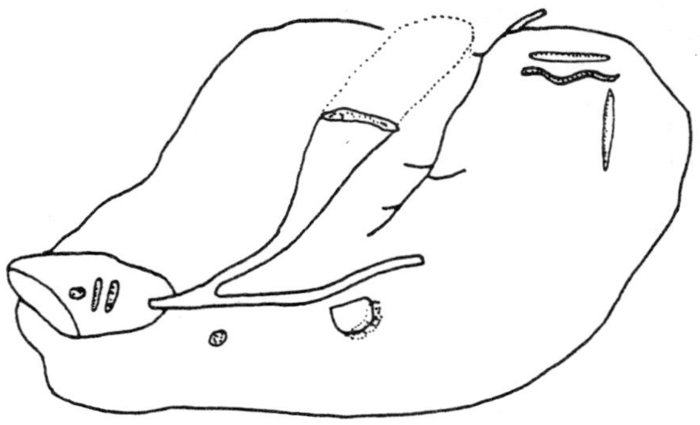

Von dem Modell aus Tell al-Seib ist bisher nur die beschriftete Rückseite publiziert, so daß die Angaben über das Aussehen der Schauseite nicht verbindlich sind (dazu BIGGS 1983: 520); ebenfalls fehlt eine Bearbeitung des Textes. Nach R.D. Biggs handelt es sich dabei um einen vollständigen Omenbericht, der die Beschaffenheit aller bei einer Eingeweideschau zu berücksichtigenden Organe enthält; außerdem wird der Name des Wahrsagers genannt, und am Ende findet sich eine Jahresformel des Königs Daduša. Folgende Markierungen sollen auf dem Modell vorkommen:

- Der Bereich des "Standortes" ist durch eine senkrechte Einritzung als "normal" gekennzeichnet.
- Im Bereich des "Pfades" befindet sich eine waagerechte Ritzlinie (Kennzeichnung des Pfades), über der eine wellenförmige Ritzlinie angegeben ist. Dieser Befund entspricht der Darstellung auf dem Modell Bo 24 und ist analog dazu ungünstig zu beurteilen (s.S. 130).
- Die ursprünglich applizierte Gallenblase ist abgebrochen; es ist nicht zu entscheiden, ob es sich dabei um einen "modernen" Bruch handelt oder um eine Kennzeichnung.
- Der Leberfinger weist ein Loch (*šīlu*) sowie zwei Einritzungen (*paṭāru*) auf; da der topographische Ort dieser Markierung (rechte oder linke Seite des Leberfingers) nicht bekannt ist, kann über die Tendenz des Befundes keine Entscheidung getroffen werden.
- Zwischen der Applikation des Leberfingers und der von *ṣibtu* befindet sich ein weiteres Loch; bei dem betroffenen Bereich handelt es sich in jedem Fall um eine günstige Zone (vgl. Bo 13), so daß eine ungünstige Aussage anzunehmen ist ($Z = f(A^{+} + B^{-}) \Rightarrow -$).

		mazzāzu	*padānu*	*danānu*	*šulmu*	*martu*	*padān š.marti*	*maddi kussî*	*ubānu*	*ṣibtu*	*nīru*	*tibû*	Rückseite	äußere Form
Mari	1	x	x	x	38–	39+	?	x	65	x	x	x	x	
	2	x	x	x	x	56–	x	x	65–	x	x	x	x	–
	3	1+	22–	x	x	39+	61+	x	65+	x	x	x	x	
	4	x	x	x	x	40(–)	x	x	66(–)	(–)	x	x	x	–
	5	11+	(–)	x	x	39+	x	x	65+	x	x	x	x	
	6	x	x	x	x	39+	61+	x	65+	x	x	x	–	–
	7	x	x	x	x	45+	x	x	66–	x	x	x	x	
	8	(x)	x	(x)	x	40(–)	x	x	65–	x	x	x	x	–
	9	5–	16–	x	x	49–	64–	x	65–	72+	x	x	x	
	10	1+	12+	x	x	39+	x	x	68+	74–	x	x	x	
	11	1–	12+	27–	x	39+	x	x	65+	x	x	x	x	
	12	x	x	25+	x	39(+)	x	x	65+	x	x	x	x	
	13	x	12+	29–	x	39+	x	x	65+	x	x	x	x	
	14	x	x	x	x	39+	x	x	65+	x	x	x	x	
	15	4±	x	x	x	39+	x	x	65+	x	x	x	x	
	16	1+	12+	x	x	39+	x	x	69+	x	x	x	x	
	17	x	x	x	x	47–	x	x	65+	x	x	x	x	
	18	x	x	x	x	39+	x	x	65+	73–	x	x	x	
	19	x	12+	x	x	55+	x	x	65+	x	x	x	x	
	20	1+	12+	x	+	39+	x	x	65+	x	x	x	x	
	21	8–	12+	x	x	39+	x	x	65+	x	x	x	x	
	22	1+	12+	x	x	39+	x	x	65+	x	x	x	x	
	23	1+	12+	x	x	43+	x	x	65+	x	x	x	x	
	24	4–	x	x	x	47–	x	x	65+	x	x	x	x	
	25	1+	12+	x	x	39+	x	x	65+	74–	x	x	x	
	26					schlecht erhalten								
	27	4–	14–	x	x	39+	x	x	65+	x	x	x	x	
	28	8–	12+	x	x	47–	38	x	65+	x	x	x	x	
	29	1+	13+	x	38–	39+	61+	x	65+	x	x	x	x	
	30	1+	12+	x	x	39+	+	x	65–	x	x	x	x	
	31	1+	12+	x	x	49–	x	x	65–	x	x	x	–	
	32	1+	12+	x	x	39+	+	x	65+	x	x	x	x	
YOS X	1	1+	12+	x	31+	(39+)	x	x	65+	x	x	x	x	
Seib	1	1+	19–	x	x	(39?)	x	x	65–	72–	x	x	x	

Tabelle 16: Tendenzen der Untersuchungen auf den Lebermodellen der Gruppe III

Auswertung der Modelle der Gruppe III

Um eine detaillierte Auswertung der einzelnen Marken in Hinblick auf Bedeutung und Verwendung der Modelle vornehmen zu können, soll zunächst ein Merkmal diskutiert werden, das in der oben erfolgten Beschreibung der Kennzeichnungen nicht berücksichtigt worden ist: die unterschiedlichen Inschriftentypen. Insgesamt lassen sich vier Arten der Einleitung erkennen (s.S. 16):

1 durch *amūt* "Wahrsagung" (Nr. 1–6, 8, 9, 11, 13, 16–18, YOS X, 1);

2 durch *šumma* "wenn" (Nr. 11, 12, 14, 15, 18, 19, 21, 23, 24–27, 29–32);

3 durch *inūmi* "als" (Nr. 7, 10, 22);

4 durch eine "freie Konstruktion" (Nr. 12, 13, 15, 20, 25, 26, 28, 30).

Alle mit *amūt* eingeleiteten Inschriften bezeichnen das Resultat (Apodosis) einer Leberschau, deren Einzelergebnisse, die zu der entsprechenden Deutung geführt haben, auf der Schauseite der Modelle graphisch dargestellt sind; diese Einzelbefunde sind nicht oder — in wenigen Fällen (Nr. 11, 13, 18) — nur teilweise zusätzlich beschrieben.

Die gleiche Bedeutung ist bei der Verwendung der Subjunktion *inūmi* anzunehmen, wie aus der Schlußformel *annium kīam iššakin* "wurde dies so festgelegt" hervorgeht; auch bei diesen Beispielen fehlt eine Beschreibung der Einzelbefunde.

Im Vergleich mit dem Aufbau der normalen Omenserien (Kompendien) handelt es sich bei beiden Inschriftentypen um Apodosen, deren Voraussetzung (Protasis) den jeweils dargestellten Markierungen zu entnehmen ist. Im Gegensatz zur Struktur der Inschriften auf den Modellen der Gruppen I und II sind nicht die einzelnen Befunde beschrieben und ausgewertet, sondern aus deren "Summierung" wird die Gesamtdeutung der jeweils dargestellten Beschaffenheit abgeleitet. Inhaltlich wird in beiden Inschriftentypen vorwiegend auf historische Ereigniss — von Sargon bis Išbierra — Bezug genommen, seltener auf allgemeine oder öffentliche Fakten; das zeitliche Zurückliegen der erwähnten Ereignisse wird in den durch *inūmi* eingeleiteten Inschriften durch die Verwendung des Praeteritums betont (im Gegensatz zur Verwendung des Präsens/Futur in vergleichbar konstruierten Inschriften, die durch *šumma* eingeleitet werden, dazu s.u.).

Diese Beobachtungen lassen den Schluß zu, daß bestimmte Konstellationen auf der Leberoberfläche (bzw. deren Darstellung auf den Modellen) zu einem positiv oder negativ zu interpretierenden Ergebnis führen; es ist aber nicht zu entscheiden, ob es sich dabei jeweils um die Notierung tatsächlich durchgeführter Inspektionen oder um "theoretische Abhandlungen" möglicher Kombinationen von Einzelbefunden handelt. Daher ist auch die Frage, ob den Darstellungen eine überlieferte Kenntnis von Leberschauritualen zugrunde liegt, die im Zusammenhang mit den erwähnten Ereignissen durchgeführt wurden (= Berichte) oder bestimmte Konstellationen deduktiv mit bestimmten Ereignissen verbunden werden, deren Bedeutung, bzw. Bewertung allgemein bekannt ist, nicht endgültig zu beantworten (die häufige Verwendung von Ereignissen aus der Akkad- und Ur-III-Zeit weist zum einen auf eine Übernahme des Rituals und der Auswertungsprinzipien aus Babylonien hin, zum anderen — aufgrund der vorwiegend negativen Bewertung dieser Ereignisse — auf einen Zeitpunkt der Herstellung im Verlauf der (frühen) altbabylonischen Periode).

Die in diesen Modellen verwendete Kombination von Wort — Schilderung des Gesamtbefundes — und Bild — Kennzeichnung der Einzelbefunde — spricht für die Annahme, in diesen Stücken Nachbildungen von Opferergebnissen zu sehen. Unabhängig davon kann jedoch auch eine Verwendung dieser Exemplare als Unterrichtsobjekte angenommen werden (dazu ausf. s.u.). Sie dienen dann aber nicht in erster Linie zur Auswertung einzelner Krankheitsbilder — wie die Modelle der Gruppen I und II — sondern vielmehr zur Bestimmung einer Gesamtaussage im Falle eines konkreten — graphisch dargestellten — Befundes.

Alle Belege für eine Einleitung der Inschrift durch *šumma* können dagegen einer bestimmten Veränderung zugeschrieben werden (vgl. Tabelle 17), die zusätzlich graphisch wiedergegeben ist. In dieser Beziehung entsprechen die betreffenden Stücke zwar den Modellen der bisher besprochenen Gruppen, doch besteht — auch zu den Omentexten (Kompendien) — in der Struktur dieser Texte ein grundsätzlicher Unterschied; während dort die Bedingung (Befund, Protasis) immer durch die Subjunktion *šumma* eingeleitet wird, leitet sie hier das eigentliche Ergebnis ein, und die omentechnische Voraussetzung — ein spezifischer Zustand eines Leberteiles — steht im Nebensatz bzw. wird nicht verbal, sondern nur bildhaft ausgedrückt. Es findet also eine Umkehrung der Bedingungen statt: Wenn ein bestimmtes, im Text erwähntes Ereignis eintreten soll (oder wird), dann muß das betreffende Leberteil eine bestimmte Form aufweisen, die auf dem Modell dargestellt ist. Diese Abhängigkeit wird durch die Verwendung des Präsens/Futur noch unterstrichen. Aufgrund dieser Relation von Text und Darstellung sind diese Modelle als Unterrichtsstücke anzusehen.

Auf eine sprachliche Besonderheit eines Teiles der Inschriften dieser Gruppe ist noch hinzuweisen; vier der mit *šumma* eingeleiteten Aussagen (M 12, 19, 23, 29) weisen — wie die mit *inūmi* eingeleiteten Inschriften — die Schlußformel *a-ni-um (a-nu-um) ki-a-am (ki-am) i-sá-kà-an (i-ša-kà-an)* "dies ist so gesetzt" auf. In diesen Beispielen tritt das Verb im Präsens/Futur auf (im Gegensatz zum Praeteritum in den mit *inūmi* eingeleiteten Inschriften, s.o.). Dieser unterschiedliche Tempusgebrauch erlaubt den Schluß, daß die mit *inūmi* (vermutlich wie die mit *amūt*) eingeleiteten Aussagen auf älteren (babylonischen) Vorlagen beruhen und mit dem Ritual der Opferschau übernommen wurden; alle *šumma*-Aussagen könnten dagegen unmittelbar auf Erfahrungen der Mari-Wahrsager beruhen.

Weiterhin unterscheiden sich die vier erwähnten Aussagen von den anderen Beispielen dieser Gruppe dadurch, daß auf ihnen mehr Befunde graphisch dargestellt als verbal beschrieben sind (vgl. Tabelle 16). Sie scheinen daher mit den Modellen M 11, 13, 18 vergleichbar, die ebenfalls neben einer Gesamtaussage (*amūt*) Auswertungen einzelner Teilbereiche (M 11, 18: *šumma*; M 13: freie Konstruktion, dazu s.u.)

aufweisen. Aufgrund dieser Übereinstimmung sind die vier Inschriften vermutlich auch als Gesamtaussagen, nicht als Bewertung von Einzelbefunden, aufzufassen. Das offensichtliche Fehlen einer einheitlichen Nomenklatur deutet möglicherweise darauf hin, daß sich die Festlegung einer allgemeingültigen, eindeutigen Systematik für die Beschreibung und Beurteilung von Omenbefunden noch in einem Anfangsstadium befunden hat.

Eine weitere Kategorie von Inschriften auf diesen Modellen wird ohne determinierende Partikel gebildet. Bei den Beispielen dieser Gruppe muß zwischen Texten, die unmittelbare (M 12a, 13a) bzw. mittelbare (M 12c, 15, 20(?)) Hinweise auf die Auswertung eines dargestellten Befundes erlauben und anderen, die eine allgemeine Aussage (M 25, 26, 28, 30) mit positiver oder negativer Tendenz besitzen, unterschieden werden. Erstere sind mit dem durch *šumma* eingeleiteten Typus zu vergleichen, da sie direkt auf ein bestimmtes Leberteil und dessen Zustand zu beziehen sind, während letztere, zumindest theoretisch, auch den mit *amūt* bzw. *inūmi* beginnenden Inschriften entsprechen können. Diese Annahme findet u.a. durch die Art der Formulierung — allgemeine Aussagen ohne explizite Berücksichtigung der dargestellten Einzelbefunde — sowie durch die Verwendung von Aussagen, die mit denjenigen nahezu wörtlich übereinstimmen, die durch *amūt* eingeleitet werden (z.B. M 18–28), eine Bestätigung.

Aus dieser Analyse geht hervor, daß sich die Inschriften auf den Lebermodellen aus Mari (einschließlich des Exemplars YOS X 1) in zwei Gruppen unterteilen lassen: Einerseits geben sie das durch die Darstellung auf der Schauseite intendierte Gesamtergebnis einer Leberschau bzw. der dargestellten Zeichenkombination wieder (Inschriftentyp A: *amūt, inūma*, z.T. *šumma*, freie Konstruktion), andererseits die Auswertung der ebenfalls graphisch gekennzeichneten Einzelbefunde (Inschriftentyp B: *šumma*, z.T. freie Konstruktion). Für die Modelle mit dem Inschriftentyp B bietet sich — auch wenn vielfach keine eindeutige Verbindung zwischen den beiden Elementen Wort und Bild zu erkennen ist — eine Gleichsetzung mit den Exemplaren der Gruppen I und II an (Unterrichtslebern); doch sind nicht alle graphisch dargestellten Krankheitsbilder durch Inschriften verbal ausgewertet worden (z.B. M 24: drei Veränderungen, nur zwei Inschriften). Da die mitgeteilten Informationen weniger die Beschaffenheit einzelner Teilbereiche beschreiben, sondern vielmehr die Ergebnisse einer Summierung aller (bei einer Inspektion festgestellten) graphisch wiedergegebenen Befunde vermitteln, könnte die für die Modelle mit dem Inschriftentyp A vorgeschlagene Korrelation von Text und Gesamtdarstellung eine Interpretation als Nachbildung (und verbale Deutung) von untersuchten Opferlebern (Berichte) erlauben. Das Zutreffen dieser Annahme wird allerdings durch den hohen Anteil von negativen Deutungen (sowohl der Einzelbefunde als auch der Gesamtaussage) in Frage gestellt (vgl. Tabelle 17–19). Im Zusammenhang mit den Boğazköy-Modellen wurde bereits darauf hingewiesen, daß nach der bisherigen Kenntnis der Praktiken der Leberdivination die Anfertigung von modellhaften Nachbildungen ungünstig zu bewertender Opferschauergebnisse wenig wahrscheinlich ist, da derartige Resultate eine unmittelbare Wiederholung (*aḫītu*) des Rituals zur Folge hatten. Eine solche Verfahrensweise geht eindeutig aus einem Teil der Leberschauberichte hervor (s.S. 18) und wird auch durch entspechende Hinweise, die den *tamītu*-Texten zu entnehmen sind, bestätigt. Diese Textgruppe gehört ebenfalls zu dem Bereich der Omina und enthält ausschließlich positive Wahrsagungen (dazu bisher LAMBERT 1966: 119–123); ungünstige Ergebnisse besitzen offenbar keinen Wert für zukünftige Generationen und sind daher nicht in diesen Korpus integriert. Auch die Berichte enthalten überwiegend günstig zu bewertende Befunde oder fordern — im gegenteiligen Fall — eine erneute Opferschau.

Die ausführlichen Sammlungen von vorwiegend ungünstigen Omenbefunden (Kompendien), ebenso wie die entsprechenden graphischen Darstellungen (Modelle der Gruppen I und II, Mari, Inschriftentyp B) sind dagegen als Unterrichts- bzw. Anschauungsmaterial anzusehen. Dieser Gegensatz von einer reichhaltigen Literatur über ungünstige Befunde einerseits und deren geringem Vorkommen in den Berichten andererseits stellt eine Besonderheit der altorientalischen Mantik dar; offenbar sind die Kompendien angelegt, um die sowohl aus praktischer Erfahrung gewonnenen als auch aus theoretischen Überlegungen resultierenden Veränderungsmöglichkeiten der Leberteile katalogartig zusammenzufassen. Dieses "Streben nach Vollständigkeit" läßt sich psychologisch damit erklären, daß durch die Vielzahl der ungünstigen Erscheinungen der Wert der günstigen angehoben wird.

Unter diesem Gesichtpunkt ist die Frage nach der Bedeutung der Modelle des Inschriftentyps A erneut zu stellen; zwar ist auch bei diesen Exemplaren keine Vollständigkeit der Kennzeichnung aller zu untersuchenden Teilbereiche zu konstatieren, doch — und diese Beobachtung ist wesentlich für die Bearbeitung der unbeschrifteten Modelle — können alle graphisch nicht gekennzeichneten Bereiche der Markenkategorie A (*šīru*: *martu, ubānu, ṣibtu*) auch als unverändert, d.h. als positiv zu bewertender Befund angesehen werden (vgl. Tabelle 17–19). Dies gilt auch für eine fehlende Kennzeichnung der Bereiche *mazzāzu* und *padānu* (vgl. das positive Gesamtergebnis auf den Modellen M 12, 19 trotz fehlender Markierung dieser Leberteile) und demnach ebenso für die anderen Marken der Kategorie B (vgl. alle positiven Gesamtergebnisse); im Gegensatz zu den Modellen der Gruppen I und II werden somit nicht nur Abweichungen von der Normalform dargestellt. In diesen Fällen fehlen aber inschriftliche Erklärungen zur ominösen Bedeutung des Befundes. Außerdem treten bei den Modellen dieser Gruppe auch gleichartige Veränderungen eines Leberteiles mehrfach auf (z.B. M 17, 28: *martu*).

Aufgrund dieser Überlegungen können die Modelle des Inschriftentyps A trotz der zahlreichen negativen Deutungen — sowohl der Einzel- als auch der Gesamtbefunde — als Modelle von Leberschauergebnissen angesehen werden. Für diese Annahme spricht auch das Modell aus Tell al-Seib, das einen ungünstigen Gesamtbefund — wegen der drei negativ zu interpretierenden Veränderungen — zeigt und dessen Inschrift einer vollständigen Wiedergabe eines Leberschauberichtes entspricht. Die wichtigste Information für die Verwendung dieser Modelle ist aber dem Exemplar YOS X, 1 zu entnehmen. Der erste Teil des Textes (eingeleitet durch (*annītum*) *amūtum*) enthält, wie die Modelle aus Mari, eine historische Apodosis; es folgt der Name des Auftraggebers der Opferschau, der durchaus eine Privatperson gewesen sein kann. Sollte diese Annahme zutreffen, dann bedeutet die Erwähnung historischer Persönlichkeiten (in der Apodosis) nicht zwangsläufig, daß die betreffende Opferschau (bzw. das Vorzeichen) mit dieser historischen Person zu verbinden ist, sondern das geschilderte Ereignis gibt nur eine Tendenz wieder, die allgemein gültig ist (das Unglück des Siniddinam wird als günstiges "Zeichen" verstanden, eine Interpretation, die kaum für das Gebiet von Larsa anzunehmen ist). Weiterhin ist wichtig, daß auf diesem Modell nur drei Kennzeichnungen (*mazzāzu*, *padānu* und *šulmu*) angebracht sind; da dennoch eine positive Omenaussage erfolgt, sind möglicherweise auf den Modellen nicht so viele Einzelbeobachtungen zu notieren, wie dies in den Berichten der Fall ist (nur das Vorhandensein der wichtigsten Leberteile wird graphisch dargestellt: *mazzāzu, padānu, martu, ubānu*).

Zusammenfassend ist festzustellen, daß sich die Modelle der Gruppe III anhand der verwendeten Inschriftentypen in zwei Untergruppen einteilen lassen:

IIIA: modellhafte Nachbildungen von Opferschauergebnissen (Bericht"charakter")

IIIB: Beschreibung von Einzelbefunden (Kompendien)

Die Modelle der Gruppe IIIA bilden typologisch den Übergang zu den unbeschrifteten Tonlebern, da sich die Inschriften auf die Deutung des Gesamtbefundes und nicht — oder nur zum Teil — auf die der Einzelbefunde beziehen.

			šumma	*amūt*	*inūmi*	freie Konstruktion	
Mari	1		−				
	2			−			
	3			−			
	4			−			
	5			+			
	6			−			
	7				−		
	8			−			
	9			−			
	10				+		
	11	*mazzāzu*	−	−			
	12		+			*danānu*	+
						ubānu	−
	13			−		*danānu*	−
	14	*martu*	+				
	15	*mazzāzu*	−			*ubānu*	−
	16			+			
	17			−			
	18	*mazzāzu*	−	−			
		padānu	−	−			
	19		+				
	20					*mazzāzu*	+
						padānu	+
	21	*mazzāzu*	−				
	22				+		
	23		+				
	24	*mazzāzu*	−				
		martu	−				
	25					(*ṣibtu*)	+
	26					?	+
	27	*mazzāzu*	−				
		padānu	−				
	28					(*martu*)	−
	29		−				
	30	*padān š.marti*	−			(*ubānu*)	−
	31	*ubānu*	−				
		martu	−				
		warkat amūti	−				
	32	*padān š.marti*	+				
		ubānu	+				
YOS	X,3			+			
Seib	1	vollständiger Leberschaubericht					

Tabelle 17: Inschriftentypen und deren Verwendung auf den Modellen der Gruppe III

	+	−	n.gekenn-zeichnet	frag-lich
mazzāzu	14	7	11	2
padānu	15	6	12	1
danānu	1	2	29	2
šulmu	2	2	29	1
martu	7	7	19	1
padān š. marti	5	1	26	2
maddi kussī			33	1
ubānu	4	10	18	2
ṣibtu	3	3	27	1
nīru			33	1
tību			33	1
warkat		2	31	1
Form		4	30	

Tabelle 18: Anzahl der Untersuchungen einzelner Teilbereiche und deren Bewertung

		+	−	n.gekenn-zeichnet	fraglich	Gesamtaussage
Mari	1	1	1	9	1	−
	2	1	2	10		−
	3	2	1	9		−
	4		4	9		−
	5	1		11		+
	6	1	2	10		−
	7	1	1	10		−
	8		3	8	2	−
	9	1	5	6		−
	10	4		8		+
	11	1	2	9		
	12	3		9		+
	13	2	1	9		−
	14			12		
	15	1	1	10		
	16	3		9		+
	17		1	11		−
	18		1	11		−
	19	2		10		+
	20	3		9		+
	21	1	1	10		
	22	2		8	2	+
	23	3		9		+
	24		3	9		
	25	3		9		+
	26					
	27		2	10		
	28	2	1	9		−
	29	3	1	8		−
	30	3	1	8		−
	31	2	3	7		
	32	4		8		+
YOS X	1	3		9		+
Seib	1	1	3	8		

Tabelle 19: Tendenzen der Untersuchung einzelner Teilbereiche in Relation zur Omenaussage

Die Modelle der Gruppe IV (Ugarit, Mumbaqat, Megiddo, Ebla, Tell el Hajj)

Das Fehlen von inschriftlichen Informationen der dargestellten Befunde ist das Kennzeichen der Modelle von Gruppe IV; nur vier der Tonlebern aus Ugarit weisen auf der Rückseite einen Text auf, der sich aber nicht direkt auf die jeweils angegebene Beschaffenheit des Organs bezieht, sondern auf den jeweiligen Fragesteller und dessen Anlaß zur Anfrage. Daher werden auch diese Exemplare — im Gegensatz zu der bisher vertretenen Ansicht (NOUGAYROL 1968:32) — als unbeschriftete Stücke behandelt.

Diese vier Modelle sollen zunächst untersucht werden, da ihnen möglicherweise weitere Hinweise für die Beantwortung der bereits angesprochenen Frage nach dem Grund für die Herstellung von Tonlebern — ob nur günstige oder auch ungünstige Befunde modellhaft nachgebildet werden — entnommen werden können.

Auswertung der Modelle aus Ugarit

Die bisher gesicherten Marken und deren ominöse Bedeutung bilden die Grundlage der folgenden Auswertung; noch nicht definierte Kennzeichnungen sollen darüber hinaus — soweit möglich und vertretbar — nach dem in Kap. IV festgelegten System der Darstellungsweise mit Hilfe der Omentexte (Kompendien) interpretiert werden (Transkription und Übersetzung der Texte aus Ugarit erfolgt nach der Neubearbeitung von DIETRICH/LORETZ; das Maunuskript wurde freundlicherweise von Prof. O. Loretz zur Verfügung gestellt).

RS 17 (61/24.325 = KTU 1.141)

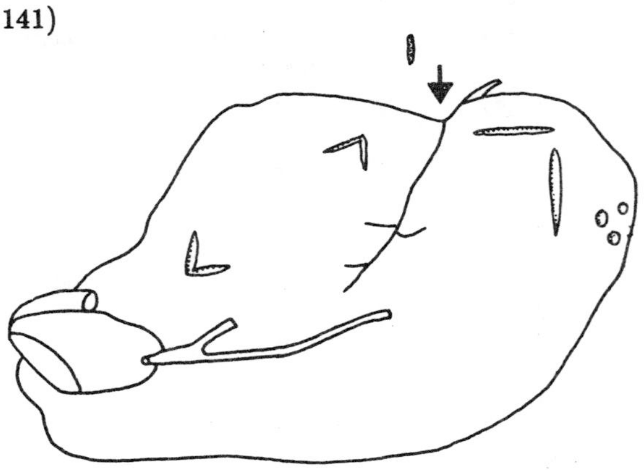

agpṯr k yqny gzr b alṯyy
"Für/betrifft Agpṯ als er einen Knaben von einem Alasier erwerben wollte"

- Die Bereiche *mazzāzu* und *padānu* sind durch die entsprechenden Kennzeichnungen (Taf. 18,3-4) — senkrechte bzw. waagerechte Einritzung — als "normal" (unverändert) wiedergegeben (die am rechten Leberrand sichtbaren Vertiefungen sind als Marken im Bereich von *tību* aufzufassen, dazu s.u.).
- Auch die senkrecht verlaufende Einritzung im Bereich des Leberteiles *danānu* zeigt dessen "normale" Beschaffenheit an.
- Die Gallenblase befindet sich dagegen nicht in ihrer üblichen Position, sondern "legt sich um das Fundament des Leberfingers". Eine vergleichbare Lage wird auch in dem Text YOS X 31 II, 24–30 beschrieben und positiv gedeutet: *šum-ma mar-tum is-ḫu-ur-ma ú-ba-na-am il-ta-we-e šar-ru-um ma-*⌈*ta*⌉*-am na-ka-ar-*⌈*ta*⌉*-*[*a*]*m i-*[*ṣa*]*-ab-ba-*[*a*]*t* "Wenn die Gallenblase sich wendet und sich um den Leberfinger herumlegt: Der König wird ein fremdes Land ergreifen".
- Auf dem linken Leberlappen sind zwei winkelartige Einritzungen angebracht, deren Spitzen in die jeweils entgegengesetzte Richtung weisen. Vergleichbare Markierungen sind bisher für die Bereiche *šulmu* (Bo 19, M 1, 29) und *padān šumēl marti* (M 30) belegt und wurden als Abweichung (*kima* U) der betreffenden Leberteile von der "Normalform" aufgefaßt (negative Deutung). Die auf diesem Modell vorliegende Darstellungsweise könnte auf einer Veränderung von zwei *padān šumēl marti* beruhen; in diesem Fall bleibt aber die Position der beiden Marken zueinander unberücksichtigt. Daher ist nach einer anderen Interpretationsmöglichkeit zu suchen.

Aus illustrierten Omentexten der spätbabylonischen Zeit sind vergleichbare Markierungen bekannt, die als Wiedergabe von "Waffen" (GIŠ.TUKUL) bezeichnet werden (z.B. von WEIHER 1983:Nr. 45). Im Text werden unterschiedliche Positionen von "Waffen" zueinander beschrieben und die jeweilige Relevanz für die Omenaussage angegeben. Der hier vorliegenden Darstellung entsprechen die Zeilen Rs 7–8 des Textes W 22 729/16: *šum-ma ...... ^giš^kakku 2-ma ana bāb ekalli* (ME.NI) *iṭṭul* (IGI) *u ina muḫḫi* (UGU)*-šú ^giš^kakku šanûm* (MAN)*-ma šakin* (GAR)*-ma elēnu* (AN.TA)*iṭṭul* (IGI) *up-ša-še-e rubû*? (NUN) *ippuš*? (DÙ-*uš*) *šanûm* (MAN)*-ma ušerreb* (KU₄*-eb*) 2 *^giš^kakku ^giš^kakku suḫ-ḫu-ru-tu šá a-ḫa-meš rak-bu-ma šaplānu* (KI.TA) *imna* (15) *elēnu* (AN.TA) *šu-mēla* (GUB! (Text: NUN) *elēnu* (AN.TA) *iṭṭul* (IGI) *an-ni-ti uṣurta-šú* "Wenn die Waffe zweifach ist und zum Palasttor blickt und an ihrer Spitze sich eine andere Waffe befindet und nach oben blickt; böse Machenschaften wird der ? Fürst tun?, irgend ein anderer? läßt (sie) eintreten ?. Zwei Waffen (und zwar) umgewendete Waffen, die miteinander reiten und (von?) unten rechts nach oben, links nach oben blicken — dies ist (bedeutet) seine Zeichnung".

Aus dem weiteren Verlauf dieses Textes sowie aus vergleichbaren Tafeln (K 2092 = NOUGAYROL 1974: 61–68; vgl. auch eine identische Darstellung auf der Rückseite des Modells BM 50494 = NOUGAYROL 1968:50) läßt sich ein Schema für die Auswertung dieser Marke, die auf den Tonlebern aus Ugarit häufig belegt ist, entwickeln. Entscheidendes Kriterium ist die "Blickrichtung" der "Waffe", die jeweils durch die Richtung angezeigt wird, in die die Spitze der Darstellung weist:

n. rechts n. links

Außerdem kommen noch für die Auswertung "oben" und "unten" als mögliche Richtung in Betracht:

n. unten n. oben

Für die Bewertung dieser Marken ergibt sich folgendes Bild:

Die Tendenzen ändern sich aber bereits bei dem zweifachen Auftreten derartiger "Waffen" (im Gegensatz zu den für die Veränderung *šīlu* "Loch" (dazu s.S. 103) vorgeschlagenen Bedingungen); eine Anzahl von Kombinationsmöglichkeiten erlaubt die Darstellung weiterer Krankheitsbilder. Die jeweilige Interpretation beruht immer auf der Opposition von rechts (+) — links (–) bzw. "oben" (+) — "unten" (–). Alle Aussagen werden durch folgende Konditionen determiniert:

a die Ausrichtung der Marke(n); durch eine Ausrichtung auf einen positiven Bereich (rechts, "oben") ergibt sich eine positive Deutung, durch eine Ausrichtung auf einen negativen Bereich (links, "unten") dagegen eine negative Deutung;

b die Position der Marke; die oben genannten Bedingungen treffen nur für das Auftreten von "Waffen" zu, die als "Waffe der Rechten" bezeichnet werden. Darunter ist eine entsprechende Veränderung auf dem rechten Leberlappen bzw. in den "eigenen" Zonen zu verstehen; die Ausrichtungen sind dadurch definiert, daß z. B. bei der Untersuchung des Leberteiles *mazzāzu* die Gallenblase als links, die Abschnitte *ṣibtu* und *nīru* als "oben" gelegene Gebiete angesehen werden (für diese Sichtweise ist die Position der

Leber während der Inspektion entscheidend). Alle auf dem linken Leberlappen (*padān šumēl marti*) vorkommenden "Waffen" werden als "Waffen der Linken" bezeichnet; in diesem Fall befindet sich die Gallenblase auf der als rechts, der Leberfinger auf der als "oben" angesehenen Seite. Da es sich aber bei diesem Bereich insgesamt um das "feindliche Gebiet" handelt, ändern sich die Tendenzen entsprechend der zugrundeliegenden Systematik.

Das Auftreten von "Waffen" auf der Leberoberfläche läßt sich demnach durch folgendes Schema wiedergeben:

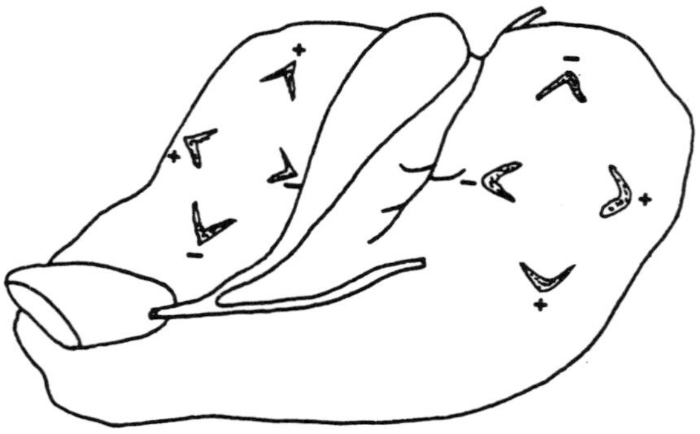

Einige Beispiele aus den oben erwähnten Texten sollen die zahlreichen Möglichkeiten der Darstellung (auf die ebenfalls variierende Beschreibung wird nur im Zusammenhang mit deren tatsächlichem Auftreten auf Tonlebermodellen eingegangen) und der Auswertung dieser Krankheitsbilder verdeutlichen:

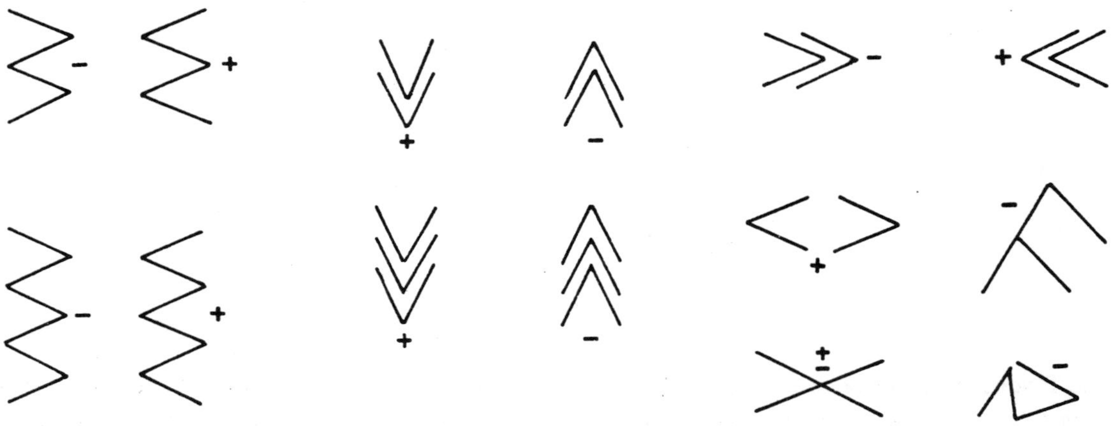

- Die auf dem vorliegenden Modell (RS 17) im Bereich des *padān šumēl marti* dargestellten Marken besitzen demnach eine günstige Bedeutung für den Fragesteller.

- Am rechten Leberrand — vermutlich im Bereich von *tību*, da ein Teil der Kennzeichnungen sich auf der Wölbung des Randes befindet — sind vier, einander paarweise gegenüberliegende Vertiefungen (*šīlu; qû, pūṣu*, vgl. Tabelle 8) angebracht. Eine vergleichbare Markierung liegt auch bei dem Modell Bo 22 vor und ergibt dort — aufgrund der symmetrischen Konstellation — ein *nanmurtu*-Ergebnis; diese Ergebnisform ist daher auch für das Beispiel aus Ugarit zu erwarten.

RS 15 (61/24.323 = KTU 1.142)
dbḥt byy bn

sry l 'ttr[
d b qbr
"Opfer des Byy, Sohn des Šarri für Ašta, der im Grabe ist".

Die stark zerstörte Oberfläche dieses Modells (Taf. 18,1-2) erlaubt keine Aussage über ursprünglich vorhandene Markierungen. Nur auf dem rechten Leberlappen ist ein Einstich (*šīlu, qû, pūṣu*) erkennbar, der sich vermutlich im Bereich des *mazzāzu* befindet; da aber die Beziehung dieser Marke zur Marke des "Standortes" sich nicht mehr feststellen läßt, kann auch das Zeichen (Markenkombination) nicht erschlossen werden.

RS 18 (61/24.326 = KTU 1.143)

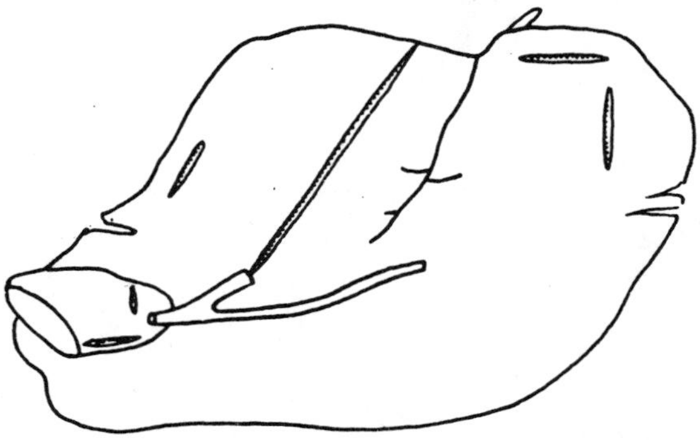

kbd dt ypt
bn ykn^c
k yptḫ yrk [t̠.]
hnd
"Leber(modell) für Ypt, Sohn des Ykn^c, als man/er freilegte (deutete) diese Hinterseite (der Leber)"

- Die Bereiche *mazzāzu* und *padānu* weisen wiederum die "normale", unveränderte Form auf (Taf. 18,5-6).
- Die Gallenblase ist nur durch eine Ritzlinie wiedergegeben, eine Darstellungsweise, die als Kennzeichnung eines ungünstigen Befundes anzusehen ist (vgl. z.B. Bo 1, 18).
- Die Markierung des Leberteiles *padān šumēl marti* durch eine einfache senkrechte Ritzlinie illustriert die "normale" Beschaffenheit dieses Bereichs; da sich aber am linken Leberrand eine weitere Einritzung befindet, ist diese Markenkombination ($Z = f(A^- + B^-) \Rightarrow +$) als ein günstiges Vorzeichen für den Fragesteller zu interpretieren.
- Der Leberfinger weist zwei ebenfalls eingeritzte Kennzeichnungen auf: Auf der Vorderseite — dem Grat zwischen der rechten und linken Seite — ist eine waagerecht verlaufende Ritzung angebracht, auf der linken Seite eine weitere, die senkrecht ausgerichtet ist. Beide Marken sind als Negativmarken (*paṭāru* u.ä.) aufzufassen und repräsentieren einen ungünstigen Befund, da sie sich jeweils in positiven Teilbereichen des Leberfingers befinden ($Z = f(A^+ + B^-) \Rightarrow -$).
- Zwei weitere Einritzungen sind am rechten Leberrand — bis auf die Rückseite reichend — zu erkennen; dabei handelt es sich ebenfalls um eine in den Texten durch *paṭāru* beschriebene Anomalie. Diese Marke ist dem Leberbereich *tību* zuzuordnen; da die Kennzeichnung bis auf die Rückseite reicht, ist der Teilbereich EGIR *tībi* betroffen, ein Teilbereich, der aufgrund seiner topographischen Lage — auf der Rückseite (*warkat amūti*) — vermutlich eine negative Wertigkeit besitzt. Für die Deutung dieses Zeichens gilt daher: $Z = f(A^- + B^-) \Rightarrow +$.

RS 19 (61/24.327 = KTU 1.144)
[kbd dt]l

dg bn mlk
l ḫpṯ
"(Lebermodell) für Dg, den Sohn des Mlk (Königs?) bezüglich eines ḫpṯ-Mannes"

Auf der ebenfalls stark zerstörten Schauseite des Modells (Taf. 19,1-2) ist nur die Kennzeichnung der doppelten Erscheinungsform des Pfades zu erkennen, ein positiver Befund.

Von diesen vier beschrifteten Modellen aus Ugarit, die mit Sicherheit wegen des Inhalts ihrer Inschriften als Nachbildungen von tatsächlich untersuchten Opferlebern zu verstehen sind (Berichte), können zwei Exemplare aufgrund ihres Erhaltungszustandes für eine weiterreichende Analyse nicht verwendet werden. Die dargestellten Ergebnisse (Markierungen der Einzelbefunde) der beiden anderen Modelle ergeben jeweils einen günstig (RS 17) und einen ungünstig (RS 18) zu bewertenden Opferschaubefund. Diese Feststellung läßt den Schluß zu, daß zumindest in Ugarit auch ungünstig beurteilte Leberschauergebnisse in Modellen nachgebildet wurden. Für die Frage nach der grundsätzlichen Bedeutung der Tonlebern ist diese Beobachtung von entscheidender Relevanz.

RS 1 (61/24.308)

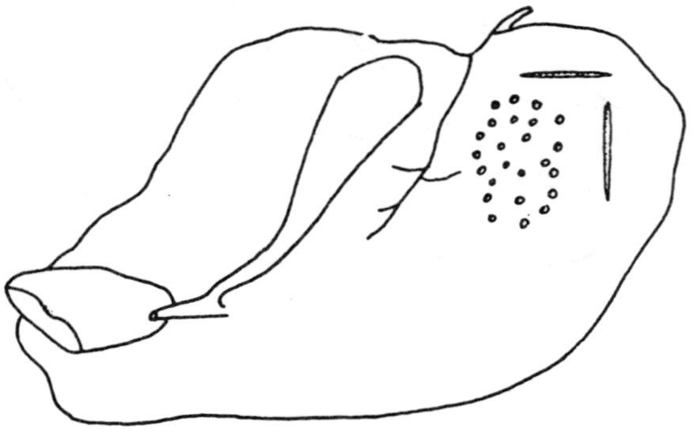

- Die Bereiche *mazzāzu* und *padānu* weisen jeweils die Markierungen der Normalform auf (Taf. 19,3). Zwischen der Kennzeichnung von "Standort" und linkem Rand des rechten Lappens befinden sich zahlreiche, unregelmäßig angeordnete Einstiche (*šīlu, pūṣu*); dabei handelt es sich um eine negativ zu bewertende Veränderung, die aber, da sie auf der linken Seite des "Standortes" zu beobachten ist, ein positives Ergebnis bewirkt ($Z = f(A^- + B^-) \Rightarrow +$).
- Die Gallenblase besitzt eine andere Gestaltung als auf den bisher besprochenen Modellen. Ihr Körper ist kürzer und reicht nicht bis an den Leberfinger; darüber hinaus fehlt auch die Wiedergabe der "Pfortader" (*nār amūti*), die in den anderen Beispielen bis an das "Fundament der Gallenblase" (*maṣraḫ marti*) heranreicht. Diese Darstellungsweise ist aber nicht als Kennzeichnung einer Veränderung des Organteils aufzufassen, sondern sie stellt die übliche Art der Wiedergabe auf den Modellen aus Ugarit dar; daher kann auch diese Marke günstig interpretiert werden.

RS 2 (61/24.310)

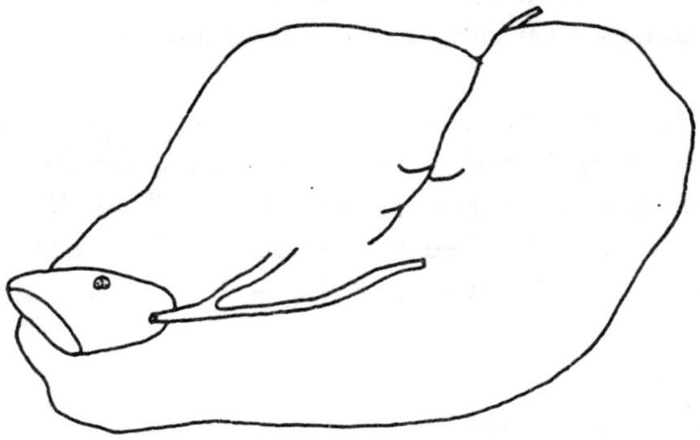

- Die einzige Markierung auf diesem Modell (Taf. 19,4) ist die Darstellung eines Loches (*šīlu*) auf der Vorderseite des Leberfingers. Da dieser Bereich zur pars familiaris gehört und die Anomalie *šīlu* zu den Negativmarken, ist eine ungünstige Deutung zu erwarten ($Z = f(A^+ + B^-) \Rightarrow -$).
- Auch das vollständige Fehlen der Gallenblase kann nur als negativer Befund aufgefaßt werden.

RS 3 (61/24.311)

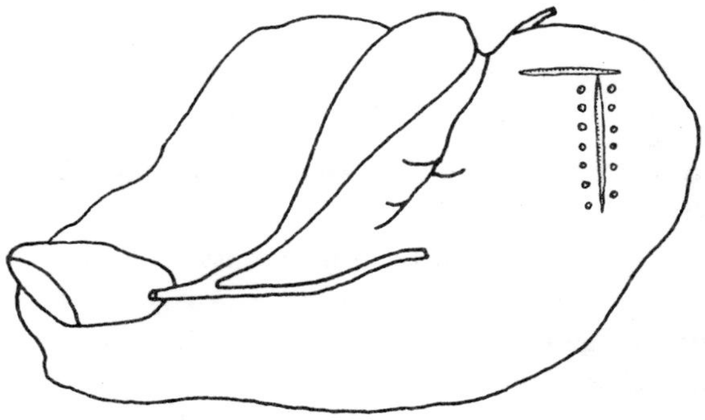

- Auf der rechten und linken Seite der Markierung des "Standortes" liegen jeweils sechs Einstiche (*šīlu, qû, peṣû*) einander gegenüber (Taf. 19,5); ein vergleichbarer Befund ist von dem Modell Bo 21 bekannt. Aufgrund der gleichmäßigen Verteilung der Veränderung auf günstige und ungünstige Teilbereiche führt ein derartiges Krankheitsbild zu einem unentschiedenen Omenausgang.
- Das Leberteil *padānu* wird durch eine einfache waagerechte Einritzung als unverändert angegeben.
- Gallenblase und Leberfinger weisen keine Abweichungen auf.

RS 4 (61/24.312 = COURTOIS 1969: 104 Abb. 7,8!)

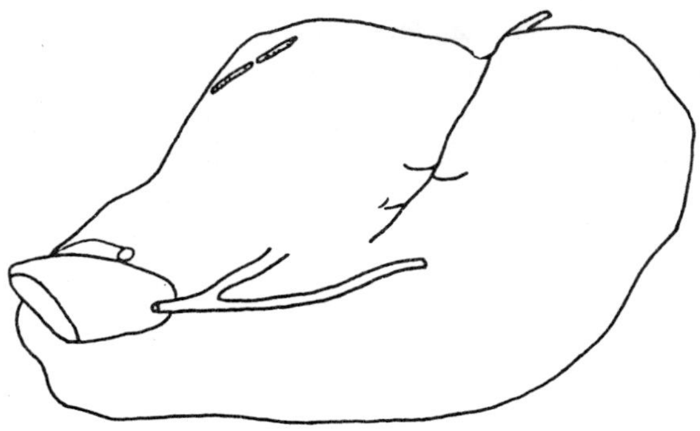

- Die Gallenblase befindet sich nicht in ihrer gewohnten Position auf dem linken Leberlappen, sondern ist in Form einer Applikation (darin ist ein Hinweis auf einen positiv zu bewertenden Befund zu sehen) am Leberfinger angebracht. Aus dieser veränderten Lage resultiert ein positives Omenergebnis (Z = f(A+ ⇒A+) ⇒+).
- Eine senkrecht am Rand des linken Leberlappens verlaufende Einritzung ist als Kennzeichnung von *padān šumēl marti* anzusehen. Die Unterbrechung in der Mitte der Ritzlinie weist auf eine Anomalie hin, die in den Texten mit *pašāṭu* beschrieben wird (z.B. CT 31 13 für *mazzāzu*) und die immer eine ungünstige Bedeutung besitzt. Da diese Marke aber im "feindlichen Gebiet" auftritt, ist für den Fragesteller ein günstiges Omen zu erwarten (Z = f(A⁻ + B⁻) ⇒+).

RS 5 (61/24.313 = COURTOIS 1969: 105 Abb. 8, 4)

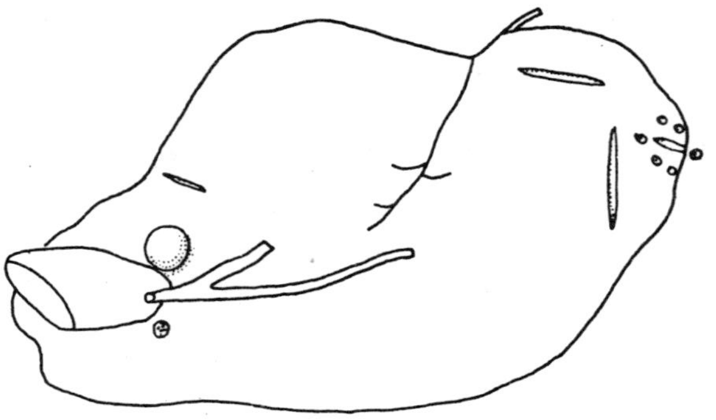

- Die beiden Leberteile *mazzāzu* und *padānu* sind wiederum als "normal" zu bezeichnen (Taf. 19,6).
- Eine Wiedergabe der Gallenblase fehlt.
- Die relativ kurze Einritzung auf dem linken Leberlappen ist als Kennzeichnung von *padān šumēl marti* zu verstehen; aufgrund der veränderten Ausrichtung — waagerechter anstatt senkrechter Verlauf — muß hierin eine Negativmarke gesehen werden, die aber eine positive Deutung für den Fragesteller beinhaltet, da sie im "feindlichen Gebiet" auftritt (Z = f(A⁻ + B⁻) ⇒+).
- Die linke untere Seite des Leberfingers ist mit einer rundlichen Applikation versehen; in Analogie zu den Ergebnissen der Boğazköy-Modelle besitzen derartige Kennzeichnungen einen positiven Charakter (*erištu*). Aus der vorliegenden Markenkombination resultiert aber ein ungünstiger Befund (Z = f(A⁻ + B+) ⇒ —). Eine weitere Markierung befindet sich auf der rechten Seite des Leberfingers; dabei handelt es sich um die Wiedergabe eines Einstichs (*šīlu, qû, pūṣu*), einer Negativmarke, deren Auftreten in einem günstigen Teilbereich ebenfalls zu einer ungünstigen Deutung führt (Z = f(A+ + B⁻) ⇒ —).
- Weiterhin weist am rechten Leberrand der Bereich von *tību* eine Markierung auf; um eine Einritzung sind sechs Einstiche so angeordnet, daß sich jeweils zwei an der Längsseite und je einer an den Schmalseiten gegenüberliegen. Eine vergleichbare Darstellung ist bisher nicht belegt (s.u.); da das Leberteil *tību* niemals durch eine Ritzung gekennzeichnet ist, muß hierin bereits ein negatives Vorzeichen gesehen werden. Aus dem zusätzlichen Auftreten anderer Negativmarken resultiert keine erneute Veränderung der Omenaussage (d.h. im Falle des Auftretens von zwei Negativmarken — doppelte Negation — erfolgt keine Umkehrung der Ergebnisse, s.S. 104). Deshalb ist auch diese Markenkombination — trotz der symmetrischen Anordnung der einzelnen Marken — vermutlich als ungünstiger Befund zu interpretieren (Z = f(A+ + B⁻) ⇒ —).

RS 21 (?; COURTOIS 1969:106 Abb. 9,1)

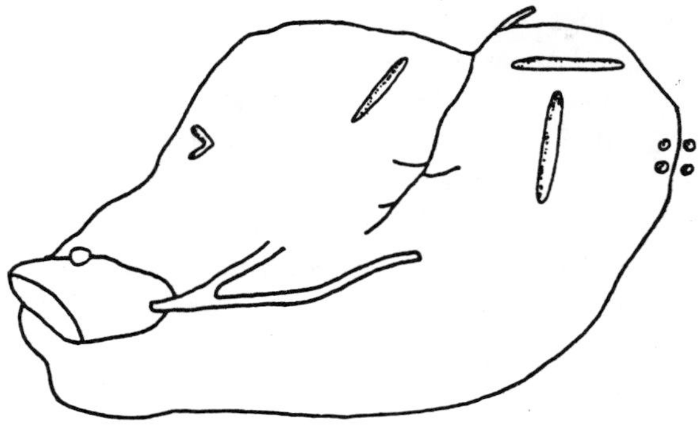

Die Darstellung auf diesem Modell unterscheidet sich nur geringfügig von der vorher besprochenen.
- "Standort" und "Pfad" sind wiederum als "normal" gekennzeichnet.
- Anstelle der Gallenblase findet sich hier eine kurze Ritzlinie, mit Sicherheit ein ungünstiger Befund.
- Der Bereich *padān šumēl marti* ist mit einer winkelartigen Einritzung versehen, die sich nach links öffnet; sollte die oben vorgeschlagene Deutung dieser Marke als "Waffe" zutreffen, dann ergibt sich Z = f(A^- + B^+) ⇒ — , ein ungünstiger Befund.
- An der linken unteren Seite des Leberfingers befindet sich eine rundliche Applikation, die als Kennzeichnung einer Positivmarke (*erištu*) aufzufassen ist; ein derartiger Befund besitzt eine ungünstige Omentendenz (Z = f(A^- + B^+) ⇒ —).
- Im Bereich von *tību* sind vier kleine Einstiche (*šīlu, qû, pūṣu*) symmetrisch zueinander angeordnet; dieser Befund führt zu einer unentschiedenen Aussage (vgl. Bo 22).

RS 6 (61/24.314)

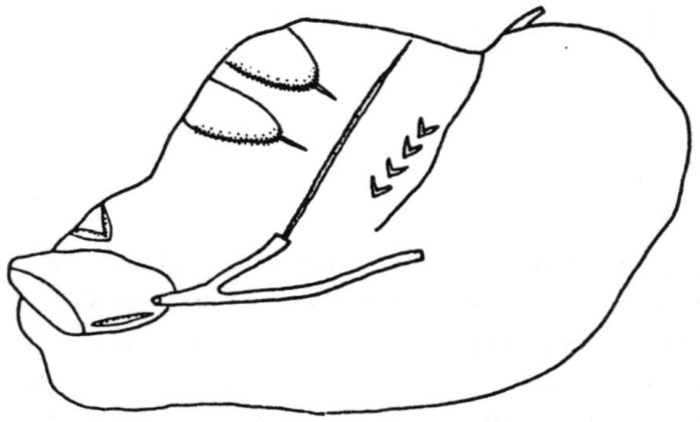

- Im Bereich von *šulmu* sind vier ineinander geschachtelte "Waffen" dargestellt (Taf. 20,1), die nach "oben blicken". Durch das vierfache Auftreten wendet sich die positive Tendenz derartig orientierter "Waffen" in eine negative Bedeutung (in den Texten wird die vorliegende Anordnung mit *redîš* "hintereinander" beschrieben; vgl. CT 30 38c, 4–5; 31 15 67; W 22729/16,13 = v.WEIHER 1983:Nr. 45).
- Die auf dem Modell wiedergegebene Beschaffenheit der Gallenblase weist eine komplexe Konstellation auf. Zum einen sind zwei nebeneinanderliegende Organe durch Applikationen angegeben, die zwei getrennte — durch Ritzungen dargestellte — Ausgänge (*maṣraḫ marti*) besitzen; ein derartiger Befund impliziert eine günstige Deutung. Zum anderen befindet sich neben diesen Darstellungen eine weitere Einritzung; aufgrund zahlreicher Beispiele kann die Wiedergabe der Gallenblase durch eine Ritzlinie als Kennzeichnung eines ungünstigen Befundes angesehen werden. Die auf diesem Modell vorliegende

Beschaffenheit des Organs kann nicht mit Sicherheit gedeutet werden, da entsprechende Textbeispiele nicht zu belegen sind. Als mögliche Interpretation bietet sich aber folgender Befund an: Die "normale" Gallenblase ist herausgerissen (*saḫāru, naḫāsu* neg. Aspekt, vgl. YOS X 31 mehrere Beispiele) und stattdessen treten zwei (positiver Aspekt) zusätzliche Organe auf, die aber nicht die normale Position einnehmen, sondern auf der linken Leberseite in dem "feindlichen Gebiet" — liegen. Eine derartige Lage wird als Verringerung des "feindlichen Gebietes" aufgefaßt und erlaubt daher eine positive Wahrsagung (vgl. z. B. YOS X 31 II, 31–37 im Gegensatz zu YOS X 31 I, 12- 17 — nach rechts gewendet). Für die vorliegende Markenkombination gilt dann: Z = f(A$^-$ ⇒A$^+$) ⇒+).

- Am linken Leberrand befindet sich weiterhin die Darstellung einer nach "rechts" blickenden "Waffe". Unabhängig von der topographischen Lage dieser Marke — entweder im Bereich von *padān šumēl marti* oder auf der linken Seite des Leberfingers — resultiert aus diesem Befund ein ungünstiges Omen (Z = f(A$^-$ + B$^+$) ⇒ —), da eine nach "rechts blickende Waffe" auf dem linken Leberlappen immer negativ zu bewerten ist (zur Systematik s.S. 118–120). Diese Markierung kann als weiteres Beispiel für die Eindeutigkeit der Kennzeichnungen dienen, auch wenn der topographische Ort des Vorkommens nicht genau feststellbar ist; unklar getrennte Leberbereiche, wie z.B. *padān šumēl marti* und die "linke Seite des Leberfingers" oder wie die "rechte Seite des Leberfingers" und *nīru* besitzen jeweils die gleiche Tendenz, so daß auftretende Veränderungen immer zu vergleichbaren Ergebnissen führen müssen.
- Weiterhin weist die Basis der rechten Seite des Leberfingers eine waagerecht verlaufende Einritzung (= *paṭāru*) auf (Z = f(A$^+$ + B$^-$) ⇒ —).

RS 7 (61/24315)

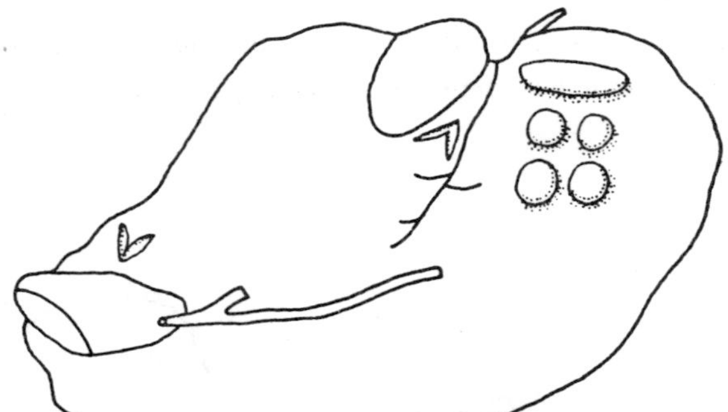

- Auf dem rechten Leberlappen sind vier runde sowie eine längliche Applikation angebracht (Taf. 20,2). Aufgrund der Größe ist nicht mit Sicherheit zu entscheiden, welche Leberteile — *padānu, mazzāzu, nīru, ṣibtu*, rechte Seite des *ubānu* — von der dargestellten Veränderung betroffen sind. Unter Berücksichtigung, daß Applikationen stets zur Kennzeichnung von günstigen Befunden dienen, bietet sich folgende Interpretationsmöglichkeit an: Die längliche Applikation bezeichnet eine Beschaffenheit des "Pfades", in dem Sinne, daß "der Pfad mit Fleisch (*šīru*) bedeckt" ist (zu einem ähnlichen Befund s.S. 250). Ein derartiger Zustand führt bei allen Leberteilen, die zur Markenkategorie AII (*uṣurātu*) gehören, zu einer günstigen Deutung. Diese Erklärung ermöglicht eine enge Verbindung zwischen der gewählten Darstellungsweise (Applikation = *šīru*) und der zu vermittelnden Tendenz (Applikation = Positivmarke).
- Auch bei den vier rundlichen Applikationen handelt es sich um Positivmarken (*erištu*); da sie sich im Bereich eines der rechts liegenden Leberteile befinden, resultiert aus dieser Konstellation ebenfalls ein günstig zu deutendes Vorzeichen (Z = f(A$^+$ + B$^+$) ⇒+). Die unmittelbare Nähe der beiden Kennzeichnungen spricht für die Annahme, daß mit rundlichen Applikationen der Zustand des "Standortes" beschrieben wird.

- Im Bereich von *šulmu* befindet sich eine “Waffe”, die nach “unten blickt”; aus diesem Befund ergibt sich eine ungünstige Deutung (vgl. .B. YOS X 46 III 7–9: DIŠ GIŠ.TUKUL *i-mi-tim e-le-nu-um a-bu-ul-lim ša-ki-im-ma ni-ra-am ù*! *ṣí-ib-tam iṭ*!*-ṭù-ul ar-bu-ut* LÚ KÚR-*im* “Wenn eine ”Waffe“der rechten (Seite) über dem *abullum* liegt und *nīru* und *ṣibtu* anschaut: Flucht des Feindes”, für den entgegengesetzten Befund; dieser Text bestätigt zugleich die oben vorgeschlagene Auswertung der “Waffen”).
- Eine weitere “Waffe” ist auf dem linken Leberlappen angebracht; da sie sich auf einem zur pars hostilis gehörigen Teilbereich befindet, handelt es sich um eine “Waffe der linken Seite”, die nach “oben blickt” und somit ein negatives Ergebnis erwarten läßt ($Z = f(A^- + B^+) \Rightarrow -$).

RS 8 (61/24.316)

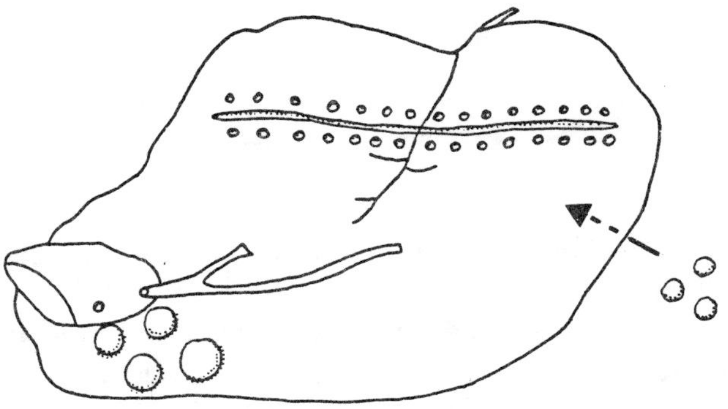

- Die auffälligste Kennzeichnung auf diesem Modell (Taf. 20,3-4) ist in einer quer über die gesamte Schauseite verlaufenden Ritzlinie zu sehen; auf beiden Seiten dieser Ritzung sind fünfzehn Einstiche jeweils einander symmetrisch gegenüberliegend angeordnet. Eine über beide Leberlappen sich erstreckende Darstellung ist bisher weder von den Modellen noch aus den Texten bekannt. Aufgrund der Ausrichtung ist der rechte Teil dieser Markierung als Wiedergabe des Leberteiles *padānu* zu verstehen, der linke möglicherweise als derjenige von *padān šumēl marti*. Wie die graphische und damit auch die anatomisch beobachtete Verbindung dieser beiden Leberteile im Sinne der Omina zu beurteilen ist, kann nicht mit Sicherheit entschieden werden; determinierend für die Aussage ist vermutlich das symmetrische Auftreten der Einstiche, ein Befund, der schon vielfach mit einem unentschiedenen Ergebnis verbunden wurde.
- Weiterhin befinden sich auf der rechten Seite wiederum vier runde Applikationen; in diesem Fall liegen die vier Marken nicht derart dicht beieinander wie im vorhergehenden Beispiel, so daß durchaus die Kennzeichnung verschiedener Leberteile angenommen werden darf. Eine der Applikationen, deren Form leicht von der der anderen abweicht, ist an der Basis der rechten Seite des Leberfingers angebracht. Aus dieser Verbindung resultiert eine positive Omenaussage. Allerdings ist dieses Ergebnis wegen einer weiteren Markierung — ein Loch — im gleichen Teilbereich in Frage zu stellen. Somit liegen in diesem Fall zwei gegensätzliche Befunde für einen Leberbereich vor. Auch in den Berichten werden häufig mehrere Anomalien eines Leberteiles erwähnt (z.B. GOETZE 1957a:99, Nr. 8) und nacheinander beschrieben; in der Auswertung (Summierung der Einzelergebnisse) ist jedoch jeder Befund gesondert zu berücksichtigen. Es handelt sich stets um Veränderungen unterschiedlicher Bereiche des betreffenden Leberteiles, nicht um zwei Veränderungen in einem Teilbereich; ein derartiger Befund könnte theoretisch eine gegenseitige Aufhebung, d.h. eine unentschiedene Aussage bewirken.
- Die drei weiteren Applikationen sind in Form eines Dreiecks angeordnet; aufgrund ihrer topographischen Lage ist hierin eine Kennzeichnung des Leberteiles *mazzāzu* zu sehen, die eine positive Deutung nahelegt ($Z = f(A^+ + B^+) \Rightarrow +$).
- Drei ähnlich kombinierte Applikationen finden sich auch auf der Rückseite des rechten Leberlappens. Da alle Leberteile eine Entsprechung auf der Rückseite des Organs haben (mit Vertauschung der Seiten,

dazu vgl. MEYER 1984a:119–130), kann auch diese Marke als Kennzeichnung von *mazzāzu* aufgefaßt werden und wiederholt damit (oder verdeutlicht) den auf der Vorderseite dargestellten Zustand.

RS 9 (61/24.317)

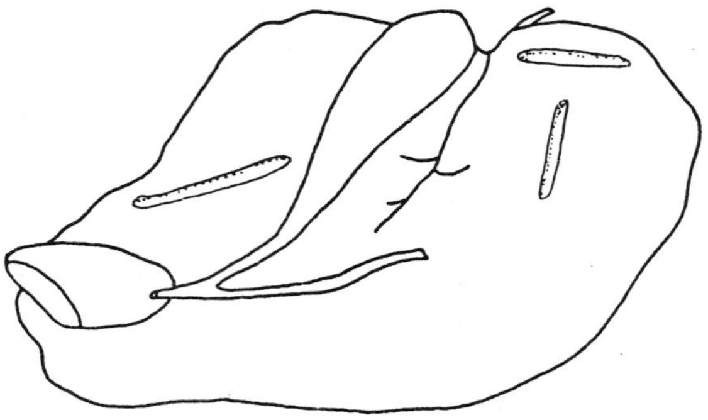

- Die beiden Leberteile *mazzāzu* und *padānu* sind durch ihre jeweiligen Kennzeichnungen als "normal" wiedergegeben (Taf. 20,5).
- Auch die Gallenblase und der Leberfinger weisen keine Veränderungen auf.
- Im Bereich von *padān šumēl marti* befindet sich eine senkrecht verlaufende Einritzung; darin ist die Kennzeichnung eines positiv zu bewertenden Befundes für den Fragesteller zu sehen.

RS 10 (61/24.318)

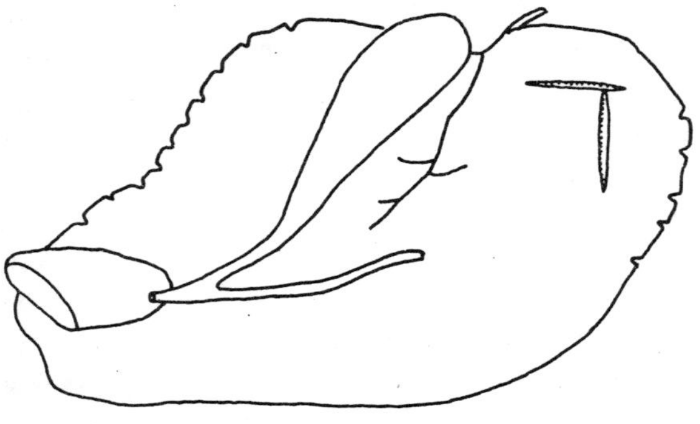

- Die Kennzeichnungen des "Standortes" und des "Pfades" — die entsprechenden Ritzlinien — kreuzen sich, so daß der "Pfad" geteilt (*paṭāru*) wird (Taf. 20,6). Ein derartiges Krankheitsbild besitzt eine ungünstige Deutung (Z = f(A+ ⇒A⁻) ⇒ — ; vgl. CT 31 13, s.S. 118).
- Gallenblase und Leberfinger sind normal gebildet.
- Der rechte und linke Leberrand weisen jeweils zahlreiche Einkerbungen auf, ein Zustand, der als ungünstige Veränderung der äußeren Form zu interpretieren ist.

RS 11 (61/24.319)

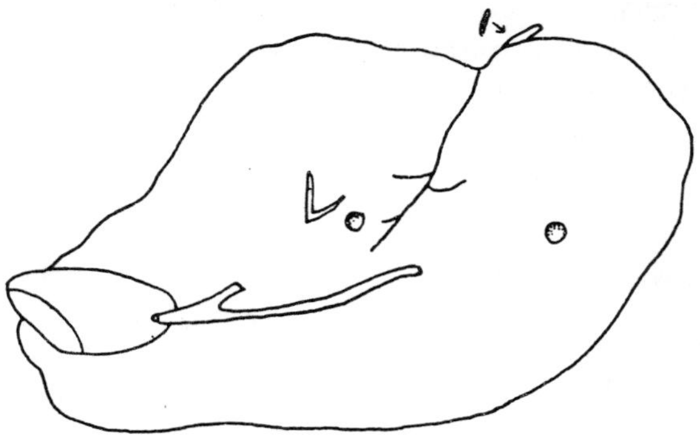

- Anstelle der senkrechten Ritzlinie findet sich im Bereich des "Standortes" ein Loch (Taf. 21,1); ein vergleichbarer, negativ gedeuteter Befund ist auch von dem Modell Bo 19 bekannt.
- Das Leberteil *danānu* ist durch eine einfache senkrechte Ritzlinie als "normal" gekennzeichnet.
- Auch im Bereich von *šulmu* (*bāb ekalli*) findet sich anstelle der Einritzung ein Loch, ein Befund, der bereits mehrfach als ungünstig interpretiert wurde (vgl. z.B. 225).
- Eine Darstellung der Gallenblase fehlt.
- Schließlich tritt im Bereich von *padān šumēl marti* eine nach "oben blickende Waffe" auf; aus dieser Konstellation resultiert eine ungünstige Omenaussage für den Fragesteller.

RS 12 (61/24.320)

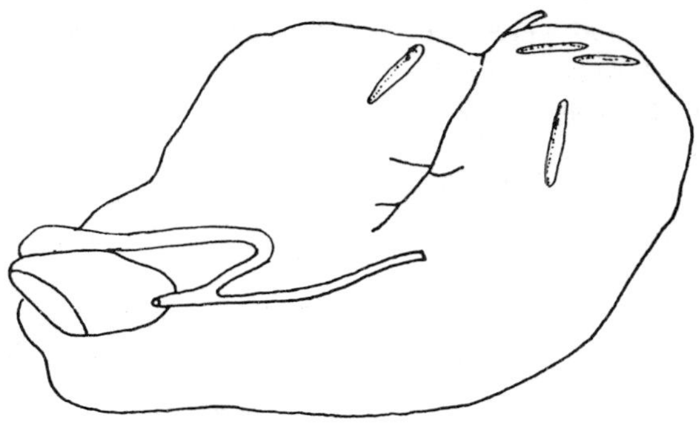

- Der "Standort" wird durch eine senkrechte Ritzlinie als "normal" gekennzeichnet (Taf. 21,2).
- Dagegen besteht die Markierung von *padānu* aus zwei leicht gegeneinander versetzten Einritzungen. Diese Darstellungsweise ist nicht eindeutig, da sowohl ein zweifaches Vorkommen des Leberteiles — ein positiver Befund — als auch eine Unterbrechung (*pašāṭu*) des einfachen Verlaufes — ein ungünstiger Befund — vermutet werden kann. Für die Annahme einer Kennzeichnung des zweifachen Auftretens spricht die Beobachtung, daß die beiden Einritzungen sich nicht in einer Ebene befinden, sondern übereinander angeordnet sind und sich zum Teil sogar überlagern.
- Für die Gallenblase liegt eine Veränderung ihrer topographischen Lage vor; sie befindet sich nicht in der normalen Position auf dem linken Leberlappen, sondern auf der linken hinteren Seite des Leberfingers. Ein vergleichbares Krankheitsbild wird in zahlreichen Omentexten beschrieben und besitzt eine günstige Tendenz (z.B.: YOS X 31 II, 31–37: *šum-*[*m*]*a mar-tum is-ḫu-ur-ma mu-úḫ-ḫa-am ša ú-ba-ni-im il-ta-we šar-ru-um* SUKAL.MAḪ-*šu i-na-as-sa-aḫ* "Wenn die Gallenblase sich wendet und sich um den oberen Teil des Leberfingers herumlegt: Der König wird seinen Großwesir entfernen"; vgl. YOS X

31 VIII 18–19). Die graphische Darstellung dieses Befundes erfolgt einerseits durch eine Einritzung zur Kennzeichnung des Fehlens (*naḫāsu* "herausreißen", *saḫāru* "sich umwenden") der "normalen" Gallenblase, andererseits durch deren plastische Wiedergabe (Applikation = Positivmarke) auf dem Leberfinger, d.h. im festgestellten Bereich ($Z = f(A^+ \Rightarrow A^+) \Rightarrow +$).

RS 13 (61/24.321)

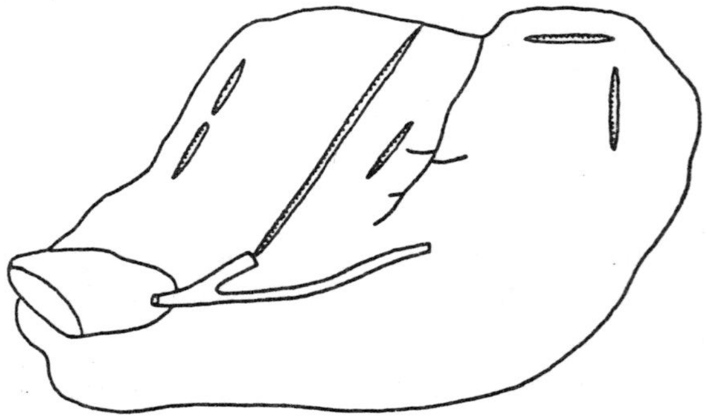

- Auf der schlecht erhaltenen Oberfläche (Taf. 21,3) ist die "normale" Kennzeichnung des *mazzāzu* deutlich sichtbar, während die von *padānu* nur noch als schwacher Eindruck zu erkennen ist.
- Das Leberteil *šulmu* wird durch eine senkrecht verlaufende Einritzung als "normal" angegeben.
- Auch bei diesem Modell deutet eine Einritzung das Fehlen der Gallenblase an; da keine weitere Kennzeichnung für eine mögliche Verlagerung dieses Organs vorhanden ist, muß dessen vollständiges Fehlen — ein negativer Befund — angenommen werden.
- Die Markierung von *padān šumēl marti* besteht aus einer unterbrochenen (*pašāṭu*) Ritzlinie; die damit negativ zu interpretierende Veränderung dieses Leberteiles (zur pars hostilis gehörig) führt zu einem positiven Ergebnis für den Fragesteller ($Z = f(A^- + B^-) \Rightarrow +$).

RS 14 (61/24.322)

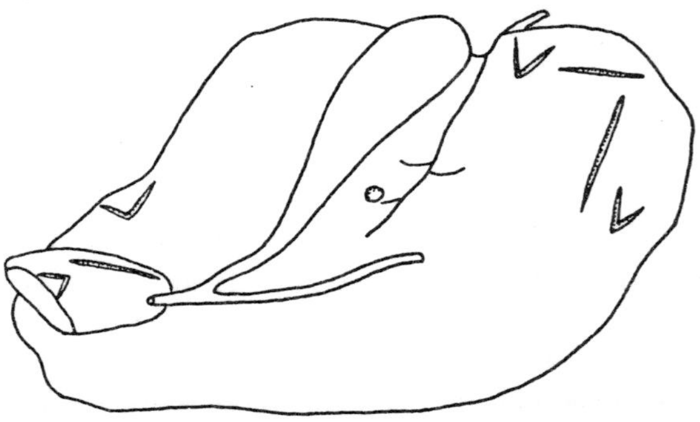

- Rechts neben der Kennzeichnung des "Standortes" befindet sich die Darstellung einer "Waffe", die nach "oben blickt" (Taf. 21,4); eine derartige Kombination hat ein günstiges Omenergebnis zur Folge (Z = f(A+ + B+) ⇒+).
- Eine weitere "Waffe" ist links neben dem "Pfad" angebracht (KA.DÙG.GA); da auch sie nach "oben" ausgerichtet ist, ist ebenfalls eine günstige Deutung anzunehmen.
- Der Bereich von *šulmu* weist anstelle der Einritzung einen Einstich (*šīlu, qû, pūṣu*) auf, ein Befund, der schon vielfach als ungünstig bezeichnet wurde (vgl. u.a. RS 5, 11).
- Das Auftreten einer nach "rechts blickenden Waffe" auf dem linken Leberlappen führt ebenso zu einem ungünstigen Ergebnis.
- Die linke Seite des Leberfingers ist mit einer waagerecht verlaufenden Einritzung (*paṭāru*) versehen. Der so gekennzeichnete Befund erlaubt eine günstige Deutung (Z = f(A⁻ + B⁻) ⇒+). Auch aus dem Auftreten einer "Waffe" auf der Vorderseite des Leberteiles resultiert in diesem Falle eine günstige Aussage, da die "Waffe" nach "oben" blickt.

RS 16 (61/24.324)

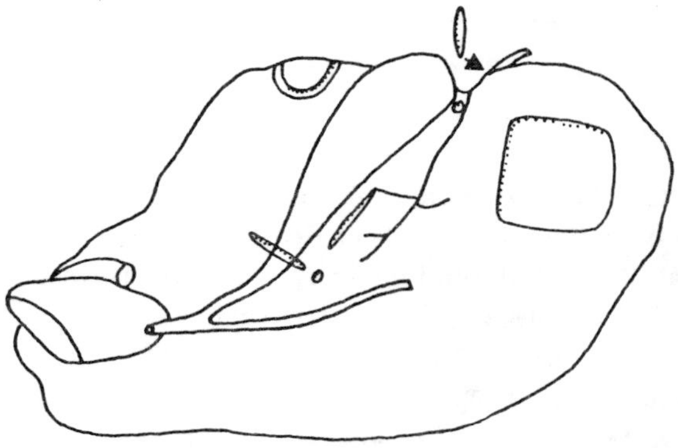

- Im Bereich des "Standortes" befindet sich eine rechteckige Vertiefung (Taf. 21,5); es ist nicht zu entscheiden, ob es sich dabei um die intendierte Darstellung eines Befundes handelt oder ob an dieser Stelle eine ursprünglich vorhandene Applikation abgebrochen ist. In beiden Fällen ist ein günstig zu interpretierender Befund denkbar: entweder im Sinne von *rapāšu* D "vergrößern" (vgl. S. 111) oder als zwar nicht näher zu bestimmendes, jedoch aufgrund der Darstellungsweise — einer Applikation — mit Sicherheit ebenfalls günstig zu bewertendes Krankheitsbild.
- Die senkrecht verlaufende Einritzung am oberen Rand des rechten Lappens ist als Kennzeichnung der "normalen" Beschaffenheit des Leberteiles *danānu* aufzufassen.
- Auch der Bereich von *šulmu* weist die "normale" Markierung auf; doch befindet sich am unteren Rand des Modells ein Loch (*šīlu*). Nach der Topographie des Bereichs von *šulmu* (s.S. 137) gehört diese Zone (SAG SILIM) zur pars familiaris; daraus folgt, daß die Kennzeichnung negativ zu bewerten ist (Z = f(A+ + B⁻) ⇒ —).
- Das Modell weist zwei Gallenblasen auf; die eine befindet sich in ihrer normalen Position, die zweite liegt auf der rechten Seite des Leberfingers. Für beide Befunde kann eine positive Deutung angenommen werden (vgl. RS 13).
- Eine waagerecht verlaufende Ritzlinie reicht vom Bereich *šulmu* bis auf den linken Leberlappen. In dieser Markierung ist eine Kennzeichnung von *padān šumēl marti* zu sehen. Da diese Linie den Bereich der Gallenblase (in ihrer normalen Lage) kreuzt, ist eine ungünstige Interpretation des Befundes im Sinne des Textes YOS X 31 III, 27–31 zu erwarten: *šum-ma mart-tum i-ši-is-sà le-ti* [...] *i-na ma-tim i-t*[*e*]-*e*[*b-b*]*i-a-am* "Wenn das Fundament der Gallenblase (*maṣraḫ marti*) gespalten ist: [....] wird sich im Land erheben" (vgl. YOS X 31 VI, 10–14).

- Der linke Rand des Modells weist eine Einkerbung auf; da dieser negativ zu bewertende Befund (*pašāṭu*) auf der linken Seite auftritt, ist eine günstige Deutung für den Fragesteller zu erwarten.

RS 20 (61/24.392)

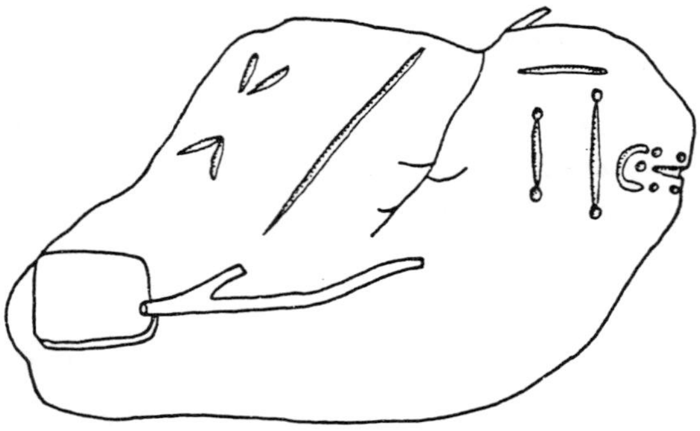

- Im Bereich des "Standortes" befinden sich zwei senkrechte Einritzungen (zweifaches Vorkommen des *mazzāzu* ergibt einen positiven Befund); jeweils an den Enden dieser Markierungen ist ein Einstich (*šīlu, qû, pūṣu*) angebracht (Taf. 21,6). Aufgrund dieser symmetrischen Anordnung der Negativmarken kann ein Omen mit unentschiedenem Ausgang vermutet werden.
- Der Bereich von *padānu* ist als "normal" gekennzeichnet.
- Auf dem linken Leberlappen ist eine Einritzung zu erkennen, die vom "Fundament des Leberfingers" bis zum Rand reicht; diese Marke kann entweder als eine Kennzeichnung von *šulmu* oder als eine der Gallenblase angesehen werden. In beiden Fällen ergibt sich eine ungünstige Omenaussage; sollte es sich um eine Marke von *šulmu* handeln, dann ist sie länger als "normal" wiedergegeben und illustriert möglicherweise einen Befund, der in den Texten mit *maqātu* "herabfallen" (die Darstellung reicht bis an den Rand des Modells, vgl. Bo 23) beschrieben wird. Sollte es sich um eine Veränderung der Gallenblase handeln (*naḫāsu*), ist deren Fehlen anzunehmen.
- Im Bereich von *padān šumēl marti* befinden sich zwei "Waffen", die in die jeweils entgegengesetzte Richtung "schauen". Aufgrund dieser Konstellation kann nur ein unentschiedener Omenausgang angenommen werden (vgl. S. 218–220).
- Der obere Teil des Leberfingers ist flach gestaltet; eine vergleichbare Veränderung ist bisher nicht belegt. Aufgrund der Deformation, die eine erhebliche Abweichung von der "Normalform" des Leberteiles zur Folge hat, ist eine ungünstige Omenaussage zu erwarten.
- Im Bereich von *tību* befindet sich wiederum eine waagerechte Einkerbung des Randes, die von sechs symmetrisch angeordneten Einstichen umgeben ist (vgl. RS 5,21); diese Markierung besitzt, wie bereits gezeigt, eine unentschiedene Bedeutung.

Die Auswertung der 21 Tonlebern aus Ugarit ergibt für insgesamt sechs Modelle einen positiv zu interpretierenden Gesamtbefund (ca. 30%). Die einzelnen Leberbereiche (mit Ausnahme von *šulmu*) sind nicht so häufig ausgewertet (bzw. gekennzeichnet), wie es in den Berichten der Fall ist. Im Gegensatz zu den Modellen der Gruppen I–III findet sich aber relativ häufig die Darstellung des "normalen",unveränderten Leberteiles (dies trifft vor allem für die Bereiche *mazzāzu* und *padānu* zu). Unter den Krankheitsbildern überwiegt die Darstellung der als "Waffe" bezeichneten Anomalie. Eventuell ist in dieser Kennzeichnung jedoch nicht die Wiedergabe einer bestimmten Veränderung zu sehen, sondern vielmehr das Bestreben, einen negativen Befund in eindeutiger Weise (mit einem festgelegten Zeichen) zu kennzeichnen.

Im einzelnen bietet die Auswertung der Teilbereiche auf den Modellen aus Ugarit folgendes Bild:

		mazzāzu	*padānu*	*danānu*	*šulmu*	*martu*	*padān š.marti*	*maddi kussî*	*ubānu*	*ṣibtu*	*nīru*	*tību*	Ergebnis
RS	1	1+	12+	x	x	39+	x	x	65+	x	x	x	+
	2	x	x	x	x	40−	x	x	65−	x	x	x	−
	3	1±	12+	x	x	39+	x	x	65+	x	x	x	+
	4	x	x	x	x	39+	62+	x	65+	x	x	±	+
	5	1+	12+	x	x	40−	63−	x	65−	x	x	±	−
	6	x	x	x	31−	41+	−	x	65−	x	x	x	−
	7	4+	23+	x	31−	39+	−	x	65+	x	x	x	−
	8	x	12±	x	x	40−	63±	x	65±	x	x	x	−
	9	1+	12+	x	x	39+	61+	x	65+	x	x	x	+
	10	24−	24−	x	x	39+	−	x	65+	x	x	−	−
	11	4−	x	25+	33−	40−	−	x	65+	x	x	x	−
	12	1+	13+	x	x	43+	x	x	65+	x	x	x	+
	13	1+	12+	x	31+	41−	62+	x		x	x	x	−
	14	1−	12+	x	33−	39+	−	x	65+	x	x	x	−
	15												
	16	+	x	25+		43+	63−	x	65+	x	x	x	−
	17	1+	12+	25+	x	43+	+	x	65+	x	x	±	+
	18	1+	12+	x	x	41−	61+	x	65−	x	x	±	−
	19		+										
	20	2±	12+	x	x	41−	+	x	70−	x	x	±	−
	21	1+	12+	x	x	41−	+	x	65−	x	x	±	−

Tabelle 20: Auswertung der Kennzeichnungen auf den Modellen aus Ugarit

Auswertung der Modelle aus Mumbaqat

Die 21 in Mumbaqat gefundenen Tonlebermodelle stammen aus drei verschiedenen Fundkomplexen; je eines wurde im Torbereich (MBQ 1) bzw. im Steinbau II (MBQ 2) geborgen, alle weiteren in einem Gebäude nördlich von Steinbau I (zur Fundsituation s.S. 36–38). Es wurde bereits darauf hingewiesen, daß die beiden Einzelfunde möglicherweise weitere Aufschlüsse über Bedeutung und Verwendung der unbeschrifteten Tonlebern erlauben. Die Annahme, diese Stücke als "Deponierung" von Modellen auffassen zu können, auf denen die Ergebnisse einer Opferschau verzeichnet sind, die im Zusammenhang mit der Errichtung der betreffenden Bauwerke durchgeführt wurde, setzt aber eine positive Deutung des jeweiligen Gesamtbefundes voraus (dazu ausf. s.S. 49–51; vgl. MEYER 1984a:119–130). Daher sollen zunächst die Markierungen dieser beiden Stücke analysiert werden.

MBQ 1 (4731/13)

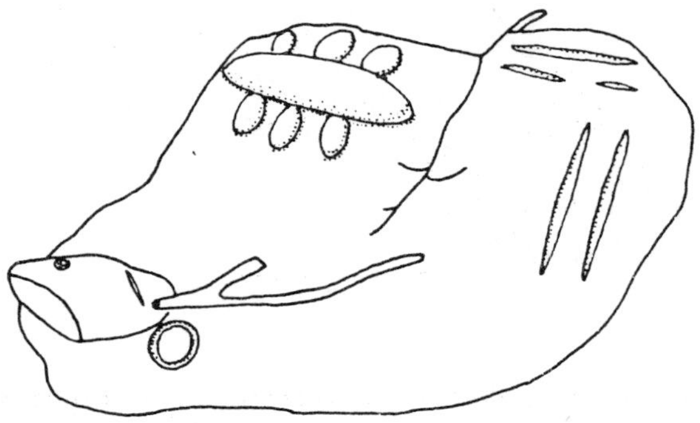

- Die beiden senkrecht verlaufenden Einritzungen auf dem rechten Leberlappen zeigen das zweifache Vorkommen des "Standortes"(ein positiver Befund) an (Taf. 22,1).
- Auch im Bereich des "Pfades" finden sich zwei Einritzungen, von denen aber eine einen unterbrochenen Verlauf aufweist. Diese Darstellung ist ebenfalls als Kennzeichnung für das zweifache Auftreten des Leberteiles zu werten; da aber eine der Ritzlinien "beschädigt" (*paṭāru*) ist, muß ein ungünstiges Vorzeichen erwartet werden (K 2671: *šumma padānu 2-ma sanû ina imitti šakin-ma paṭir ṣit rēši ēdi* "Wenn der Pfad zweimal vorhanden ist und der zweite auf seiner rechten Seite liegt und gerissen ist: Verlust eines einzelnen Sklaven"; vgl. BM 12875, 1–3 = ARO/NOUGAYROL 1973: 50; die Veränderung wird hier durch *ṣabātu* "greifen" beschrieben).
- Der Körper der Gallenblase befindet sich nicht in seiner "normalen" Position, sondern ist nach hinten verlagert und reicht bis an den Rand des linken Leberlappens. Darüber hinaus zweigen je drei kleinere Gebilde von diesem Körper ab. Sowohl die Verlagerung des Organs zur linken Seite (= Verringerung des "feindlichen Gebietes") als auch die Darstellungstechnik der Marke — eine Applikation — sprechen für eine positive Deutung des Befundes. Aufgrund der Form (vgl. bildhafte Sprache — sprachliche Bilder, s.S. 85–86) kann eventuell sogar eine Gleichsetzung dieses Zeichens (Markenkombination) mit dem Omentext YOS X 31 I 5–8 (ähn. X 4–7; XIII 42–45) erfolgen: *šum-ma mar-tum* ⌈*ki*⌉*-ma ṣú-ri-ri-tim* [*i*]*b-ba-aš-ši* GIŠ.TUKUL *šar-ru*-GI "Wenn die Gallenblase sich wie eine Eidechse bildet: Waffe Sargon" (zur Bedeutung der Akkad-Herrscher in den Omina, vgl. GOETZE 1947: 253–265).
- Am "Fundament" der linken Seite des Leberfingers (pars hostilis) befindet sich ein Loch (*šilu*); die günstige Deutung eines derartigen Befundes ist schon häufig belegt (Z = f(A⁻ + B⁻) ⇒+). Auf der Vorderseite dieses Leberteiles ist weiterhin eine waagerecht verlaufende Einritzung (*paṭāru*) angebracht; diese Kennzeichnung muß als ungünstig angesehen werden, da der betroffene Bereich zur pars familiaris gehört (Z = f(A+ + B⁻) ⇒ —). Eine weitere Marke reicht vom unteren Teil der rechten Seite des Leberfingers bis auf den benachbarten Bereich (*māt imitti ubāni*). Dabei handelt es sich um eine flache, runde Vertiefung. Über die Art der Veränderung kann keine verbindliche Aussage getroffen werden; doch spricht auch in diesem Fall die Technik der Wiedergabe — ein Eindruck — für die negative Bedeutung der Marke. Trifft diese Annahme zu, dann ist eine ungünstige Aussage zu erwarten (Z = f(A+ + B⁻) ⇒ —).

MBQ 2 (2133/35)

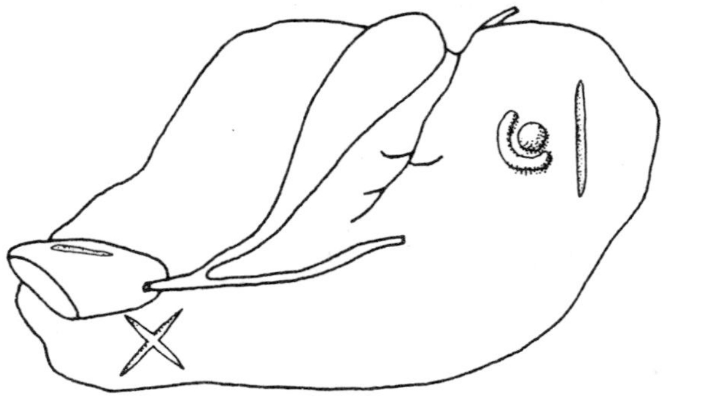

- Neben der Kennzeichnung des "Standortes" ist zusätzlich eine runde Applikation angebracht (Taf. 22,2), um die sich eine weitere, halbrund gebogene Applikation herumlegt. Die vorliegende Darstellung ist durchaus mit den Kennzeichnungen des "Standortes" auf den Modellen Bo 8 und AO 8894 zu vergleichen (in beiden Beispielen fehlt allerdings die Mittelfüllung). In Analogie zu diesen Modellen sowie zu Texten mit ähnlichem Inhalt (dazu ausf. MEYER 1984a: 119–130) ist folgende Interpretation dieser Marke anzunehmen: Die Form des "Standortes" entspricht einer "Sichel" (*išqarrurtu*, so AO 8894) bzw. einem "gebogenen Finger" (ŠU.GUR (*târu*), so Bo 8). Weiterhin geht aus der Darstellung hervor, daß sich das Leberteil nach links — in das "feindliche Gebiet" — wendet und daß sich auf der rechten Seite zusätzlich eine Erhebung (*erištu*, Positivmarke) befindet. Diese Konstellation besitzt eine positive Omentendenz; daher kann in diesem Fall die Kennzeichnung des "Standortes" durch eine Applikation erfolgen. Die daneben angebrachte Einritzung der "normalen" Kennzeichnung des "Standortes" dient nur als eine Art Determinativ, das den Bezug dieser Darstellung auf das Leberteil *mazzāzu* anzeigt (Z = f(A+ ⇒A+) ⇒+).

- Die Gallenblase weist keine Veränderungen auf.
- An der linken Seite des Leberfingers ist eine waagerecht verlaufende Einritzung angebracht (Z = f(A⁻ + B⁻) ⇒+).
- Entweder auf der rechten Seite des Leberfingers oder in einem der benachbarten Bereiche (*nīru*) befindet sich eine Einritzung in Form eines Kreuzes. Gemäß der häufig zu beobachtenden Übereinstimmung von Wort und Bild kann diese Markierung mit dem als *pillurtu* "Kreuz" bezeichneten Krankheitsbild gleichgesetzt werden (dazu ausf. mit weiteren Belegen, MEYER 1984a: 119–130). Aus den Texten geht hervor, daß eine derartige Veränderung eine ungünstige Bedeutung hat. Daher muß in dem vorliegenden Beispiel eine negative Aussage angenommen werden (Z = f(A+ + B⁻) ⇒ —).

MBQ 3 (2737/43a.b)

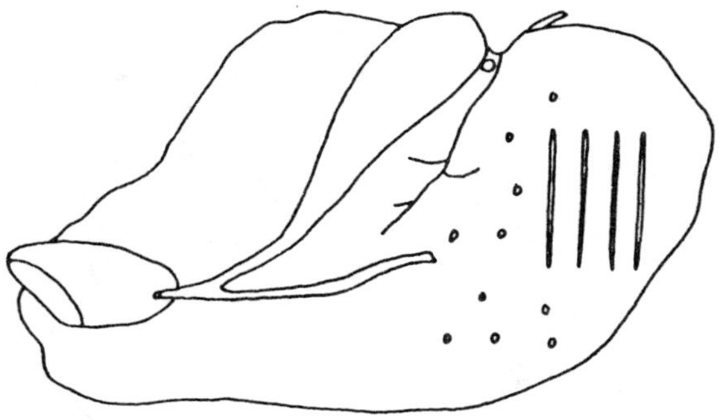

Das nur fragmentarisch erhaltene Modell MBQ 3 (Taf. 22,3) besteht aus zwei nicht aneinanderpassenden Teilen; die Zusammengehörigkeit geht aber aus der Art der Markierung — vier parallel verlaufende Ritzlinien — hervor. Bei den einzelnen Kennzeichnungen handelt es sich neben den erwähnten Einritzungen um zahlreiche unregelmäßig angeordnete Einstiche (vgl. z.B. *šum-ma a-mu-tum ši-li sà-ah-ra-at-ma ù šu-te-eb-ru a-mu-ut šar-rù-ki-in ša ek-le-tam i-ih̬-bu-tu-ma nu-ra-am i-mu-ru* "Wenn die Leber mit Löchern (rundum) besetzt ist und diese gehen hindurch: Wahrsagung Sargon betreffend, der die Dunkelheit durchwanderte und dann ein Licht sah" (GOETZE 1947b: 256) unentschiedener Omenausgang); weiterhin ist der Rand des einen Fragments mit Ritzungen und Einkerbungen versehen. Aufgrund des schlechten Erhaltungszustandes können diese Markierungen aber nicht einem bestimmten Leberteil zugeordnet werden.

MBQ 4 (2737–67)

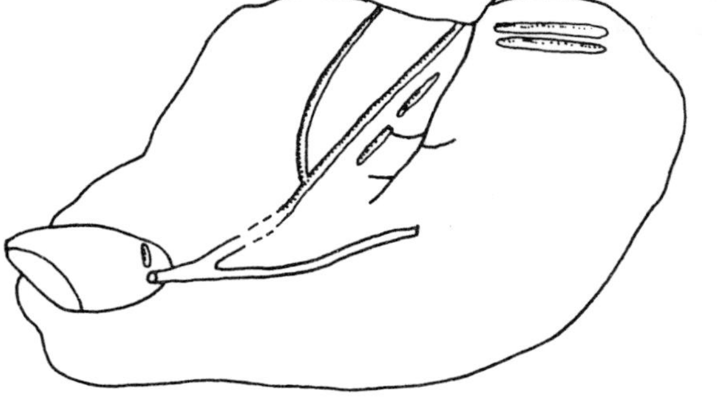

- Der Bereich von *padānu* weist zwei parallel verlaufende Einritzungen auf (Taf. 22,4); darin ist ein Kennzeichen für das doppelte Vorkommen dieses Leberteiles zu sehen, ein positiv zu bewertender Befund (vgl. GOETZE 1957a:109; Hazor, Inschrift g für *mazzāzu*).
- Am rechten Rand des linken Leberlappens, im Bereich von *šulmu*, befindet sich eine Einritzung, die in der Mitte unterbrochen ist. Diese Darstellung illustriert eine ungünstig zu bewertende Veränderung (vgl. CT 31 13 für *mazzāzu*).
- Die Wiedergabe der Gallenblase erfolgt in diesem Fall durch eine Einritzung (*uṣurātu*), eine Technik, die für alle Leberteile der Kategorie AI (*šīru* "Fleisch") auf einen negativen Befund hinweist. Auch aus der Darstellung selbst geht ein derartiges Ergebnis hervor. In die gerade verlaufende "normale" Gallenblase mündet von links (d.h. von oben) eine zweite. Nahezu die gleiche Markierung findet sich auch auf dem Modell Bo 18 und wird dort ebenfalls ungünstig gedeutet.
- Der Leberfinger ist im oberen Teil abgebrochen, so daß über diesen Bereich keine Aussage gemacht werden kann. Nur die kleine waagerecht verlaufende Einritzung am "Fundament" des vorderen Teils ist als Kennzeichnung einer Veränderung aufzufassen. Da es sich dabei um eine Negativmarke (*paṭāru*) handelt, ist eine ungünstige Deutung zu erwarten (vgl. HSM 7494, 120; $Z = f(A^{+} + B^{-}) \Rightarrow -$).

MBQ 5 (2737/69)

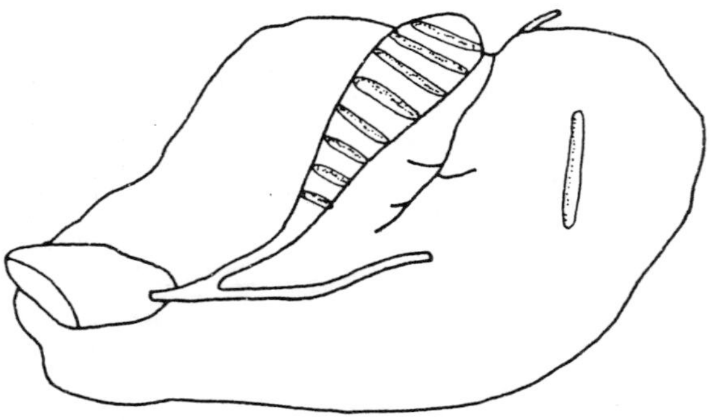

- Der "Standort" weist die Kennzeichnung der "normalen" Beschaffenheit — eine senkrechte Ritzlinie — auf (Taf. 22,5).
- Der gesamte Körper der Gallenblase ist mit insgesamt acht gleichmäßig verteilten Ritzungen versehen. Die hier zur Illustration des Befundes verwendete Marke — die Ritzung — dient zur Kennzeichnung ungünstiger Erscheinungen. Aus den Omentexten geht hervor, daß ein partieller Befall der Gallenblase immer eine negative Deutung zur Folge hat (z.B. YOS X 31 III, 13–19); dagegen resultiert aus dem vollständigen Befallensein ein positives (zumindest unentschiedenes) Omenergebnis (vgl. YOS X 31 V, 25–30 zur Erkrankung durch Pusteln (*ziḫḫu*); im Gegensatz zu YOS X 31 I, 18–24 zur Erkrankung des oberen Teiles der Gallenblase durch Pusteln: negatives Ergebnis). In Analogie zu diesen Texten ist auch in diesem Fall eine positive (oder unentschiedene) Aussage zu erwarten (vgl. weiterhin MBQ 3, zum Befall der Leber durch Löcher).

MBQ 6 (2737/70)

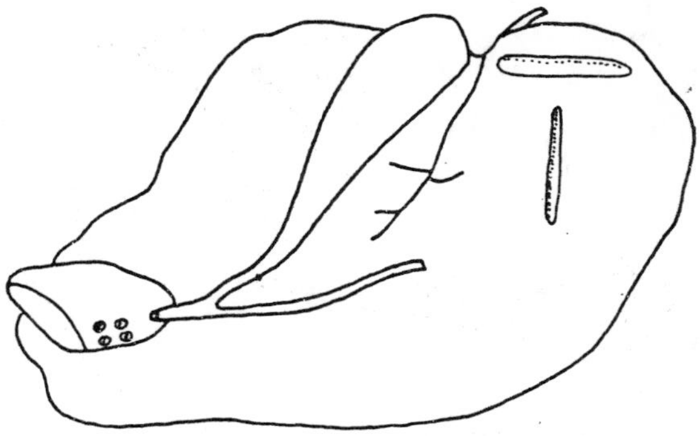

- "Standort" und "Pfad" weisen die Kennzeichnungen ihrer "normalen" Beschaffenheit auf (Taf. 22,6).
- Die Gallenblase ist ohne Veränderungen dargestellt.
- Auf der rechten Seite des Leberfingers sind vier symmetrisch angeordnete Löcher (*šīlu, qû, puṣu*) sichtbar; diese Markierung entspricht der Kennzeichnung von *tību* auf dem Modell Bo 22 (ähnl. Bo 21 für *mazzāzu*). Eine derartige Darstellungsweise (symmetrische Anordnung von Anomalien) spricht immer für ein unentschiedenes Omenergebnis.

MBQ 7 (2731/71)

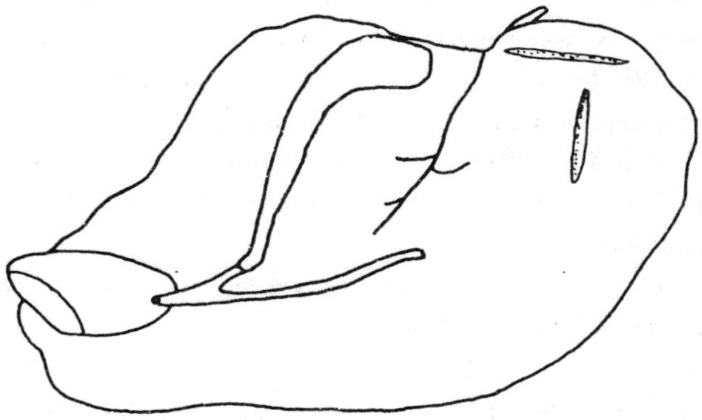

- Auch auf diesem Modell sind "Standort" und "Pfad" als "normal" gekennzeichnet (Taf. 23,1).
- Die "Mitte" der Gallenblase ist nach links gebogen, während ihr "Fundament" sich in der normalen Position befindet und ihr "Kopf" bis an den inneren rechten Rand des linken Leberlappens reicht, d.h. nach rechts gebogen ist. Ein vergleichbarer Befund ist von dem Modell Bo 27 bekannt und wird ungünstig interpretiert (vgl. YOS X 31 II, 42–47; ähnl. V, 18–24; VI 15–22 mit Hinweis auf die veränderte Lage der "Mitte").
- Der Leberfinger weist keine Markierungen auf.

MBQ 8 (2737/73)

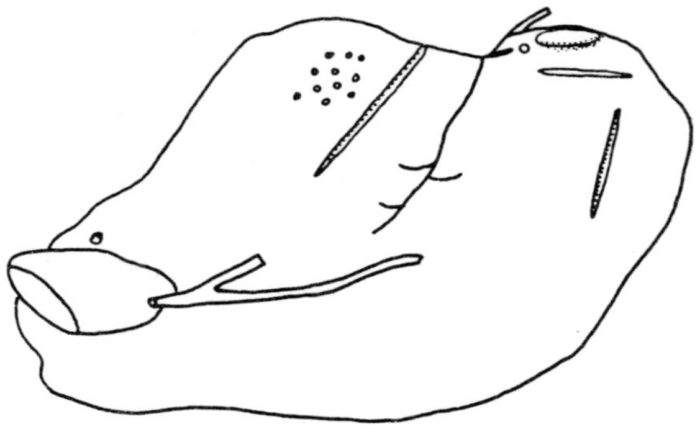

- "Standort" und "Pfad" sind wiederum als "normal" angegeben (Taf. 23,2).
- Am oberen Rand des rechten Leberlappens befindet sich eine komplexe Marke; dabei handelt es sich um eine schmale, längliche Applikation, neben der ein Loch (*šīlu*) sowie eine kurze Einritzung zu erkennen sind. Die Deutung des dargestellten Befundes bereitet erhebliche Schwierigkeiten. Zunächst ist unsicher, auf welches Leberteil diese Kennzeichnung zu beziehen ist; nach der Einteilung auf der Schulleber BM 50494 kommt dafür *danānu* in Betracht, obwohl die Markierung dieses Bereichs bei den anderen Modellen immer unmittelbar auf dem Rand erfolgt. Auch die Form der Darstellung — eine Kombination beider Markenkategorien *šīru* "Fleisch" (Applikation) und *uṣurtu* "Zeichnung" ("Ritzung") — ist ungewöhnlich; eine vergleichbare Darstellungsweise ist aber bereits von dem Modell MBQ 2 (für den Bereich *mazzāzu*) bekannt und könnte als lokale Variante der Kennzeichnung von positiven Befunden im Bereich der Leberteile der Kategorie AII (*uṣurātu*) aufgefaßt werden. Die eigentliche Marke besteht nur aus der Ritzung — als Wiedergabe des Leberteiles — , das Loch stellt die beobachtete Veränderung dar. Da sich diese Negativmarke auf der linken Seite des Leberteiles (pars hostilis) befindet, ergibt sich eine positive Deutung ($Z = f(A^- + B^-) \Rightarrow +$). Deshalb wird eine Applikation, d.h. eine Positivmarke in Form des betreffenden Leberteiles ("normal": waagerechte Ritzung) hinzugefügt und dadurch die Tendenz des Befundes eindeutig illustriert.
- Die Gallenblase ist durch eine Einritzung wiedergegeben, ein Befund mit ungünstiger Bedeutung für den Fragesteller (vgl. z.B. YOS 36 II, 41–44). par
- Auf der linken Seite der Gallenblase (bzw. im Gebiet *padān šumēl marti*) befinden sich zahlreiche unregelmäßig angeordnete Einstiche (*šīlu, qû, pūṣu*). Da aber der betroffene Bereich in jedem Fall zu den ungünstigen Gebieten gehört, ist eine nähere Lokalisation ohne Belang für die Interpretation. Durch das zahlreiche Vorkommen der Einstiche wendet sich die negative Tendenz der Marke in eine positive; da aber die Kennzeichung in einem links gelegenen Gebiet auftritt, ist ein ungünstiges Omen für den Fragesteller zu erwarten.
- Am "Fundament" der linken Seite des Leberfingers ist ein einzelnes Loch (*šīlu*) erkennbar; dieser Befund hat mit Sicherheit ein günstiges Ergebnis zur Folge ($Z = f(A^- + B^-) \Rightarrow +$).

MBQ 9 (2737/74)

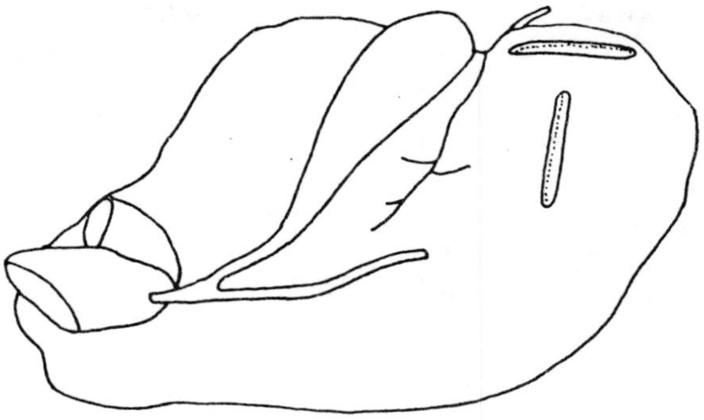

- Für die Leberteile *mazzāzu* und *padānu* liegt wiederum die Kennzeichnung der "normalen" Form vor (Taf. 23,3).
- Auch die Gallenblase ist "normal", ohne Veränderungen, gebildet.
- Die Bruchstellen von zwei Applikationen weisen darauf hin, daß dieses Modell ursprünglich die Darstellung von zwei Leberfingern besessen hat. Ein derartiger Befund ist sonst nur selten belegt (vgl. Bo 8), doch kann in Analogie zum zweifachen Vorkommen anderer Leberteile auch für dieses Beispiel eine günstige Bewertung angenommen werden.

MBQ 10 (2737/77)

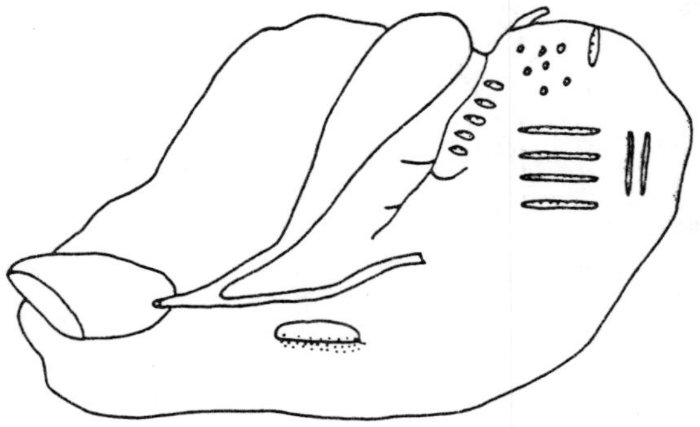

- Von dem Modell MBQ 10 ist nur das Fragment eines Leberlappens erhalten; aus Form und Darstellung (Taf. 23,4) geht hervor, daß es sich dabei um den rechten Lappen handelt. Sollte diese Annahme zutreffen, dann sind die beiden parallelen Linien (z.T. abgebrochen) als Kennzeichnung von *padānu* aufzufassen (positiver Befund). Unter dieser Voraussetzung muß in der länglichen Applikation eine Wiedergabe von *mazzāzu* gesehen werden; die Verwendung einer Applikation zur Wiedergabe dieses Leberteiles setzt dessen positiv zu bewertende Beschaffenheit voraus. Möglicherweise handelt es sich bei den sieben parallelen Einritzungen oberhalb der Applikation um eine weitere Kennzeichnung für *mazzāzu*: dessen siebenfaches Vorkommen, eine Anomalie, die ebenfalls zu einer günstigen Omenaussage führen würde (vgl. K 6268 II,3–4 = NOUGAYROL 1950:27: *šumma 7-ú mazzāzu k[ajjamānu....] rubû* *^{d}šêda u ^{d}lamassa irašši* "Wenn sieben normale Standorte [vorhanden] sind: Ein Fürst wird Lebenskraft bekommen"). Form und Bedeutung der Darstellung auf der linken Seite des "Standortes" (links neben der Applikation) können nicht interpretiert werden. Dagegen sind die kurze Ritzlinie sowie die Einstiche am linken Rand des rechten Lappens als Kennzeichnung von *danānu* aufzufassen; die Anordnung der Einstiche spricht für ein unentschiedenes Omenergebnis.

MBQ 11 (2737/82)

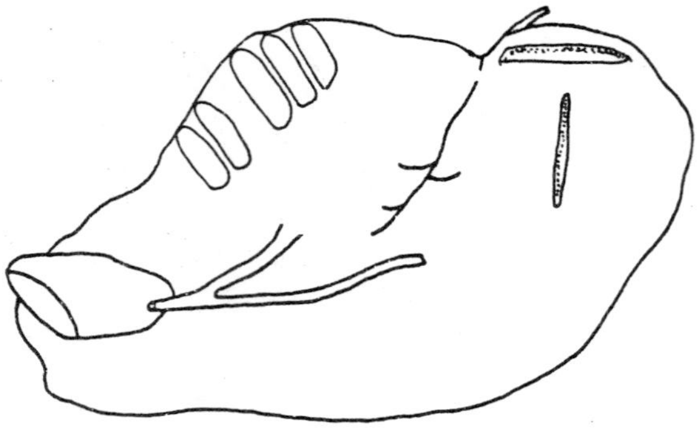

- Die beiden Bereiche *mazzāzu* und *padānu* sind als "normal" gekennzeichnet (Taf. 23,5).
- Eine Angabe von fünf Gallenblasen, wie sie auf diesem Modell vorliegt, spiegelt mit Sicherheit einen negativ zu interpretierenden Befund wider (ein bis zwei Gallenblasen gelten als positiver Befund, vgl. YOS X 31 I, 47–50; mehr als zwei haben eine ungünstige Aussage zur Folge, vgl. YOS X 31 I 51–55 für drei Gallenblasen; YOS X 31 II 13–15: *šum-ma ma-ra-tum 5-iš šar-ru ḫa-am-me-e i-te-eb-bu-ú-nim* "Wenn es fünf Gallenblasen gibt: Rebellenkönige werden sich erheben").
- Der Leberfinger ist ohne weitere Markierungen wiedergegeben.

MBQ 12 (2737/87)

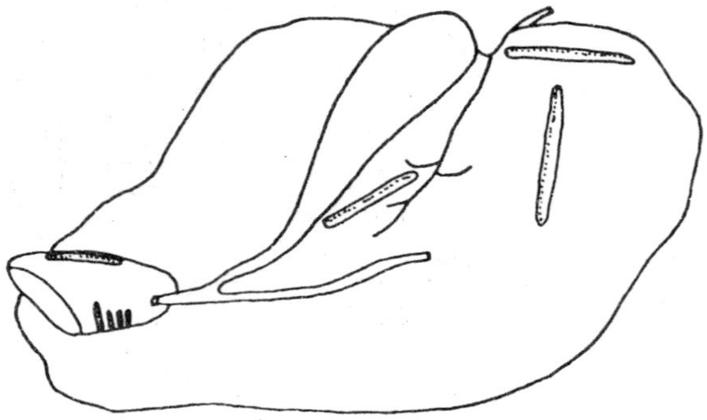

- Für den "Standort" und den "Pfad" ist wiederum die "Normalform" belegt (Taf. 23,6).
- Auf der rechten Seite der Gallenblase befindet sich eine schräg verlaufende Ritzlinie, die vom "Fundament der Gallenblase" (*maṣraḫ marti*) fast bis zur Einziehung zwischen den beiden Lappen reicht. In dieser Darstellung ist eine Kennzeichnung von *šulmu* zu sehen; möglicherweise kann eine Verbindung mit dem Text HSM 7494,49 hergestellt werden: Im Gebiet für die rechte Seite (positiv, pars familiaris) heißt es: *šu-lum te-eš-mi-im iš-tu maṣ-ra-aḫ mar-tim a-na* KÁ.É.GAL-*lim lu ma-qí-*[*it*] "Möge *šulum tešmî* von dem Fundament der Gallenblase in das Tor des Palastes fallen" (vgl. JEYES 1978:221:222 m. weiteren Belegen). Sollte diese Korrelation zutreffen, dann ist eine günstige Deutung anzunehmen (vgl. Bo 13 zu dem entgegengesetzten Befund; der Unterschied zwischen den beiden ähnlich beschriebenen Befunden besteht in der abweichenden Ausrichtung — schräg bzw. waagerecht verlaufend — der Kennzeichnung).
- Die Basis der linken Seite des Leberfingers weist eine waagerechte Einritzung auf; in dieser Markierung ist ebenfalls ein günstiger Befund zu sehen ($Z = f(A^- + B^-) \Rightarrow +$). Eine weitere günstige Aussage wird durch die vier Einritzungen auf der rechten Seite des Leberfingers angezeigt, da durch das vierfache Vorkommen einer Negativmarke (*paṭāru*) sich die Tendenz verändert ($Z = f(A^+ + B^+) \Rightarrow +$).

- Bei beiden Einritzungen am rechten Leberrand handelt es sich um rezente Beschädigungen.

MBQ 13 (2737/89)

- Das Modell MBQ 13 (Taf. 24,1) ist so stark beschädigt, daß nur die Darstellung der Gallenblase erhalten ist. Ihr Bild entspricht dem der Gallenblase auf dem Modell MBQ 5 (s.S. 237); daher ist auch in diesem Fall ein positiver oder unentschiedener Befund anzunehmen.

MBQ 14 (2737/90)

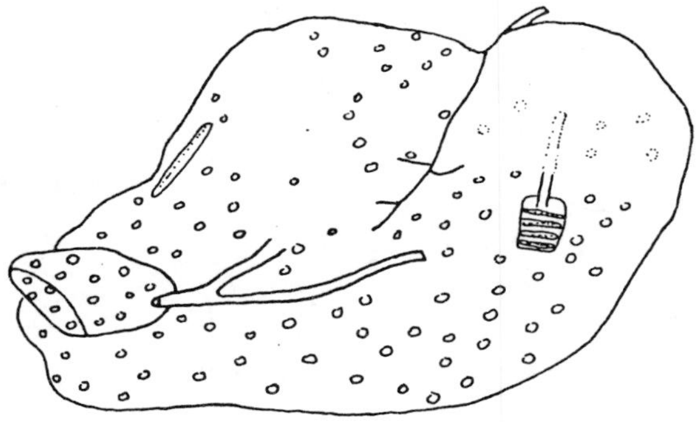

Die Interpretation der Darstellungen auf dem Modell MBQ 14 bereitet wegen des schlechten Erhaltungszustandes (Taf. 24,2) einige Schwierigkeiten.

- Die Markenkombination auf dem rechten Leberlappen — bestehend aus einer Ritzlinie sowie einer länglichen Applikation, die mit vier kurzen Einritzungen versehen ist — muß als Kennzeichnung des "Standortes" aufgefaßt werden. In diesem Fall handelt es sich bei der Einritzung um die eigentliche Marke des "Standortes"; die Applikation repräsentiert eine zusätzlich beobachtete Anomalie, deren topographische Lage der Zone "Kopf des Standortes" entspricht. Die Verwendung einer Applikation läßt weiterhin auf eine günstige Veränderung schließen, während die zusätzlichen Ritzlinien diese Bedeutung möglicherweise wieder aufheben. Als verbale Erklärung der vorliegenden Darstellung kommt der Text YOS X 16,2 in Betracht: BE *i-na re-eš* IGI.BAR *zi-ḫu-*⌈*um*⌉⌈*na*⌉*-*[*d*]*i-*⌈*ma*⌉*mu-šu* ⌈*ṣa*⌉*-al-m*[*a*?...] *ša-mu-tum re-eš-ti-tum* ⌈*i*?⌉*-n*[*a*? *mu*?]*-ši-im* ⌈*i*?⌉*-za-nu-*[*un*?] "Wenn auf dem Kopf des Standortes eine Pustel vorhanden ist und ihr Wasser schwarz ist: der erste Regen wird in der Nacht fallen" (Tendenz positiv). Sollte diese Gleichsetzung zutreffen, dann wäre die längliche Applikation als Darstellungform der Anomalie *ziḫḫu* "Pustel" gesichert; weiterhin wären die Ritzungen als Wiedergabe des "schwarzen (= ungünstig, vgl. Tabelle 8) Wassers" anzusehen. Das Problem beruht auf der Beurteilung von *ziḫḫu* in den Omentexten (vgl. dazu NOUGAYROL 1969:149–157; 1971:67–84); offensichtlich handelt es sich dabei um eine Negativmarke, die aber häufig durch Kombination mit zusätzlich auftretenden Merkmalen (geschlossen, weich, fest, verschiedenfarbige Wasser usw.) ihre Tendenz verändert. Eine derartige Interpretation muß auch für das vorliegende Beispiel angenommen werden: Die Ritzungen kennzeichnen eine negative Eigenschaft der "Pustel" (*ziḫḫu*); daher kann die "Pustel" selbst in Form einer Positivmarke — als Applikation — wiedergegeben werden ($Z = f(A^{+} + B^{\pm}) \Rightarrow \pm$).
- Die ursprünglich applizierte Gallenblase ist nicht mehr erhalten; ihr Verlauf ist aber anhand der Bruchstellen sowie durch das Fehlen der Löcher, die die gesamte Oberfläche bedecken, deutlich erkennbar. Eine Deutung ist aber nicht mehr möglich.
- Auf der linken Seite, d.h. im Bereich von *padān šumēl marti* befindet sich eine weitere Einritzung, die als Kennzeichnung dieses Leberteiles aufzufassen ist.

- Außerdem ist die gesamte Oberfläche einschließlich des Leberfingers mit unregelmäßig angeordneten Einstichen (*šīlu, qû, pūṣu*) überzogen. Zur Interpretation kann wiederum der bereits im Zusammenhang mit der Besprechung der Modelle MBQ 3 erwähnte Text (GOETZE 1947b:256) herangezogen werden. Demnach weist diese Kennzeichnung auf einen unentschiedenen (*pitruštu*) Ausgang (mit positiver Ausrichtung) hin.

MBQ 15 (2737/91)

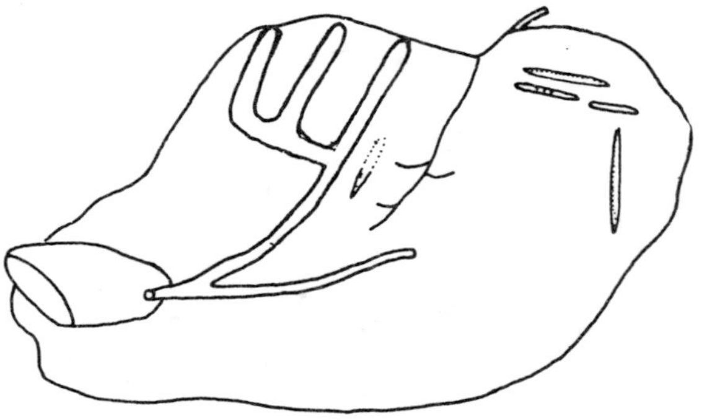

- Der Standort ist als "normal" gekennzeichnet (Taf. 24,3).
- Im Bereich des "Pfades" befinden sich zwei Ritzlinien, von denen eine unterbrochen (*paṭāru*) ist; identische Befunde (z.B. MBQ 1) wurden bereits als ungünstig interpretiert.
- Im Bereich von *šulmu* sind die Reste einer senkrecht verlaufenden Einritzung zu erkennen, die zur Markierung der "Normalform" dieses Leberteiles dient.
- Die Gallenblase weist drei Körper auf; die beiden zusätzlichen vereinigen sich und erreichen gemeinsam, d.h. mit einem Ausgang, die "normale" Gallenblase. Aufgrund der Darstellungstechnik dieser Marke — durch Applikation — ist eine günstige Deutung des Befundes zu erwarten. Als mögliche Ursache einer derartigen Aussage kommt die Vereinigung der zusätzlichen Organe in Betracht, so daß nur ein gemeinsamer Ausgang (*maṣraḫ marti*) vorliegt (vgl. dazu BIGGS 1969:161 m. Belegen, allerdings nur für das Auftreten von zwei Gallenblasen).
- Der Leberfinger ist normal gestaltet.

MBQ 16 (2737/101)

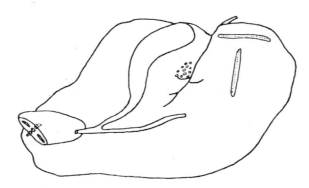

- "Standort" und "Pfad" (stark beschädigt) sind als "normal" gekennzeichnet (Taf. 24,4).
- Im Bereich von *šulmu* (bzw. "rechts der Gallenblase") befinden sich zahlreiche unregelmäßig angeordnete Einstiche (*šīlu, qû, pūṣu*). Diese Markierung ist als Kennzeichnung eines günstigen Befundes anzusehen, da sich durch die Häufung die eigentliche Tendenz der Negativmarke umwandelt ($Z = f(A^{+} + B^{+}) \Rightarrow +$).
- Der Körper der Gallenblase besitzt auf der linken Seite einen Auswuchs; die Wiedergabe des Organs durch eine Applikation läßt ebenso auf eine positive Deutung schließen wie dessen Verlagerung zur linken (feindlichen) Seite hin. Vergleichbare Befunde werden in den Omentexten häufig beschrieben (z.B. RIEMSCHNEIDER 1965: 128,2; 130,9)) und ergeben immer eine positive Deutung für den Fragesteller (vgl. auch YOS X 31 III 1–5: [*šum-ma mar-tum*] *qá-ab-la-ša a-na šu-me-li-im ša-ak-na* GIŠ.TUKUL *šar-ru*-GI "Wenn die Mitte der Gallenblase links liegt: Waffe Sargons").
- Auf der rückwärtigen Seite des Leberfingers befindet sich ein Loch (*šīlu*), das durch vier kurze Einritzungen besonders hervorgehoben wird. Unter der Voraussetzung, daß dieses Gebiet (*ṣēr ubāni*) zur pars hostilis gehört (s.S. 165), ist ein positives Ergebnis zu erwarten (auch ein unentschiedener Ausgang ist aufgrund der symmetrischen Anordnung der Ritzlinien denkbar).

MBQ 17 (2737/102)

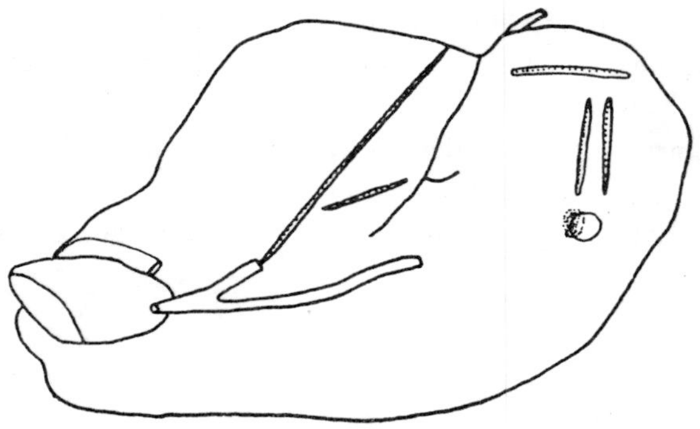

- Das Modell (Taf. 24,5) weist eine zweifache Kennzeichnung des "Standortes" auf. Oberhalb dieser Ritzlinien befindet sich außerdem eine Applikation (*erištu*, Positivmarke). Ein derartiger Befund kann vermutlich mit den Ausführungen im Text AO 9066, 26–28 (= NOUGAYROL 1950: 26 m. weiteren Belegen) in Verbindung gebracht werden und ergibt eine positive Deutung.
- Für das Leberteil *padānu* ist die "Normalform" — eine waagerechte Einritzung — angegeben.
- Auch *šulmu* weist nur die "Normalform" auf.
- Die Gallenblase ist an ihrem "normalen" Ort nur durch eine Einritzung wiedergegeben; im Bereich des Leberfingers findet sich dafür aber eine längliche Applikation, so daß wiederum eine Verlagerung des Organs angenommen werden darf (vgl. z.B. RS 16; Textbelege: YOS X 31 VIII, 18–29; 30–37). Ein derartiger Befund ist positiv zu deuten.

MBQ 18 (2737/105)

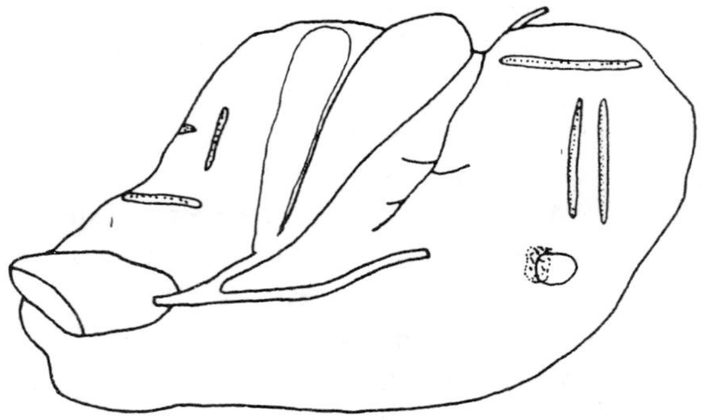

- Auch auf diesem Modell (Taf. 24,6) sind zwei Ritzungen als Kennzeichnung des "Standortes" vorhanden, über denen sich wiederum eine rundliche Applikation (*erištu*) befindet (vgl. MBQ 17, positiver Befund).
- Der "Pfad" weist die Markierung der "normalen" Beschaffenheit auf.
- Weiterhin sind zwei Gallenblasen, deren plastisch gebildete Körper einander berühren, auf dem Modell dargestellt. Schon aufgrund der Darstellungstechnik ist eine positive Deutung des Befundes anzunehmen. Eine vergleichbare Darstellung findet sich auf dem Modell Bo 8; der dazugehörige Text bestätigt die Annahme eines günstigen Ergebnisses.
- Form und Verlauf der Einritzungen auf der linken Seite des Modells (*padān šumēl marti*) erlauben ebenfalls eine positive Deutung für den Fragesteller.
- Der Leberfinger ist nicht erhalten (Bruchstelle), so daß keine Aussagen zu dessen Beschaffenheit gemacht werden können.

MBQ 19 (2737/124)

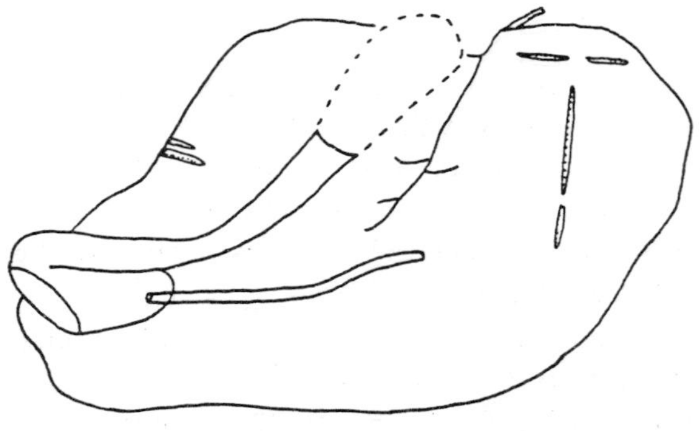

- Die beiden Leberbereiche *mazzāzu* und *padānu* sind jeweils durch eine Ritzlinie gekennzeichnet (Taf. 25,1), deren Verlauf aber unterbrochen ist (*pašāṭu, paṭāru*). Für beide Bereiche muß daher eine ungünstige Omenaussage angenommen werden (vgl. z.B. [DIŠ *re*]-*eš na-ap-la-às-tim ip-ṭù-ur* [*ri*]-*ig-mu ša-nu-um šum-šu* [*pi*]-*sí-il-tum* "Wenn der Kopf des Standortes sich löste: Beschwerde; eine andere Deutung: Mißerfolg"; n. NOUGAYROL 1950: 24–25 m. weiteren Belegen).
- Der vordere Teil der Gallenblase ist abgebrochen und kann daher hier nicht untersucht werden; dagegen zeigt sich für das "Fundament des Organs" (*maṣraḫ marti*) eine deutlich erkennbare Abweichung vom "Normalzustand": Es reicht bis auf die Spitze des Leberfingers. Diese Darstellung kann mit dem im Text YOS X 31 V,43–VI,3 (s.S. 148) beschriebenen Befund in Zusammenhang gebracht werden, der als positives Vorzeichen verstanden wird.

- Dagegen sind die beiden Einritzungen am linken Leberrand als ungünstiges Vorzeichen zu interpretieren (vgl. HSM 7494,58).
- Der Leberfinger weist keine weiteren Veränderungen auf.

MBQ 20 (2737/125)

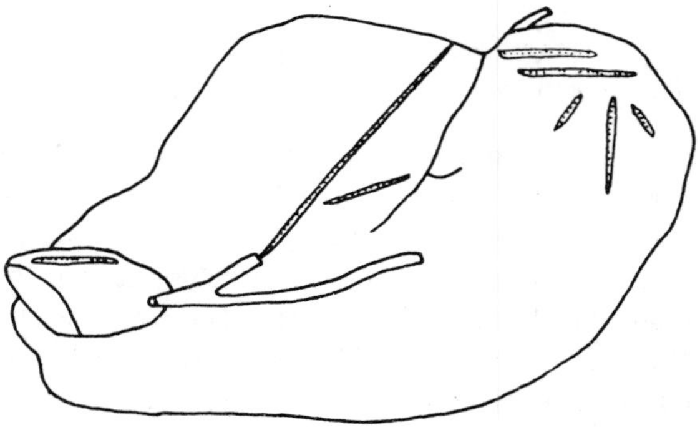

- Rechts und links neben dem unteren (*išdu* "Fundament") Teil des "Standortes" sind zwei schräg verlaufende Einritzungen (*paṭāru*) angebracht (Taf.25,2). Die übereinstimmende Kennzeichnung positiver und negativer Zonen führt zu einem unentschiedenen Omenergebnis.
- Aus dem zweifachen Vorkommen des "Pfades" — erkennbar an den beiden Ritzlinien — resultiert dagegen eine günstige Aussage.
- Auch im Bereich von *šulmu* findet sich nur eine Markierung für die "normale" Beschaffenheit.
- Die Gallenblase ist nur durch eine Ritzung dargestellt, eine Kennzeichnung für einen negativen Befund.
- Auf der linken Seite des Leberfingers ist eine weitere Ritzung angebracht, die auf eine negativ zu bewertende Erscheinung schließen läßt, so daß für diesen Bereich ebenfalls ein günstiger Befund für den Fragesteller vorliegt ($Z = f(A^- + B^-) \Rightarrow +$).

MBQ 21 (2937/3)

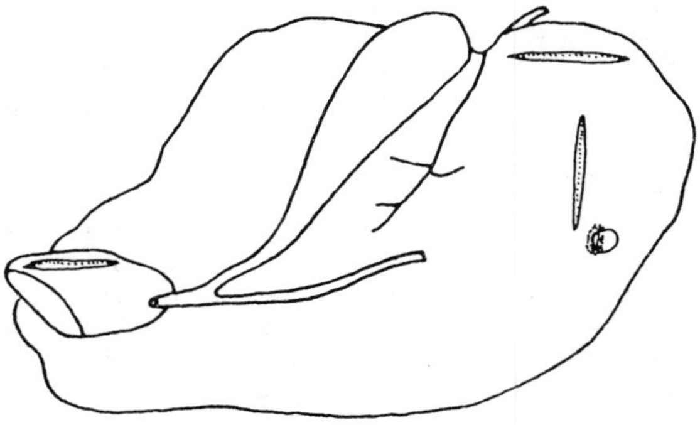

- Rechts neben der Ritzlinie, die den "Standort" kennzeichnet, befindet sich eine rundliche Applikation (Taf. 25,3). Da diese Marke als Positivmarke (*erištu*) aufzufassen ist und sie in einer günstigen Zone des "Standortes" auftritt, ist auch ein günstiges Omenergebnis anzunehmen (zahlreiche Beispiele dazu bei NOUGAYROL 1950:26; z.B. KAR 423 I, 47: [*šumma ina*] *rēš manzāzi erištum*^{tum} *nadât*^{at}*erišti*^{ti} *ilāni ana rubîūmē rubûrrikū* "Wenn auf der Spitze des Standortes sich eine *erištu* befindet: Verlangen der Götter nach dem Fürsten; die Tage des Fürsten werden lang sein").
- Auch der "Pfad" weist die "normale" Beschaffenheit auf.
- Die Gallenblase ist ohne Veränderungen gestaltet.
- Die linke Seite des Leberfingers ist mit einer waagerecht verlaufenden Einritzung (Negativmarke) versehen. Daraus folgt: $Z = f(A^- + B^-) \Rightarrow +$.

Die Modelle aus Mumbaqat unterscheiden sich nur geringfügig von denen aus Ugarit. Von den Leberteilen der Kategorie AII (*uṣurtu*) sind, bis auf wenige Ausnahmen, die Bereiche des "Standortes" und des "Pfades" immer gekennzeichnet (*mazzāzu*: ca. 95%; *padānu*: ca. 90%). Die dabei auftretenden Markierungen bezeichnen vorwiegend — wie auch in den schriftlich verfaßten Berichten zu beobachten — die normale, unveränderte Beschaffenheit der beiden Leberteile (*mazzāzu/padānu īšu*). Auch zwei der Leberteile der Kategorie AI (*šīru*-"Fleisch") — die Gallenblase und der Leberfinger — sind immer dargestellt; sie weisen, ebenfalls entsprechend der aus den Berichten hervorgehenden Gewohnheit, häufig Veränderungen auf, die aber überwiegend positiv zu interpretieren sind. Dagegen fehlt eine Kennzeichnung der Leberteile *maddi kussî, ṣibtu, nīru* und *tību* vollständig und auch eine Kennzeichnung der übrigen Leberteile (*danānu, šulmu, padān šumēl marti*) findet sich nur vereinzelt. Eine Summierung der positiven und negativen Befunde ergibt für mehr als die Hälfte (insgesamt 10 Modelle = 55%) der achtzehn vollständig erhaltenen und damit für eine Feststellung des Gesamtergebnisses in Betracht kommenden Modelle eine günstige Aussage. Die Auswertung der einzelnen Teilbereiche ergibt folgendes Bild:

		mazzāzu	*padānu*	danānu	šulmu	martu	padān *š.marti*	maddi *kussî*	ubānu	ṣibtu	*nīru*	*tību*	Ergebnis
MBQ	1	2+	17–	x	x	59+	x	x	65±	x	x	x	–
	2	1+	x	x	x	39+	x	x	65±	x	x	x	+
	3												
	4	x	13+	x	37–	49–	x	x	65–	x	x	x	–
	5	1+	x	x	x	39+	x	x	65+	x	x	x	+
	6	1+	12+	x	x	39+	x	x	65±	x	x	x	+
	7	1+	12+	x	x	47–	x	x	65+	x	x	x	–
	8	1+	12	30±	x	41+	x	x	65+	x	x	x	+
	9	1+	12+	x	x	39+	x	x	67+	x	x	x	+
	10	(+)	(+)	(±)									
	11	1+	12+	x	x	58–	x	x	65+	x	x	x	–
	12	1+	12+	x	31+	39+	x	x	+	x	x	x	+
	13					+							
	14	+				?	+	x	(±)	x	x	x	+
	15	1+	17–	x	31+	57+	x	x	65+	x	x	x	–
	16	1+	12+	x	31+	45+	x	x	65+	x	x	x	+
	17	2+	12+	x	31+	43+	x	x	65+	x	x	x	+
	18	2+	12+	x	x	51+	61+	x	65+	x	x	x	+
	19	5–	16–	x	x	55+	64+	x	65+	x	x	x	–
	20	1±	13+	x	31+	–	41–	x	65+	x	x	x	–
	21	1+	12+	x	x	39+	x	x	65+	x	x	x	+

Tabelle 21: Auswertung der einzelnen Teilbereiche auf den Modellen aus Mumbaqat

Auswertung der Modelle aus Ebla, Megiddo und Tell el Hajj

Alle weiteren unbeschrifteten Tonlebern stammen aus drei Fundorten; während in Tell el Hajj nur ein Modell und in Megiddo zwei Modelle geborgen wurden, liegt für Ebla (Tell Mardiḫ) wiederum eine Fundkonzentration derartiger Objekte vor. Von den bisher aus dieser Grabung bekannten zwölf Modellen sind elf Exemplare in einer Schuttschicht geborgen worden. Aufgrund dieser Fundumstände läßt sich allerdings keine Aussage über einen ursprünglichen Bauzusammenhang (Ort der Verwendung bzw. Herstellung) treffen. Für eine Auswertung kann außerdem nur eines der Modelle herangezogen werden, da alle anderen so fragmentarisch bzw. nicht gekennzeichnet sind, daß sie sich einer Beurteilung entziehen (zur Farbgebung vgl. S. 22).

TM 2 (TM 76 G 403)

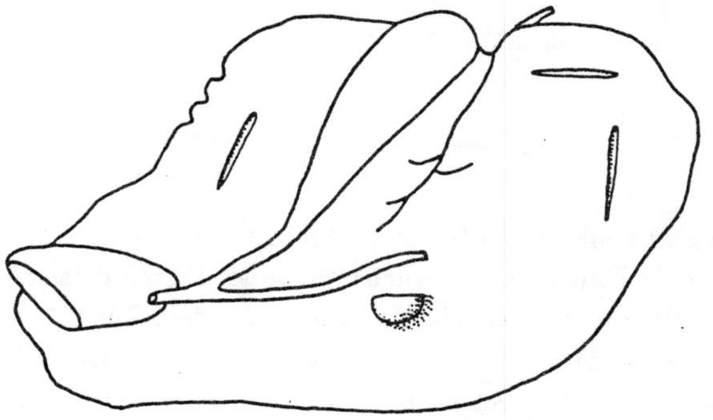

- "Standort" und "Pfad" weisen die Kennzeichnung der "normalen" Beschaffenheit auf (Taf. 25,6).
- Die Gallenblase zeigt keine Veränderungen.
- Die senkrechte Einritzung auf dem linken Leberlappen dient zur Markierung von *padān šumēl marti*; zu dieser Marke gehören auch die drei Einkerbungen des linken Randes, die eine negative Beschaffenheit wiedergeben. Da aber diese Negativmarke auf der linken Seite (pars hostilis) auftritt, ist ein günstiges Ergebnis für den Fragesteller zu erwarten.
- Der Leberfinger ist "normal" gestaltet.

Das zweite vollständig erhaltene Modell (66 B 175) stammt aus dem Gebiet zwischen den beiden Tempeln B 1 und B 2. Bei ihm sind keine Kennzeichnungen angegeben (Taf. 25,5); auch eine Wiedergabe der Gallenblase fehlt, nur der Leberfinger ist plastisch modelliert. Über die Bedeutung dieses Modelles kann ebensowenig eine Aussage getroffen werden, wie über die des Exemplares aus Tell el-Hajj. Auch dieses Stück weist keine Wiedergaben von Krankheitsbildern auf (Taf. 25,4), nur die Gallenblase und der Leberfinger sind durch Applikationen deutlich herausgearbeitet. Theoretisch könnten beide Exemplare als "Rohmodell" gedient haben.

Schließlich sind noch die beiden Tonlebern aus Megiddo zu erwähnen, deren Form von der der anderen (evt. vergleichbar nur mit TM 2) abweicht. Die einzelnen Abschnitte der Leber — Lappen, Gallenblase, Finger — sind ebenfalls deutlich herausgebildet; sie erscheinen aber durch die weniger fließenden (organischen) Übergänge stärker betont. Dadurch erhalten die Modelle eine schematische, künstlich wirkende Gestalt (das Modellhafte tritt deutlicher hervor). Diese Unterschiede in der Gestaltung sind vermutlich als eine regionale (oder sogar lokale) Besonderheit aufzufassen und ohne Relevanz für die Bedeutung und Verwendung der Stücke. Auch die Art der Darstellung wirkt schematischer, entspricht aber durchaus der Kennzeichnung anderer Modelle.

Meg 1 (LOUD 1948: Taf. 255,1)

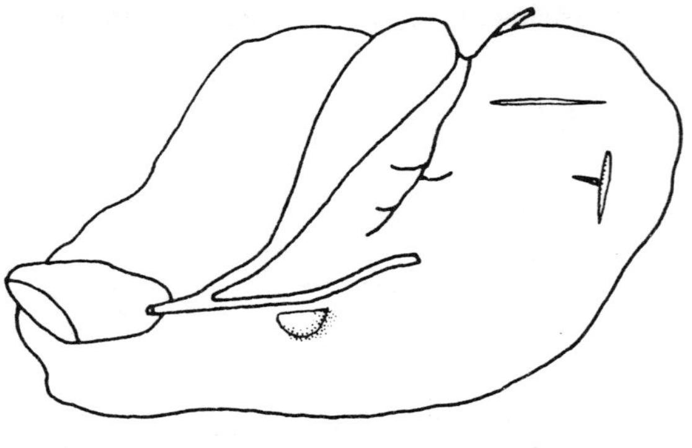

- Der "Standort" ist durch eine senkrecht verlaufende Ritzlinie gekennzeichnet, die in der Mitte der linken Seite eine weitere waagerechte Einritzung (*paṭāru*) aufweist. Durch diese Markierung (Taf. 26,1) wird ein Befund graphisch dargestellt, dessen verbale Beschreibung dem Text AO 9066, 40–43 (= NOUGAYROL 1950: 27–29 m. weiteren Belegen) zu entnehmen ist: [DIŠ] *i-na qà-ab-li-a-ti-ša ip-ṭu-ur ug-ba-ab-tum uš-ta-aḫ-ḫa i-na ka-ak-ki ḫi-im-ṣa-at na-ak-ri-i-ka ta-ka-al* "(Wenn) ihre Mitte (sc. des Standortes) sich löste: eine *ugbabtum*-Priesterin (dazu RENGER 1967: 144–149) wird geschwängert werden; mit der Waffe verzehrst du die Beute deines Feindes". Nach dem bisher zugrunde gelegten Schema scheint eine positive Deutung des Befundes nicht möglich zu sein, da sowohl die "Mitte des Standortes" als auch die "Mitte der linken Seite des Standortes" zu den günstigen Zonen gehören und das Auftreten einer Negativmarke wie *paṭāru* ein ungünstiges Omen bewirken müßte ($Z = f(A^+ + B^-) \Rightarrow -$; vgl. YOS X 17,54–55 zum Auftreten eines Loches). Eine mögliche Erklärung bietet nur die Annahme, daß die Veränderung nicht auf das Leberteil, sondern auf dessen linke Seite bezogen wird; unter dieser Voraussetzung wird eine positive Deutung des Befundes möglich ($Z = f(A^- + B^-) \Rightarrow +$); vgl. AO 9066, 15–17. 44–46 = NOUGAYAROL 1950: 24–25.30 zu entsprechenden Befunden in den Bereichen "Kopf" und "Fundament" des Standortes mit den zu erwartenden ungünstigen Omenergebnissen).
- Der "Pfad" ist durch eine waagerechte Ritzung als "normal" gekennzeichnet.
- Die Gallenblase und der Leberfinger weisen keine Markierungen oder Abweichungen von der "Normalform" auf.
- Unmittelbar neben dem Leberfinger ist eine ovale Applikation angebracht, die — wie auf den Modellen aus Boğazköy und Emar — das Leberteil *ṣibtu* repräsentiert; zugehörige Kennzeichnungen sind nicht vorhanden.

Meg 2 (LOUD 1948: Taf. 255,2)

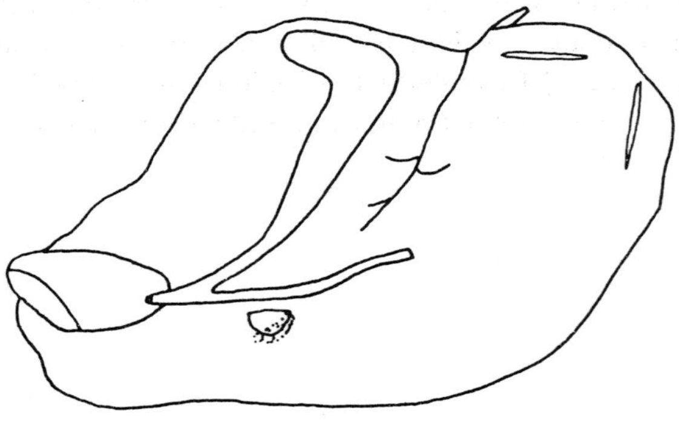

- "Standort" und "Pfad" sind als "normal" gekennzeichnet (Taf. 26,2).
- Der "Kopf" der Gallenblase ist nach links umgebogen; eine Verlagerung des Kopfes nach rechts oder links hat immer eine ungünstige Omenaussage zur Folge (im Gegensatz dazu resultiert aus einer Verlagerung des gesamten Organs nach links ein günstiges Ergebnis; s.S. 151; vgl. ferner YOS X 31 XI, 1–7).
- Der Leberfinger und die Wiedergabe von *ṣibtu* weisen keine Veränderungen auf.

Eine tabellarische Zusammenfassung zur Auswertung der einzelnen Teilbereiche dieser Modelle ergibt folgendes Bild:

		mazzāzu	*padānu*	danānu	šulmu	martu	padān *š.marti*	maddi *kussî*	ubānu	ṣibtu	*nīru*	*tību*	Ergebnis
Meg	1	1+	12+	X	X	39+	X	X	65+	72+	X	X	+
	2	1+	12+	X	x	48–	X	X	65+	72+	X	X	–
TM	1	ohne Kennzeichnungen											
	2	+	+	X	X	39+	61+	X	65+	72+	X	X	+
Hajj	1	ohne Kennzeichnungen											

Tabelle 21: Auswertung der einzelnen Teilbereiche auf den Modellen aus Megiddo, Ebla und Tell el-Hajj

Zusammenfassung und Diskussion der Ergebnisse

Die Untersuchung der illustrierten Omentexte (Modelle und Tafeln) hat gezeigt, daß den Kennzeichnungen auf den Tonlebermodellen eine Systematik zugrunde liegt, mit deren Hilfe auch die unbeschrifteten Modelle "gelesen" werden können. Nur unter dieser Voraussetzung kann die Frage nach Bedeutung und Verwendung aller Exemplare dieser Fundgattung — der beschrifteten und der unbeschrifteten Modelle — beantwortet werden.

Die dafür erforderliche Analyse der Tonlebermodelle wurde unter zwei Gesichtspunkten durchgeführt: Bestimmung der

- archäologischen Kriterien (Fundkomplex, Fundschicht), die Hinweise auf Datierung und Ort der Verwendung geben (vgl. Kap. II);
- formalen Kriterien (Gestaltung: u.a. Darstellungsweise, Verhältnis von Wort und Bild), die sowohl für den Nachweis einer den Kennzeichnungen zugrundeliegenden Systematik als auch für die typologische und die daraus resultierende inhaltliche Fragestellung Relevanz besitzen.

Zur Darstellung auf den Tonlebermodellen

Die Voraussetzung für die "Lesbarkeit" der unbeschrifteten Tonlebermodelle beruht auf einem verbindlichen System der Kennzeichnung, in dem die Bedeutung einzelner Marken festgelegt ist. Mit Hilfe der Gesetzmäßigkeit, die sich aus einer Analyse der beschrifteten Tonlebern und der illustrierten Omentexte ergibt, konnte ein System erschlossen werden, durch das die auftretenden Kennzeichnungen im Sinne der Omina zu interpretieren sind. Auch die zunächst hypothetisch angenommene Differenzierung der Kennzeichnungen in zwei Markenkategorien (A: Leberteile; B: Krankheitsbilder), die sich jeweils wiederum in zwei Untergruppen (vgl. Schaubild S. 82) gliedern, hat sich im Verlauf der Bearbeitung bestätigt.

Die Darstellung der "normalen" Beschaffenheit eines Leberteiles ist für alle Elemente der Kategorien AI und AII verbindlich. Jedes Abweichen von dieser "Normalform" muß als Kennzeichnung einer Anomalie aufgefaßt und im Sinne der Omina interpretiert werden ($Z = f(A^{+} + B^{-}) \Rightarrow$ —. Für die Modelle der Gruppen III und IV trifft aber offensichtlich eine Ausnahme von dieser Gesetzmäßigkeit zu: Das Fehlen einer Kennzeichnung zur Wiedergabe der Leberteile, die zur Kategorie AII (*uṣurātu*-"Einritzungen") gehören, deutet nicht auf das tatsächliche Fehlen der betreffenden Leberteile hin (also nicht auf den negativ zu bewertenden Befund *mazzāzu/padānu/...la išu*), sondern kann als positives Vorzeichen angesehen werden und ist im Sinne von "bedecken" zu interpretieren: DIŠ *pa-da-nu et-ku-mu ru-ba?-am ni-iš? re-ši-šu i-*[...] "Wenn der Pfad gänzlich bedeckt ist: die Hebung seines Hauptes ..." (AO 7028,4 = NOUGAYROL 1944/45: 56.63 m. Belegen für die positive Deutung der Apodosis; die Verwendung von *ekēmu* zur Beschreibung von Befunden im Bereich von Leberteilen der Kategorie AI ergibt dagegen eine negative Aussage; vgl. z.B. YOS X 33 II, 55; 34, 12.25.34.38.41). Diese Interpretation ist für die Frage nach der Bedeutung dieser Modelle von größter Relevanz. Daher besteht die Möglichkeit für alle nicht gekennzeichneten Leberteile dieser Kategorie (*mazzāzu, padānu, danānu, nīru*) grundsätzlich einen günstigen Befund anzunehmen.

Eine weitere Möglichkeit, eine Omenaussage zu treffen, besteht in dem Auftreten von Krankheitsbildern (Markenkategorie B), d.h. in zusätzlich angebrachten Kennzeichnungen. Die beiden Gruppen der Markenkategorie B repräsentieren jeweils positive (BI-Applikationen) oder negative (BII-Einritzungen) Erscheinungen, deren ominöse Bewertung nach dem jeweiligen Ort ihres Auftretens erfolgt (z.B. $Z = f(A^{+} + B^{-}) \Rightarrow -$). Grundlage dieser Auswertung ist eine Opposition von "rechten" (positiv) und "linken" (negativ) Zonen, deren Lage für jedes Leberteil einzeln festgelegt ist.

Die während der gesamten Verwendungszeit von Tonlebermodellen nahezu gleichbleibende Wiedergabe und Auswertung von Befunden wird durch eine Systematik (Code) gewährleistet, die der Kennzeichnung aller Leberteile und deren Veränderungen zugrunde liegt. Nur dadurch ist es möglich, die jeweils intendierte ominöse Bedeutung der Darstellung (bzw. des tatsächlichen Befundes) zu erkennen (Decodierung). Voraussetzung dafür ist die Kongruenz des zur Verfügung stehenden Repertoires von Marken beider Kategorien. Wie die Bearbeitung der Modelle gezeigt hat, sind in der Darstellungsweise nur geringfügige Unterschiede festzustellen (das Prinzip der Auswertung unterliegt keinem Wandel):

So wird z.B. die als GIŠ.TUKUL ("Waffe", speziell zur negativen Bedeutung vgl. YOS X 46 II, 51: GIŠ.TUKUL *si-im-tim ša* LÚ "Waffe", (Todes)schicksal des Menschen) bezeichnete Veränderung auf den Modellen aus Boğazköy immer durch eine Negativmarke (*šīlu, qû, pūṣu*) dargestellt, auf den etwa gleichzeitig zu datierenden Modellen aus Ugarit kann dagegen eine winkelartige Einritzung als Bild dieser Veränderung angenommen werden (s.S. 219). Eine vergleichbare Darstellungsform der Erscheinung "Waffe" findet sich weder auf den Modellen aus Mumbaqat, noch auf den älteren Exemplaren aus Mari; erst in Omentexten (z.B. CT 31, 9–15; NOUGAYROL 1974:66 m. weiterer Literatur; v.WEIHER 1983:Nr. 45) und auf Modellen (z.B. NOUGAYROL 1968:37) des 1. Jts. v.Chr. treten derartige Markierungen wieder auf. Nach der heutigen Quellenlage kann nicht entschieden werden, ob es sich dabei um eine ugaritische Darstellungsweise handelt, die von dort später nach Assyrien gelangt ist oder ob es in Mesopotamien Vorbilder gibt, die noch nicht bekannt sind (vgl. aber Bo 25,1; M 30).

Weiterhin wird das Leberteil *ṣibtu* (processus papillaris) auf den Modellen aus Boğazköy und Emar plastisch wiedergegeben, auf denen aus Mari zeichnerisch (nur selten belegt); alle unbeschrifteten Exemplare, mit Ausnahme der Stücke aus Ebla und Megiddo (ebenfalls plastisch ausgearbeitet; an den beiden Fragmenten aus Hazor ist dieser Bereich nicht erhalten) weisen keine entsprechende Kennzeichnung auf.

Auch für die Gestaltung der Gallenblase lassen sich nur geringfügige Unterschiede feststellen; während die Darstellungsweise auf einem großen Teil der Modelle (Boğazköy, Emar, Mari, Ebla, Hazor, Megiddo, Tell el Hajj) "plastisch" wirkt, da die Modellierung der natürlichen Form entspricht, finden sich auf den Beispielen aus Ugarit und Mumbaqat nur kurze, schematisch wirkende Applikationen (eine Angabe der Pfortader (*nār amūti*) ist ebenfalls nur bei einem Teil der Modelle zu finden, aber selbst auf diesen Exemplaren sind keine Veränderungen des Bereiches dargestellt).

Alle aufgeführten Unterschiede beeinträchtigen weder das festgelegte System der Kennzeichnung noch die Auswertung der dargestellten Befunde; allerdings lassen sie auch nicht auf eine innere Entwicklung der Darstellungsweise schließen, sondern sind als regionale oder lokale Besonderheiten anzusehen. Diese Annahme wird auch dadurch bestätigt, daß die auftretenden Divergenzen nicht auf eine Modellgruppe beschränkt sind.

Problematisch bleibt aber weiterhin die Interpretation einer bestimmten Gruppe von Kennzeichnungen: das mehrfache Auftreten von Leberteilen. So wird z.B. im Falle eines zweifachen Vorkommens der Gallenblase die günstige Vorhersage damit begründet, daß die "normale" auf der "zusätzlichen" "reitet" (Bo 16). Der Darstellung ist aber nicht zu entnehmen, welche Gallenblase als die "normale" und welche als die "zusätzliche" anzusehen ist. Ähnliche Schwierigkeiten treten immer dann auf, wenn infolge eines mehrfachen Vorkommens eines Leberteiles das Verhältnis der "rechts" und "links" bzw. der "oben" und "unten" gelegenen Organteile zur Grundlage der Omenaussage gemacht wird. Die Beurteilung der jeweiligen Konstellation beruht offenbar allein auf der Interpretation der Wahrsager. In diesem Zusammenhang ist die Untersuchung von J. Renger anzuführen, der mögliche Manipulationen der *bārû* nicht annimmt und der auf deren subjektive Überzeugung von der Richtigkeit ihrer Deutungen hinweist (RENGER 1969:214 m. Hinweis auf LEVY-STRAUSS 1971:188). Bei der Aufstellung des Systems, das den Interpretationen zugrunde liegt, handelt es sich um ein analytisches Verfahren, das nur auf die Erfordernisse der Wahrsager abgestimmt ist; daher können die Ergebnisse auch nicht als objektiv richtig angesehen werden, sondern sie besitzen nur im Rahmen des Systems Gültigkeit, d.h. durch die Verankerung in einem System erhält jede Interpretation den Anschein einer objektiven Aussage; darüber hinaus entspricht der binäre Aufbau des Systems der Struktur der Gesetzestexte, und es ist denkbar, daß daraus ebenfalls ein Anspruch auf Objektivität der Aussagen abgeleitet wurde.

Die endgültige Rekonstruktion eines definitiv gültigen Systems der Kennzeichnung wird dadurch erschwert, daß die ominöse Deutung subjektiver Eindrücke durch ein als objektiv anerkanntes aber nicht überprüfbares System erfolgt. Die Grundlage der Deutung derartiger Befunde — wie sie oben beschrieben wurden — geht zwar aus den entsprechenden Texten hervor (aus dem beschriebenen Verhältnis des "normalen" Leberteiles zu den zusätzlich auftretenden), aber die zugehörige Darstellung erlaubt keine verbindlichen Rückschlüsse auf das System der graphischen Kennzeichnung. Möglicherweise stellt die Verwendung dieser Befunde ein Indiz dafür dar, daß die betreffende Gruppe von Modellen zu Unterrichtszwecken angefertigt wurde (dazu s.u.); auf allen unbeschrifteten Modellen finden sich keine entsprechenden Darstellungen (Ausnahme MBQ 18; in diesem Fall kann aber die Darstellungsweise — durch Applikation — als Hinweis auf den günstigen Charakter dienen). Daher sind in dieser Weise beschriebene Krankheitsbilder (z.B. Bo 1, 5, 8, 13; alle für den Bereich der Gallenblase) sowie deren Darstellungen nur als "Fallbeispiele" anzusehen; sie besitzen weder Allgemeingültigkeit, noch kann daraus ein verbindliches, auch auf vergleichbare Befunde übertragbares System der Darstellungsweise entnommen werden. Dieser Mangel, eine eindeutige Aussage treffen zu können, ist ausschließlich in der ungenügenden Quellenlage begründet; daher liegt kein Anlaß vor, das hier rekonstruierte System der Kennzeichnung in Frage zu stellen oder eine bewußte Manipulation der Wahrsager anzunehmen (in jüngeren Omentexten werden zwar falsche Entscheidungen der Wahrsager erwähnt, jedoch wird niemals eine betrügerische Absicht unterstellt; dazu RENGER 1969:214).

Das aufgestellte System von Kennzeichnungen für die graphische Darstellung verbaler Aussagen ist als ein — erstmals bewußt eingesetztes — metasprachliches Mittel zur Kommunikation anzusehen. Da nur ein eingeschränkter Personenkreis — die Wahrsager — über den Schlüssel (Code) verfügt, diese Kennzeichen in Sprache umzusetzen (Deutung), sind die Modelle als eine elitäre, kryptische Mitteilung zu verstehen, die nur Eingeweihten verständlich sein sollte.

Den Kennzeichnungen liegt ein System von Marken zugrunde, die sich entweder auf morphologische Veränderungen der Leberteile beziehen (Markenklasse A) oder die pathologische Veränderungen bezeichnen (Markenklasse B); während das Auftreten von Marken der Klasse A direkt zu einem Omenergebnis führt ($Z(\text{eichen}) = f(A^{\pm} \Rightarrow A^{\pm}) \Rightarrow \pm$), kommen die Marken der Klasse B nur zusammen mit denen der Klasse A vor ($Z(\text{eichen}) = A^{\pm} + B^{\pm}) \Rightarrow \pm$).

Es soll noch einmal darauf hingewiesen werden, daß die "Normalform" eines Leberteiles auch zur Darstellung einer Anomalie verwendet werden kann, wenn die betreffende Veränderung ein positives (und damit der "Normalform" entsprechendes) Omenresultat ergeben würde; weiterhin besteht die Möglichkeit, für unterschiedlich beschriebene Krankheitsbilder identische Kennzeichnungen zu verwenden, vorausgesetzt die jeweils implizierte Tendenz des Befundes bleibt dennoch erhalten. Insofern spiegeln die Darstellungen nicht zwangsläufig einen tatsächlich beobachteten oder intendierten Befund wider, sondern nur eine — positive oder negative — Tendenz. Daher erfolgt in dem nachstehenden Notationsschema die Verbalisierung einzelner Marken auch nur in der Form, die für die jeweiligen Kennzeichnungen häufig belegt ist und die dem "Bild" der betreffenden Marken entspricht.

Für die Marken der Klasse A werden außerdem die Modelle als Belege aufgeführt, auf denen sie vorkommen; für die Marken der Klasse B, die ausschließlich in Kombination mit denen der Klasse A auftreten, können nur einzelne Beispiele angegeben werden.

Notationsschema

Leberteile und deren Veränderungen (morphologisch)

mazzāzu

 + *īšu, šakānu, šalāmu*

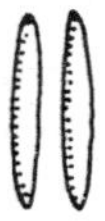 + 2–*ma* Hazor, RS 20, MBQ

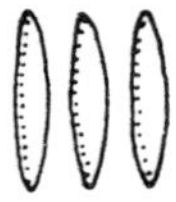 – 3–*iš*

 – *lā īšu (ina maškanišu)* Bo 13, M 15,24,27, RS 7,

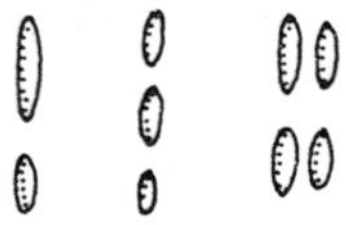 – *pašāṭu* M 9, MBQ 18, CT 31 13

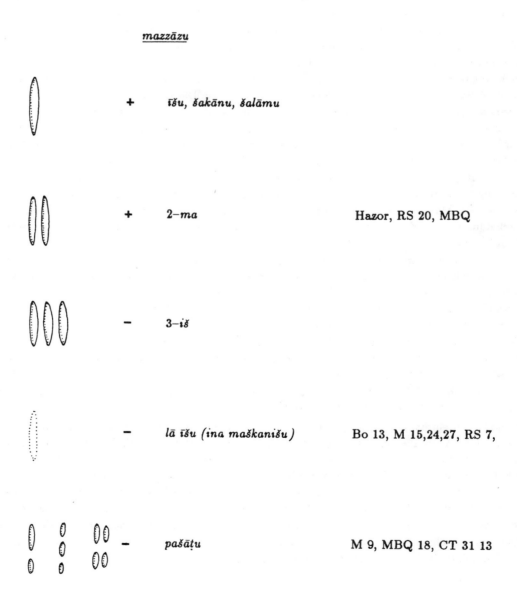

	–	(SAG) *pašāṭu*	Bo 16
	+	(SIG) *pašāṭu*	Bo 23
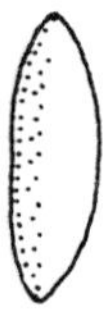	–	*rapāšu*	M 21, 28
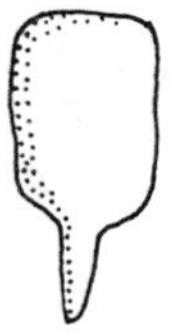	+	(SIG) *rapāšu*	MSK 1
	–	*nabalkutu*	MSK 2
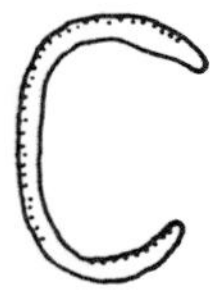	–	*kīma* ŠU.GUR	Bo 8, M 5 (vgl. M 6)

padānu

	+	*īšu, šakānu, šalāmu*

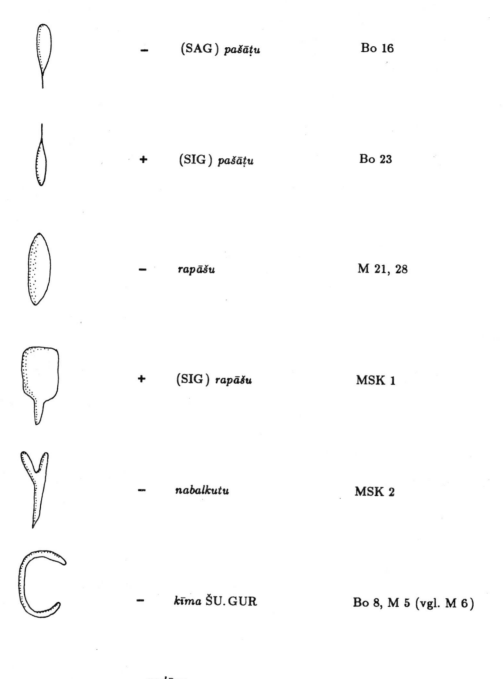

	+	2–*ma*	M 29, RS 12, MBQ 4)
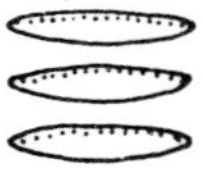	–	3–*iš*	M 27
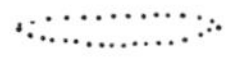	–	*lā īšu (ina maškanišu)*	Bo 19
	–	*pašāṭu*	Bo 17, M 9, MBQ 8
	–	*pašāṭu*	MBQ 1, 15
	–	*ina šumēli pašṭa*	Bo 13, 23
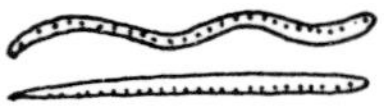	–	*kīma* MUš	Bo 24, Tell el-Seib
	–	*maqātu*	Bo 8, 16

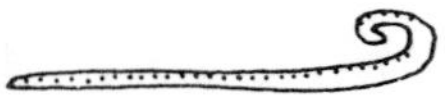	±	*maqātu* LAL	MSK 2
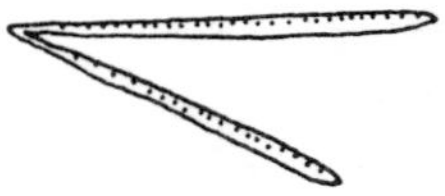	–	*rakābu* (?)	M 3
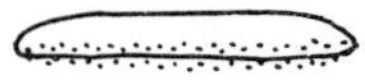	+	*ekēmu*	RS 7
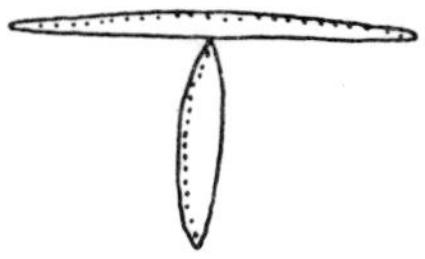	–	*mazzāzu ana padānu iqrīb*	RS 10, CT 30 13
		danānu	
	+	*tīšu, šakānu, šalāmu*	
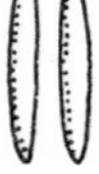	+	2–*ma*	Bo 24
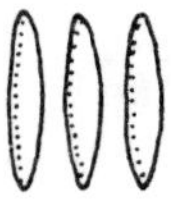	–	3–*iš*	Bo 23, M 11

 – *la īšu (ina maškanišu)*

 – *nabalkutu* M 13

 ± MBQ 8

<u>*šulmu*</u>

 + *īšu, šakānu, šal=amu*

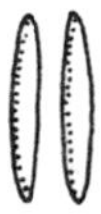 + 2–*ma*

 – *lā īšu (ina maškanišu)* RS 7, 11, MBQ 16

 – *neḫēlsû (ina bāb ekalli)* Bo 13, M 20, MBQ 12, 17

 – *maqātu*

± *maqātu* LAL — Bo 23

− *pašāṭu* — MBQ 4

− *kīma* U — Bo 19, M 1, 29

martu

+ *īšu, šakānu, šalāmu*

− *lā īšu*

Bo 6, 16, M 8, RS 2, 6, 11, 13, 16, 18, 20, 21, MBQ 8, 17

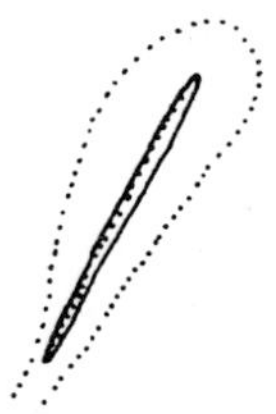

− *lā īšu (neḫēlsû* u.ä.)

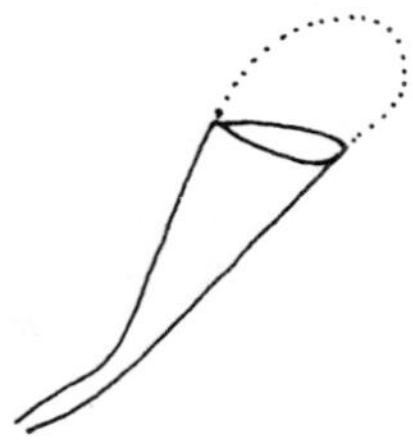

– *tarāku, urqu* u.ä. Bo 21, 26, 33, 53

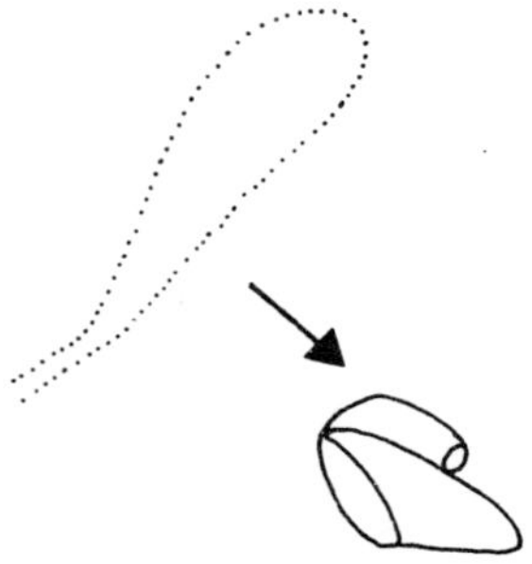

+ *išḫurma ša ubani iltawe* M 23, RS 16, 17, MBQ 17

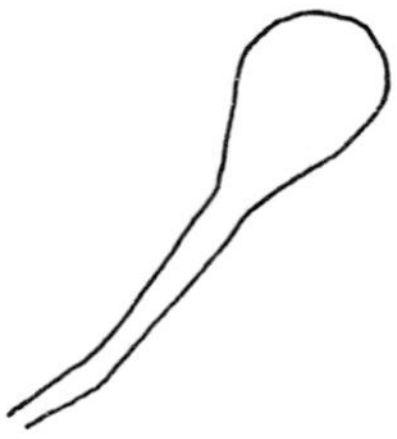

+ *rapāšu* (?) Bo 4

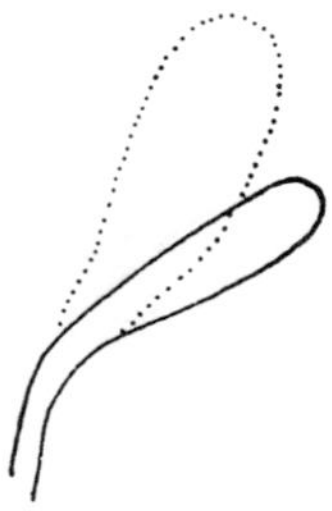

+ *martu ana* ZAG *ekip*

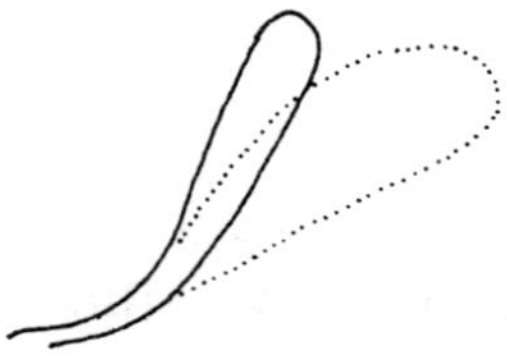

– *martu ana* GÙB *ekip* Bo 13, 23, M 7, MBQ 16

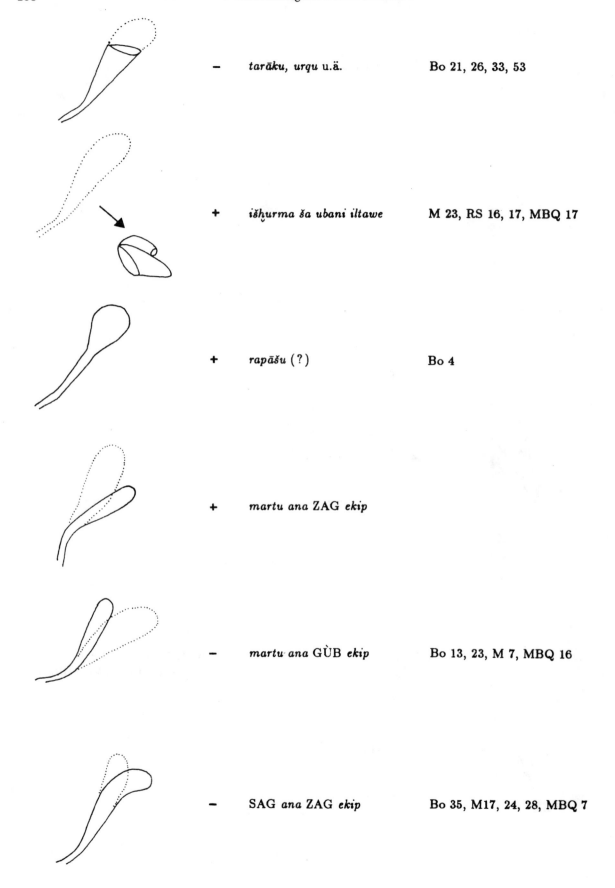

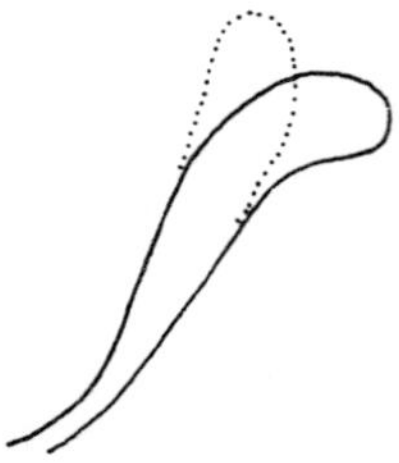

– SAG *ana* ZAG *ekip* Bo 35, M17, 24, 28, MBQ 7

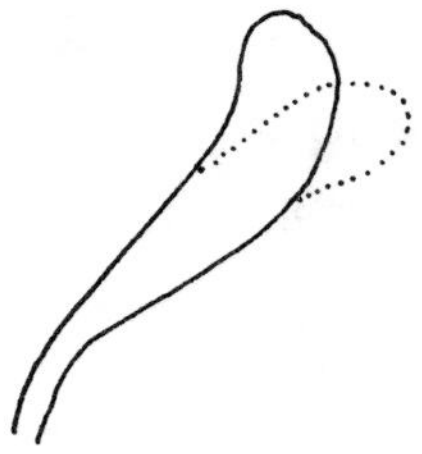	+	SAG *ana* GÙB *ekip*	Meg 2
	+	2 ZÉ SUR-*šina* 1–*ma ina* ZAG *izzizā*	MBQ 18
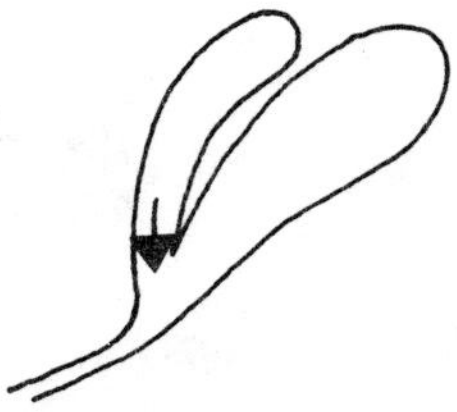	–	2 ZÉ SUR-*šina* 1–*ma ina* GÙB *izzizā*	Bo 18, M 31, MBQ 18
	+	2 ZÉ SUR-*šina* 2–*ma*	M 9, RS 6
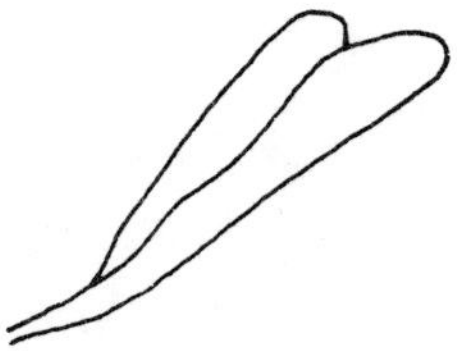	–	(2 ZÉ) *rakābu*	Bo 5
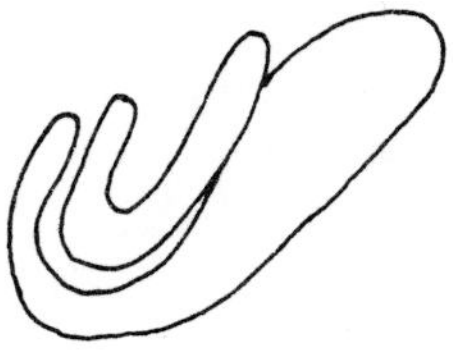	+	*paṭālu* (?)	Bo 8

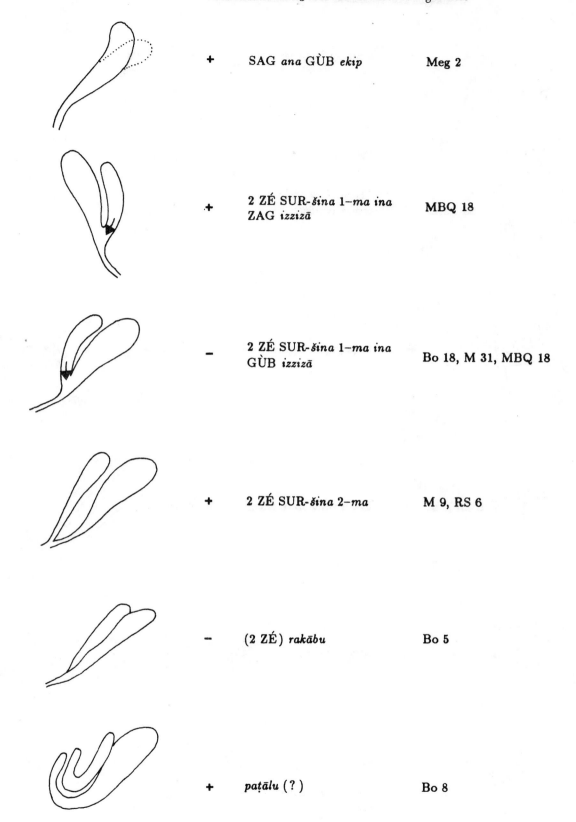

	+	*arāku (ubānu iṣṣabat)*	M 19, MBQ 19
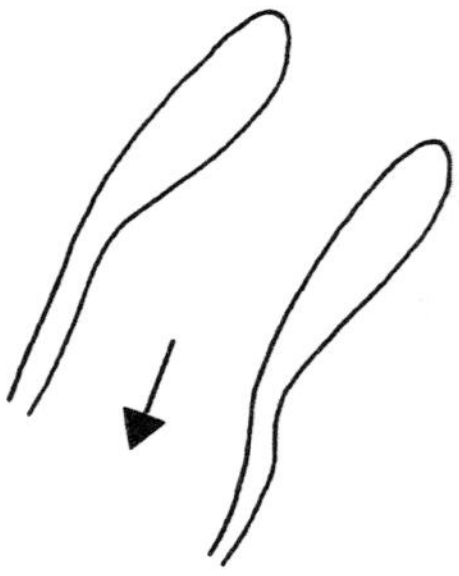	-	ZÉ *ina bāb ekalli lawia-m ubana iṣṣabat*	M 2
	+	3–*aš* (SUR-*šina* 1–*ma*)	MBQ 15
	-	5–*iš* (SUR- *šina* 5–*iš*)	MBQ 11
	+	*kīma ṣurīrītu* (?)	MBQ 1
	-	*martu ana warkat amūti iṭṭul*	Bo 3

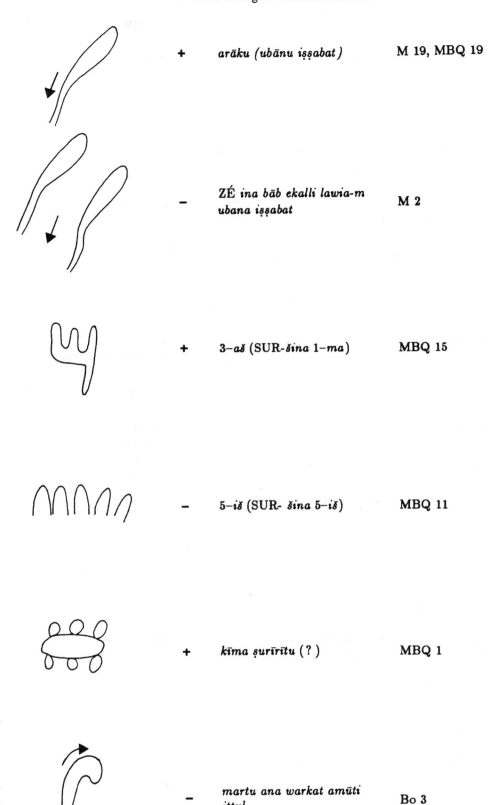

padān šumēl marti

\+ *īšu* Bo 13, 23, M 3, 6, 29, RS 9, 18, MBQ 18, TM 2

\+ *pašāṭu* RS 4, 13

\- Hazor, RS 5, 16

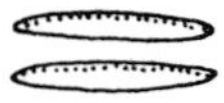

\- 2–*ma* M 9, MBQ 18

ubānu

\+ *īšu, šakānu, šalāmu*

\- *lā īšu* M 7

\+ 2–*ma* Bo 8, MBQ 9

– SUR *emēdu* Bo 23, M 10

– *ana warkat amūti iṭṭul* M 16

– *kapāṣu* RS 20

nīru

\+ *īšu, šakānu, šalāmu*

ṣibtu

\+ *īšu, šakānu,šalāmu*

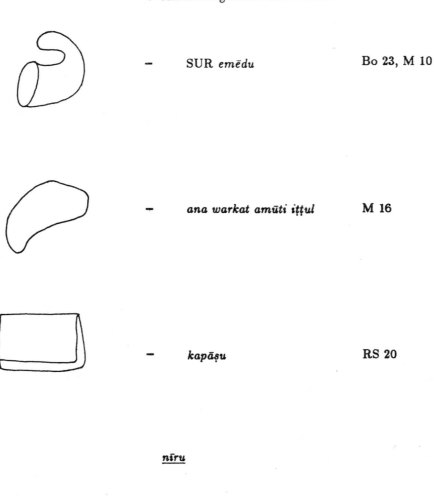

\+ 3–*iš* M 18

	–	*paṭāru*	M 25

Pathologische Veränderungen

	–	*šīlu, qû, pūṣu* (1–2 maliges Auftreten)	Bo 2, 22, 33, M 11, 30, RS 5, 8, MBQ 1, 8
	+	*šīlu, qû, pūṣu (3–mehrmaliges Auftreten)*	RS 8, MBQ 8, 14
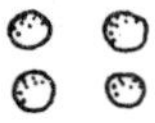	±	*šīlu, qû, pūṣu* (sym. Auftreten)	Bo 21, RS 3, 8, MBQ 6, 16
 	+	*kakku* (GIŠ.TUKUL)	Bo 37, RS 6, 17, 21
	–	*paṭāru, pašāṭu*	Bo 16, 18, 30, M 9, CT 20 28

	–	*pillurtu*	Hazor, MBQ 2
	–	*šuršurru*	M 6, MBQ 1
	–	*kapāṣu*	M 8, 12, RS 1
	+	*erištu, kaksu*	Bo 9, 17, M 1, 2, RS 5, 13, 15, 24
	+	*erištu* (3–mehrmaliges Auftreten)	M 27, RS 7
	+	*šēpu*	Bo 23
	+	*išgarrurtu*	Bo 8, AO 8894

Zur Typologie und Bedeutung der Tonlebermodelle

Im Verlauf dieser Arbeit konnte mit Hilfe einer Typologie, deren Grundlage das Verhältnis von Wort und Bild ist, eine klassifikatorische Einteilung der Modelle aufgestellt werden. Wenn die Darstellungen auf den Tonlebern als "Metasprache" aufgefaßt werden können, dann bezeichnen die beiden Merkmale — Wort und Bild — jeweils einen semantischen Akt, durch den etwas mitgeteilt wird. Dabei stellt das den Kennzeichnungen zugrundeliegende System der Beschriftung (das selbst wiederum auf dem System der Sprache beruht) ein Objektsystem dar, aus dem die Bedeutung der einzelnen Zeichen hervorgeht (die Beschriftung "denotiert" einen sprachlichen Begriff, das Zeichen "konnotiert" die dadurch implizierte ominöse Bedeutung). Während demnach die Beschriftung (Wort) unmittelbar auf die Inhaltsebene (Aussage) des Dargestellten Bezug nimmt, kann das Dargestellte selbst nur durch ein System, das die Bedeutung der Zeichen festlegt, auf die Inhaltsebene transponiert werden. Da auf den Modellen aber eine unterschiedliche Relation zwischen Ausdrucksebene (Bild) und Inhaltsebene (Wort) besteht, liegen jeweils unterschiedliche Voraussetzungen für das Verstehen vor. Aus dieser unterschiedlichen Struktur läßt sich die Klassifikation der Modelle ableiten und zugleich lassen sich Hinweise auf deren Bedeutung entnehmen.

Die detaillierte Bearbeitung der Tonlebermodelle hat Ergebnisse erbracht, die eine gewisse Modifizierung der in Kapitel I (Tab. 4) vorgeschlagenen Einteilung erfordern.

Ein Teil der Modelle weist neben der graphischen Kennzeichnung einzelner Befunde eine Beschriftung mit vollständigen Omentexten (Protasis *und* Apodosis) auf. Diese Exemplare können, wie auch schon von J. NOUGAYROL (1968:32–33) vorgeschlagen, als "Lehrobjekte" für den Unterricht der angehenden Wahrsager bzw. als Hilfsmittel ("graphische Kompendien") bei der Auswertung tatsächlicher Befunde angesehen werden (Gruppe I: AO 8894, YOS X 3, Boğazköy, Emar).

Die mit dem Inschriftentyp B versehenen Modelle aus Mari sowie die beiden Fragmente aus Hazor enthalten neben den graphischen Kennzeichnungen Beischriften, die sich nur auf das Ergebnis (Apodosis) beziehen, das aus dem dargestellten Befund (Protasis) resultiert; der Befund selbst ist nicht verbalisiert. Es lassen sich allerdings syntaktische Unterschiede feststellen; auf den Modellen aus Hazor ist die Inschrift — entsprechend der Apodosis in den Omentexten — als Aussage formuliert, die sich auf die Darstellung (graph. Protasis) bezieht: "wenn das Leberteil X so aussieht" — wie die graphische Darstellung zeigt — "dann geschieht Y" — wie im Text geschildert. Auf den betreffenden Beispielen aus Mari wird dagegen das eigentliche Omenergebnis (Apodosis) als Voraussetzung (Protasis) für die graphische Kennzeichnung aufgefaßt: "wenn ein bestimmter Befund eingetreten ist" — den der Text schildert — "dann ist dies so festgesetzt" — wie auf dem Modell dargestellt; es besteht demnach eine Umkehrung der jeweils im Vorder- und Nachsatz geschilderten Abhängigkeiten. Aus dieser Art der Formulierung läßt sich für die Stücke aus Mari eine Verwendung als Unterrrichtsmodelle folgern (hist. neutral formulierter Text); für diejenigen aus Hazor ist eine derartige Bedeutung zwar ebenfalls denkbar, jedoch liegen für eine verbindliche Aussage zu wenige Beispiele vor (Gruppe II: Mari B, Hazor).

Eine dritte Gruppe weist neben den graphischen Kennzeichnungen der Einzelbefunde eine schriftlich verfaßte Deutung des Gesamtbefundes auf (unter Bezugnahme auf ein historisches Ereignis); die Beschaffenheit der einzelnen Leberbereiche wird nicht oder nur teilweise (Ausnahme das Modell aus Tell al-Seib: vollständiger Omenbericht) verbal formuliert (Gruppe III: Mari A, YOS X 1, Tell al-Seib). Aufgrund des geschilderten Verhältnisses von Darstellung und Text stehen diese Modelle den vollständig unbeschrifteten Exemplaren (Gruppe IV) nahe. Beide Gruppen werden in dieser Arbeit als modellhafte Nachbildungen der Ergebnisse tatsächlich durchgeführter Opferschaurituale angesehen und mit der Textgruppe der Omenberichte gleichgesetzt; möglicherweise handelt es sich dabei auch um "Handskizzen", d.h. um Notizen, die der Wahrsager im Verlauf der Inspektion angefertigt hat und nach denen später die Omentexte (Berichte) erstellt wurden.

Als Voraussetzung für die Annahme, einen Teil der Modelle als "Berichte" auffassen zu können, wurde ein positives Ergebnis des dargestellten Befundes angesehen; diese Forderung ist zwar nicht erfüllt, da nur etwa die Hälfte der betreffenden Modelle ein günstiges Gesamtresultat aufweist, doch können dafür, neben den bereits erwähnten Argumenten — Fundsituation des Modells MBQ 2 (evt. Meg. 1), Beschriftung der vier Modelle aus Ugarit — Eigenschaften der dargestellten Krankheitsbilder geltend gemacht werden. Die Modelle der Gruppe I weisen ausschließlich Darstellungen von Veränderungen auf, niemals die "Normalform" eines Leberteiles (bis auf wenige Ausnahmen, die aber nur die Leberteile Gallenblase und Leberfinger betreffen; beide gehören zu den formativen Elementen der Leber und werden daher immer modelliert); dagegen ist auf den Tonlebern der Gruppe III und IV häufig der unveränderte Zustand eines Leberteiles angegeben (vor allem die Bereiche *mazzāzu* und *padānu* (vgl. Tab. 16.20.21).

Darüber hinaus finden sich auch außerhalb der regulären Omenberichte Hinweise auf ungünstig verlaufende Leberschaurituale. So wird in Briefen aus Mari aufgrund ungünstiger Omen vor dem Beginn von Aktivitäten gewarnt (vgl. dazu DOSSIN 1966:77–86; FINET 1966:87–93; beide m. Beispielen). Auch in dem Text KTU 1.78, der über eine Sonnenfinsternis in Ugarit berichtet, wird eine Leberschau erwähnt, die anläßlich dieses Ereignisses durchgeführt wurde und die ebenfalls ein ungünstiges Resultat — in der Sonnenfinsternis eine Gefahr zu sehen — erbrachte (vgl. den Bericht über eine Eingeweideschau, die der Wahrsager Asqūdum in Mari anläßlich einer Mondfinsternis durchführte; dazu RENGER 1969:207 m. Anm. 942). Somit ist es denkbar, daß auch die Einzelbefunde einer negativ bewerteten Opferschau in Modellen wiedergegeben wurden.

Der entscheidende Anhaltspunkt für das Vorkommen von Modellen, die als "Berichte" aufzufassen sind, wird durch das Exemplar aus Tell al-Seib vermittelt. Auf der Rückseite dieses Stückes befindet sich ein vollständig verfaßter Omenbericht, während die Vorder- oder "Schau"seite nur mit den Kennzeichnungen der Einzelbefunde versehen ist. Aufgrund dieser Kombination kann in dem Modell eine direkte Verbindung zwischen den beiden Gattungen — Modell und Tafel — hergestellt werden (die Tendenz der Omenaussage — positiv oder negativ — ließ sich nicht ermitteln, da die notwendigen Abbildungen bzw. Transkriptionen nicht vorlagen; sollte die Beschreibung zutreffen, dann handelt es sich ebenfalls um einen ungünstigen Omenbefund!).

Insgesamt lassen sich die Tonlebermodelle demnach in zwei Kategorien einteilen:

- *Kompendien*, die eine verbale Beschreibung und Auswertung der einzelnen graphisch dargestellten Befunde enthalten;

- *Berichte*, die die Ergebnisse einer Opferschau in graphischer Form wiedergeben; während auf den älteren Exemplaren dieser Kategorie (Gruppe III) die Gesamtaussage noch angegeben ist, fehlt diese auf den jüngeren Modellen (Gruppe IV) bereits.

Historisches Resümee

Überlieferung, Verbreitung, Bedeutung und Verwendung

Seit dem Beginn des 2. Jts. v.Chr. lassen sich Beispiele für die hier untersuchte Fundgattung der Tonlebermodelle zunächst in Nordostsyrien und Babylonien nachweisen, später auch im restlichen Syrien, in Palästina und Anatolien. Die ältesten bisher bekannten Exemplare stammen aus dem Palast in Mari und sind in die Zeit der *šakkanakku* (ca. 1900/1880 v.Chr.) zu datieren. Dennoch ist eine genuine Entwicklung der Leberschau, auf deren Praktiken die Herstellung und Verwendung dieser Modelle beruht, im Gebiet von Mari nicht anzunehmen; vielmehr weisen sowohl die bis in das 3. Jts. v.Chr. zurückreichenden mesopotamischen Textbelege über Tätigkeiten von Wahrsagern (vgl. dazu RENGER 1969:215 m. Belegen) als auch die häufige Erwähnung von historischen Ereignissen aus der mesopotamischen Geschichte (wie sie sich in den Texten der Modelle aus Mari finden) auf eine ältere Tradition in Babylonien hin und damit auf eine Übernahme des Rituals von dort. Für den Zeitpunkt dieser Übernahme kommt die Epoche der *šakkanakku* in Betracht, in der enge politische Verbindungen zwischen den beiden Gebieten bestanden haben. Da die Inschriften der Modelle aus Mari in einem lokalen Dialekt verfaßt sind, kann deren Herstellung am mittleren Euphrat als sicher gelten.

Die Frage nach der erstmaligen Verwendung derartiger Modelle muß vorerst noch offen bleiben. Die wenigen aus dem babylonischen Raum stammenden Tonlebern (Tell al-Seib; YOS X 1.3) sind nur unwesentlich jünger zu datieren; zahlreiche Hinweise sprechen aber für die Annahme, daß sie auf eine ältere

Tradition zurückgehen. Seit der Lagaš- und Gutäerzeit sind Jahresdaten überliefert, aus denen hervorgeht, daß wichtige Entscheidungen im öffentlichen Leben (z.B. Wahl und Ernennung von Priestern) durch die Leberschau bestimmt wurden. Aus diesem Zeitraum liegen bisher noch keine Modelle vor, so daß über den Zeitpunkt ihrer "Erfindung" keine verbindliche Aussage gemacht werden kann. Auch die in dieser Arbeit vorgeschlagene Zweiteilung der Modelle aus Mari — in "Kompendien" und in "Berichte" —, geht vermutlich auf mesopotamische Vorbilder zurück, da die gleiche Struktur in den babylonischen Exemplaren ebenfalls zu finden ist.

Schließlich entspricht der enge Kontakt zwischen Palast und den Ausführenden der Leberschau mesopotamischen Gewohnheiten. In Mari kommt diese Verbindung sowohl durch den Fundort der Modelle — in unmittelbarer Umgebung des Herrschers — als auch durch die gesellschaftliche Stellung der für die betreffenden Rituale verantwortlichen Personen zum Ausdruck (vgl. RENGER 1969:215–217 m. einer Liste von Wahrsagern und deren Berufen). So war z.B. ein Išḫi-Adad zugleich Gesandter (ARM VII 117,18), Schreiber und Wahrsager (ARM II 45,5; 134,5) am Hofe Zimrilims. Es haben aber auch Priester das Amt eines Wahrsagers ausgeübt, jedoch offensichtlich nicht im Tempel, sondern im Palast; so wird ein Asqūdum ausdrücklich als Priester im Palast bezeichnet (dazu CHARPIN 1985:243–268). Die einflußreiche Stellung der Leberschau im offiziellen Leben geht darüber hinaus auch aus zahlreichen Briefen hervor, die aus der Zeit Zimrilims stammen und in denen bestimmte politische Entscheidungen vom Ausgang der Befragungen abhängig gemacht wurden (vgl. entsprechende Texte bei DOSSIN 1966:77–86; FINET 1966: 87–93).

In Mesopotamien wurde die Leberschau bereits im 3. Jts. v.Chr. für Entscheidungen der Herrscher herangezogen (vgl. dazu das Enmeduranki-Epos, s.S. 2) und auch noch während der altbabylonischen Zeit läßt sich eine derartige Verbindung nachweisen. So wurde die Tonleber aus Tell al-Seib in einem Gebäude geborgen, das als Sitz der lokalen Verwaltung anzusehen ist, die der zentralen Administration in Ešnunna unterstand. Aus gleichzeitig zu datierenden Texten ist bekannt, daß Wahrsager u.a. auch öffentliche Aufgaben in den Verwaltungsbezirken ausgeführt haben (dazu RENGER 1969:215 m. Anm. 1015). Doch geht aus den in der altbabylonischen Zeit erstmals zusammengestellten Omenserien hervor, daß zu dieser Zeit auch "der einfache Mann" Auskunft durch die Opferschau erbitten konnte (die Apodosis nimmt nun häufiger Bezug auf das Leben des "einfachen" Menschen).

Diese Annahme wird durch den Text auf dem vermutlich aus Larsa stammenden Modell YOS X 1 bestätigt; er enthält eine positive Deutung für den Fragesteller (Zeit des Siniddinam, ca. 1800 v.Chr.). Der verwendete Inschriftentyp entspricht dem Inschriftentyp A aus Mari ("Berichte"); dagegen ist der Text des ebenfalls aus Babylonien stammenden Modells YOS X 3 mit dem Inschriftentyp B vergleichbar ("Kompendien"). Damit sind beide Inschriftentypen der Modelle aus Mari, und damit die beiden Kategorien von Tonlebern — "Kompendien" und "Berichte" — auch in Babylonien zu belegen. Zwar sind die beiden babylonischen Modelle etwas jünger zu datieren als die entsprechenden Exemplare aus Mari, doch kann aus o.g. Gründen nicht gefolgert werden, daß die Entwicklung der Tonlebern von Mari ausgegangen ist.

Die Inschrift auf dem wiederum etwas jüngeren Tonmodell aus Tell al-Seib (datiert auf Daduša, etwa 1. Hälfte des 18. Jhd. v.Chr.) entspricht vollständig den auf Modellen in dieser Form sonst nicht nachgewiesenen Omenberichten. Schon aufgrund der Beschriftung ist dieses Modell als Nachbildung des auf der "Schau"seite graphisch dargestellten Befundes aufzufassen, d.h. als "Bericht". Damit befindet es sich in der gleichen Tradition wie die Tonlebern aus Mari (Inschriftentyp A) und das Exemplar YOS X 3; gleichzeitig stellen sie den Übergang von beschrifteten zu vollständig unbeschrifteten Modellen (Gruppe IV) dar.

Die ältesten Beispiele dieser Gruppe stammen aus den Grabungen in der Unterstadt von Ebla. Leider können sie weder einem Baukomplex eindeutig zugeordnet noch genau datiert werden. Ihre Fundlage in der jüngsten mittelbronzezeitlich zu datierenden Schuttschicht läßt auf ein Entstehungsdatum nach der Zerstörung von Mari durch Hammurabi (ca. 1700 v.Chr.) schließen. Die Übernahme der Praxis der Leberschau kann aber auch noch weiter zurückliegen und sowohl von Mari als auch von Babylonien ausgegangen sein. Die formale Ähnlichkeit dieser Modelle mit dem Exemplar aus Tell al-Seib spricht indes eher für eine babylonische Verbindung. Auch der Fundkontext, die Unterstadt von Ebla, unterstützt diese Annahme; zwar kann über den Verwendungsbereich — Palast oder öffentlich/private Anlage — keine Aussage getroffen werden, die Verbindung mit der Unterstadt läßt jedoch auf eine Öffnung des Rituals der Leberschau zum öffentlich/privaten Bereich hin schließen, wie dies auch für Babylonien in dieser Zeit belegt ist. Eine weitere Bestätigung für die Verlagerung in den öffentlich/privaten Bereich geht aus dem Fehlen derartiger Modelle im Inventar des Palastes hervor. Damit zeichnet sich bereits in Ebla der entscheidende Schritt für den erweiterten Verwendungsbereich ab, denn von diesem Zeitpunkt an kommen, mit Ausnahme von Boğazköy (s.S. 50), Tonlebermodelle nur noch in Komplexen vor, die sich in Wohnvierteln befinden (möglicherweise spiegelt sich hierhin auch eine Änderung der Sozialstruktur wider).

Eine Bestätigung für die bereits vollzogene Verlagerung des Ortes der Leberschau stellt der Fundkontext der beiden Tonleberfragmente aus Hazor dar; sie stammen aus der ältesten spätbronzezeitlichen Bauphase des in der Unterstadt gelegenen Tempels H. Zugleich wird durch diese Fundlage ein weiterer wesentlicher Aspekt für die Durchführung der Leberschau verdeutlicht: Aus der Fundlage der Modelle — im Hof des Tempels, nicht im Heiligtum selbst — geht hervor, daß auch die Leberinspektion im Hof, der der Öffentlichkeit zugänglich war, stattfand; entsprechende Funde sowie zahlreiche Installationen unterstützen diese Annahme.

Aufgrund von Duktuskriterien kann eine Übernahme der Leberschau (bzw. die Herstellung von Modellen) aus Babylonien angenommen werden. In diesem Zusammenhang ist auf die Verbreitung babylonischer Literatur in den Randgebieten während der mittelbabylonischen Zeit hinzuweisen; so stammen Fragmente einer mittelbabylonischen Fassung des Gilgamesch-Epos (dazu GOETZE/LEVY 1959:125–127) aus dem Palast der Schicht VII B in der Oberstadt von Megiddo. Die Tradierung dieser Texte erfolgte entweder auf einer direkten Verbindungslinie von Babylonien oder durch die Vermittlung wandernder babylonischer Schreiber (dazu vgl. HECKER 1974:200–202). Dieser Weg der Überlieferung ist auch für die Tonlebern aus Hazor und Megiddo anzunehmen (für die zeitlich jüngeren Modelle aus Megiddo (ca. 13. Jhd. v.Chr.) ist allerdings auch eine unmittelbare Verbindung zu der Tradition in Hazor denkbar). Auch die Fundumstände der Tonlebermodelle aus Hazor und Megiddo weisen Gemeinsamkeiten auf; in beiden Orten ist ein Zusammenhang mit dem Tempelbereich festzustellen (Meg. 1 im Heiligtum selbst; zur Möglichkeit, die Fundlage im Sinne einer Deponierung zu interpretieren, s.S. 32; vgl. MBQ 2; Meg. 2 innerhalb der Zingelräume). Offensichtlich bestand in Palästina eine Verbindung zwischen der Leberschau und dem offiziellen Kult. Allerdings handelt es sich in beiden Fällen um einen Tempel der Unterstadt und damit um Anlagen, die stärker auf die Öffentlichkeit ausgerichtet sind (im Gegensatz zu den Tempeln der Oberstadt, die als Institution im Dienste der staatlichen (palatialen) Macht aufzufassen sind). Außerdem darf aufgrund der Fundlage angenommen werden, daß die Rituale nicht im Heiligtum selbst, sondern im Hof bzw. in den Nebenräumen ausgeführt wurden. Somit besteht nur ein mittelbarer Zusammenhang zwischen den Bereichen Religion und Magie (dazu s.S. 51.72).

Im Verlauf der Spätbronzezeit setzt eine intensive Verbreitung von Tonlebermodellen in Nordsyrien (Ugarit, Mumbaqat, Tell el Hajj, Emar) und Anatolien (Boğazköy) ein. Mit Sicherheit kann auch in diesem Fall Babylonien als Ausgangspunkt der Überlieferung angenommen werden; doch bleibt die Frage, ob die Überlieferung sich auf direktem Weg oder durch Vermittlung der Hurriter (bzw. im Einzelfall der Hethiter) vollzogen hat, bestehen. Für beide Möglichkeiten lassen sich Argumente anführen.

Die Modelle aus Boğazköy sind in zwei Gruppen zu unterteilen, in die jüngeren, die einsprachig (akkadisch) beschriftet sind und in die älteren, die zweisprachig (akkadisch und hethitisch) beschriftet sind. Für die Gruppe der älteren Tonlebern konnte ein Entstehungsdatum kurz vor der Regierungszeit des Šuppiluliuma (um ca. 1380 v.Chr.) nachgewiesen werden. Duktuskriterien und Tonqualität sprechen für ihre Anfertigung außerhalb von Ḫattuša; für ihre Herstellung kommen vor allem die Schreiberschulen in Kizzuwatna und Nuḫašše in Betracht — Institutionen, die in großem Umfang Kompilationen und Übersetzungen babylonischer Texte durchgeführt haben. Aus den Kolophonen dort verfaßter Tafeln ist weiterhin ersichtlich, daß hurritische Schreiber eine wichtige Rolle bei der Vermittlung der älteren Tonlebermodelle aus Boğazköy gespielt haben (dazu ausf. ARCHI 1982:280–282 m. Literaturhinweisen).

Auch für die Entstehung der jüngeren Modelle (seit Muršili II., um ca. 1320 v.Chr.) ist hurritischer Einfluß entscheidend gewesen. Diese starke hurritische Komponente zeigt sich besonders in der Nomenklatur der Omentexte; neben dem hethitischen Vokabular finden sich zahlreiche hurritische Begriffe für die Bezeichnung einzelner Leberteile, ihrer Position und ihrer Krankheitsbilder (dazu LAROCHE 1970: 127–139).

	Protasis graph.	Protasis schriftl.	Apodosis schriftl.	Omen-aussage	Kategorie	Bedeutung
AO 8894	+	+	+			
YOS X 3	+	+	+			
Bogazköy	+	+	+		I	"Kompendien"
Emar	+	+	+			
Mari B	+		+		II	"Kompendien"
Hazor	+		+			
Mari A	+	(+)		+		
YOS X 1	+	+		+	III	"Berichte"
Tell al-Seib	+	+		+		
Ebla	+					
Hazor	+					
Ugarit	+			+	IV	"Berichte"
Megiddo	+					
Mumbaqat	+					
Tell el-Hajj	+					
CT VI,1–3		+	+			
BM 50494		+	+		V	"Kompendien"
(KAR 444)		+	+			

Tabelle 23: Einteilung der Tonlebermodelle nach dem Verhältnis von Wort und Bild

Aufgrund formaler Ähnlichkeiten ist für die Tonlebern aus Emar (ca. 13. Jhd. v.Chr.) eine enge Verbindung zu den hethitischen Modellen und damit ebenfalls eine hurritisch geprägte Überlieferung anzunehmen. Die in hethitischer und hurritischer Sprache verfaßten Wahrsagetexte aus Emar (bisher LAROCHE 1982:61–68) bestätigen diese Kontakte (eine Veröffentlichung des umfangreichen mantischen Textmaterials aus Emar wird vermutlich weiteren Aufschluß über den hurritischen Einfluß auf die Umarbeitung babylonischer Vorstellungen geben).

Aus beiden Fundorten sind bisher nur Tonlebermodelle der Gruppe I — "Kompendien" — belegt; auch unter dem entsprechenden Textmaterial finden sich keine Omenberichte im babylonischen Sinne. Als Grund dafür ist eine hurritische Beeinflussung der in Boğazköy praktizierten Form der Leberschau anzunehmen (dazu s.S. 50); ob diese mantische Praxis auch in Emar ausgeübt wurde, kann erst nach der Veröffentlichung der dort gefundenen Wahrsagetexte endgültig beurteilt werden. Ein substantieller Unterschied geht aber aus der voneinander abweichenden Fundlage derartiger Modelle in Boğazköy und Emar hervor. In der hethitischen Hauptstadt wurden die Tonlebern auf der Burg und im Großen Tempel gefunden, d.h. in Komplexen, die auf eine enge Verbindung des Rituals zum Herrscher bzw. zu den staatlichen Institutionen schließen lassen (über die Bedeutung der Leberschau im Rahmen staatlicher Maßnahmen wie Feldzüge, Verträge usw. liegt eine reichhaltige Literatur vor, vgl. GOETZE 1957c:148); in Emar zeichnet sich dagegen eine stärkere Verbindung zur Öffentlichkeit ab, da sich der "Tempel des Wahrsagers" innerhalb eines Wohnviertels befindet und deutlich von den beiden Haupttempeln, die dem offiziellen Kult (Astarte und Baal) dienten, getrennt ist.

Diese Fundsituation ist wiederum vergleichbar mit der der Modelle aus Ugarit und Mumbaqat. In beiden Fundorten stammen die Tonlebermodelle ebenfalls aus einem in den jeweiligen Wohnvierteln gelegenen Gebäude, das als "Haus eines Wahrsagers" bezeichnet wird; eine ähnliche Anlage findet sich auch im kassitischen Babylon. Da außerdem in beiden Orten nur Modelle der Gruppe IV ("Berichte"), die im hurritisch beeinflußten Anatolien und auch in Emar bisher nicht nachzuweisen sind, vorkommen, erscheint ein anderer Überlieferungsweg — entweder in syrischer Tradition stehend (Ebla) oder aus Babylonien übernommen — denkbar, obwohl gerade für Ugarit in dieser Zeit (nach Šuppiluliuma) eine enge politische Verbindung mit dem Hethiterreich belegt ist.

Das gleichzeitige Vorkommen beider Kategorien von Lebermodellen im nordsyrisch-anatolischen Raum läßt einerseits auf unterschiedliche Überlieferungswege der Leberschau , andererseits auf deren unterschiedliche Handhabung schließen. Das Auftreten differierender Auffassungen spiegelt sich auch in der politischen Struktur des betreffenden Gebietes wider; wie A. Archi (1982:281) bereits betont hat, handelt es sich nicht um in sich geschlossene Einheiten (Boğazköy, Ugarit, Alalaḫ usw.), sondern um ein einziges "Randgebiet", das in politische Zentren gegliedert war. Die einzelnen Gebiete haben — in unterschiedlichem Maße — fremdes Gedankengut aufgenommen, nach eigenen Vorstellungen und Bedürfnissen umgearbeitet und weitergegeben. Dadurch entsteht ein Konglomerat unterschiedlicher Auffassungen, wechselseitiger Beeinflussungen und Abhängigkeiten, das zu regionalen und sogar lokalen Varianten in der Darstellungsweise, der Verwendung und der Bedeutung der Tonlebermodelle führt. Diese Vermischung hethitischer, hurritischer, babylonischer und syrischer Vorstellungen zeigt sich ebenso in der sprachlichen Vielfalt der in den einzelnen Zentren gefundenen Texte wie auch in der Vielfalt der künstlerischen Erzeugnisse (z.B. Glyptik, Architektur, Bildkunst).

Mit dem Einfall der "Seevölker" wurden die im syrisch-anatolischen Raum bestehenden politischen Strukturen zerstört; damit entsteht auch ein Bruch mit der babylonischen Tradition, der sich u.a. darin äußert, daß bei den jetzt dominierenden Gruppen (Aramäer, Phönizier, Phryger; zu einem möglichen Gebrauch der Leberschau bei den Israeliten vgl. LORETZ 1985:13–35) die Leberschau nicht mehr nachzuweisen ist. Nur im Ursprungsgebiet, in Babylonien und Assyrien, gibt es eine kontinuierliche Tradierung der Leberschau bis in die Seleukidenzeit (ca. 2. Jhd. v.Chr.). Allerdings besitzt die Hepatoskopie nicht mehr die zentrale Stellung innerhalb der mantischen Praktiken, sondern sie wird von der Åstrologie und der Wahrsagung, die auf Beobachtung verschiedener Vorzeichen in der Natur und im menschlichen Leben basieren (*šumma alu*), verdrängt.

Im außerorientalischen Bereich ist der Gebrauch von Lebermodellen nur in Etrurien belegt. Die Ursprünge der Leberschau gehen dort mit Sicherheit auf die syrisch-anatolische Tradition des 2. Jts. v.Chr. zurück (Modell aus Falerii Veteres) und erst durch die hellenistische Überlieferung werden die babylonischen Vorstellungen verändert (Modell aus Piazenca; dazu vgl. u.a. NOUGAYROL 1955:509–157; PFIFFIG 1975:115–127; MEYER 1984b:105–120).

Zusammenfassend ist festzustellen, daß die aufgestellte Hypothese, die unbschrifteten Lebermodelle seien "lesbar", im Verlauf der Arbeit bestätigt wurde. Es konnte ein System nachgewiesen werden, das für alle auftretenden Kennzeichnungen Gültigkeit hat; dieses System beruht auf einer Opposition von Positiv-Negativ, Günstig- Ungünstig, d.h. auf dem Prinzip einer Dichotomie, die dem Konzept des altorientalischen Weltbildes (Makrokosmos-Mikrokosmos, Welt-Erde, Gott-Mensch usw.) entspricht. Die Grundlagen dieses Systems reichen zurück bis in das 3. Jts. v.Chr. und bleiben während der gesamten Verwendungszeit der Tonlebermodelle — bis auf regionale Varianten — unverändert.

In bezug auf ihre Bedeutung konnten die Tonlebermodelle in zwei unterschiedliche Kategorien eingeteilt werden, in "Kompendien" und "Berichte". Beide Kategorien haben ihren Ursprung in Babylonien. Auch die im 3. Jts. v.Chr. dominierende Stellung des Palastes, bzw. der staatlichen Administration geht auf mesopotamische (sumerische) Praktiken zurück und überwiegt noch zu Beginn der altbabylonischen Zeit. Beispiele dafür sind die Funde von Tonlebermodellen in Tell al-Seib und im Palast von Mari. Im Verlauf der altbabylonischen Zeit beginnt eine von Babylonien ausgehende Systematisierung der Omentexte (serienartige Kompendien, detaillierte Berichte), die, nach den bisherigen Befunden zu urteilen, eine Verwendung von Tonlebern in Babylonien offenbar überflüssig machte. Gleichzeitig mit dieser Systematisierung weitet sich die Durchführung der Leberschau auf "einfache" Bevölkerungskreise aus; dieser Wandel ist u.a. daran zu erkennen, daß die Apodosen jetzt häufig auf den "einfachen" Menschen Bezug nehmen. Gegen Ende der altbabylonischen Zeit scheint diese Ausweitung der Leberschau auch Syrien/Palästina erreicht zu haben (Ebla). Ihre größte Verbreitung erreichen die Tonlebermodelle während der Spätbronzezeit; sie treten im gesamten syrisch/palästinensischen und im anatolischen Gebiet auf; es kommt hier zu regionalen Entwicklungen, die auf die unterschiedliche Stellung und Bedeutung der Leberschau innerhalb der einzelnen Gesellschaften zurückzuführen sind. Auch für Elam ist der Gebrauch dieser Divinationsmethode belegt (LABAT 1974), allerdings nicht die Verwendung von Modellen. Nach dem Zusammenbruch der bronzezeitlichen Kulturen läßt sich die Praxis der Hepatoskopie nur noch in Mesopotamien nachweisen. Aus den entsprechenden Texten (nur ein Modell der Gruppe V, BM 50494, ist bisher bekannt) ist ersichtlich, daß das von Anfang an tradierte Prinzip der Leberschau auch weiterhin Gültigkeit besitzt (vgl. dazu KRAUS 1954: 17–19, der für die babylonische Religion "größte Beständigkeit" nachgewiesen hat). Die gleiche Beständigkeit ist auch für das System der graphischen Kennzeichnung auf den Modellen anzunehmen. Die einzelnen Krankheitsbilder werden nach einem festgelegten System, das von Beginn der Leberschaupraxis an Gültigkeit besessen hat, auf den Modellen gekennzeichnet. Dieses System der Kennzeichnung — ebenso wie das System des Erkennens und der Interpretation von Veränderungen der untersuchten Schafsleber — war nur einem kleinen Kreis Eingeweihter, den Wahrsagern bekannt, die damit eine künstliche Sprache ("Metasprache") mit beschränkter kommunikativer Intention geschaffen haben.

Nachtrag

Erst nach Beendigung dieser Arbeit erhielt der Verfasser Kenntnis von weiteren Tonlebermodellen, die deshalb in der vorliegenden Untersuchung nicht mehr berücksichtigt werden konnten. Bei den Modellen handelt es sich sowohl um Stücke aus Museumsbeständen (Philadelphia, Enkomi) als auch um Exemplare aus neueren Ausgrabungen (Tell Bi'a, Halawa, Mumbaqat). Da ein Teil dieser Modelle bereits im Zusammenhang mit den betreffenden Grabungsergebnissen publiziert wurde bzw. demnächst publiziert werden wird, sollen in diesem Nachtrag Datierung, Verwendung und Verbreitung der einzelnen Stücke nur kurz besprochen werden (für die Erlaubnis zur Publikation möchte ich mich bei Frau Dr. E. Strommenger (Tell Bi'a), Frau Dr. A. Caubet (Enkomi) und Herrn Professor Dr. D. Machule (Mumbaqat) bedanken).

Bei den Modellen handelt es sich — bis auf eine Ausnahme — um unbeschriftete Tonlebern; nur ein Modell, das fragmentarisch erhaltene Exemplar aus Philadelphia (Taf. 27,1–2) weist eine Beschriftung auf (Herrn Professor Dr. R.D. Biggs danke ich für den Hinweis auf dieses Stück, Herrn Professor Dr. A. Sjöberg für die Erlaubnis zur Publikation des Photos, das Herr Dr. H. Behrens freundlicherweise anfertigen ließ). Obwohl der Text weitgehend unverständlich ist, scheint dennoch eine Gleichsetzung mit dem Stück CT VI, 1–3 (Gruppe V) denkbar.

Drei unbeschriftete Tonlebern stammen aus den Grabungen in Tell Bi'a (Taf. 26,4–6). Sie wurden im Verfallschutt der Wiederbenutzungsphase des altbabylonischen Palastes gefunden; dennoch können sie bereits zur Zeit des Hammurabi hergestellt worden sein (Meyer 1987). Diese Annahme wird auch durch die für diese Zeit häufig belegte Verwendung von Tonlebermodellen im Bereich des Palastes gestützt (vgl. S. 266). Alle drei Exemplare weisen ausschließlich Kennzeichnungen auf, die positiv zu bewerten sind. Daher können sie als "graphische Berichte" (Gruppe IV) einer für den Fragesteller günstig verlaufenen Omenanfrage aufgefaßt werden.

Dagegen überwiegen bei dem Modell aus Halawa (Taf.26,3), das aus einer Wohnsiedlung der frühen Mittelbronzezeit stammt, die Kennzeichnungen ungünstiger Befunde (im Bereich der Gallenblase und des Leberfingers). Aufgrund der Fundlage ist es als der bisher älteste Beleg für die Gruppe der unbeschrifteten Tonlebern anzusehen (eine ausf. Behandlung des Stückes sowie des Fundkontextes erfolgt demnächst im Zusammenhang mit dem Vorbericht zu den Ausgrabungen in Halawa).

Diese vier Modelle belegen bereits für den Beginn der Mittleren Bronzezeit eine Verwendung unbeschrifteter Tonlebern im nordsyrischen Gebiet; zusammen mit zwei weiteren Exemplaren aus spätbronzezeitlich zu datierenden Fundschichten in Mumbaqat bestätigen sie zudem die auffallende Konzentration dieser Fundgruppe im Bereich des mittleren Euphrats (Mari, Tell Bi'a, Halawa in der Mittleren Bronzezeit, Emar, Mumbaqat und Tell el-Hajj in der Spätbronzezeit).

Dem Modell aus Enkomi (A. Caubet/J.-C. Courtois 1986: 72–77) kommt besondere Bedeutung zu, da es den Nachweis der Übernahme des Leberschaurituals auf Zypern liefert. Der betreffende Fundkontext in Enkomi — die Siedlung — wird in das 12./11. Jhd. v. Chr. datiert, d. h. in eine Zeit, in der für Nordsyrien keine Modelle mehr belegt sind. Formal entspricht das Modell den unbeschrifteten Stücken aus Ugarit (Meyer 1986: 78–79, Taf. 19,2); damit kann es aber auf die nordsyrische Tradition zurückgeführt werden. Zugleich bietet dieser Fund einen weiteren Anhaltspunkt für den Überlieferungsweg derartiger Modelle aus dem Vorderen Orient nach Etrurien (Falerii Veteres).

Insgesamt bestätigen diese Neufunde das Ergebnis der Untersuchung und erlauben darüber hinaus sogar die Möglichkeit, für die Entstehung der unbeschrifteten Modelle ein höheres Alter (Beginn des 2. Jts. v. Chr.) anzunehmen.

Anhang

Fundkatalog

Fundort	Fund-Nr.	Fundstelle	Größe (mm)	be-schr.	unbe-schr.	Komp.	Ber.	Tafel
Boğazköy								
Bo 1	104/g	Bk m 13/14		x		x		5,1
Bo 2	405/g	Bk q 16		x		x		5,3–4
Bo 3	535/f	Bk q/r 16/17		x		x		5,2
Bo 4	253/f	Bk r 16		x		x		
Bo 5	784/f	Bk		x		x		5,5
Bo 6	10/e	Bk u 10		x		x		5,6
Bo 7	280/i	Bk m 11		x		x		
Bo 8	321/d	Bk q 13		x		x		
Bo 9	2131/g	K 18		x		x		6,1
Bo 10	299/a	Bk r 14		x		x		6,3–4
Bo 11	42/d	Bk x 18		x		x		6,2
Bo 12	759/f	Bk o/q 16		x		x		6,5
Bo 13	2119/g	K 18		x		x		
Bo 14	390/f	Bk q 16		x		x		
Bo 15	340/f	Bk r 17		x		x		6,6
Bo 16	VAT 7414	Bk		x		x		7,1
Bo 17	VAT 8320	Bk		x		x		7,2
Bo 18	VAT 7439	Bk h/k 14		x		x		8,1
Bo 19	VAT 7688	Bk		x		x		8,2–3
Bo 20	VAT 7414a	Bk		x		x		8,4
Bo 21	20/k	Bk w 12		x		x		9,1
Bo 22	5/k	Bk w 15		x		x		9,3–4
Bo 23	59/k	Bk x 13		x		x		9,5–6
Bo 24	240/m	Bk y 10		x		x		10,1–2
Bo 25	58/m	Bk x 14		x		x		10,3
Bo 26	367/n	Bk v 17		x		x		10,4
Bo 27	64/n	Bk t 13		x		x		10,5–6
Bo 28	219/n	Bk s 13		x		x		10,5–6
Bo 29	65/n	Bk v 16		x		x		11,1
Bo 30	216/n	Bk s 13		x		x		11,2
Bo 31	203/n	Bk s 14		x		x		11,3–4
Bo 32	296/n	Bk s 17		x		x		
Bo 33	346/n	Bk v 17		x		x		11,5
Bo 34	282/n	Bk t 13		x		x		
Bo 35	430/n	Kauf		x		x		11,6
Bo 36	128/n	Bk s 15		x		x		12,1
Bo 37	798/c	Bk w 16		x		x		12,2
Bo 38	247/q	Bk aa 14		x		x		
Bo 39	278/q	Bk bb 15		x		x		
Bo 40	72/r	Bk g 12		x		x		
Bo 41	121/r	Bk bb 14		x		x		
Bo 42	1029/u	Bk z 18		x		x		
Bo 43	1215/v	Bk w 17/18		x		x		
Bo 44	1234/v	Bk z 19		x		x		
Bo 45	1235/v	Bk y 18		x		x		
Bo 46	1236/v	Bk x/y 16		x		x		

Fundort	Fund-Nr.	Fundstelle	Größe (mm)	be- schr.	unbe- schr.	Komp.	Ber.	Tafel
Bo 47	1249/v	Bk x 17		x		x		
Bo 48	1296/v	Bk x 17		x		x		
Bo 49	1308/v	Bk w/x 18		x		x		
Bo 50	1309/v	Bk aa 17		x		x		
Bo 51	1312/v	Bk w 18		x		x		
Bo 52	412/w	Bk p/q 10/11		x		x		
Bo 53	Bo 68/16	Tempel I		x		x		
Bo 54	Bo 69/862			x		x		
Bo 55	299/e			x		x		
Emar								
MSK 1	7430	Areal M		x		x		12,3
MSK 2	7431	Areal M		x		x		12,4
YOS								
X 1	YBC 9832		74:69	x			x	12,5–6
X 3	YBC 11003		61:49	x		x		13,1–2
Hazor								
1	H 1308	H 2178	59:83	x		x		13,3–4
2	H 1308	H 2178	62:38	x		x		13,5
3–5	H 1281/88	H 2178			(x)		(x)	14,1–3
Mari								
M 1	M 1177	Palast	80:72	x			x	14,4–5
M 2	M 1180	Palast	72:78	x			x	
M 3	M 1175	Palast	70:70	x			x	
M 4	M 1188	Palast	62:62	x			x	14,6–7
M 5	M 1163	Palast	62:65	x			x	14,8–9
M 6	M 1182	Palast	46:64	x			x	15,1
M 7	M 1164	Palast	45:48	x			x	15,2–3
M 8	M 1174	Palast	58:50	x			x	
M 9	M 1181	Palast	50:54	x			x	
M 10	M 1170	Palast	60:55	x			x	
M 11	M 1160	Palast	69:75	x			x	15,4–5
M 12	M 1186	Palast	62:62	x			x	
M 13	M 1187	Palast	69:72	x			x	
M 14	M 1169	Palast	65:60	x		x		
M 15	M 1161	Palast	79:64	x		x		
M 16	M 1166	Palast	64:66	x			x	
M 17	M 1165	Palast	68:60	x			x	
M 18	M 1173	Palast	59:70	x			x	15,6
M 19	M 1176	Palast	63:60	x			x	
M 20	M 1168	Palast	60:60	x		x		15,7
M 21	M 1184	Palast	62:60	x		x		15,8–9
M 22	M 1189	Palast	48:50	x			x	
M 23	M 1162	Palast	70:70	x			x	
M 24	M 1185	Palast	74:70	x		x		16,1–2
M 25	M 1191	Palast	65:62	x		(x)		16,3

Fundort	Fund-Nr.	Fundstelle	Größe (mm)	be-schr.	unbe-schr.	Komp.	Ber.	Tafel
M 26	M 1190	Palast	80:48	x		x		16,4–5
M 27	M 1178	Palast	69:68	x		x		16,6–7
M 28	M 1183	Palast	70:60	x		(x)		17,1–2
M 29	M 1172	Palast	67:64	x			x	
M 30	M 1171	Palast	58:66	x		x		17,3–4
M 31	M 1179	Palast	72:69	x		x		17,5–6
M 32	M 1187	Palast	75:61	x		x		
AO 8894			47:50	x		x		17,7–8
Ugarit								
RS 1	61/24308	Zone 218	45:38		x		x	19,3
RS 2	61/24310	Zella 218	48:60		x		x	19,4
RS 3	61/24311	Zone 218	66:60		x		x	19,5
RS 4	61/24312	Fosse 218	58:40		x		x	
RS 5	61/24313	Fosse 218	56:40		x		x	19,6
RS 6	61/24314	Fosse	55:44		x		x	20,1
RS 7	61/24315	Zella 218	58:40		x		x	20,2
RS 8	61/24316	Fosse 218	58:42		x		x	20,3–4
RS 9	61/24317	Fosse 218	65:72		x		x	20,5
RS 10	61/24318	Fosse 218	55:67		x		x	20,6
RS 11	61/24319	Zella 218	60:40		x		x	21,1
RS 12	61/24320	Fosse	50:43		x		x	21,2
RS 13	61/24321	Zella 218	66:50		x		x	21,3
RS 14	61/24322	Zone 218	58:44		x		x	21,4
RS 15	61/24323	Zone 218	63:47	(x)			x	18,1–2
RS 16	61/24324	Fosse 218	59:51		x		x	21,5
RS 17	61/24325	Fosse 218	58:41	(x)			x	18,3–4
RS 18	61/24326	Fosse 218	64:46	(x)			x	18,5–6
RS 19	61/24327	Fosse 218	49:51	(x)			x	19,1–2
RS 20	61/24392	Zone 218	50:59		x		x	21,6
RS 21	61/24393	Zella 218			x		x	
Megiddo								
1	a 139	N 2048			x		x	26,1
2	d 83	N 13			x		x	26,2
Tell Bi'a								
1	27/43: 3	Palast			x		x	26,4
2	27/47:14	Palast			x		x	26,5
3	27/47:20	Palast			x		x	26,6
Halawa								
1	85 Q 1	Siedlung			x		x	26,3
Enkomi								
1	4074	Siedlung			x		x	
Philadelphia				x		x		27,1–2

Fundort	Fund-Nr.	Fundstelle	Größe (mm)	be-schr.	unbe-schr.	Komp.	Ber.	Tafel
Mumbaqat								
MBQ 1	4731/13	3 Q 30	85:70		x		x	22,1
MBQ 2	2133/35	4 F 82	60:60		x		x	22,2
MBQ 3	2737/43	4 H 127	60:25		x		x	22,3
MBQ 4	2737/67	4 H 167	60:99		x		x	22,4
MBQ 5	2737/69	4 H 167	60:75		x		x	22,5
MBQ 6	2737/70	4 H 167	65:70		x		x	22,6
MBQ 7	2737/71	4 H 167	62:56		x		x	23,1
MBQ 8	2737/73	4 H 167	74:62		x		x	23,2
MBQ 9	2737/74	4 H 177	73:70		x		x	23,3
MBQ 10	2737/77	4 H 180	70:60		x		x	23,4
MBQ 11	2737/82	4 H 192	65:75		x		x	23,5
MBQ 12	2737/87	4 H 195	75:55		x		x	23,6
MBQ 13	2737/89	4 H 201	44:59		x		x	24,1
MBQ 14	2737/90	4 H 202	75:60		x		x	24,2
MBQ 15	2737/91	4 H 203	70:60		x		x	24,3
MBQ 16	2737/101	7 H 2	65:85		x		x	24,4
MBQ 17	2737/102	7 H 5	70:70		x		x	24,5
MBQ 18	2737/105	7 H 10	60:70		x		x	24,6
MBQ 19	2737/124	7 H 33	68:73		x		x	25,1
MBQ 20	2737/125	7 H 33	57:68		x		x	25,2
MBQ 21	2937/2		56:48		x		x	25,3
Tell el Hajj								
1		Oberfl.	34:28		x		x	25,4
Ebla								
TM 1	66 B 175	Sektor B	55:78		x		(x)	25,5
TM 2	76 G 403	Ea V 5i G/3	57:40		x		x	25,6
TM 3	76 G 397	Ea V 5i G/3						
TM 4	76 G 397	Ea V 5i G/3						
TM 5	76 G 397	Ea V 5i G/3						
TM 6	76 G 397	Ea V 5i G/3						
TM 7	76 G 397	Ea V 5i G/3						
TM 8	76 G 397	Ea V 5i G/3						
TM 9	76 G 397	Ea V 5i G/3						
TM 10	76 G 397	Ea V 5i G/3						
TM 11	76 G 397	Ea V 5i G/3						
TM 12	76 G 397	Ea V 5i G/3						

Index 1: Begriffe zur Inspektion der Leber

Leberteile

abullu, *66*, 73, 98, 138, 177, 199, 227.
abul kutum libbi, *67*, 68, 69, 73.
amūtu, 1, 16, 57, 63, 66, 98, 101, 102, 125, 191, 192, 193, 194, 195, 201, 202, 212, 215, 216, 222, 236.
bāb ekalli, 3, 55, 57, 59, *60*, 62, 63, 66, 68, 70, 71, 73, 76, 77, 78, 83, 98, 99, 117, 119, 125, 135, *136*, 137, 138, 139, 177, 182, 183, 184, 191, 192, 197, 198, 199, 201, 218, 230, 241.
danānu, 17, 57, *59–60*, 66, 67, 68, 69, 70, 71, 72, 73, 75, 77, 107, *131–136*, 170, 178, 180, 182, 183, 184, 186, 187, 189, 192, 197, 198, 199, 200, 207, 212, 216, 218, 230, 232, 233, 240, 246, 247, 249, 250.
dannat šumēli, *66–67*, 73.
ḫasu, 3, 106.
KA.DÙG.GA, *59*, 68, 70, 73, 107, 112, *127–128*, *131*, 178.
kiṣirtu, 65, *67–68*, 69, 73, 171.
libbu, 3.
martu, 3, 15, 55, 57, 61, 62, 63, 68, 70, 73, 74, 75, 76, 77, 78, 83, 84, 87, *88*, 89, 94, 112, 140, *141–162*,168, 171, 175, 178, 180, 182, 183, 184, 186, 187, 188, 189, 194, 201, 196, 205, 212, 215, 216, 218, 230, 232, 233, 234, 240, 243, 247, 249 (s. unter *maṣraḫ marti*).
maṣraḫ marti, 62, 68, 73, 137, 141, 142, 149, 161, 191, 196, 202, 209, 223, 226, 232, 241, 243, 245 (s. unter *martu*).
mazzāzu, 3, 8, 15, 17, 55, *56–57*, 58, 62, 68, 69, 70, 71, 72, 73, 76, 77, 82, 83, 85, *93–118*, 119, 120, 123, 125, 133, 136, 137, 138, 171, 172, 178, 180, 182, 183, 184, 186, 187, 188, 189, 190, 192, 196, 197, 201, 204, 205, 208, 209, 210, 211, 212, 215, 216, 218, 220, 221, 222, 223, 224, 225, 227, 228, 229, 231, 233, 235, 236, 238, 239, 240, 242, 245, 246, 247, 249, 250, 254, 264.
miḫiṣ pān nakri, 55, 73, 150, 151, 153 (s. unter *padān šumēl nakri*).
naplastu, 55, 56, 57, 58, 63, 73, 75, 77, 78, 118, 138.
nār amūti, 60, 61, 65, *67*, 68, 69, 73, 98, 99, 136, 142, 143, 144, 172, 175, 177, 196, 223, 251.
nār tākalti, *67*, 68, 73, 99, 135.
naṣraptu, 55, 56, *58*, 66, 68, 71, 73, 93, 98, 100, 110, 113, *119*, 177, 183.
nīd(i) kussî, *63*, 68, 71, 73, 162, *163–164*, 168, 169, 178, 182, 183, 184, 186, 187, 190, 196, 212, 216, 233, 246, 247.
nīru, *64–65*, 67, 68, 70, 73, 74, 75, 82, 98, 99, *170–172*, 177, 178, 182, 183, 184, 186, 187, 188, 192, 212, 216, 220, 227, 233, 246, 247, 249, 250.
nērebti šumēli, *67*, 73, 177.
padānu, 3, 8, 15, 17, 55, *57–59*, 62, 63, 66, 67, 68, 69, 70, 71, 72, 73, 74, 78, 82, 83, 107, 112, 114, 115, 116, 117, 118, *119–131*, 136, 138, 140, 144, 162, 172, 177, 178, 182, 183, 184, 186, 187, 188, 189, 190, 192, 196, 197, 199, 201, 202, 203, 204, 205, 207, 209, 210, 211, 212, 215, 216, 218, 222, 223, 224, 225, 227, 228, 229, 230, 231, 233, 234, 236, 239, 240, 244, 245, 246, 247, 249, 250, 254, 264.
padān imitti marti, 55, 61, 73, 137, 150, 162, 208 (s. unter *šulmu*).
padān šumēl marti, 55, 61, *62–63*, 67, 68, 73, 150, 151, *162–163*, 168, 178, 182, 183, 184, 186, 187, 189, 191, 194, 196, 208, 210, 212, 216, 218, 220, 221, 222, 224, 225, 226, 227, 228, 229, 230, 231, 232, 233, 239, 242, 244, 246, 247, 248, 249 (s. unter *miḫiṣ pān nakri*).
puzru, *66*.
rabiṣ šulmi, 61.
ruqqu, *58*, 73, 116, *119*, 125.
šulmu, 3, 55, *60–62*, 66, 68, 69, 70, 71, 73, 78, 83, 98, 136, *137–141*, 144, 150, 153, 159, 162, 172, 178, 182, 183, 184, 186, 187, 189, 190, 191, 203, 208, 211, 212, 215, 216, 218, 226, 227, 230, 231, 232, 233, 236, 243, 245, 246, 247, 249 (s. unter *padān imitti marti*, *rabiṣ šulmi*, *šulmu tešmi*).
šulmu tešmi, 61, 137, 138, 241.
ṣibtu, *65*, 68, 69, 70, 73, 76, 82, 83, 84, 144, 147, 170, 171, *172–175*, 177, 178, 182, 183, 184, 186, 187, 196, 197, 200, 206, 211, 212, 215, 216, 220, 227, 233, 246, 247, 249, 251.
tākaltu, 61, *67*, 71, 73, 183.
tību, *65–66*, 68, 73, 77, 105, *175–177*, 178, 182, 184, 186, 187, 212, 216, 218, 221, 222, 225, 226, 233, 235, 246, 247, 249.

Krankheitsbilder (verbal formuliert)

Krankheitsbilder (nominal formuliert)

133, 135, 143, 159, 166, 172, *179-180*, 184, 189, 197, 200, 208, 209, 210, 211, 220, 221, 223, 224, 225, 226, 231, 232, 233, 236, 238, 239, 242, 243, 251.

šišītu, *144*, *179-180*.

titūrru, *143-144*, *179-180*.

urqu, 147, 170, *179-180*.

ziḫḫu, 17, 65, 66, 76, 83, 90, 104, 237, *242*.

"Technische Begriffe"

ašru, 69, 92, 96.

bārû, 18, 53, 58, 94, 97, 113, 119, 138, 251.

birītu, *98-99*, 103, 104, 136, 164, 171, 174.

mātu, *69*, 88, 92, 93, 112, 141, 164, 171.

nanmurtu/pitruṣtu, *96-97*, 105, 112, 126, 128, 130, 133, 177, 221, 242.

šīru, 62, *69-70*, 82, 87, 117, 142, 163, 165, 173, 175, 177, 196, 197, 215, 227, 236, 239, 246.

uṣurtu (*eṣēru*), 61, 62, *69-71*, 72, 82, 84, 85, 87, 90, 99, 121, 132, 137, 172, 174, 177, 227, 236, 239, 246, 250.

tarbaṣu, 92, *97-98*, 99, 104, 113, 137, 141, 171.

Index 2: Textstellen

Beschriftete Tonlebermodelle

Omentexte

Bibliographie

W. F. ALBRIGHT

1928 Progress in Palestinian Archaeology. BASOR 32, 1–10.

1938 The Excavation of Tell Beit Mirsim II: The Bronze Age. AASOR 17.

1944 A Prince of Taanach in the Fifteenth Century B.C.. BASOR 94, 12–27.

1959 Dunand's New Byblos Volume: A Lycian at the Byblian Court. BASOR 155, 31–34.

1966 Remarks on the Chronology of Early Bronze IV — Middle Bronze IIA in the Phoenicia and Syria-Palestine. BASOR 184, 26–35.

1966a Syria, the Philistines and Phoenicia. CAH^2 II XXXIII, 24–58.

R. B. K. AMIRAN

1957 Tell el-Yahudiye Ware in Syria. IEJ 7, 93–97.

1960 The Pottery of the Middle Bronze I in Palestine. IEJ 10, 204–225.

1970 Ancient Pottery of the Holy Land. New Brunswick/New Jersey.

A. ARCHI

1982 Hethitische Mantik und ihre Beziehungen zur mesopotamischen Mantik. Berl. Beitr. 1. zum Vord. Orient 1, 279293.

D. ARNAUD

1975 Les textes d'Emar et la chronologie de la fin du Bronze Récent. Syria 52, 87–92.

1980 La bibliothèque d'un devin syrien, à Meskéné (Syrie). Compte rendu de l'Académie des inscriptions et bellelettres, 377–388.

1982 Les textes suméro-accadiens: un florilège. in: Meskéné-Emar: Dix ans de travaux 1972–1982, 43–52.

J. ARO/J. NOUGAYROL

1973 Trois nouveaux recueils d'haruspicine ancienne. RA 67, 41–56.

M. ARTZY

1973 The Late Bronze "Palestinian" Bichrome Ware in its Cypriote Context. Orient and Occident. Essays Presented to Cyrus Gordon on the Occasion of his Sixty-Fifth Birthday, AOAT 22, 9–16.

M. ARTZY/F. ASARO/I. PERLMAN

1973 The Origin of the "Palestinian" Bichrome Ware. JAOS 93, 446–461.

1978 Imported and Local Bichrome Ware in Megiddo. Levant 10, 99–111.

M. ARTZY/F. ASARO

1979 Origin of Tell el-Yahudiye Ware found in Cyprus. RDAC 1979, 135–150.

M. C. ASTOUR

1973 Ugarit and the Aegean. Orient and Occident. Essays Presented to Cyrus Gordon on the Occasion of his SixtyFifth Birthday, AOAT 22, 17–27.

P. Åström

1957 The Middle Cypriote Bronze Age. Lund.

1961/62 Remarks on Middle Minoan Chronology. KrChron 1961–62, 137–148.

1962 Supplementary Material from Ayios Jakovos Tomb 8, with a Note on the Terminal Date of Mycenaeen IIA: 2 late. Op. Ath.3, 207–224.

1972 a The Svedish Cyprus Expedition (SCE) Vol IV. Part 1B: The Middle Cypriote Bronze Age. Relative and Absolute Chronology, Foreign Relations, Historical Conclusions.

1972 b The SCE. Vol. IV. Part 1D, 558–781.

W. Barta

1979/80 Die ägyptischen Sothisdaten und ihre Bezugsorte. Ex Oriente Lux 26, 26–34.

J.v. Beckerath

1965 Untersuchungen zur politischen Geschichte der zweiten Zwischenzeit in Ägypten. Ägypt. Forsch. 23 Glückstadt.

1971 Abriß der Geschichte des Alten Ägyptens. Darmstadt.

1976 a Die Chronologie der XII. Dynastie und das Problem der Behandlung gleichzeitiger Regierungen in der ägyptischen Überlieferung. SAK 4, 43–57.

1976 b Rez. Bierbrier 1975. BiOr 33, 176–178.

D. Beyer

1982 Les empreintes de sceaux. in: Meskéné-Emar: Dix ans de travaux 1972–1982, 61–68.

M.L. Bierbrier

1975 The late New Kingdom in Egypt (c. 1300–664 B.C.). A Genealogical and Chronological Investigation. Worminster.

1978 The Date of the Destruction of Emar and Egyptian Chronology. JEA 64, 136–137.

M. Bietak

1968 Vorläufiger Bericht über die erste und zweite Kampagne der österreichischen Ausgrabungen auf Tell ed-Dab'a im Ostdelta Ägyptens (1966, 1967). MDAI Abt. Kairo 23, 79114.

1970 a Vorläufiger Bericht über die dritte Kampagne der österreichischen Ausgrabungen auf Tell ed-Dab'a im Ostdelta Ägyptens (1968). MDAI Abt. Kairo 26, 15–42.

1970 b Ausgrabungen in Ägypten. AfO 23, 197–216.

1984 Problems of Middle Bronze Age Chronology: New evidence from Egypt. AJA 88,471–488.

R.D. Biggs

1969 *Qutnu, maṣraḫu* and Related Terms in Extispicy. RA 63, 159–167.

1974 A Babylonian Extispicy Text Concerning Holes. JNES 33, 351–356.

1983 "Lebermodelle". A. Philologisch. RLA VI/7–8, 518–521.

M. Birot

1955 Textes économiques de Mari (III). RA 49, 15–31.

K. Bittel

1932 Die James Simon-Grabung in Boğazköy. September 1931. MDOG 70, 1–23.

1934 Vorläufiger Bericht über die dritte Ausgrabung in Boğazköy. B: Die Bauwerke. MDOG 72, 4–17.
1937 Vorläufiger Bericht über die Ausgrabungen in Boğazköy 1936. MDOG 70, 1–23.
1950/51 Bemerkungen zu dem auf Büyükkale (Boğazköy) entdeckten hethitischen Siegeldepot. Jahrbuch für kleinasiatische Forschung 1, 164–173.
1957 Boğazköy III. Funde aus den Grabungen 1952–1957. Berlin.
1958 Untersuchungen auf Büyükkale: Das Archiv im Gebäude K. MDOG 91, 57–61.
1970 Hattusha. The Capital of the Hittites. New York.
1973 Ḫattusha. in: RLA IV/2–3, 162–172.

K. Bittel/R. Naumann

1938 Boğazköy II. Neue Untersuchungen hethitischer Architektur. Aus den Abhandlungen der Preußischen Akademie der Wissenschaften. Phil.-Hist. Klasse 1. Berlin.
1952 Boğazköy-Ḫattuša I. Ergebnisse der Ausgrabungen des Deutschen Archäologischen Instituts und der Deutschen Orient-Gesellschaft in den Jahren 1931–1939. I. Architektur, Topographie, Landeskunde und Siedlungsgeschichte. WVDOG 63.

R. M. Boehmer

1972 Die Kleinfunde von Boğazköy. WVDOG 87 (= Boğazköy-Ḫattuša 7). Berlin.

J. Boese

1983 Burnaburiaš II., Melišipak und die mittelbabylonische Chronologie. UF 14, 15–26.

A. Boissier

1894/99 Documents Assyriens relatifs aux Présages (3 Teile). Paris.
1899 Note sur un monument babylonien se rapportant à l'extispicine. Genf.
1901 Note sur un nouveau document babylonien se rapportant à l'extispicine. Genf.
1905 Choix de textes relatifs à la divination assyro-babylonienne. Paris.
1935 Mantique Babylonienne et Mantique Hittite. Paris.

R. Borger

1957 *niṣirti barûti*, Geheimnis der Haruspizin (zu Neugebauer-Sachs, MCT V und W und einigen verwandten Texten). BiOr 14, 190–195.

J. Bottéro

1974 Symptômes, signes, écritures en Mésopotamie ancienne. in: Divination et Rationalité. Paris.

A. Bouche-Leclercq

1879/82 Histoire de la divination dans l'Antiquité. 4 Bde. Paris.

TH. A. Busink

1970 Der Tempel von Jerusalem von Salomo bis Herodes. I. Der Tempel Salomons. Leiden.

R. J. Caplice

1974 The Akkadian Namburbi Text: An Introduction. Sources and Monographs. Sources from the Ancient East 1/1.

A. CAUBET

1982 La céramique. in: Meskéné-Emar. Dix ans de travaux 1972 1982, 71–86.

A. CAUBET/J. C. COURTOIS

1986 Un modele de foie d'Enkomi. RDAC 1986, 72–77.

T. CHANDLER

1964 The Date of the Earthquake at Ugarit. Syria 41, 181–182.

D. CHARPIN

1985 Les archives d'epoque "assyrienne" dans le palais des Mari. MARI IV, 243–268.

E. CHIERA

1929 Sumerian Religious Texts from the Temple School of Nippur. OIP 11.

P. CHORS/K. NIEBERLE

1931 Lehrbuch der speziellen pathologischen Anatomie der Haustiere.

H. DE CONTESSON ET AL.

1974 La 34e campagne de fouilles à Ras Shamra en 1973. Rapport préliminaire. Syria 51, 1–30.

J. C. COURTOIS

1969 La maison du prêtre aux modelles de poumon et de foies d'Ugarit. Ugaritica VI, 91–119.
1973 Sur divers groupes de vases mycéniens en Méditerranée orientale (1250–1150 av. J.-C.). in: Acts of the International Archaeological Symposium, "The Mycenans in the Eastern Mediterranean", Nicosia 27th March–2nd April, 1972. Nikosia, 137–165.
1974 Ugarit Grid, Strata and Find Localisations. A Re-assessment. ZDPV 90, 97–114.

J. DENNER

1934 Der assyrische Eingeweideschautext II R. 43. WZKM 41, 180–220.

G. DOSSIN

1938 Les archives épistolaires du palais de Mari. Syria 19, 105–126.
1939 Les archives économiques du palais de Mari. Syria 20, 97–113.
1940 Inscriptions de fondation provenant de Mari. Syria 21, 152–169.
1950 a Le noms d'années et d'éponymes dans les "Archives de Mari". Stud. Mariana, 51–61.
1950 b in: A. Pohl, Personalnachrichten. Orientalia 19, 509.
1966 Sur le prophétisme à Mari. CRRA 14, 77–82.
1970 La Route de l'Etain en Mesopotamie au Temps de Zimrilim. RA 69, 97–106.

I. DUNAYEVSKI/A. KEMPINSKI

1973 a The Megiddo Temples. ZDPV 89, 161–187.
1973 b The Megiddo Temples. Eretz-Israel 11, 12–25.

M. DURAND

1950 Stratigraphie et chronologie des sites archéologiques du proche-orient. Rev. Arch. 36, 5–39.

E. EBELING

1954 Beiträge zur Kenntnis der Beschwörungsserie Namburbi. RA 48, 1–15.

D. O. EDZARD

1982 Rez. zu CAD "N". ZANF 71, 280–288.

C. EPSTEIN

1965 An Illustration of the Megiddo Sacred Area during Middle Bronze I. IEJ 15, 204–221.
1966 Palestinian Bichrome Ware. Leiden.

A. EVANS

1921 The Palace of Minos I.

A. FALKENSTEIN

1965 Die Anunna in der sumerischen Überlieferung. Studies in Honor of Benno Landsberger on his Seventy-Fifth Birthday. April 21, 1965. AS 16, 127–140.
1966 "Wahrsagung" in der sumerischen Überlieferung. CRRA 14, 45–68.

A. FINET

1966 La place du devin dans la société de Mari. CRRA 14, 8793.

F. FISCHER

1963 Die Hethitische Keramik von Boğazköy. WVDOG 75.

L. B. FISHER

1971 The Claremont Ras Shamra Tablets. AnOr 48.

G. M. FITZGERALD

1930 The Four Canaanite Temples of Beth Shan, Part II. The Pottery. Philadelphia.

D. R. FRANK ET AL.

1982 Tell Mumbāqat 1979. MDOG 114, 7–70.

A. FURUMARK

1941 The Chronology of Mycenean Pottery. Stockholm.

C. J. GADD

1948 Ideas of Divine Rule in the Ancient East. The Schweich Lectures of the British Academy. London.

J. GARSTANG

1927 The Site of Hazor. AAA 14, 35–42.

I.J. GELB

1956 On the Recently Published Economic Texts from Mari. RA 50, 1–10.

I.J. GELB/P.M. PURVES/A.A. MACRAE

1943 Nuzi Personal Names. OIP 57.

B.M. GITTLEN

1977 Studies in the Late Cypriote Pottery Found in Palestine. Ann Arbor.

A. GOETZE

1947a Old Babylonian Omen Texts. YOS X.
1947b Historical Allusions in Old Babylonian Omen Texts. JCS 1, 253–265.
1951 The Problem of Chronology and Early Hittite History. BASOR 122, 18–25.
1957a Reports on Acts of Extispicy from Old Babylonian and Kassite Times. JCS 11, 89–105.
1957b Alalakh and Hittite Chronology. BASOR 146, 20–26.
1957c Kleinasien. in: Kulturgeschichte des Alten Orients, Handbuch der Altertumswissenschaft III². 1.3.3.1..
1957d On the Chronology of the Second Millenium B.C.. JCS 11, 53–61.63–73.
1960 Rez. zu H. Otten, Keilschrifttexte aus Boğazköy. Neuntes Heft, WVDOG 70, 1957. JCS 14, 115–116.
1964 The Kassite and Near Eastern Chronology. JCS 18, 97–101.

A. GOETZE/S. LEVY

1959 Fragment of the Gilgamesh Epic from Megiddo. Atiqot 2 (English Series), 125–127.

G. GOOSENS

1952a Introduction a l'archivéconomie de l'asie antérieure. RA 46, 98–107.
1952b Classement des archives royales de Mari (I). RA 46, 137153.

H.G. GÜTERBOCK

1933 Vorläufiger Bericht über die dritte Grabung in Boğazköy. D. Die Texte. MDOG 72, 37–53.
1946 Kumarbi, Mythen vom churritischen Chronos. Zürich/New York.
1953 Vorläufiger Bericht über die Ausgrabungen in Boğazköy im Jahre 1952. Yazilikaya, MDOG 86, 65–76.
1958 The Composition of Hittite Prayers to the Sun. JAOS 38, 237–245.

O.R. GURNEY

1974 The Hittite Line of Kings and Chronology. Anat. Stud. Presented to Hans Gustav Güterbock, 105–111.

P.L.O. GUY/R.M. ENGBERG

1938 Megiddo Tombs. OIP 33. Chicago.

V. HAAS

1977 Rez. zu A. Kammenhuber 1976. WZKM 69, 142–150.

V. Haas/M. Wäfler

1976 Bemerkungen zu *é.hesti/ā* (1. Teil). UF 8, 65–99.
1977a Bemerkungen zu *é.hesti/ā* (2. Teil). UF 9, 87–122.
1977b Zur Topographie von Ḫattuša und Umgebung I. OA 16, 227–238.

J. Haekel

1971 "Religion". in: H. Trimborn (Hrsg.), Lehrbuch der Völkerkunde. Stuttgart[4], 72–141.

W.W. Hallo

1957 Early Mesopotamian Royal Titles: A Philologic and Historical Analysis. AOS 43. New Haven.

T. Haltenorth

1969 Das Tierreich VII/6. Säugetiere Teil 1.

V. Hankey

1967 Mycenaean Pottery in the Middle East: Notes on Finds since 1951. BSA 62, 107–147.

N. Hanoun

1979 Himrin Basin — Tell al Seib. Sumer 35, 439–436.

K. Hecker

1974 Untersuchungen zur akkadischen Epik. AOATS 8.

E. Heinrich

1975 Architektur von der Alt- bis zur Spätbabylonischen Zeit, in: W. Orthmann 1975, 241–287.

W. Helck

1962 Die Beziehungen Ägyptens zu Vorderasien im 3. und 2. Jts. v. Chr.. Wiesbaden.
1976 Ägyptische Statuen im Ausland — ein chronologisches Problem. UF 8, 101–115.
1977 Die Seevölker in den ägyptischen Quellen. Jahresbericht d. Inst. f. Vorgesch. d. Univ. Frankfurt/M., 1976, 7–21.
1979 Die Beziehungen Ägyptens und Vorderasiens zur Ägäis bis ins 7. Jhd. v. Chr.. Darmstadt.

J.B. Hennessy

1964 Stephania: A Cemetery in Cyprus. London.
1966 Excavations of a Late Bronze Age Temple at Amman. PEQ 98, 155–162.

S. Hood

1971 The Minoans: Crete in the Bronze Age. London.

E. Hornung

1964 Untersuchungen zur Chronologie und Geschichte des Neuen Reiches. Ägypt. Abhandl. 11. Wiesbaden.
1978 Grundzüge der ägyptischen Geschichte. Darmstadt.

1979 Chronologie in Bewegung. Festschrift Elmar Edel, 12. März 1979. Ägypten und Altes Testament 1, 247–252.

B. Hrozny

1906 Die neuen Keilschrifttexte von Ta'annek. Denkschriften der Kaiserlichen Akademie der Wissenschaften, Phil.-Hist. Klasse 52, 36–41.

H. Hunger

1972 Ein "neues" historisches Omen. RA 66, 180–181.

J. Hunger

1903 Becherwahrsagung bei den Babyloniern. Nach zwei Keilschrifttexten aus der Hammurabi-Zeit. LSS I/1.

M. L. Hussey

1948 Anatomical Nomenclature in an Akkadian Omen Text. JCS 2, 21–32.

B. Ismail-Khalil

1982 Neuere Tontafelfunde im Irak. AfO Beiheft 19, 198–200.

F. James

1966 The Iron-Age at Beth Shan. Philadelphia.

M. Jastrow

1912 The Liver as the Seat of the Soul. in: D. G. Lyon/G. Moore, Studies in the History of Religions — Presented to C. M. Toy, 143-168.

1912a Die Religion Babyloniens und Assyriens II. Giessen.

R. Jestin

1952 Textes économique de Mari (IIIe dynastie d'Ur). RA 46, 185–202.

U. Jeyes

1978 The "Palace Gate" of the Liver. A study of Terminology and Methods in Babylonian Extispicy. JCS 30, 209–233.

1980 The Act of Extispicy in Ancient Mesopotamia: An Outline. Assyr. Misc. I, 13–32.

A. Jirku

1957 Die assyrischen Listen palästinensischer und syrischer Ortsnamen. Klio NF 25, Beiheft.

A. Kammenhuber

1976 Orakelpraxis, Träume und Vorzeichenschau bei den Hethitern. THeth 7.

H. J. Kantor

1965 The Relative Chronology of Egypt and its Foreign Correlations before the Late Bronze Age. in R. W. Ehrich (ed.), Chronologies in Old World Archaeology, 1–46. Chicago.

M. F. Kaplan

1980 The Origin and Distribution of Tell el-Yahudiye Ware. SIMA 62. Göteborg.

H. E. Kasis

1973 The Beginning of the Late Bronze Age at Megiddo: A Examination of Stratum X. Berytus 22, 5–22.

A. Kempinski

1974 Tell el-'Ajjul-Beth-Aglayim or Sharuhen? IEJ 24, 145–152.

K. Kenyon

1960 Palestine in the Time of the Eighteenth Dynasty. CAH² II, 1, 526–555.
1967 Archäologie im Heiligen Land. Neukirchen.
1969 The Middle and Late Bronze Age Strata at Megiddo. Levant 1, 25–60.

K. A. Kitchen

1967 Byblos, Egypt and Mari in the Early Second Millenium B. C. Orientalia 36, 39–54.
1969 Interrelations of Egypt and Syria. in: M. Liverani, ed., La Syria nel tardo branco. Orientis Antiqui Collectio 9. Rom.

TH. Kitt

1923 Pathologische Anatomie der Haustiere, Bd. II.

E. G. Klauber

1913 Politisch-religiöse Texte aus der Sargoniden-Zeit. Leipzig.

J. A. Knudtson

1893 Assyrische Gebete an den Sonnengott. Leipzig.

F. Köcher

1953 Der babylonische Göttertypentext. MIO 1, 57–107.

F. R. Kraus

1954 Wandel und Kontinuität in der sumerisch-babylonischen Kultur. Leiden.

R. Krauss

1976 Untersuchungen zu König Amenmesse (1. Teil). SAK 4, 161200.
1977 Untersuchungen zu König Amenmesse (2. Teil). SAK 5, 131174.
1981 Das Ende der Amarnazeit. Beiträge zur Geschichte und Chronologie des Neuen Reiches. Hildesheim.

C. Kühne

1982 Politische Szenerie und internationale Beziehungen Vorderasiens um die Mitte des 2. Jahrtausends vor Chr. (Zugleich ein Konzept der Kurzchronologie). Berl. Beitr. zum Vord. Orient 1, 203–264.

I. R. KUPPER

1971 Le date des šakkanakku de Mari. RA 65, 113–118.

R. LABAT

1974 Textes literaires de Suse. MDP 57.

A. D. LACEY

1967 Greek Pottery in the Bronze Age. London.

W. G. LAMBERT

1966 The "Tamitu" Texts. CRRA 14, 119–123.
1967 Enmeduranki and Related Matters. JCS 21, 126–138.

R. S. LAMON/G. M. SHIPTON

1939 Megiddo I. Season of 1925–34. Strata I-V. OIP 42.

B. LANDSBERGER

1926 Eigenbegrifflichkeit der babylonischen Welt. Islamica 2, 354–372.
1954 Assyrische Königsliste und "dunkles Zeitalter". JCS 8, 31–45. 47–73. 106–133.

B. LANDSBERGER/H. TADMOR

1964 Fragments of Clay Liver Models from Hazor. IEJ 14, 201218.

P. W. LAPP

1967 Taanach by the Waters of Megiddo. BA 30, 2–27.
1969 The 1968 Excavations at Tell Ta'annek. BASOR 195, 2–49.

R. LARGEMENT

1957 Contribution à l'Etude des Astres errants dans l'Astrologie chaldiénne. ZA 52 (NF 18), 235–264.

E. LAROCHE

1952 Elémentes d'haruspicine hittite. RHA 54, 19–48.
1956 Catalogue des textes hittites II. RHA 59, 69–116.
1963 Documents en hourrite alphabétique d'ecouverts à Ras Shamra, CRAI 1963, 152–153.
1968 Textes hourrites en cunéiformes alphabétiques (24e campagne 1961). Ugaritica V, 497–544.
1970 Sur le vocabulaire de l'haruspicine hittite. RA 64, 127159.
1971 Catalogue des textes hittites. Etudes et commentaires 75. Paris.
1982 Documents hittites et hourrites. in: Meskéné-Emar. Dix ans de travaux, 53–60.

F. LENORMANT

1874 La Magie chez les Chaldéens et les Origines Accadiens. Paris.
1875 Les Science occulte en Asie: la divination et la science des présages chez les Chaldéens. Paris; deutsch: Die Magie und die Wahrsagekunst der Chaldäer. 2. Teil: Die Wahrsager. Jena 1878.

C. LEVI-STRAUSS

1971 Strukturale Anthropologie. Frankfurt.

1976 Mythologica. 4 Bde. Frankfurt.

O. LORETZ

1985 Leberschau, Sündenbock Asasel in Ugarit. Leberschau und Jahwestatue in Psalm 27. Leberschau in Psalm 74. UBL 3.

O. LORETZ/M. DIETRICH

1969 Beschriftete Lungen- und Lebermodelle aus Ugarit. Ugaritica VI, 169–179.

G. LOUD

1948 Megiddo II. Seasons of 1935–39, OIP 52.

H.F. LUTZ

1918 A Cassite Liver-Omen Text. JAOS 38, 77–96.

B. MALINOWSKI

1925 Magic, Science and Religion, and other Essays. in: J. Needham, Science, Religion and Reality; zitiert nach: Magie, Wissenschaft und Religion, Frankfurt 1973.

J. MARGUERON

1975 Quatre campagnes de fouilles à Emar (1972–1974): une bilan provisoire. Syria 52, 53–85.

1982a Recherches sur les Palais Mésopotamiens de l'Age du Bronze. BAH 57. Paris.

1982b Architecture et urbanisme. in: Meskéné-Emar: Dix ans du travaux 1972–1982, 23–39.

P. MATTHIAE

1966 MAIS. Rapporto preliminare della Campagna 1966 (Tell Mardikh). Rom 1967.

1974 Unité et développement du temple dans la Syrie du Bronze Moyen. CRRA 20, 43–72.

1975 Syrische Kunst. in: Orthmann 1975, 466–493.

1979 Scavi a Tell Mardikh-Ebla, 1978: Rapporto Sommario. SEB I, 129–184.

1981 Ebla. An Empire Rediscovered. New York.

1982 The Western Palace of the Lower City of Ebla: A New Administrative Building of Middle-Bronze I-II. AfOBeiheft 19, 121–129.

G.J.P. MCEWAN

1982 Rez. zu B. Menzel 1981. WO 12, 142–145.

G. MEIER

1937 Kommentare aus dem Archiv der Tempelschule in Assur. AfO 12, 237–246.

B. MENZEL

1981 Assyrische Tempel. I. Untersuchungen zu Kult, Adminstration und Personal. Studia Pohl: Series Maior 10/I.

R. S. MERRILLEES

1962 Bronze Age Spindle Bottles from the Levant. Op. Ath. 4, 187–196.
1965 Rez. zu J. B. Hennessy 1964. PEQ 1965, 94–96.
1968 The Cypriote Bronze Age Pottery Found in Egypt. SIMA 18. Lund.
1971 The Early History of Late Cypriote I. Levant 3, 56–79.
1974 a Trade and Transcendence in the Bronze Age Levant. SIMA 39. Göteborg.
1974 b Some Notes on Tell el-Yahudiye Ware. Levant 6, 193–195.
1975 The Cypriote Bronze Age Pottery Found in Egypt: A Reply. RDAC 1975, 81–90.
1978 El-Lisht and Tell el-Yahudiye Ware in the Archeological Museum of the American University of Beirut. Levant 10, 75–98.

J. W. MEYER

1983 Einige Aspekte zur Bearbeitung unbeschrifteter Tonlebermodelle. (Kurzfassung) Iraq 45, 163–164.
1984 "Lebermodelle" (archäologisch), RLA VI, 7–8, 522–527.
1984 a Einige Aspekte zur Bearbeitung unbeschrifteter Tonlebermodelle. MDOG 116, 119–130.
1984 b Zur Frage der Überlieferung der etruskischen Lebermodelle. Studia Phoenicia 3, 105–120.
1986 Zur Interpretation des Tonlebermodells aus Enkomi. Appendix zu A. Caubet/J.-C. Courtois RDAC 1986: 78–79, Taf. 19,1–2.
1987 Die Tonlebermodelle aus Tall Bi'a. MDOG 119 (im Druck).

P. MONTET

1928/29 Byblos et l'Egypte. Paris.

A. MOORTGAT

1964 Die Wandgemälde im Palaste zu Mari und ihre historische Einordnung. BaM 3, 68–74.
1967 Die Kunst des Alten Mesopotamiens. Köln.

H. MÜLLER-KARPE

1977 Zum Ende der spätkanaanäischen Kultur. Jahresbericht des Inst. f. Vorgeschichte der Univ. Frankfurt/M., 57–77.

R. NAUMANN

1957 Bauwerke der hethitischen Großreichszeit auf Büyükkale. in: K. Bittel et. al. 1957, 10–17.

E. NEU

1974 Der Anita-Text. StBoT 18.

E. NEU/CH. RÜSTER

1975 Hethitische Keilschrift-Paleographie II. StBoT 21.

P. NEVE

1958 Vorläufiger Bericht über die Ausgrabungen in Boğazköy im Jahre 1957. Untersuchungen in der Altstadt. MDOG 91, 3–21.
1965 a Vorläufiger Bericht über die Ergebnisse der Ausgrabungen in Boğazköy in den Jahren 1962 und 1963. Die Grabungen auf Büyükkale 1962. MDOG 95, 6–34.

1965 b Vorläufiger Bericht über die Ergebnisse der Ausgrabungen in Boğazköy in den Jahren 1962 und 1963. Die Grabungen auf Büyükkale 1963. MDOG 95, 35–68.

1966 Vorläufiger Bericht über die Ergebnisse der Ausgrabungen in Boğazköy in den Jahren 1964 und 1965. Die Grabungen auf Büyükkale 1964. MDOG 97, 10–46.

1969 Der große Tempel und die Magazine. in: Boğazköy IV, ADOG 14, 9–19.

1971 Regenkult-Anlagen in Boğazköy-Ḫattuša. Ein Deutungsversuch. Ist. Mitt. Beiheft 5.

1982 Büyükkale. Die Bauwerke. Grabungen 1954–1966 (BoğazköyḪattuša XII).

P. Neve/Th. Beran

1962 Die Grabungen auf Büyükkale. Anlagen der Großreichszeit (Büyükkale III). MDOG 93, 10–15.

R. North, S. J.

1973 Ugarit Grid, Strata and Find-Localisations. ZDPV 89, 113–160.

M. Noth

1937 Die Wege der Pharaonenheere in Palästina und Syrien. ZDPV 60, 183–239 (ZDPV 61, 1938, 26–65.277–304).

J. Nougayrol

1941 Textes hépatoscopiques d'epoque ancienne conservés au Musée du Louvre I. RA 38, 67–88.

1944/45 Textes hépatoscopiques d'epoque ancienne concervés au Musée du Louvre II. RA 40, 56–97.

1945/46 Note sur la place des présages historiques dans l'extispicine babylonienne. Ecole pratique des hautes études section des sciences religieuses Annuaire 1944–45.

1950 Textes hépatoscopiques d'epoque ancienne conservés au Musée du Louvre III. RA 44, 1–40.

1955 Les rapports de haruspicines etrusques et assyro-babylonienne. CRAI 1955, 509–517.

1955 a Les textes accadiens. PRU III, 1–280.

1963 Nouveaux textes d'Ugarit en cunéiformes babylonniens. CRAI 1963, 132–142.

1966 Trente ans de recherche sur la divination babylonienne. in: La Divination en Mésopotamie Ancienne (CRRA 14), 519.

1967 Rapports paléo-babyloniens d'haruspices. JCS 21, 219–233.

1968 La foie "d'orientation" BM 50494. RA 62, 31–50.

1969 a Nouveaux textes sur le *ziḫḫu* I. RA 63, 149–157.

1969 b La Lamastu à Ugarit. Ugaritica VI, 393–408.

1971 Nouveaux textes sur le *ziḫḫu* II. RA 65, 67–84.

1971 a Divination et vie quotidienne au début du deuxième millénaire AV. J.-C.. Acta Orientalia Neerlandica. Proceedings of the Congress of the Dutch Oriental Society Held in Leiden on the Occasion of Its 50th Anniversary, 8th–9th May 1970. Leiden.

1974 Deux figures oubliées. RA 68, 61–68.

1976 Les "silhouettes de référence" de l'haruspicine. AOAT 25, 343–350.

A. L. Oppenheim

1936 Zur keilschriftlichen Omenliteratur. OR NS 55, 199–223.

1964 Ancient Mesopotamia. Chicago.

E. Oren

1969 Cypriote Imports in Late Bronze I Context of Palestine. OpAth 9, 127–150.

1971 A Middle Bronze Age I Warrior Tomb at Beth-Shan. ZDPV 87, 109–139.

W. ORTHMANN

1975 Der Alte Orient. Propyläen Kunstgeschichte 14. Berlin.

1976 Mumbaqat 1974 — Vorläufiger Bericht über die von der Deutschen Orient-Gesellschaft mit den Mitteln der Stiftung Volkswagenwerk unternommenen Ausgrabungen. MDOG 108, 25–44.

W. ORTHMANN/H. KÜHNE

1974 Mumbaqat 1973 — Vorläufiger Bericht über die von der Deutschen Orient-Gesellschaft mit den Mitteln der Stiftung Volkswagenwerk unternommenen Ausgrabungen. MDOG 106, 53–97.

H. OTTEN

1938 Vorläufiger Bericht über die Ergebnisse der Ausgrabungen in Boğazköy im Jahre 1937. H. Die Keilschrifturkunden. MDOG 76, 40–47.

1950 Die Göttin Lelwani der Boğazköy-Texte. JCS 4, 119–136.

1951 Rez. zu K. Balkan, Die Boğazköy-Tafeln im archäologischen Museum zu Ankara. BiOr 8, 224–232.

1953 Vorläufiger Bericht über die Ausgrabungen in Boğazköy im Jahre 1952. Die inschriftlichen Funde. MDOG 86, 5964.

1954 Die Ruinen von Ḫattuša-Boğazköy. Ein Rückblick zum Wiederbeginn der Ausgrabungen. Wiss. Ann. 3, 676–690.

1955 a Mitteilung über die Ausgrabungen in Boğazköy im Jahre 1953. Inschriftliche Befunde der Ausgrabungen in Boğazköy 1953. MDOG 87, 13–25.

1955 b Bibliotheken im Alten Orient. Das Altertum 1/2, 67–81.

1958 Hethitische Totenrituale. Deutsche Akademie der Wissenschaften zu Berlin. Inst. f. Orientforschung 37. Berlin.

1958 a Vorläufiger Bericht über die Ausgrabungen in Boğazköy im Jahre 1957. Keilschrifttexte. MDOG 91, 73–84.

1961 Das Hethiterreich. in: H. Schmökel, Kulturgeschichte des Alten Orients, 311–446. Stuttgart.

1962 Vorläufiger Bericht über die Ausgrabungen in Boğazköy in dem Jahre 1958 und 1959. Die Textfunde der Kampagnen 1958 und 1959. MDOG 93, 75–77.

1966 Hethiter, Hurriter und Mitanni. Fischer Weltgeschichte Bd. III, 102–176. Frankfurt.

1968 Die hethitischen historischen Quellen und die Altorientalische Chronologie. Akad. d. Wiss. und Lit.. Abhandlungen der Geistes- und Sozialwiss. Klasse. Jahrgang 1968,3.

1969 Ein althethitisches Ritual für das Königspaar. StBoT 8.

E. OTTO

1958 Ägypten. Der Weg des Pharaonenreiches. Stuttgart.

H. OTTO

1938 Studien zur Keramik der mittleren Bronzezeit in Palästina. ZDPV 61, 147–277.

M. OTTOSSON

1980 Temples and Cult Places in Palestine. Uppsala.

J. PAPRITZ

1959 Archive in Altmesopotamien. Theorie und Tatsachen. Archivalische Zeitschrift 1959, 11–50.

D. PARAYRE

1982 Les peintures non en place de la cour 106 du palais de Mari, nouveau regard. MARI 1, 31–78.

P. PARR

1968 The Origin of the Rampart Fortifications of Middle Bronze Age Palestine and Syria. ZDPV 84, 18–45.

A. PARROT

1937 Les fouilles de Mari: troisième campagne (hiver 1935/36). Syria 18, 54–84.
1958a MAM II. Le Palais 1. Architecture. BAH 68. Paris.
1958b MAM II. Le Palais 2. Peintures murales. BAH 69. Paris.

J. PERROT

1952 Nouvelles découvertes en Israel. Syria 29, 294–306.

W.M. FLINDERS PETRIE

1906 Hyksos and Israelite Cities. London.
1912 Heliopolis I, Kafr Ammar and Shurafeh. London.

G. PETTINATO

1971 Das altorientalische Menschenbild und die sumerischen und akkadischen Schöpfungsmythen. Abh. d. Heidelberger Akademie der Wiss.. Phil.-Hist. Klasse. Jhg. 1971. 1. Abt..

M. PEZARD

1922 Mission archéologique à Tell Nebi Mend (1921). Syria 3, 89–115.

A.J. PFIFFIG

1975 Religio Etrusca. Graz.

D. PINGREE/E. REINER

1975 Babylonian Planetary Omens I. Bibl. Mesop. 2. Malibu.

A. POHL

1952 Personalnachrichten. OrNS 21, 98–106.
1956 Rez. zu H. Otten 1955b. in: OrNS 25, 105–109.

L. POMMERANCE

1976 The Possible Role of Tomb Robbers and Viziers in the 18th Dynasty in Confusing Minoan Chronology. Temple University Aegean Symposium.

M.R. POPHAM

1972 A Note on the Relative Chronology of White Slip Ware. in: P. Åström 1972b, 699–705.

J.N. POSTGATE

1979 The Historical Geography of the Hamrin Basin. Sumer 35, 594–591.

J.N. Postgate/P.J. Watson

1979 Excavations in Iraq 1977–78. Iraq 41, 141–181.

K. Prag

1973 A Tell el-Yahudiye Style Vase in the Manchester Museum. Levant 5, 128–131.

O. Puchstein

1912 Boghazköi. Die Bauwerke. WVDOG 19.

A.F. Rainey

1965 The Kingdom of Ugarit. BA 28, 102–125.

E. Reiner

1960 Fortune-Telling in Mesopotamia. JNES 19, 23–35.
1967 Another Volume of Sultantepe Tablets. JNES 26, 177–221.

J. Renger

1969 Untersuchungen zum Priestertum der altbabylonischen Zeit. 2. Teil (Schluß). ZA 59 (NF 25), 104–230.

O. Reuther

1926 Die Innenstadt von Babylon (Merkes). WVDOG 47.

K.K. Riemschneider

1965 Ein altbabylonischer Gallenomentext. ZA 57 (NF 23), 125145.
1972 Die akkadischen und hethitischen Omentexte aus Boğazköy. (unpubl. Habilitationsschrift).

F. Rochberg-Halton

1982 Fate and Divination in Mesopotamia. AfO Beiheft 19, 363371.

M.B. Rowton

1952 The Date of the Hittite Capture of Babylon. BASOR 126, 20–24.
1958 The Date of Hammurabi. JNES 17, 97–111.

Ch. Rüster

1972 Hethitische Keilschrift-Paleographie. StBoT 20.

M. Rutten

1938 Trente-deux modèles de foies en argile inscrits provenant du Tell-Hariri (Mari). RA 35, 36–70.

T. Säve-Söderbergh

1941 Ägypten und Nubien. Lund.
1951 The Hyksos-Rule in Egypt. JEA 37, 53–71.

C. F. A. SCHAEFFER

1936 Le fouilles de Ras Shamra-Ugarit. Septième campagne (printemps 1935). Rapport sommaire. Syria 17, 105–149.

1938 Le fouilles de Ras Shamra-Ugarit. Neuvième campagne (printemps 1937). Rapport sommaire. Syria 19, 193–255.

1939 Aperçu d'histoire d'Ugarit. Ugaritica I, 23–52.

1948 Stratigraphie Comparée et Chronologie de l'Asie Occidentale (IIIe et IIe millénaires). London.

1960 Résumé des résultats de la 22e campagne de fouilles à Ras Shamra-Ugarit, 1959. AAS 10, 135–156.

1961/62 Résumé des résultats de la 23e campagne de fouilles à Ras Shamra-Ugarit (automne 1960). AAS 11–12, 187–196.

1963a La XXIVe campagne de fouilles à Ras Shamra-Ugarit, 1961. Rapport préliminaire. AAS 13, 123–134.

1963b Neue Entdeckungen in Ugarit (23. und 24. Kampagne, 19601961). AfO 20, 205–215.

V. SCHEIL

1930 Nouveaux présages tirés du foie. RA 27, 142–154.

E. SELLIN

1932 Der gegenwärtige Stand der Ausgrabung von Sichem und ihre Zukunft. ZAW 50, 303–308.

W. H. SHEA

1979 The Conquests of Sharuhen and Megiddo Reconsidered. IEJ 29, 3–7.

G. M. SHIPTON

1939 Notes on the Megiddo Pottery of Strata VI-XX. SAOC 10.

E. SJÖQVIST

1940 Problems of the Late Cypriote Bronze Age. Stockholm. The Swedish Cyrus Expedition.

D. C. SNELL

1974 The Mari-Livers and the Omen Tradition. JANES 6,117–123.

W. v. SODEN

1936 Leistung und Grenze sumerischer und babylonischer Wissenschaft. Welt als Geschichte 2, 411–464. 509–557.

1958 Zum akkadischen Wörterbuch. 97–104. OrNS 27, 252–261.

I. STARR

1974 The *bārû*-ritual. Ann Arbor.

1975 Notes on some Technical Terms in Extispicy. JCS 27, 241247.

1977 Extispicy Reports from the Old Babylonian and Sargonid Period. Memoirs of the Connecticut Academy of Arts and Sciences. Essays of the Ancient Near East in Memory of Jacob Joel Finkelstein. Vol 19. Connecticut, 201–208.

J.R. STEWART

1974 Tell el ʻAjjul. The Middle Bronze Remains. SIMA 38.

F.H. STUBBINGS

1951 Mycenaean Pottery from the Levant. Cambridge.

R. STUCKY ET. AL.

1971 Tell el-Hajj in Syrien. Erster vorläufiger Bericht. Grabungskampagne 1971. Bern.

H. TADMOR

1970 The Chronology of Ancient Near East in the Second Millenium BCE. The World History of Jewish People II. Tel-Aviv.
1977 A Lexicograhical Text from Hazor. IEJ 27, 98–102.

H.L. THOMAS

1968 Archaeological Implications of Near Eastern Historical Chronology. Op Ath 8, 11–22.

F. THUREAU-DANGIN

1939a Sur des éiquettes de paniers à tablettes provenant de Mari. in: Symbolae ad iura orrentis antigui pertinentes Paulo Koschaker dedicatae, 111–120.
1939b Tablettes Hurrites provenant de Mari. RA 36, 1–28.

Y. TOMABECHI

1980 Wall-Paintings and Related Color Schemes of the Old Babylonian Mari Architectures. Sumer 36, 139–150.

O. TUFNELL

1958 Lachish IV: The Bronze Age. London.
1970 Some Scarabs with Decorated Backs. Levant 2, 95–99.

A. UNGNAD

1903 Ein neuer Omentext aus der Zeit Ammisaduqas. Babyloniaca 3, 141–164.
1929 Zum Sanherib-Prisma IR 37–42. ZA 38 (NF 4), 195–200.

CH. VIROLLEAUD

1904 Etudes sur la divination chaldéenne. Paris.
1905 L'astrologie chaldéenne. Paris.
1962 Les nouveaux textes mythologiques de Ras Shamra. CRAI 1962.
1968 Les nouveaux textes mythologiques et liturgiques de Ras Shamra (XXIVe campagne, 1961). Ugaritica V, 545–595.

A.J.B. WACE

1953 Mycenae, 1939–1952. Part I. Preliminary Report on the Excavations of 1952. BSA 48, 3–18.

E. v. WEIHER

1983 Spätbabylonische Texte aus Uruk. Teil II. Ausgrabungen der Deutschen Forschungsgemeinschaft in Uruk-Warka 10.

E. F. WEIDNER

1941/44 Die astrologische Serie *Enuma Anu Enlil.* AfO 14, 173–195.

1952/53 Die Bibliothek Tiglatpilesers I. AfO 16, 197–215.

1956 Amts- und Privatarchive aus mittelassyrischer Zeit. in: Vorderas. Studien. Festschrift für Victor Christian, 111–118. Wien.

E. F. WENTE

1975 Thutmose III's Accession and the Beginning of the New Kingdom. JNES 34, 265–272.

E. F. WENTE/C. C. v. SICLEN

1976 A Chronology of the New Kingdom. SAOC 39.

G. WILHELM

1982 Grundzüge der Geschichte und Kultur der Hurriter. Darmstadt.

H. WINKLER

1907 Vorläufige Nachrichten über die Ausgrabungen in Boghazköi im Sommer 1905. MDOG 35, 1–59.

G. R. M. WRIGHT

1957 The Second Campaign at Tell Balatah (Shechem). BASOR 148, 11–28.

1958 Comment on Yadin's Dating of the Shechem Temple. BASOR 150, 34–35.

1966 The Bronze Age Temple at Amman. ZAW 78, 351–357. J. B. Hennessy Supplementary Note, 357–359.

1968 Tell el-Yahudiye and the Glacis. ZDPV 84, 1–17.

1969 Iran and the Glacis. ZDPV 85, 24–34.

Y. YADIN

1958 Hazor I. Jerusalem.

1959 Excavations at Hazor, 1958. Preliminary Communique. IEJ 9, 74–88.

1959/60 Ausgrabungen in Hazor. AfO 19, 239–241.

1960 Hazor II. Jerusalem.

1961 Hazor III-IV. Jerusalem.

1969 Excavations at Hazor 1968–1969. Preliminary Communique. IEJ 19, 1–19.

1972 Hazor — The Head of all these Kingdoms. The Schweich Lectures of the British Academy 1970. London.

H. ZIMMERN

1901 Beiträge zur Kenntnis der babylonischen Religion. AB 12. Leipzig.

Tafelverzeichnis

	5: Mari 26 (M 1190)	6: Mari 27 (M 1178)
	7: Mari 27 (M 1178)	
17	1: Mari 28 (M 1183)	2: Mari 28 (M 1183)
	3: Mari 30 (M 1171)	4: Mari 30 (M 1171)
	5: Mari 31 (M 1179)	6: Mari 31 (M 1179)
	7: AO 8894	8: AO 8894
18	1: RS 15 (61/24323)	2: RS 15 (61/24323)
	3: RS 17 (61/24325)	4: RS 17 (61/24325)
	5: RS 18 (61/24326)	6: RS 18 (61/24326)
19	1: RS 19 (61/24327)	2: RS 19 (61/24327)
	3: RS 1 (61/24308)	4: RS 2 (61/24310)
	5: RS 3 (61/24311)	6: RS 5 (61/24313)
20	1: RS 6 (61/24314)	2: RS 7 (61/24315)
	3: RS 8 (61/24316)	4: RS 8 (61/24316)
	5: RS 9 (61/24317)	6: RS 10 (61/24318)
21	1: RS 11 (61/24319)	2: RS 12 (61/24320)
	3: RS 13 (61/24321)	4: RS 14 (61/24322)
	5: RS 16 (61/24324)	6: RS 20 (61/24392)
22	1: MBQ 1	2: MBQ 2
	3: MBQ 3	4: MBQ 4
	5: MBQ 5	6: MBQ 6
23	1: MBQ 7	2: MBQ 8
	3: MBQ 9	4: MBQ 10
	5: MBQ 11	6: MBQ 12
24	1: MBQ 13	2: MBQ 14
	3: MBQ 15	4: MBQ 16
	5: MBQ 17	6: MBQ 18
25	1: MBQ 19	2: MBQ 20
	3: MBQ 21	4: Tell el-Hajj
	5: TM 1	6: TM 2
26	1: Meg 1	2: Meg 2
	3: HLW 1	4: Bi'a 1
	5: Bi'a 2	6: Bi'a 3
27	1: Philadelphia 1	2: Philadelphia 1

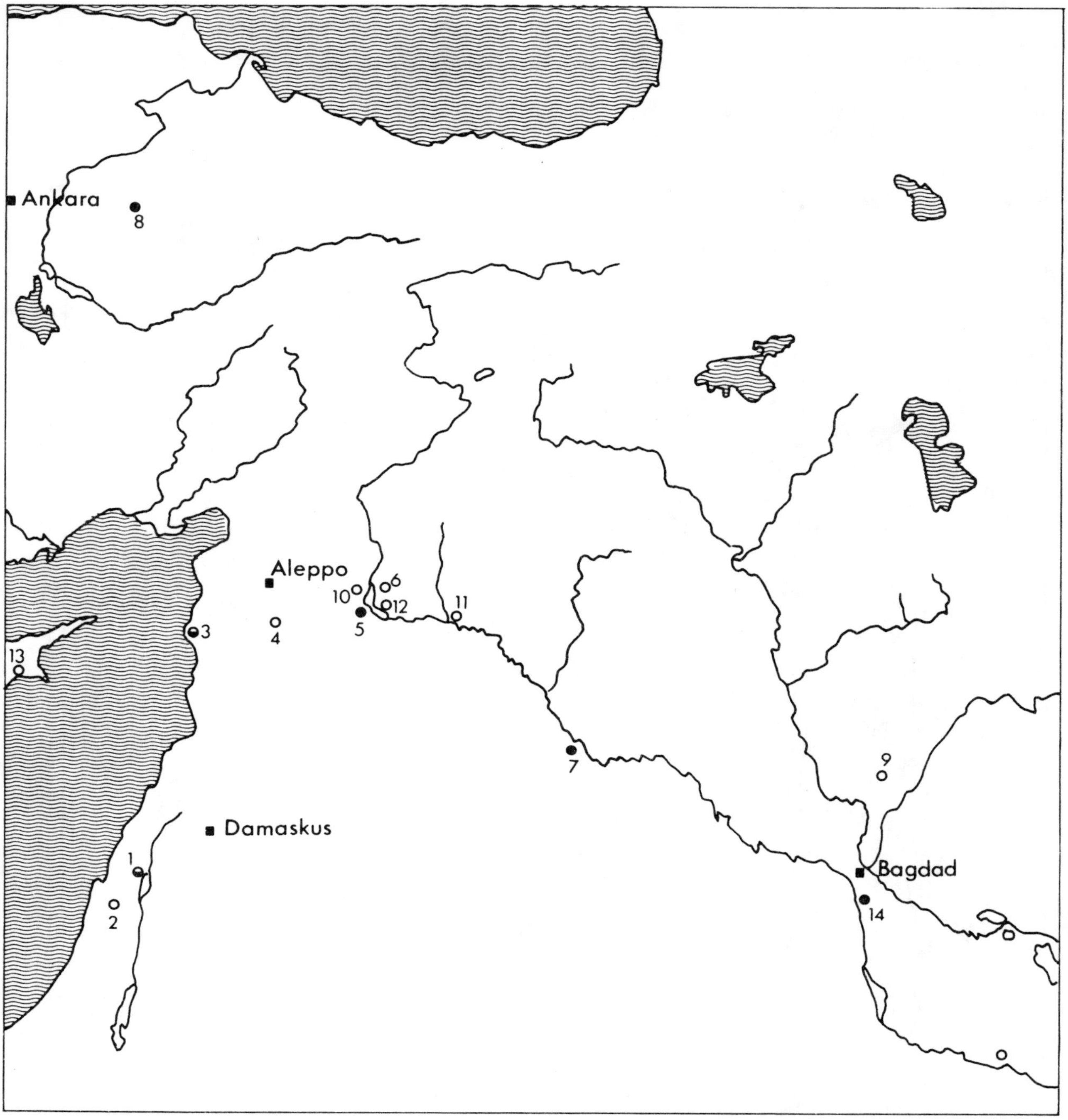

Fundorte von Tonlebermodellen

1	Hazor	8	Boğazköy
2	Megiddo	9	Tell al-Seib
3	Ugarit	10	Tell al-Hajj
4	Ebla	11	Tell B'ia
5	Emar	12	Halawa
6	Mumbaqat	13	Enkomi
7	Mari	14	Larsa

TAFEL 2

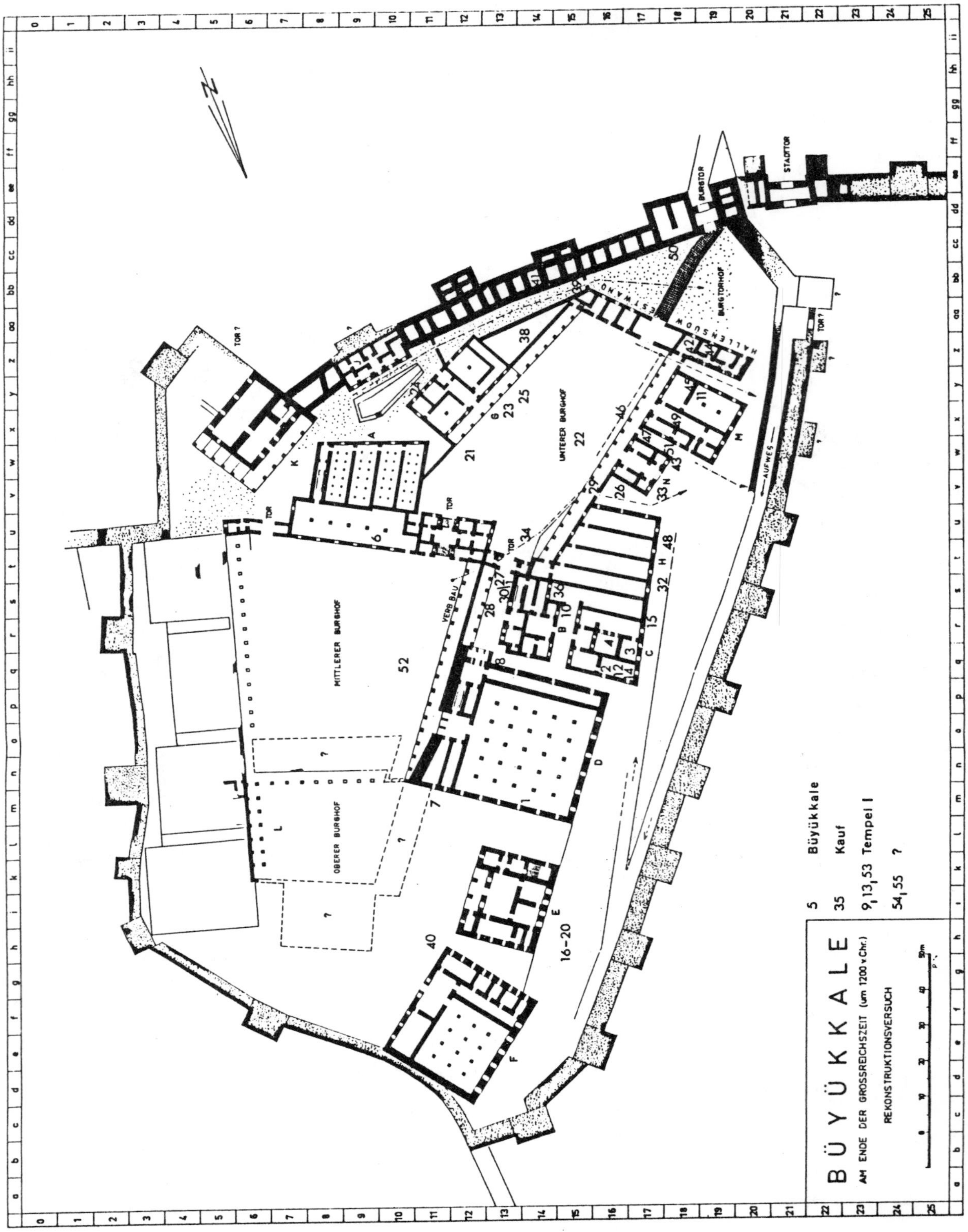
BÜYÜKKALE
AM ENDE DER GROSSREICHSZEIT (um 1200 v.Chr.)
REKONSTRUKTIONSVERSUCH
5 Büyükkale
35 Kauf
9,13,53 Tempel I
54,55 ?
MITTLERER BURGHOF
OBERER BURGHOF
UNTERER BURGHOF
BURGTOR
STADTTOR
BURGTORHOF
AUFWEG
VERB.BAU
TOR
TOR ?

TAFEL 3

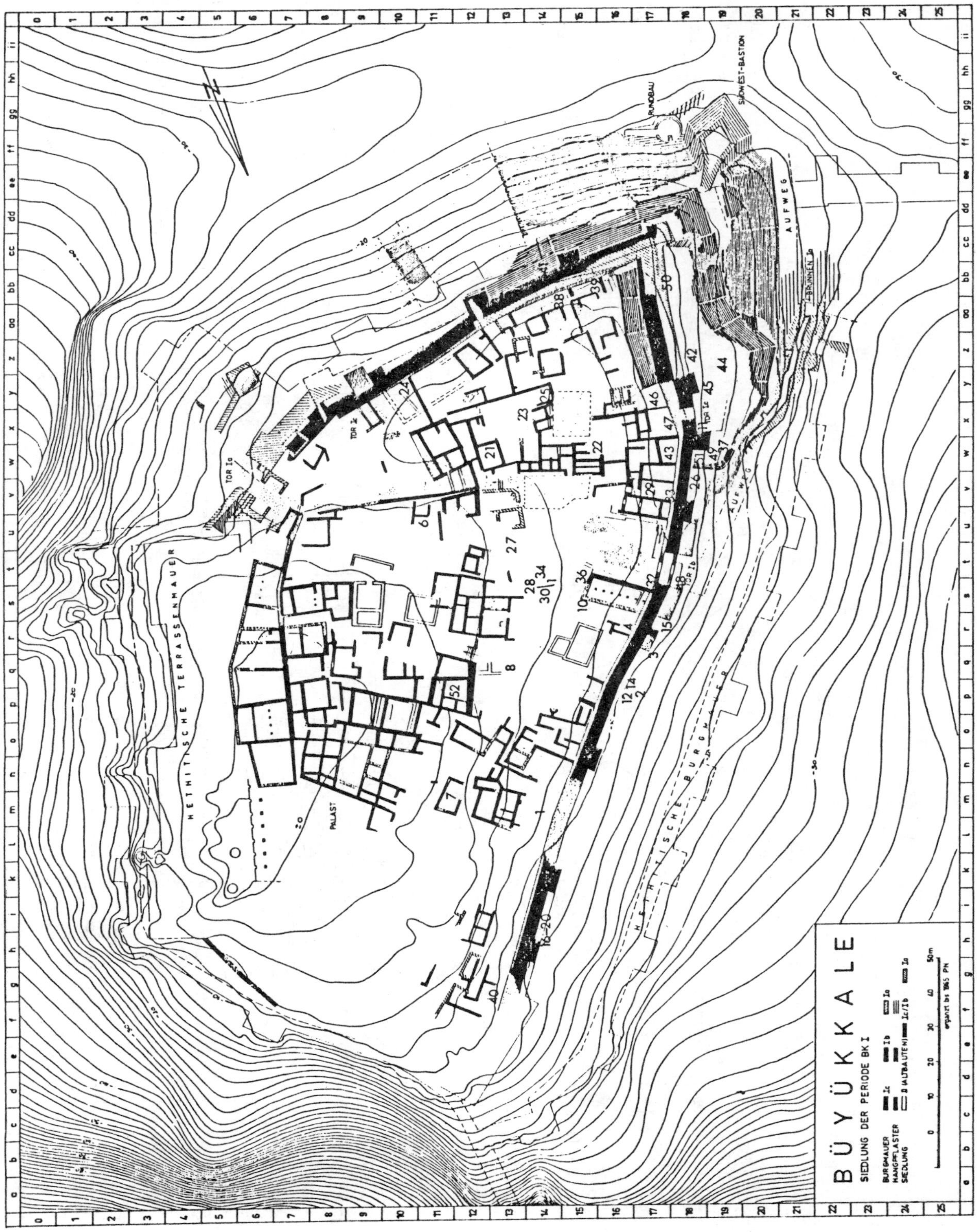
BÜYÜKKALE
SIEDLUNG DER PERIODE BK I
BURGMAUER
HANGPFLASTER
SIEDLUNG
HETHITISCHE TERRASSENMAUER
PALAST
AUFWEG
RUNDBAU

TAFEL 4

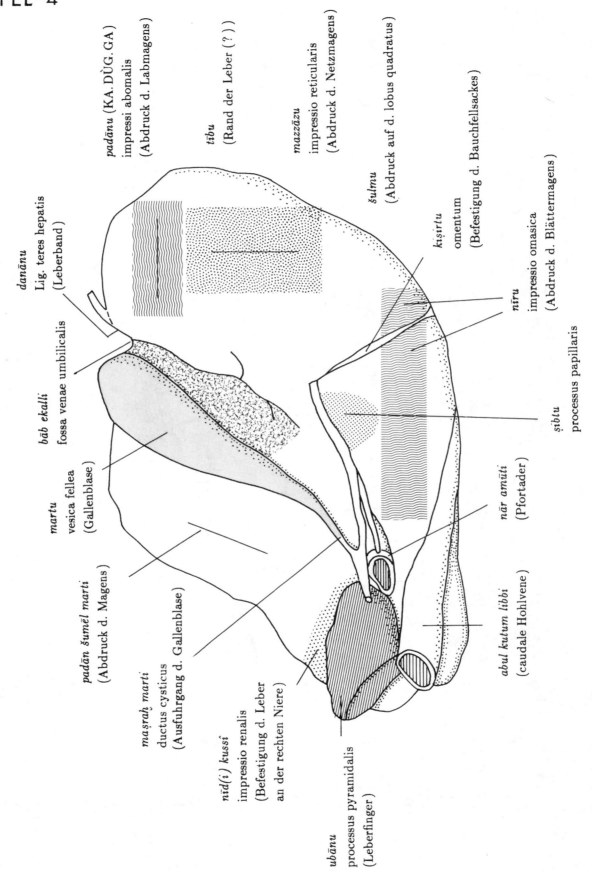

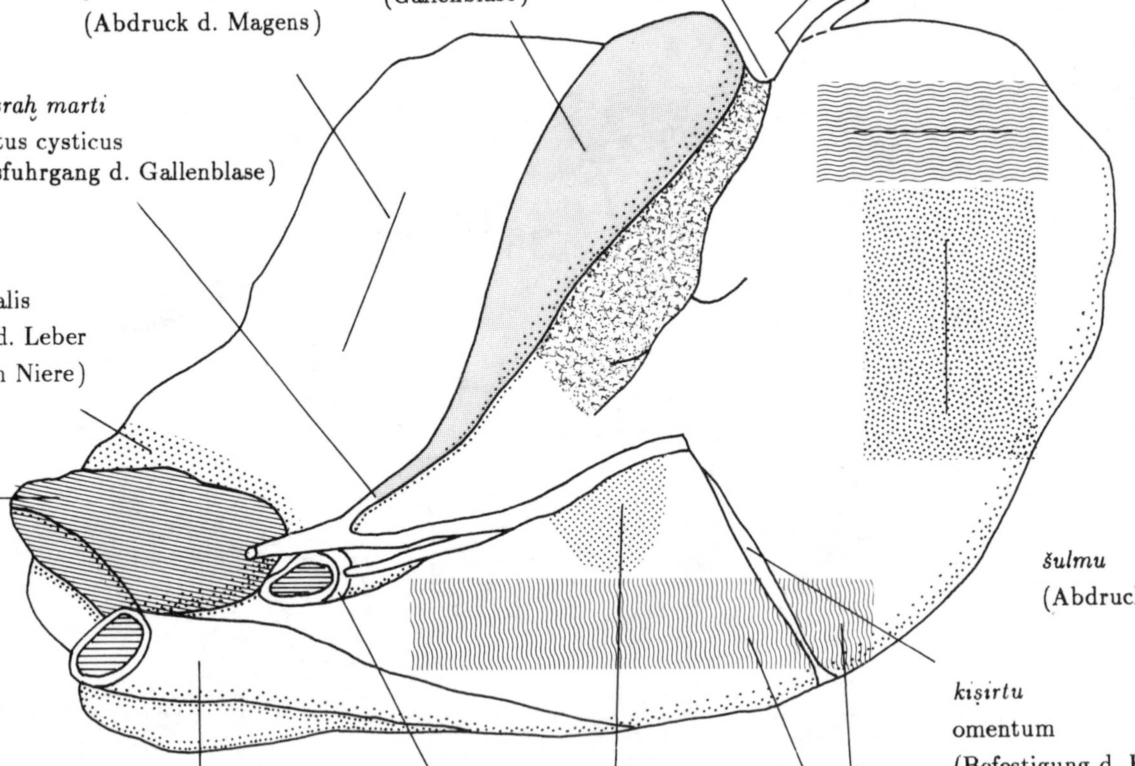

danānu
Lig. teres hepatis
(Leberband)
bāb ekalli
fossa venae umbilicalis
martu
vesica fellea
(Gallenblase)
padān šumēl marti
(Abdruck d. Magens)
maṣraḫ marti
ductus cysticus
(Ausfuhrgang d. Gallenblase)
nīd(i) kussî
impressio renalis
(Befestigung d. Leber
an der rechten Niere)
ubānu
processus pyramidalis
(Leberfinger)
abul kutum libbi
(caudale Hohlvene)
nār amūti
(Pfortader)
ṣibtu
processus papillaris
nīru
impressio omasica
(Abdruck d. Blättermagens)
kiṣirtu
omentum
(Befestigung d. Bauchfellsackes)
šulmu
(Abdruck auf d. lobus quadratus)
mazzāzu
impressio reticularis
(Abdruck d. Netzmagens)
tību
(Rand der Leber (?))
padānu (KA.DÙG.GA)
impressi abomalis
(Abdruck d. Labmagens)

TAFEL 5

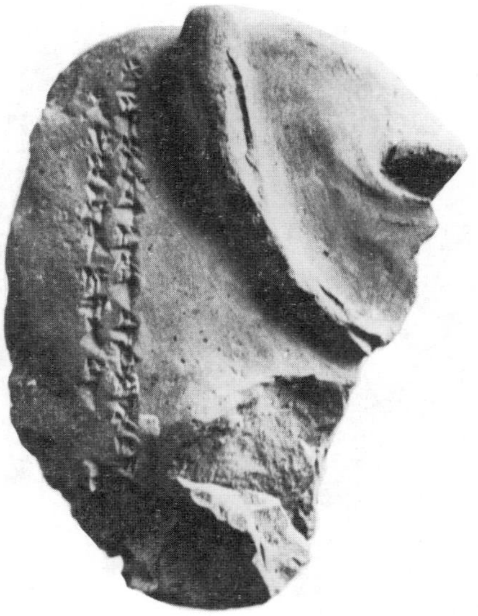

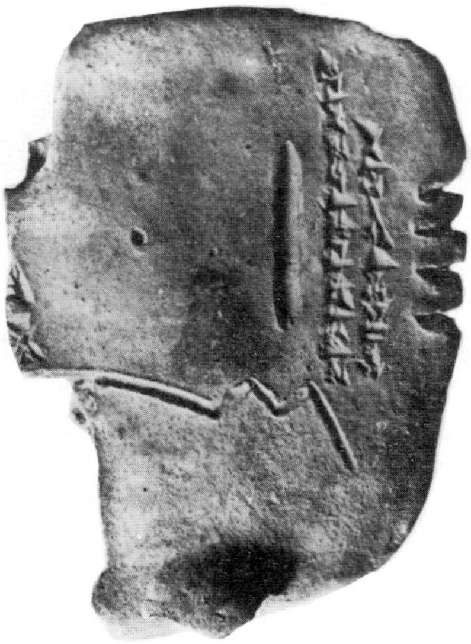

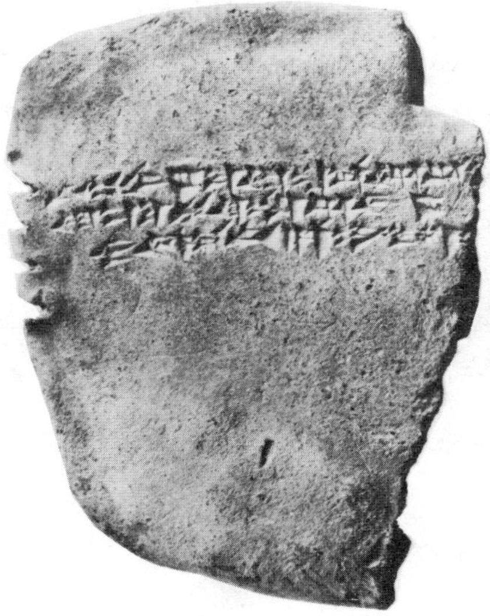

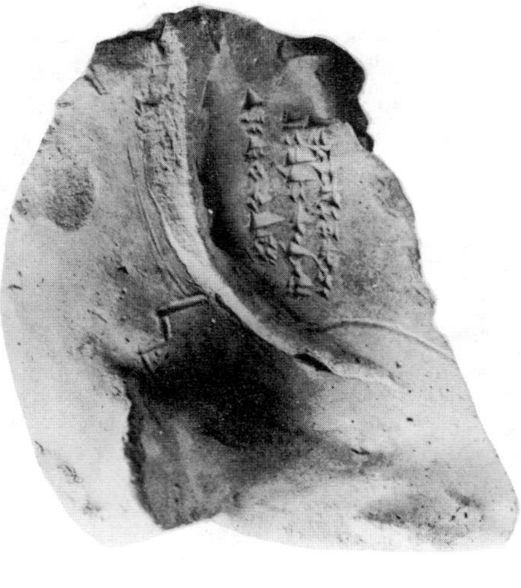

TAFEL 6

TAFEL 7

TAFEL 8

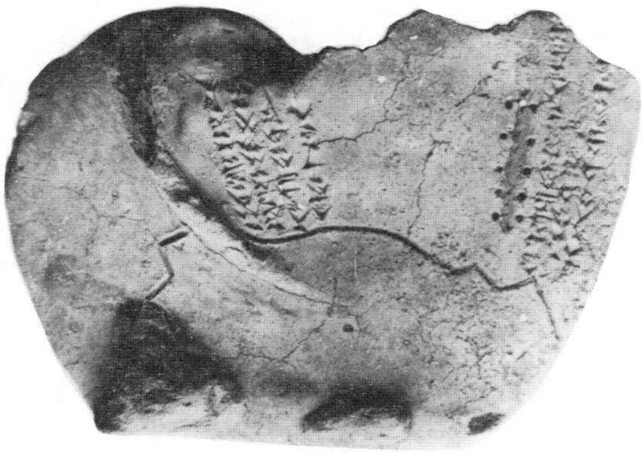

TAFEL 10

89982

TAFEL 12

TAFEL 13

TAFEL 14

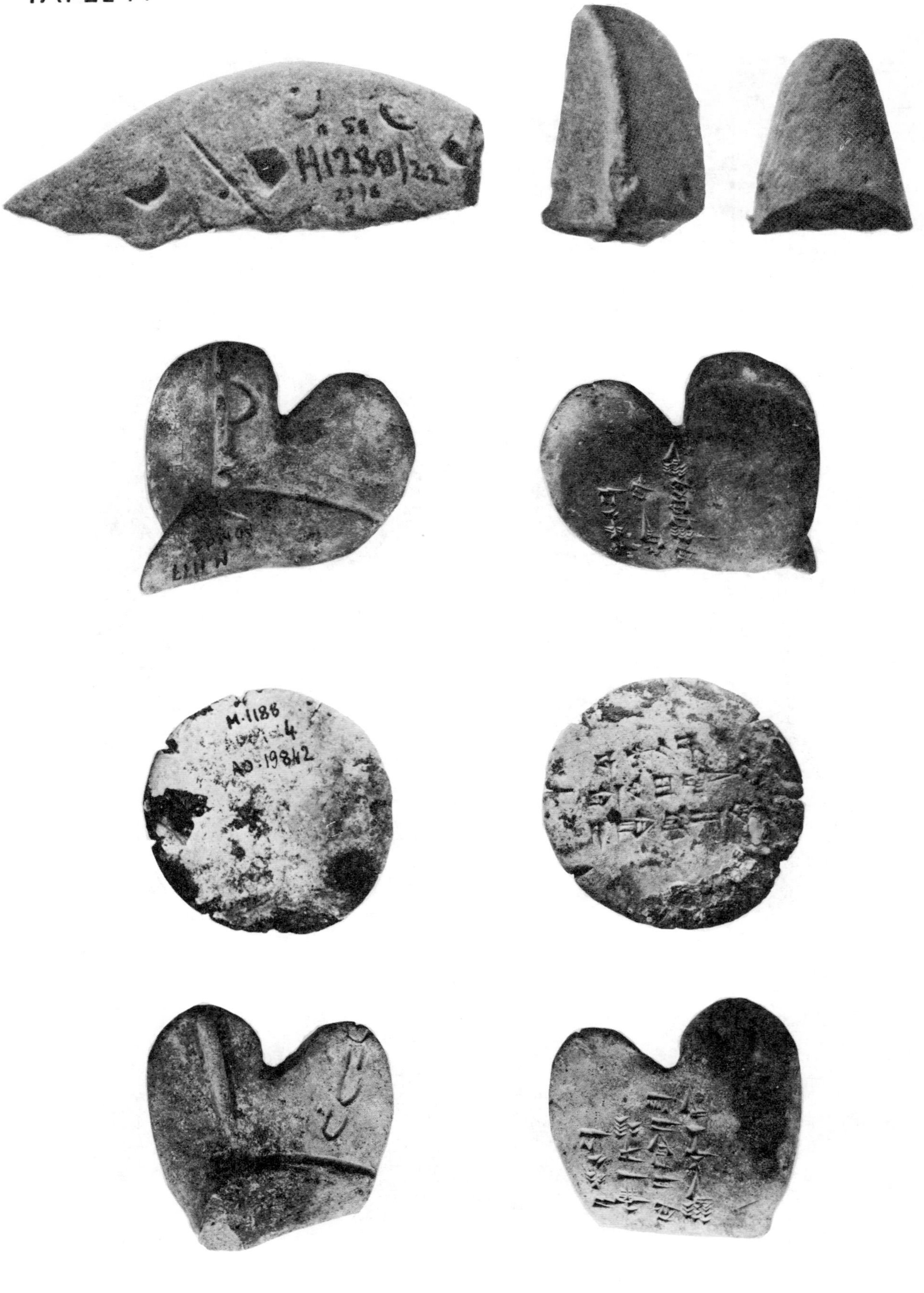

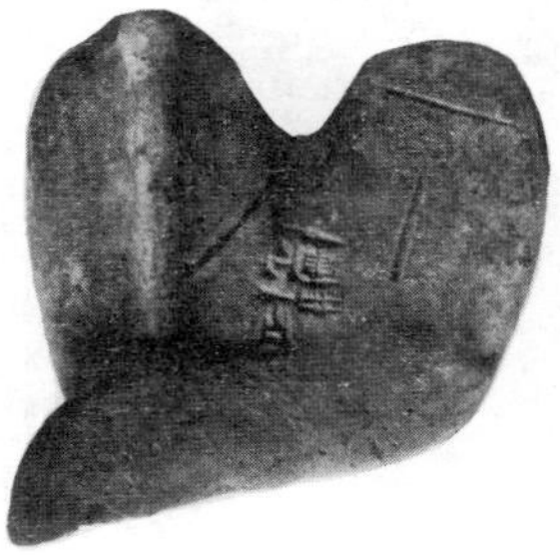

TAFEL 16

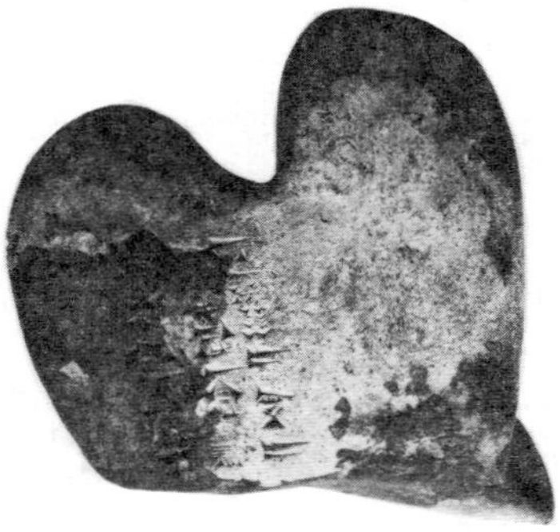

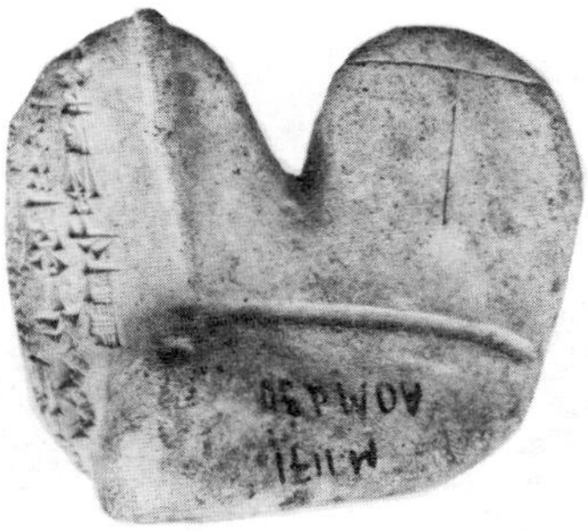

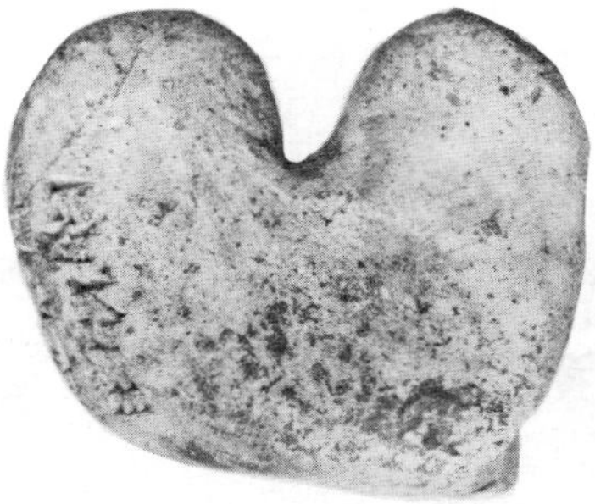

TAFEL 18

24-310

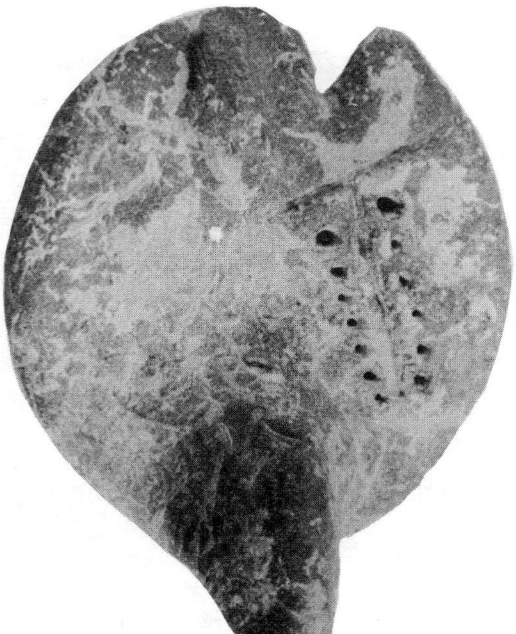

TAFEL 20

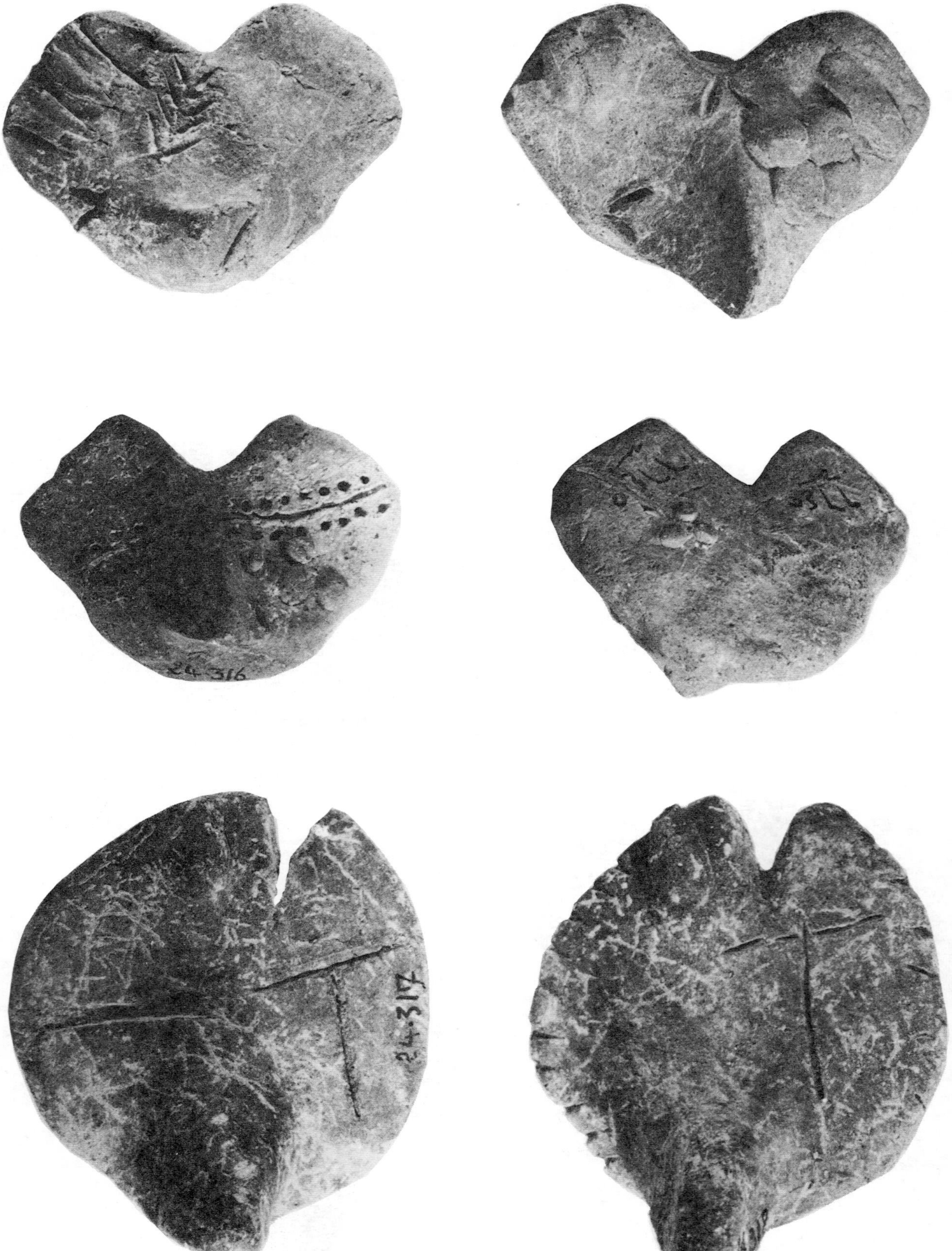

TAFEL 21

TAFEL 22

TAFEL 24

TAFEL 26

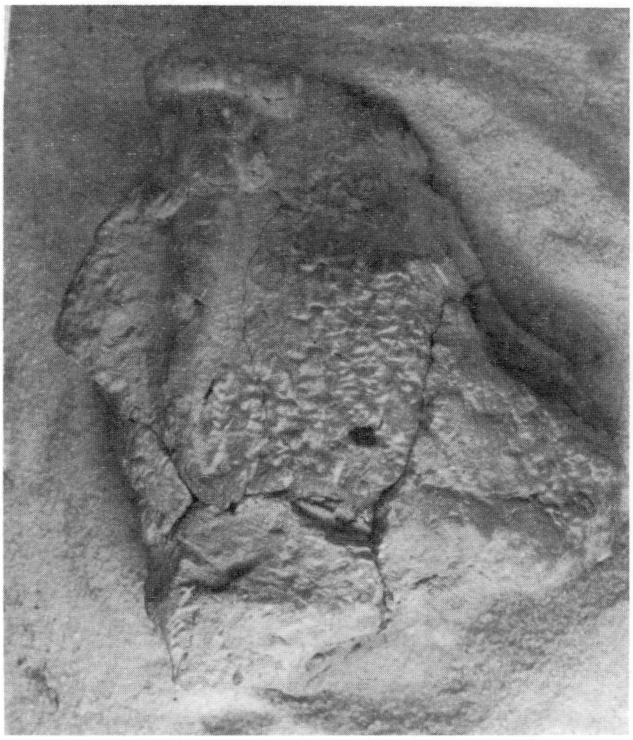

1580